Douël.

CES MESSIEURS DE SAINT-MALO

Bernard Simiot, après des études classiques à la Sorbonne, s'est consacré à la réalité historique de son temps. Grand reporter, il a parcouru quatre continents. Parallèlement, Bernard Simiot a publié plusieurs ouvrages dans lesquels il réconcilie le journalisme et l'histoire : Piste impériale, La Reconquête, De Lattre, De quoi vivait Bonaparte, Suez, cinquante siècles d'histoire *(Deuxième Grand Prix Gobert de l'Académie française). Il a publié aux éditions Albin Michel,* Moi, Zénobie reine de Palmyre, *qui obtint le Goncourt du récit historique,* Ces Messieurs de Saint-Malo *et leur suite :* Le Temps des Carbec.

Seul de tous les petits commerçants de Saint-Malo, Mathieu Carbec, dont les grands-parents vendaient naguère de la chandelle, a eu l'audace d'acheter trois actions de la Compagnie des Indes Orientales que vient de fonder Colbert. Ce sera le point de départ d'une grande saga familiale au moment où la bourgeoisie maritime se rue à la conquête des piastres, des charges et des titres nobiliaires.

Négociants, armateurs, corsaires ou négriers, les Carbec, parmi tant d'autres, se lanceront sur toutes les mers du globe, de Terre-Neuve à Pondichéry, de la Chine au Pérou, sans se soucier de savoir si leurs écus ou leurs fleurons sentent trop les épices ou la traite, la ruse ou la fraude. Port de pêche aux maisons de bois, Saint-Malo deviendra en quelques décennies une cité de pierre aux façades orgueilleuses. Lorsque la Compagnie des Indes connaîtra de graves difficultés financières, le Roi lui-même décidera que pour la renflouer il convient de faire appel à « ces Messieurs de Saint-Malo ».

En imaginant l'ascension de la famille Carbec, Bernard Simiot a écrit un grand roman d'aventures et d'amours qui est d'abord un grand roman de société.

Paru dans Le Livre de Poche :

MOI, ZÉNOBIE REINE DE PALMYRE.

BERNARD SIMIOT

Ces messieurs de Saint-Malo

ROMAN

ALBIN MICHEL

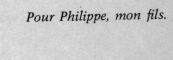
Pour Philippe, mon fils.

1

MATHIEU CARBEC

Son chapeau à la main, se composant sans même y prendre garde un visage respectueux et dévot comme s'il allait entendre la messe, Mathieu Carbec entra à pas comptés dans la grande salle de l'abbaye Saint-Jean réservée aux délibérations des officiers municipaux. Une centaine d'hommes y étaient déjà réunis : cinq ou six religieux autour de leur évêque, quelques gentilshommes de vieille tradition et des anoblis de fraîche date, des armateurs et leurs capitaines, les notaires et les médecins, d'anciens regrattiers qui vendaient maintenant de la toile et du brai. L'horloge marquait quatre heures. Bien qu'il fît grand jour, des chandelles éclairaient, au fond de la salle, un tableau représentant le roi drapé de pourpre, d'azur et d'or.

Un roulement de tambour salua l'arrivée du gouverneur de la Bretagne. Perché sur de hauts talons, vêtu d'un justaucorps bleu foncé brodé d'argent que rehaussait le cordon du Saint-Esprit, le duc de Chaulnes traversa l'assemblée d'un pas vif, sans tourner la tête ni à droite ni à gauche sauf pour s'incliner devant Mgr de Villemontée et accorder un menton impérieux à Alain Magon, l'homme le plus riche de la ville. Parvenu au fond de la salle, il s'assit dans un fauteuil placé devant une longue table de marbre où tremblaient les feux de deux chandeliers, ouvrit un maroquin rouge à filets d'or, en sortit quelques feuillets et regarda longuement les visages immobiles qui lui faisaient face. Son discours fut celui d'un gentilhomme pour lequel l'habitude de la parole égalait le goût du commandement.

Le roi, dit-il, avait daigné lui confier la mission de faire connaître aux messieurs de Saint-Malo qu'une délégation des principaux marchands de Paris s'était rendue à Fontainebleau pour prier Sa Majesté d'accorder sa permission à l'établissement d'une compagnie puissante pour le commerce avec les Indes orientales. Soucieux de multiplier les échanges qui contribueraient à la création de nouvelles manufactures et à la construction de nouveaux navires, plus soucieux encore d'arrêter l'humiliation subie par la France de payer chaque année un véritable tribut aux puissances maritimes qui l'approvisionnaient de produits indiens, le roi avait donné son accord. Des chantiers navals seraient donc ouverts sans délai à Saint-Malo, Le Havre, La Rochelle et Bayonne, et des navires immédiatement achetés en Hollande où depuis quarante années une compagnie des Indes distribuait plus de cinquante pour cent de dividendes à ses actionnaires. Là où les autres entassaient de gros bénéfices, pourquoi les Français ne le feraient-ils pas à leur tour ?

Disant ces mots, prononcés avec tant de grandeur qu'on eût cru qu'ils tombaient de la bouche peinte de Louis XIV dont le portrait dominait l'assemblée, le duc de Chaulnes vit briller le regard des hommes qui l'écoutaient. Plus que la lumière des chandelles, la surprise avait changé leurs yeux en poissons d'or. Il jeta son filet dans cette mer miraculeuse.

La Compagnie, poursuivit-il sur le ton d'un secret confié aux seuls gens de qualité, disposerait d'un fonds social de quinze millions de livres divisé en quinze mille actions de mille livres payables par tiers. Le roi verserait trois millions. Devant l'exemple donné par Sa Majesté, les reines, monseigneur le Dauphin, les princes du sang, la haute noblesse, les Cours souveraines avaient déjà pris intérêt dans la Compagnie royale des Indes orientales. Un premier armement de trois ou quatre vaisseaux partirait bientôt pour Madagascar où la Compagnie acquerrait aussitôt la propriété perpétuelle de l'île comme elle deviendrait propriétaire exclusive de toutes les autres terres qu'elle pourrait conquérir plus tard. Devenue une véritable puissance dans la mer des Indes, elle aurait le droit d'entretenir une armée, recruter des troupes, nommer des officiers, fondre des canons, posséder des navires de commerce ou armés en guerre avec des équipages recrutés par ses soins, conclure des traités d'alliance, déclarer la guerre et rendre la justice.

Il ne restait plus au duc de Chaulnes qu'à ramener sa nasse. Regardant les uns et les autres avec assez d'attention pour faire croire à chacun qu'il le prenait pour confident, il dit que la Compagnie serait représentée dans son domaine colonial par un gouverneur général auquel le roi avait donné tous les pouvoirs nécessaires pour ériger en marquisats, comtés, vicomtés et baronnies, les concessions dont bénéficieraient les émigrants. Ceux-ci, après cinq ans de séjour, pourraient revenir en France pour y faire reconnaître leur blason, y vivre si bon leur semblait, prendre le titre de leurs terres lointaines et en porter les armes. Sa Majesté ne doutait plus que les bonnes villes auxquelles il s'adressait, en particulier Saint-Malo, ne veuillent profiter de l'occasion qui était offerte à leurs habitants de développer leurs affaires, parvenir à la noblesse ou y obtenir des positions plus élevées, enfin bien mériter envers Dieu, le principal dessein d'un si grand établissement demeurant de porter la lumière de l'Evangile en ces pays éloignés.

Le gouverneur ne dissimula point sa satisfaction d'entendre sa péroraison provoquer des applaudissements bien frappés. Chacun y trouva son compte. Fin connaisseur, l'évêque avait apprécié le balancement des périodes royales, encore qu'il eût trouvé un peu forcée pour son goût l'allusion finale à la propagation de la foi chrétienne : il pensait volontiers que l'Eglise, depuis les Croisades, mêlait trop souvent l'espoir du profit à l'espérance de la vie éternelle. Déjà célèbre pour sa fortune, Alain Magon avait immédiatement donné son adhésion sans réserve. Les armateurs et les gens du commerce applaudirent en faisant beaucoup de bruit : les uns voulaient en finir avec le monopole que les Hollandais entendaient se réserver en Asie par tous les moyens, telle la fabrication de fausses cartes de navigation répandues secrètement dans les ports étrangers, les autres se félicitaient d'avoir entendu que le négoce lointain allait être enfin protégé par les armes, chacun se voyait déjà porteur d'une petite épée ou bénéficiaire de quelques nouveaux fleurons.

Mathieu Carbec quitta l'assemblée, la tête déraisonnable. Il était toujours tiraillé entre le goût du risque et celui de la précaution, balançait entre le désir d'amasser et celui de parvenir. Tourmenté par l'appétit de l'argent et la convoitise des honneurs, il se demandait si l'accession à ceux-ci n'exigeait pas d'abord la sûreté de celui-là. Chemin faisant, il supputa les profits que la création d'une grande compagnie de commerce pourrait rapporter aux avitailleurs et aux marchands d'apparaux. Que d'autres partent pour Madagascar, c'était leur affaire! A lui, Mathieu, une sorte d'instinct commandait de se

12

boucher les oreilles pour ne plus entendre les sirènes de M. de Chaulnes, et lui disait qu'il y aurait davantage à gagner en vendant du poivre et de la cannelle à Saint-Malo qu'en allant les acheter sur place. Les titres promis par le roi? Sa femme, la fille d'un marchand de chandelles, devenant noble? Il en avait ri tout haut. Il s'était rappelé aussi que la Marie lui avait apporté en dot une petite terre située à l'embouchure de la Rance, dite *La Bargelière*. Sans aller aux Indes, ne pourrait-il pas gagner assez d'argent pour s'acheter un jour quelque charge anoblissante? D'autres Malouins, dont les pères ne valaient pas le sien, l'avaient fait avant lui. La sagesse, c'était de souscrire un très petit nombre d'actions, trois par exemple, pour lui permettre d'avoir accès au monde nouveau que ne manquerait pas de provoquer la Compagnie des Indes orientales, et de s'y appuyer pour donner à ses affaires des mesures moins étroites. Carbec de la Bargelière, cela sonnait bien. Il pensa que l'aîné de ses trois garçons pourrait s'appeler ainsi dans une vingtaine d'années, et il ouvrit la porte de sa maison. C'était le 15 septembre 1664, il s'en souviendrait tout le reste de sa vie.

Dans la boutique vide et silencieuse rôdait une odeur fade et écœurante, mêlée à celles de la morue et de la cannelle. Mathieu la flaira comme un chien inquiet. Il appela sa femme : « Marie, holà Marie! » Sa voix tremblait. Le souffle court, il s'élança dans l'escalier, buta sur une marche et s'arrêta, terrifié. Sa femme était étendue sur le palier, le visage gris et barbouillé de vomissures. Tout près d'elle, dans ses jupes, deux enfants dormaient, déjà semblables à des poupées de cire. Mathieu Carbec n'avait pas besoin d'être clerc pour comprendre qu'ils venaient d'être terrassés tous les trois par la maladie noire dont on rendait responsable un navire mal enfumé à son retour des îles. Il se pencha sur eux, crut entendre leur respiration, se rassura un instant, n'osa pas les toucher, se demanda s'il fallait appeler le médecin ou le curé, se précipita dans l'escalier et sortit dans la rue pour demander le secours des voisins. Le lendemain, Marie Carbec et ses deux enfants étaient morts. On les enterra bientôt. Un homme de la Maison de Ville traça à la chaux une croix sur la porte de la boutique de Mathieu.

Les épidémies, les naufrages, les incendies, les guerres jalonnaient alors la vie des hommes et des femmes de Saint-Malo, points de repère aussi commodes que les mariages, les naissances et les baptêmes, tous enrobés d'encens, de prières et de sonneries de cloches. Mathieu ne tendit pas le poing vers le Ciel. Courbant les épaules, il remercia même la Providence d'avoir épargné son troisième fils, Jean-Marie, mis en nourrice à Paramé, mais il s'attarda devant les grandes affiches blanches que le gouverneur avait fait coller sur les murs afin d'engager les Malouins à partir pour Madagascar, appelée désormais l'île Dauphine. Au lieu de souscrire trois actions de la Compagnie, pourquoi ne s'inscrirait-il pas sur la liste des volontaires, comme tous ces hommes partis les années précédentes pour les îles du Vent et dont on n'avait jamais su ce qu'ils étaient devenus? Un commis de l'intendant lui fit remarquer qu'il n'entrait pas dans la catégorie des compagnons réclamés : l'île Dauphine n'avait pas besoin de marchands mais d'artisans. Alors, enfermé dans sa boutique, il se soûla à grands coups d'eau-de-vie et jura le nom de Dieu. Huit jours plus tard, on le revit sur le pas de sa porte, dégrisé et se rappelant qu'il lui restait un fils âgé de quelques mois. C'était comme si l'alcool eût décapé son tourment.

La nourrice de Paramé l'accueillit en faisant un signe de croix. Elle connaissait la nouvelle.

« Mon pauvre monsieur! Ça m'a donné un coup. J'ai cru que mon lait tournait. »

Elle se reprit avec la prudente rapidité des pauvres :

« Il est toujours bon, ne craignez point. »

C'était une fille de Cancale, courte, aux fortes hanches, un peu noiraude, les pommettes hautes, mariée à un marin pêcheur qui lui faisait un enfant à chaque retour de Terre-Neuve. Elle pouvait en nourrir au moins deux à la fois, la besogne ne lui faisait pas peur.

Mathieu entra dans une salle basse, au sol de terre battue. Quelques ustensiles de fer et de cuivre brillaient dans l'ombre enfumée, accrochés au manteau d'une cheminée noire. Contre le mur de torchis se dressaient des sortes d'armoires sans battant, à deux étages, dont les planches étaient recouvertes de paillasses où des enfants se recroquevillaient. Au centre de la salle, des bancs entouraient une table où l'on avait posé un pain de seigle fraîchement entaillé. Près de la fenêtre, contre le coffre à linge il vit, posée à terre, une minuscule chaloupe de bois ouvragé, moitié berceau moitié jouet : un petit lit d'enfant, avec des draps, les seuls de la maison.

Jean-Marie dormait, ligoté dans un maillot, la tête coiffée d'un bonnet de laine, les joues lisses comme des pommes. Mathieu le regarda, s'aperçut qu'il n'avait jamais regardé un de ses enfants aussi longtemps, et il ressentit une sorte de crainte devant cette vie minuscule qui s'en allait déjà sur la mer, les poings serrés, dans un lit en forme de barque. C'était son garçon. Les autres avaient été nourris, soignés, protégés par leur mère. Il ne s'en était pas soucié, les enfants c'est l'affaire des femmes. Celui-là, il avait fallu lui donner une nourrice

15

parce que la pauvre Marie n'aurait eu ni le temps ni la force de s'occuper des épices et d'élever trois mouflets arrivés en quatre ans.

Désignant un banc, la Cancalaise dit :

« Remettez-vous, monsieur Carbec. »

Elle l'avait appelé « monsieur ». Les armateurs qui venaient dans sa boutique l'appelaient Mathieu et le tutoyaient. Ici, on l'appelait monsieur. On l'avait ainsi qualifié le jour où le duc de Chaulnes était venu à l'hôtel de ville exposer le désir du roi de voir ceux de Saint-Malo participer au capital de la Compagnie des Indes orientales. Tout compte fait, cette femme avait raison : Jean-Marie était le seul à dormir ici dans des draps blancs.

Il s'était assis. Le décor misérable qui l'entourait ne le gênait pas. Chez son père le regrattier de la rue du Tambour-Défoncé, quand il était lui-même enfant, qu'avait-il connu d'autre? Une pendule, des chaises, des lits clos garnis de draps et de couvertures, des bassines de cuivre. C'est tout. Il y avait aussi six cuillers d'argent, invisibles, sa mère les cachait. Il observa que les paillasses étaient propres et il trouva naturel qu'une poule entrât dans la pièce pour y picorer quelque miette de pain. La femme plaça sur la table un cruchon d'étain.

« Vous prendrez bien une bolée? »

Il n'y avait aucun désir de plaire dans sa question. C'était simple politesse. Mathieu crut deviner dans le timbre de sa voix comme une crainte de s'entendre dire qu'on allait reprendre son nourrisson pour le confier à une Malouine. Il pria la femme d'apporter une seconde tasse pour elle.

C'était du petit cidre, aigre, qui râpait les dents. Ils buvaient en silence, ne se disant rien parce qu'ils n'avaient rien à se dire. Elle affirma en regardant Jean-Marie qui s'agitait :

« C'est le plus beau de tous. »

16

Le garçon s'était réveillé. Il se mit à hurler, et son père fronça la noire épaisseur de ses sourcils.

« Il a faim, c'est l'heure », dit la nourrice.

Déjà, elle délaçait son corsage, l'ouvrait, et, s'aidant de ses mains, en sortait une tétasse énorme, aussi blanche que son visage était hâlé, gonflée, soyeuse et veinée de bleu. Elle offrait avec simplicité le plus vieux spectacle du monde à un veuf partagé entre la fierté de regarder son fils boire goulûment et l'honnêteté qui lui commandait de détourner les yeux d'une poitrine dont l'éclat le troublait. La femme accomplissait sa tâche avec une joie paisible qui détendait ses traits et les nimbait d'une douceur enfantine, semblable à celle qu'il avait contemplée autrefois sur les peintures de la cathédrale.

Les minutes passèrent. Soudain, le rythme de la succion se ralentit. Jean-Marie était repu ou fatigué. La nourrice ne l'entendit pas ainsi. Sachant qu'il n'avait pas bu sa ration, elle dit doucement :

« Faut pas t'endormir sur le rôti, mon gars! »

Elle trempa un doigt dans la bolée de cidre et en humecta son mamelon turgescent qu'elle enfonça dans la bouche du marmot. Celui-ci recommença à téter. Son père en fut stupéfait.

« Les hommes, fit gravement la femme, aiment bien la goutte. »

Mathieu Carbec en conclut que c'était là une bonne nourrice et décida qu'il laisserait son fils à Paramé. Le même jour il se rendit à l'hôtel de ville et souscrivit trois actions de mille livres dont il paya immédiatement le tiers en échange de trois jolies vignettes timbrées aux armes de la Compagnie royale des Indes orientales : un écusson en forme de globe terrestre chargé de fleurs de lys, enfermé de deux branches, l'une de palme, l'autre d'olivier, jointes au sommet et portant une autre fleur de lys. Deux allégories, la Paix et l'Abondance, supportaient ce blason dont la devise avait été imaginée par le roi en personne : « Florebo quocumque ferar. » Mathieu avait retenu assez de latin pour apprécier ce langage prometteur : « Je fleurirai où que j'aille. »

Ses titres une fois rangés dans un coffre de bois dur, cerclé de fer, dont il portait toujours la clef sur lui, Mathieu ouvrit un registre où il avait coutume de consigner tous les soirs ses achats, ses ventes et la dépense domestique. Il ne s'était plus livré à ces opérations depuis le jour où, poussant la porte de sa maison, il avait reconnu l'odeur de la mort écœurante. La boutique sentait encore le vinaigre que les agents municipaux avaient répandu pour la désinfecter, mais les vieilles odeurs retrouvaient leur épaisseur familière. Il en fut rassuré, presque heureux, et courbé sur son gros cahier il s'appliqua à rattraper le retard de ses comptes. Saisi par le vertige des chiffres il en griffonna bientôt des colonnes dont lui seul connaissait le secret parce que ses calculs étaient ses propres songes en forme d'additions et de multiplications. La nuit était venue. Il alluma une chandelle. Le sommeil brouillait ses yeux. Alignés avec soin, les chiffres qu'il avait imaginés couraient maintenant tout seuls sur le papier, comme des colonnes de fourmis. Sa tête s'inclina et il s'endormit. A l'aube, les cris des goélands au ras des toits le réveillèrent. Il avait rêvé d'un gros sein de femme, tout blanc, d'où poussait un lys d'or qui sentait la cannelle.

Les lys de la Compagnie des Indes avaient moins fleuri que ne l'espérait Louis XIV. Après dix années d'efforts, les caisses étaient vides. Avaient-elles jamais été pleines ? Pressés d'obtenir rapidement la couverture du capital fixé à quinze millions de livres, les gouverneurs avaient bien obtenu l'accord verbal de nombreux souscripteurs, non leurs écus. En 1670, les actionnaires n'avaient versé que quatre millions de livres dans les coffres de la Compagnie, maigre provende qui avait contraint Colbert à talonner la noblesse et la riche bourgeoisie des provinces. Les intendants s'étaient heurtés à de tels refus que l'un d'eux avait fait connaître la nécessité où il se trouverait d'envoyer ses dragons pour obéir aux ordres du ministre.

Cependant, la Compagnie n'avait pas attendu d'encaisser pour entreprendre. Grosse d'un nombreux personnel administratif et maritime, elle avait acheté des navires en Hollande, ouvert des chantiers, élevé des magasins et des ateliers, bâti, lancé et armé pour la mer des Indes plus de trente navires. Elle avait aussi transporté plus de mille colons à Madagascar, pris possession de l'île Bourbon et installé quelques petits comptoirs sur la côte des Malabars. Accablée de dettes, démunie d'argent frais, elle avait dû contracter de gros emprunts qui, joints à certaines dépenses fastueuses, avaient placé les directeurs devant la nécessité d'en appeler à la générosité du roi. Toujours superbe, celui-ci avait répondu :

« Toutes vos difficultés sont inséparables des commencements des grands desseins et sont autant d'occasions où les hommes de poids font mieux paraître leur fermeté. »

Miel délectable auquel Louis XIV avait ajouté un régal plus solide en faisant charger une somme de deux millions sur des chariots, qui, escortés d'une compagnie de Suisses bien habillés et bien armés, avaient aussitôt traversé Paris pour se rendre au siège de la Compagnie luxueusement installé rue Saint-Martin, à côté de l'église Saint-Julien.

Ebranlés par une telle munificence, les directeurs n'en demeuraient pas moins inquiets. Leur argent, ils l'avaient donné pour créer une compagnie de commerce, non pour installer une colonie de peuplement. S'il s'agissait d'acheter du café, des peaux, des épices, des gommes ou de l'indigo, ils voulaient bien participer aux risques de l'entreprise, mais qu'on ne compte pas sur eux pour conquérir un empire colonial, source de grandes dépenses et de grosses pertes, auquel les bureaux de Paris donnaient déjà le nom de Gallia Orientalis.

Mathieu Carbec n'avait pas partagé les mêmes inquiétudes. Fidèle à la parole donnée, il ne s'était dérobé ni à l'appel du deuxième tiers ni à celui du troisième, comptant bien tirer un profit immédiat de la grande agitation provoquée à Saint-Malo par l'installation des chantiers navals autour desquels s'affairaient charpentiers, forgerons, calfateurs, et des magasins où s'entassaient les planches, les clous, les bordages, les ancres marines, la peinture et le chanvre. Trop modeste actionnaire pour se permettre de prendre des parts dans l'armement des dix vaisseaux partis pour Fort-Dauphin, il avait vite compris que, pour être sûr de ne pas perdre les fonds confiés à une société, un actionnaire doit s'empresser de lui rendre quelques services contre argent comptant. C'est ainsi qu'il avait pu participer à la fourniture de toile à voiles, poulies, lanternes, câbles et autres cordages nécessaires à la flotte de Madagascar.

Affairé, long, maigre et grave, Mathieu Carbec ne souriait jamais. Naguère gai compagnon des réunions familiales dans une ville où tout le monde est plus ou moins cousin, il était devenu un homme triste, aux gestes lents et à la parole rare, nez pointu, habillé de noir. Les uns pensaient qu'après dix années il n'avait pas encore épuisé son chagrin, les autres qu'il cherchait l'oubli dans le travail. Certains risquaient, avec des airs entendus, que le cousin Mathieu cachait des réaux d'argent dans sa cave, d'autres qu'il était devenu fier depuis qu'il fréquentait ces messieurs de la Compagnie. Tous respectaient sa volonté de solitude mais chacun eût été heureux de le voir se remarier parce qu'il est dangereux, pour son âme et pour son commerce, qu'un marchand encore jeune ne confie pas à une femme le gouvernement de sa maison. Les veuves ne manquaient pourtant pas à Saint-Malo.

Ces bavardages, Mathieu Carbec n'avait pas besoin de les écouter pour les entendre. S'il en souriait quelquefois, son sourire ne montait jamais jusqu'à ses yeux, même quand il était seul, la nuit tombée, au fond de sa boutique, courbé sur le gros registre où il empilait des chiffres les uns sur les autres. Laborieuse et dévote, toute la vie de Mathieu était inscrite sur son livre de comptes. Il lui arrivait souvent d'en tourner les pages, de relire son écriture appliquée et maladroite, étoilée parfois d'un pâté d'encre dont la seule vue faisait mal aux doigts comme si la baguette du prêtre qui lui avait appris le rudiment frappait encore ses ongles. Sur les feuillets du livre, il voyait alors apparaître les visages de ses parents, de ses compagnons d'enfance ou de vieux Malouins dont la silhouette lui avait été familière, sans jamais parvenir à fixer les traits de sa femme et de ses deux enfants morts. Malgré ses efforts, sa mémoire ne lui obéissait plus. C'était comme s'il eût marché à tâtons dans une brume épaisse où ses souvenirs s'engloutissaient. Curieusement, il avait retenu le son de leur voix et, dès qu'il les entendait, une certaine odeur de fièvre mêlée à celle du goudron et de la morue lui sautait au nez. Il entendait aussi le froissement du papier des trois actions de la Compagnie des Indes achetées quelques jours après l'enterrement et sur lesquelles il avait rêvé pendant une nuit entière en ignorant que les grandes entreprises commencent toujours par des rêves.

Mathieu Carbec tournait les pages de son registre

comme il aurait fait avec un gros livre de prières, les lisant d'abord à mi-voix, ligne après ligne, semblable au prêtre qui au début de l'office prononce avec une consciencieuse gravité les mots sacrés de la liturgie et s'imprègne de leur mystère. Son débit devenait bientôt plus rapide, plus silencieux, litanie commerciale d'où surgissaient des images, des arômes et des rumeurs : toile à voiles 1 500 aunes, morue séchée 10 barils, cordage 300 coudées, goudron 10 fûts... Il connaissait par cœur son livre sur lequel il avait consigné ses opérations marchandes et sa dépense domestique, les aumônes, la nourriture, les cierges, les parts qu'il s'était décidé à prendre dans un petit armement à la pêche, les gages de la nourrice de Paramé. Il n'avait pas eu autre chose à écrire. Dix années de sa vie étaient racontées là dans ces pages où tout autre que lui n'aurait lu que la comptabilité d'un modeste commerçant mais dont quelques-unes rappelaient à Mathieu Carbec des prudences, des audaces, des inquiétudes, et de plus humbles secrets qu'il était seul à connaître.

Sur un feuillet de l'année 1666, il avait écrit en grosses lettres : prêt de 200 livres au denier 20 à Frédéric. C'était le jeune frère de sa femme, un charpentier qui avait abandonné les chantiers de Rocabey pour s'embarquer sur le *Saint-Jean-Baptiste*, un des navires du marquis de Montdevergue nommé gouverneur de Madagascar. La veille de son départ pour Rochefort où devait appareiller la flotte de la Compagnie, Frédéric était venu dire au revoir à son beau-frère et lui demander un peu d'argent. Au premier regard, Mathieu avait compris où avait disparu la prime touchée par le futur colon. Il ne lui en avait fait aucun reproche. Sans se l'avouer, il l'aimait bien, ce Frédéric, un homme beau et gai que les femmes regardaient et qui osait entrer, en plein jour, dans les bordels de la rue des Mœurs.

« Combien veux-tu? »

L'autre avait répondu avec un sourire enfantin, mi-respectueux, mi-railleur :

« Je ne vous demande pas de me faire un cadeau, monsieur mon frère. Il s'agit d'un emprunt. »

Avec une pointe interrogative, il avait ajouté :

« Cinq cents livres? »

Mathieu avait reçu le chiffre en pleine poitrine comme un boulet mais, vite ressaisi, il avait calculé le niveau auquel devrait se fixer sa générosité pour demeurer à la fois méritoire et prudente.

« Je vais te prêter cent livres au denier vingt[1] si tu jures devant Dieu de ne pas les dépenser avant de t'embarquer. »

Son bonnet ôté, Frédéric redevenu grave avait prêté serment.

« Reviens demain, lui avait alors dit Mathieu, tu auras ton argent.

– Pourquoi pas tout de suite puisque nous sommes d'accord? »

Mathieu avait pris son temps avant de répondre :

« Parce qu'il faut que j'établisse un reçu dans les bonnes règles. C'est ton intérêt autant que le mien.

– Ne vous donnez pas tant de soucis, mon frère, je vais vous signer sur l'heure un billet en blanc. Vous écrirez au-dessus de ma signature la somme dont nous sommes convenus. »

A Saint-Malo, comme dans tous les ports, il n'était pas difficile de trouver des marins auxquels on faisait signer n'importe quoi. Ce qui était souvent perdu sur les uns était toujours compensé par le bénéfice gagné sur les autres. Mathieu avait hésité pendant un bref instant. Finalement, la méfiance l'avait emporté sur la tentation.

---

1. Environ 10 %. (*N.d.E.*)

« Je n'ai ici que le numéraire nécessaire au détail. Reviens demain. »

Frédéric n'avait plus insisté et était reparti, toujours enveloppé d'un sourire. Ayant attendu que la nuit fût tombée pour être sûr que personne ne viendrait le déranger, Mathieu avait fermé à clef la porte de sa boutique et était descendu dans sa cave, là où étaient alignés des barils de morue séchée. Il en ouvrit un, semblable aux autres, et y plongea la main. Quelle eau avait jamais ruisselé avec une aussi fraîche rumeur que ces piastres espagnoles qui chantaient entre ses doigts ? Plaisir et jeu à la fois, il brassa le métal comme il avait vu faire les boulangers avec la pâte à pain, transforma son baril de morue en carillon, puis apaisant la tempête qu'il avait déchaînée, caressa les pièces d'argent qui se mirent à rire toutes seules. Cent livres. Il avait promis de prêter cent livres, mais n'avait pas voulu descendre à la cave devant son beau-frère. Cent livres, cela faisait trente piastres. Partagé entre le regret de s'en séparer et le plaisir plus secret de se montrer secourable, peut-être munificent, il les compta une à une, deux fois.

Le lendemain matin, Frédéric était revenu portant sur l'épaule droite un coffre de marin où était entassé tout ce qu'il possédait. Plus que la veille il sentait l'alcool et la femme. Mathieu Carbec le regarda avec amitié, lui fit signer aussitôt le reçu qu'il avait préparé et lui donna en échange un autre billet.

« Et l'argent ? demanda Frédéric.

– Ecoute-moi bien, fils, répondit Mathieu. J'ai réfléchi. En arrivant à Rochefort tu iras chez Jacob Félézas avec qui je suis en affaire. Sa boutique est sur le quai. En échange de ce billet, il te remettra aussitôt l'argent. »

Une mauvaise lueur fit flamber les yeux du garçon. Mathieu Carbec prit peur. Il se hâta d'ajouter :

« Regarde donc ce billet, j'ai doublé la somme que je t'avais promise. Tu as là deux cents livres, mais tu ne pourras les perdre ni au cabaret, ni au jeu, ni au bordel. Voici encore cinq livres, cette fois en numéraire et en cadeau. C'est pour t'acheter des souliers : la route est longue d'ici à Rochefort. J'agis ainsi avec toi, Frédéric, parce que tu étais le jeune frère de ma défunte. Embrasse-moi et que Dieu te garde. Si tu penses qu'il est possible de faire du commerce avec Madagascar, fais-le-moi connaître par un navire qui reviendrait en France. »

Le *Saint-Jean-Baptiste* sur lequel avait embarqué Frédéric n'était revenu en France que trois ans plus tard. C'était le premier retour des Indes! Sa cargaison d'aloès, de gomme, d'indigo et de poivre avait rapporté à la Compagnie près de trois cent mille livres. Tout le monde en avait été heureux. Le roi lui-même s'était montré si satisfait qu'il avait offert son portrait enrichi de diamants à son capitaine. Mais le navire n'avait ramené aucune nouvelle de Frédéric.

Le même besoin d'ordre comptable avait fait écrire à Mathieu Carbec les gages mensuels de la nourrice, six livres, et le prix des cadeaux qu'il avait coutume de lui faire de temps en temps, une pièce de drap, une paire de sabots, un tablier. Par devoir, Mathieu ne manquait jamais de se rendre à Paramé une fois par mois, autant pour régler ses comptes avec exactitude que pour assister à la tétée de son fils dont la vue lui accordait une joie qu'il aimait faire durer. Ses autres enfants, leur mère les avait nourris naguère avec la même simplicité, geste naturel qui prenait alors un caractère si religieux qu'il baissait la tête lorsque la Marie délaçait son corsage. Maintenant, le même spectacle l'attirait et le retenait, sans qu'il pût deviner s'il était plus sensible au bruit du lait s'engouffrant dans la gorge de son mouflet qu'à la rondeur soyeuse du sein de la nourrice. Homme prude que la continence du veuvage troublait, il restait là un long moment, muet, sans un geste, à contempler ces deux êtres et découvrant qu'une manière de complicité faite d'odeurs, de caresses, de bruits et de sourires les liait l'un à l'autre. Un coup de vent qui faisait trembler la porte le sortait de sa rêverie et l'avertissait que c'était l'heure de la marée montante. Il se levait rapidement, posait un gros écu d'argent sur le coin de la table, s'en allait sans se retourner, à longues enjambées, pour parvenir au sillon avant que l'eau ne le recouvre et que Saint-Malo, détaché de la terre ferme, n'appareille pour le grand large de la nuit.

Quand son fils eut sa première dent, Mathieu Carbec apporta à Rose Lemoal une petite pièce de drap pour qu'elle s'y taille une jupe. Il avait entendu dire que c'était un usage auquel les bourgeois malouins ne manquaient jamais, et il comprenait confusément que, pour être admis un jour dans leur société, le respect de ces sortes de coutumes était aussi important que de cacher des piastres au fond de sa cave ou de posséder quelques actions de la Compagnie des Indes. La nourrice l'en avait remercié sans bassesse et, le mois suivant, elle avait consciencieusement revêtu sa jupe neuve pour montrer à Mathieu qu'elle avait apprécié un cadeau dont elle paraissait aussi fière que de la dent de son nourrisson. Ce jour-là, après avoir rempli les deux bolées qu'ils avaient coutume de boire à courtes lampées, elle dit à Mathieu que son mari rentrerait bientôt avec les morutiers partis vendre leur pêche à Marseille.

« Léon sera content de voir ma belle jupe! »

Elle avait dit ces mots en riant, soudain rajeunie, le feu aux joues, tandis qu'elle ouvrait son corsage, en sortait la belle tétasse chaude et laiteuse où avaient aussitôt mordu des gencives dures. Léon, c'était le mari de Rose Lemoal, l'homme qui après avoir passé six mois sur les bancs de Terre-Neuve s'en allait vendre sa pêche au Portugal, en Espagne ou à Marseille. Mathieu Carbec n'y pensait jamais. C'était comme si ce marin n'eût jamais existé. Il lui sembla ce jour-là qu'un intrus forçait soudain sa porte et pénétrait en le bousculant dans le cercle étroit de son domaine. Jamais éprouvée, une jalousie de mâle le pinça.

Repu, Jean-Marie s'était endormi, une minuscule bulle de salive perlant sur sa bouche. Comme la nourrice allait refermer son corsage, Mathieu se leva, se pencha sur elle, lui prit le sein entre ses deux mains et le porta à ses lèvres, comme une bolée de cidre. Rose Lemoal ne le repoussa pas. Elle se leva lentement, les yeux baissés, coucha son nourrisson dans son petit lit de bois et tira sur lui une couverture. Ses gestes précis et tendres témoignaient d'une bonne conscience. Les yeux toujours baissés, elle se dirigea à pas lents vers le fond de la salle, s'étendit sur une paillasse bourrée de varech et releva sa jupe sur ses cuisses blanches. Mathieu Carbec n'avait jamais regardé le ventre d'une femme. C'était la première fois. Ses trois enfants, il les avait faits sous les draps, la nuit, la chandelle éteinte. Le geste de la nourrice l'avait surpris. Pendant un instant, il demeura cloué au sol.

« Sacrée fumelle! » gronda-t-il; il se jeta sur Rose Lemoal.

Depuis ce jour-là, Mathieu Carbec comptabilisait avec soin les mensualités de la nourrice et le prix de son plaisir. Après avoir redouté pendant plusieurs mois le retour du marin pêcheur, il lui arrivait d'espérer sinon sa mort, au moins une longue absence ainsi qu'il arrivait à de nombreux Malouins qui revenaient au pays après plusieurs années. Il avait gardé ses habitudes. Rose Lemoal était toujours consentante. Après la bolée et la tétée, la paillasse. Cela faisait désormais partie de son travail. Homme d'ordre, Mathieu contentait une fois par mois les exigences de la nature et ce besoin de sécurité qui est déjà une vertu bourgeoise. Soucieux de son âme autant que de ses comptes, il se confessait le soir même non pas tant d'avoir besogné la femme d'un marin perdu que de s'être attardé à contempler, en plein jour, des cuisses nues d'où montait l'odeur chaude du péché.

Cinq années avaient ainsi passé. Le nourrisson était devenu un garçon semblable à tous ceux qui courent sur la grève avec leurs jambes courtes. Son père venait le voir régulièrement, posait sa main sur ses cheveux blonds, bonjour fils, et l'envoyait jouer sur les rochers. Jean-Marie craignait ces visites parce que, dans sa tête de petit enfant, il imaginait que cet homme, vêtu de noir et aux yeux tristes, venait lui voler celle qu'il appelait « maman Paramé » depuis qu'il savait parler. Assis sur le sable, les yeux tournés vers la mer, il attendait le départ de son père pour se ruer dans les bras de Rose Lemoal, la mordre de baisers et la frapper de ses petits poings rageurs. Un jour, rouge de fureur, saisissant les deux bolées demeurées sur la table, il les avait jetées à terre. Maman Paramé l'avait calmé avec une grosse crêpe de blé noir sur laquelle elle avait cassé un œuf.

Avant de quitter la nourrice, Mathieu Carbec laissait maintenant deux pièces d'argent sur le coin de la table. C'était le temps où une vague de prospérité déferlait sur les provinces maritimes du royaume, tandis qu'on manquait de grain dans les autres. A Nantes, Bordeaux, Rouen, La Rochelle, Port-Louis ou Bayonne, on embauchait sur les chantiers, on recrutait chez les armateurs, on signait chez les notaires, mais c'est encore à Saint-Malo qu'on s'affairait le plus autour des cales, des navires et des tabellions. Mathieu ne manquait jamais d'assister aux assemblées qui réunissaient les actionnaires de la Compagnie lorsque le directeur particulier voulait bien leur communiquer quelque nouvelle : la construction d'un nouveau navire, un retour des Indes, une distribution de dividendes, le naufrage d'un bâtiment, ou un appel d'offres pour l'avitaillement. Dans la galerie aux belles boiseries sculptées de l'hôtel de Fresne, il rencontrait les messieurs de Saint-Malo, Jean Porée, Nicolas et Alain Magon, Noël Danycan, Luc Trouin, Gilles Lebrun, Etienne Bourdas, Le Fer, Dessaudray, La Chambre, Le Jolif, d'autres encore, hommes importants qui tenaient dans leurs mains tout le commerce des toiles de Bretagne, possédaient une flotte de grande pêche morutière, entretenaient des correspondants à Cadix, Séville, Lisbonne, Marseille, Amsterdam ou Londres, participaient à l'armement des navires construits sur les chantiers de Saint-Servan pour le ᵖte de la Compagnie. Même mauvaises, les ᵉlles étaient toujours bonnes à entendre parce que le seul fait de les avoir écoutées lui donnait le sentiment de participer aux affaires de l'Etat. C'est là qu'il avait appris la décision prise par Louis XIV de reprendre Madagascar à son propre compte, l'arrivée d'un messager faisant espérer des bénéfices de cinquante pour cent, le départ d'une escadre de six vaisseaux pour les Indes, avec la mission de s'emparer des meilleures positions et d'y installer des comptoirs capables de résister aux entreprises hollandaises.

Ecoutant ces nouvelles, Mathieu Carbec croyait être initié au secret du roi. Il en éprouvait une fierté qu'il aurait voulu partager en mêlant sa voix aux commentaires que ne manquaient pas de provoquer les paroles du directeur, mais Mathieu Carbec ne trouvait jamais place dans les petits groupes qui se formaient aussitôt pour exprimer leur désaccord sur les règlements imposés par M. Colbert, ou pour souper ensemble. Les épaules courbées, il redescendait tout seul le grand escalier de pierre de l'hôtel de la Compagnie des Indes, sachant bien qu'on ne lui gardait pas rigueur de tenir encore boutique mais comprenant aussi que les trois actions dont il était porteur demeuraient insuffisantes pour lui permettre d'être tout à fait admis dans la société des messieurs de Saint-Malo où il convenait d'être armateur, négociant, instruit et assez riche pour envisager d'acheter une charge anoblissante. Un jour qu'il avait voulu prendre part à une discussion où paradait Noël Danycan, un des hommes riches de Saint-Malo, celui-ci avait arrêté son discours pour lui dire d'un ton protecteur :

« Rentre donc chez toi, Mathieu! N'oublie pas de me préparer pour demain matin dix fûts de goudron. »

Mathieu Carbec s'était juré de faire de son garçon un homme capable de parler d'égal à égal à ceux qui le tutoyaient aujourd'hui. Jean venait d'avoir sept ans. Il était temps de le retirer des jupes de Rose Lemoal et de l'envoyer à l'école de Saint-Malo.

Mathieu Carbec à peine aperçu, la nourrice et Jean-Marie comprirent qu'on allait les séparer. Elle cacha son visage dans ses mains, il s'enfuit sur les rochers. Mathieu n'en profita pas pour besogner sur la paillasse, ça n'était pas le jour, mais il posa deux écus d'argent au bout de la table et promit qu'il ne changerait rien à leurs habitudes. Remise de sa crainte de tout perdre, Rose Lemoal courut après Jean-Marie et le ramena devant son père.

Maladroit, Mathieu avait froncé ses terribles sourcils, grondé, dit que pour devenir un bon commerçant il fallait savoir lire, écrire et compter. Enfin, d'une voix brève, il avait ordonné à la nourrice de préparer les hardes de Jean-Marie. Une culotte, un bonnet, deux chemises, une petite veste et deux mouchoirs, cela tenait peu de place. Rose Lemoal s'était résignée. Elle avait l'habitude du malheur. Comme tant d'autres marins pêcheurs, son mari n'était jamais revenu. Quant aux quatre enfants qu'il lui avait faits, ils étaient morts sans même qu'elle sût s'ils avaient été malades et le curé les avait enterrés aussi vite qu'il les avait baptisés, trois gouttes d'eau bénite, au nom du Père et du Fils, amen.

Mathieu Carbec brusqua les adieux. La nourrice voulut les accompagner au bout du sillon, jusqu'à Rocabey, là où trois moulins tournaient dans le ciel au milieu des mouettes. D'une main ferme le père tenait son garçon, de l'autre un petit balluchon où étaient pliés ses vêtements. Ils marchèrent d'un bon pas pour arriver avant le flot de la mer, et Jean-Marie, malgré sa détresse, trouvant une sorte de fierté, allongeait ses petites jambes à la pensée qu'on le traitait comme un grand.

Au moment de se séparer, Rose Lemoal pressa son nourrisson sur sa poitrine :

« Viendras-tu me voir ? »

Il reconnut la bonne odeur des tétasses, y plongea son nez et éclata en sanglots.

« Oui, maman Paramé ! »

Rose Lemoal demeura debout jusqu'à ce que leurs deux images fussent devenues minces comme des fils. Subitement lasse, elle s'assit et regarda monter la mer. Lorsque le flot eut recouvert le Sillon, elle était toujours là, immobile. La nuit était venue. Saint-Malo s'était détaché de la terre ferme et avait disparu à l'horizon en emportant les deux hommes de maman Paramé.

Les premières semaines avaient été dures pour le garçon habitué à courir sur les plages, sauter sur les rochers, pêcher dans les trous d'eau, sans se soucier jamais de l'heure. Il étouffait dans cette ville ramassée sur elle-même, où s'entassaient plus de dix mille habitants dans de hautes maisons, faites de bois et de verre, alignées le long de ruelles étroites et puantes. Le soir de son arrivée, la Grande-Porte à peine franchie :

« Ote ton bonnet et signe-toi! » avait dit son père.

Levant la tête, Jean-Marie vit une belle statue peinte de couleurs vives : c'était la Vierge Marie tenant dans ses bras un enfant qui jouait avec un oiseau. Il la contempla et dit doucement :

« Elle est belle. Elle ressemble à maman Paramé.

– Ne blasphème pas, malheureux! »

Le garçon ne comprit pas pourquoi son père l'avait rudoyé. Plus tard, au long de sa vie et même au seuil de la mort, il devait souvent mêler les deux images qui avaient émerveillé ses jeunes années et y associer le chant d'un oiseau.

Ils entrèrent dans la maison haute, avec des étages en surplomb, semblable à toutes celles qui avaient échappé à une grande brûlerie, l'année où la veuve d'un apothicaire avait mis le feu à tout un quartier en faisant bouillir de la térébenthine. La boutique familiale était pleine de choses jamais vues, d'odeurs jamais senties. Jean-Marie aurait voulu ouvrir les gros sacs de toile rangés le long des murs et y plonger la main, jouer avec les deux petits plateaux de cuivre qui se balançaient curieusement au bout d'une chaîne, ouvrir les tiroirs, toucher les lanternes et les poulies. Il n'osa pas, mais il osa regarder son père en souriant. C'était la première fois que les gros sourcils ne lui faisaient pas peur. Mathieu hocha la tête :

« Si tu travailles bien à l'école, tout cela sera à toi un jour. »

Ils visitèrent la maison. D'abord la salle où, à la clarté d'une chandelle, Jean-Marie distingua une longue table, des chaises et une pendule qui montait jusqu'au plafond. Tous ces meubles étaient solides et noirs.

« Est-ce que vous êtes riche, mon père? »

Jean-Marie, qui n'en avait jamais tant vu, avait dit ces mots sur un ton grave, presque admiratif, comme s'il eût confusément deviné, avec la sûreté d'une intuition enfantine qui flattait déjà une vanité de petit homme, pourquoi Mathieu Carbec faisait partie de ceux qui commandent aux nourrices.

« Non, mon fils. J'ai beaucoup travaillé. Si tu es sage, toi tu seras peut-être riche », répondit Mathieu avec une petite flamme au fond des yeux où brillait un peu d'orgueil et dansait peut-être un peu de joie.

Ils montèrent à l'étage :

« Voici ta chambre. »

C'était une pièce minuscule, plus longue que large, où trônait un petit lit qui sembla énorme à Jean-Marie. Il était si haut qu'il fallait monter sur une échelle pour s'y coucher. Une grosse couette rouge recouvrait les draps blancs, une table de nuit et un escabeau étaient rangés près du lit.

« Moi, je dors ici, dit Mathieu en poussant la porte d'une autre pièce semblable à la première mais où un grand crucifix était accroché au mur.

– C'est là que ma vraie maman est morte? »

Mathieu était redevenu soudain triste, jaune, maigre.

« Tu es trop petit pour parler de ces choses.

– Maman Paramé m'a dit qu'elle n'était pas ma vraie maman.

– Plus tard, quand tu seras grand, je te montrerai sa chambre.

– Celle où je suis né alors? »

Mathieu demeura interdit. Comment un mouflet de sept ans pouvait-il ainsi parler de la mort ou de la vie, alors que lui-même n'avait jamais osé entrer dans la chambre où il avait découvert sa femme et ses deux enfants déjà étouffés par la maladie noire? Il ne répondit pas à la dernière question de son fils, mais comme ils redescendaient tous les deux l'escalier, il lui dit :

« A Paramé, tu faisais tes besoins sur la grève. Ici, il est défendu de prendre ses aises dans la rue. Tu irais en prison. Derrière la boutique, il y a une petite cour où tu trouveras un tas de sable. Le cureur passe une fois par semaine. »

Jean-Marie s'endormit moins vite qu'il en avait l'habitude. C'était la première fois qu'il se couchait sans la main rassurante de maman Paramé. Il crut pleurer toute la nuit. Le sommeil et la douceur des plumes l'avaient enveloppé sans qu'il s'en fût aperçu.

Il y avait trois ans de cela. Sans attendre si longtemps, Jean-Marie était devenu un véritable petit
Malouin, habile à se reconnaître dans le dédale des
rues, courir sur les remparts, flâner autour des
batteries, connaître l'heure des marées, attendre le
retour des pêcheurs et espérer celui des corsaires.
Renonçant à faire le compte de tous ceux qui
disaient être ses oncles, tantes, cousins ou cousines,
il savait qu'il faisait désormais partie d'une grande
famille et ne comprenait pas pourquoi il en avait
été éloigné si longtemps. Tous ceux-là l'avaient bien
accueilli, les femmes avec une tendresse un peu lar-
moyante, c'est tout le portrait de cette pauvre Marie,
les hommes avec une rudesse cordiale ainsi qu'il
convient entre soi, les garçons et les filles avec une
curiosité sournoise avant de devenir fraternelle.
Marins pêcheurs, calfats, charpentiers, maîtres
voiliers, ils ne gagnaient pas beaucoup d'argent
mais, à l'inverse de ceux qui cultivent le sol, ils le
dépensaient gaiement. Dans chacune de leurs maisons, le « fils à Mathieu » était sûr de trouver un
sourire, une crêpe de blé noir, une bolée, la chaleur
dont il avait besoin avant d'en repartir au moment
du souper. Pourquoi son père avait-il des sourcils
aussi noirs et lui parlait-il avec une voix de croque-
mitaine : tes devoirs? ton catéchisme? tes leçons?

35

Leur conversation n'allait guère au-delà. Bavard chez ses cousins, Jean-Marie redevenait silencieux en face du monsieur triste et regrettait le temps où maman Paramé le faisait rire avec des riens. Ici, quand l'envie lui prenait de parler, poser des questions, sa gorge se nouait et il plongeait le nez dans son assiette. Un soir, relevant la tête, il avait cru voir une larme mouiller le regard de son père, et il s'était demandé si les gronderies ou les silences de Mathieu Carbec ne dissimulaient pas quelque secret ou quelque chagrin qu'il ne parvenait pas à deviner. Lui-même mûrissait ses propres secrets. Il n'osait plus prononcer tout haut le nom de maman Paramé depuis qu'il avait entendu un de ses oncles dire à d'autres hommes :

« Ce sacré Mathieu, c'est lui qui est en nourrice maintenant ! »

Ils étaient tous partis d'un gros rire qui n'en finissait pas. A dix ans, on n'a pas besoin de tout comprendre pour être malheureux.

Fils d'armateurs, capitaines ou marchands, tels étaient les compagnons de Jean-Marie chez les Frères de l'école où les enfants des messieurs de Saint-Malo avaient coutume d'apprendre le rudiment. Ces garçons qui tiraient souvent vanité des richesses accumulées par leurs pères, du nombre de leurs navires, ou de leurs exploits, n'étaient pas moins fiers de leur patronyme auquel le nom d'une petite terre, lieu-dit ou simple champ que leur famille possédait en dehors des murs, avait été ajouté pour être distingué de celui de parents moins habiles ou moins heureux. Ainsi, Collin des Aunais, Dumaine de la Josserie, Rouxel des Sandrais, Miniac de la Villeneuve, Louvel des Vaux, Lachambre du Verger parmi cent autres, attendaient de réunir assez d'écus pour acheter une de ces savonnettes à vilains, dont le nombre et le prix variaient selon les besoins du Trésor royal, et qui feraient de leurs fils, peut-être d'eux-mêmes, des nobles authentiques. Petits maîtres ou non, les compagnons de Jean-Marie étaient tous impatients de fermer leurs livres, de s'embarquer avant d'avoir appris à naviguer, soit pour la course, soit pour les pays dont le seul nom les faisait rêver, les îles du Vent, les Indes...

Un matin d'avril de l'année 1672, le crieur de ville annonça à grands coups de trompe que le roi venait de déclarer la guerre à la Hollande. Tous les garçons sautèrent de joie : ils espéraient qu'elle durât assez longtemps pour leur permettre d'y briller à leur tour. Chaque Malouin entretenait alors et décorait avec soin la légende de son corsaire familial, comme on alimente un foyer en y ajoutant du bois sec et comme on l'attise en soufflant dessus. N'avaient-ils pas depuis quatre siècles armé leurs vaisseaux à la prière du roi de France, aidé Philippe Auguste à chasser Jean sans Terre de la Normandie, donné la main à Saint Louis pour jeter Henri III hors de la Saintonge, couru la Manche et coulé la flotte anglaise dans la baie du Mont-Saint-Michel, découvert Terre-Neuve et le Canada, assiégé sous Louis XIII la ville de La Rochelle ?

Précédé de deux trompettes et suivi de quatre porteurs de mousquet, le crieur parcourut les rues, s'arrêtant ici et là sur quelque placître pour proclamer : « Sa Majesté a déclaré et déclare avoir résolu et arrêté de faire la guerre aux Etats généraux des Provinces-Unies des Pays-Bas, tant par mer que par terre. Pour cet effet, Sa Majesté enjoint à tous ses sujets, vassaux et serviteurs de courre sus aux Hollandais... » Surpris d'apprendre que cette nouvelle guerre allait être entreprise contre les Hollandais, associés d'hier, avec l'alliance des Anglais ennemis de toujours, les armateurs de

Saint-Malo en furent plus troublés que mécontents. Ils n'étaient pas loin de partager la hargne de M. Colbert à l'égard de ce petit pays, républicain et calviniste, dont les banquiers escomptaient leurs lettres de change et dont les milliers de navires ne se contentaient plus de transporter les bois, les blés, les goudrons moscovites et scandinaves, ou les produits coloniaux de Sumatra, Java, Ceylan et Caracas. Ils venaient maintenant jusque dans les ports français pour y charger le sel breton, les vins et les eaux-de-vie de la Loire ou de l'Aquitaine. On les voyait partout. Banquiers, marins, négociants, manufacturiers, ils réussissaient dans toutes leurs entreprises, prêts à gros intérêt, construction de navires, tissage de la laine, élevage des vaches laitières, fabrication de canons ou plantation de tulipes. Pouvait-on supporter une telle insolence? Il était temps d'en finir avec ces mangeurs de fromage.

Moins belliqueux que les armateurs, plus sages que les commis de Versailles, les marchands malouins s'inquiétaient eux aussi de la concurrence hollandaise, mais ils ne pouvaient se passer d'Amsterdam où ils achetaient dans les périodes de disette le grain moscovite, au moment du Carême les harengs de la Baltique, et à l'heure de la guerre la poudre à canon fabriquée à Liège. Et voilà que le roi avait fait proclamer qu'il interdisait d'entretenir désormais avec les Hollandais « aucune communication, commerce et intelligence, à peine de vie »!

Regrattier de tradition, Mathieu Carbec ne savait pas encore que ces sortes de menaces ne pèsent que sur les petits marchands, et il ignorait que la guerre n'a jamais interdit aux négociants aventureux de prendre des risques profitables. Craignant que la fermeture du marché hollandais l'empêchât de renouveler ses provisions ou que l'insécurité de la mer paralysât les navires qu'il avait coutume d'avitailler, il s'en ouvrit à quelques armateurs. On lui rit au nez. Il n'entendait rien aux affaires, la guerre ne durerait que cinq semaines, le roi avait pris le commandement d'une armée de cent vingt mille hommes, nos généraux étaient les meilleurs de l'Europe, la flotte anglaise allait détruire en un seul combat les escadres de Ruyter, les routes du commerce maritime avec les Indes et les îles d'Amérique seraient libres à jamais. C'était manquer gravement au roi et à la France que de douter d'une victoire rapide!

Les premières nouvelles donnèrent raison à ces fiers-à-bras. Louis XIV avait assisté en personne au franchissement du Rhin et la flotte anglo-française avait mis à mal les vaisseaux hollandais. Mathieu s'en était réjoui mais, quelques jours plus tard, il apprenait que, pour sauver leur capitale menacée, les Hollandais avaient rompu les digues de Muiden et inondé tout le plat pays. Arrêté court dans sa promenade, le roi était alors reparti pour Saint-Germain laissant à ses maréchaux le soin d'attendre que l'hiver leur permît de faire mouvement sur les eaux gelées du Zuyderzee, et à l'amiral d'Estrée celui d'opérer un débarquement avec le concours de la flotte alliée. Le temps des jolies hardiesses militaires n'avait duré que quelques semaines.

Peu sensibles à la réalité des batailles terrestres, les Malouins avaient vite compris que l'amiral Ruyter demeurait maître de la mer. A part quelques rares navires armés en course, aucun autre ne pouvait s'aventurer maintenant dans la Manche sans risquer d'être surpris par un vaisseau ennemi.

Mois après mois, tous les marchands avaient vu fondre leurs provisions d'épices sans trouver le moyen de les remplacer. Morfondu devant ses sacs vides, ses toiles à voiles invendues, ses apparaux inutiles, Mathieu Carbec se demandait s'il n'avait pas fait un marché de dupes en devenant l'actionnaire d'une Compagnie qui ne servait plus à rien : deux ans après le fameux passage du Rhin, aucun navire parti pour les Indes n'était revenu à Saint-Malo. Il ne désespérait pas pour autant de voir un jour réapparaître son beau-frère Frédéric avec les poches assez pleines de piastres pour qu'il puisse se libérer de sa dette. L'ordre comptable plus que l'avarice accordait son goût du rêve à ses inquiétudes créancières. De nombreux Malouins s'étaient embarqués pour les Indes avec Frédéric. S'étaient-ils perdus en mer ou étaient-ils passés au service du Grand Moghol ? Pourrissaient-ils sur quelque ponton ou vivaient-ils dans un palais ? Régnaient-ils sur de nombreux esclaves ou étaient-ils eux-mêmes enchaînés ? Encore que le bruit courût que tous les colons de Madagascar avaient été massacrés, on ignorait ce qu'ils étaient devenus.

Un jour que Mathieu faisait l'inventaire de ses dernières marchandises, il vit entrer dans sa boutique un de ses clients qui, semblable à tant d'autres, s'était réjoui de la guerre hollandaise. Loin d'être un riche armateur, Yves Le Coz avait acquis une bonne expérience du commerce lointain et la réputation d'un capitaine auquel une cargaison peut être confiée. Héritier d'un modeste armement à la pêche, il avait su rapidement le développer et le transformer avec l'aide de sa femme, jeune Nantaise qui s'entendait aussi bien à peser les termes d'un contrat qu'à aligner des chiffres et prenait volontiers soin de la comptabilité pour permettre à son mari de commander à la mer. Les deux hommes avaient le même âge, quarante ans, se connaissaient depuis leur enfance, avaient appris à lire à la même école, s'estimaient, se rendaient de mutuels services. Yves Le Coz achetait rue du Tambour-Défoncé ses cordages, toiles et lanternes, tout son avitaillement, et quand un de ses trois petits navires rentrait à Saint-Malo, venant de Cadix ou d'Amsterdam, il portait toujours dans ses cales du fret destiné à Mathieu Carbec. Solide et brun comme un meuble breton, visage rude, tête ronde, il semblait avoir été taillé par un maître de hache dans le fût d'un chêne. La rapidité avec laquelle il s'était installé dans la société malouine ne lui avait ni enflé la tête ni donné le goût des honneurs. On le disait aussi dur en affaires que brutal avec ses équipages, mais de bourse plus facile que beaucoup d'autres. A voix plus basse, on disait aussi que l'origine des cargaisons qu'il ramenait à Mer-Bonne demeurait souvent inconnue, et on chuchotait que certaines d'entre elles, débarquées en mer, sur des canots, échappaient au contrôle des commis de l'amirauté.

Comment ces deux hommes pouvaient-ils s'entendre? L'un était massif, violent, bavard, peu regardant à la dépense et peu scrupuleux, l'autre maigre, taciturne, précautionneux, cagot et tire-sou. Leurs deux personnages faisaient penser aux deux faces d'une seule pièce de monnaie : l'avers avec la belle tête du monarque glorieux, l'envers avec les tristes symboles du travail et de la vertu. Mais Yves Le Coz, trop fraîchement admis dans le cercle des messieurs de Saint-Malo, se sentait plus près de Mathieu Carbec, et celui-ci n'avait jamais trouvé un homme auquel il pût parler plus librement. Aucun autre secret ne les avait rapprochés, à part les piastres que Mathieu avait cachées dans deux barils de morue séchée.

« Connais-tu la nouvelle? dit le capitaine Le Coz.

– Viens-tu m'apprendre la fin de la guerre?

– Oui, mais seulement pour les Anglais! »

Mathieu ne comprenait pas.

« Pourquoi? interrogea-t-il.

– Pourquoi? rugit Le Coz, mais parce que ces pourceaux ont signé une paix séparée avec les Hollandais.

– Où as-tu appris cela?

– A l'assemblée des armateurs. Tu avais raison de te méfier de cette guerre. »

Modeste, Mathieu baissa la tête. Il ne prétendait pas connaître les raisons profondes qui avaient poussé le roi à s'acoquiner avec les Anglais pour faire la guerre aux Hollandais. Comme la plupart des Malouins, il avait partagé le sentiment populaire que cette alliance allait contre la nature.

« Je pensais qu'il n'en sortirait rien de bon, dit-il tout bas. Que va-t-il se passer maintenant? »

Apprises en confidence, les nouvelles politiques rendent toujours glorieux ceux qui les répandent à leur tour. Le capitaine Le Coz n'y échappa pas.

« Même si le roi voulait faire la paix, les Hollandais la refuseraient, répondit-il. Ce sont eux qui ont maintenant l'avantage, sur mer et sur terre. Crois-moi, Mathieu, la guerre durera encore longtemps. Cette fois, je ne me trompe pas. Sur terre, je pense que Turenne nous sortira de là. Mais, sur mer, qu'avons-nous à espérer de ce jean-foutre d'Estrée? »

Mathieu Carbec professait un profond respect pour toutes les personnes qui occupent des positions élevées dans l'administration, le clergé, la magistrature, l'armée ou la marine. Il croyait qu'une charge confère le talent à celui qui la détient. Pour lui, les intendants étaient scrupuleux, les évêques vertueux, les magistrats intègres, les amiraux bons navigateurs, autant de certitudes qui témoignaient d'une naïveté dont l'excès valait bien l'humeur de ceux pour qui les intendants sont malhonnêtes, les évêques paillards, les juges corrompus, et tous les généraux incapables. Il fut choqué par les propos de son ami sur le comte d'Estrée, homme de haute noblesse récemment promu vice-amiral du Ponant et qui avait conduit la flotte française trois fois à la bataille.

Pour Yves Le Coz, l'occasion était trop bonne de laisser couler le fiel qui lui gonflait le foie dès qu'un officier des vaisseaux du roi se trouvait être mis en cause. Comme tous les autres capitaines du commerce, il les jugeait incapables, vaniteux, querelleurs, ignorant à peu près tout des choses de la mer, et ne leur accordait guère que d'être courageux au combat. Entreprise par Colbert, la reconstruction de la flotte était loin d'être terminée, encore que trente magnifiques vaisseaux de ligne eussent été déjà engagés dans cette guerre de Hollande. Si le ministre avait réussi ses navires, les plus beaux du monde, personne n'en disconvenait, il n'avait pas eu le temps de réussir ceux qui devaient les commander. Créée depuis peu d'années, l'Ecole des cadets n'avait encore formé que quelques promotions d'officiers. Les autres avaient été recrutés dans la noblesse d'épée, souvent sans tradition maritime et plus satisfaite de revêtir l'uniforme aux beaux parements rouges que soucieuse de connaître et d'assumer les devoirs imposés par la navigation. A part un petit nombre de gentilshommes devenus bons marins pour avoir fait leurs classes en Méditerranée sur les galères des chevaliers de Malte, la majorité des officiers ignoraient le long apprentissage du service à la mer.

« Oui, d'Estrée est un jean-foutre! poursuivit Le Coz. Ce n'est pas un vrai marin. Il ne sait pas commander. Trois combats, trois échecs. Il n'a réussi qu'à se quereller avec son chef d'escadre, Duquesne, un vrai marin celui-là, et il est même parvenu à lui faire retirer son commandement! Aujourd'hui, les vaisseaux de nos beaux messieurs sont tous bloqués à Brest par Ruyter qui demeure maître de la mer avec sa flotte intacte. Voilà la vérité. La preuve? C'est que, depuis deux ans, les convois hollandais peuvent aller d'Amsterdam aux Indes et en revenir sans être inquiétés. Ils passent même au large de Saint-Malo. Sous ton nez. Combien as-tu vu de navires marchands sortir d'ici et y entrer? Ceux qui l'ont tenté ont été coulés bas ou capturés. Sais-tu seulement ce que sont devenus les hommes qui sont partis avec ton beau-frère Frédéric? Si la guerre continue, nous serons tous ruinés, et ton vice-amiral d'Estrée continuera à boire du vin d'Espagne à Brest avec ses officiers rouges! »

Mieux que personne, Mathieu Carbec savait que de mois en mois ses magasins se vidaient sans être réapprovisionnés. Les propos d'Yves Le Coz confirmaient ses inquiétudes et le ravissaient plus secrètement parce que le seul fait de les entendre faisait de lui une sorte de confident que les autres armateurs avaient rejeté de leurs conciliabules. Depuis longtemps, il n'avait ni autant entendu ni autant parlé. Il s'enhardit jusqu'à dire :

« Si les Anglais ont fait la paix, ils ne resteront pas longtemps neutres. Réconciliés avec les Hollandais, ils nous tomberont dessus.

— Mathieu, dit Le Coz redevenu calme, nous ne pouvons plus compter que sur nous-mêmes. Le roi nous aidera. Pousse donc le verrou sur ta porte afin que personne ne nous dérange. Tu sais ce que font depuis l'an dernier Saudrais et Le Fer?

— Tout le monde sait qu'ils arment en course.

— J'ai pris des parts importantes dans leur armement », fit le capitaine Le Coz en redressant la tête comme s'il avait voulu étonner son ami.

Ces entreprises, on y risquait plus souvent sa vie et son argent qu'on y remplissait ses coffres. Mathieu s'en méfiait. Il n'ignorait pas l'habileté de ses compatriotes à broder des légendes où l'on se contemple comme dans ces miroirs magiques qui, dans les foires, vous donnent l'illusion d'être des géants. La prudence déposée dans ses veines comme un sédiment accumulé par plusieurs générations de regrattiers habitués à voir, sentir, toucher les marchandises achetées et revendues, lui commandait de mesurer son approbation sans cacher son admiration.

« Alors tu t'es battu contre les Hollandais? »

L'autre haussa les épaules.

« Pas souvent. Ça m'est arrivé quelquefois, lorsque je ne pouvais pas faire autrement. Il faut comprendre la course, Mathieu. Quand tu es à la fois armateur et capitaine, tu connais le prix de ton navire et tu ne te hasardes pas à attaquer un marchand de boulets qui va crever tes toiles. Tu joues à coup sûr. »

Curieux, Mathieu Carbec interrogea :

« Ne m'as-tu pas dit que les Hollandais retour des Indes naviguaient toujours en convoi?

– Sans doute. On les laisse passer. Mais il y a toujours des navires à la traîne, des gros pansus chargés à pleines cales, solitaires, peu armés et qui, gênés par quelque avarie, manœuvrent mal. A ceux-là, un coup de semonce suffit. Ils amènent aussitôt le pavillon. Tu n'as plus qu'à monter à bord.

– Cela arrive souvent?

– Pendant des semaines tu ne vois rien. Tout à coup, deux ou trois prises te tombent dans la main. »

Redevenu méfiant, Mathieu fit observer que peu de prises, hollandaises ou espagnoles, avaient été ramenées jusqu'à présent à Saint-Malo. Le capitaine Le Coz répondit que, pour éviter de mauvaises rencontres, le corsaire se hâtait toujours de ramener sa prise au port le plus proche. Il ajouta :

« Il arrive aussi qu'on ne les ramène pas. C'est qu'on a chargé dans des canots, en haute mer, les barils de piastres qu'on y a trouvés. »

Mathieu allongeait un nez désapprobateur. Le Coz dit d'un ton plus rude :

« Ne fais pas l'innocent et le cagot. Tu sais aussi bien que moi qu'il y a plus de bénéfice à les vendre aux orfèvres de Paris ou aux changeurs de Genève qu'à les remettre à l'hôtel des Monnaies. »

Une question brûlait la bouche du marchand :

« La course, ça rapporte aussi gros qu'on le dit ? »

Il reçut dans l'épaule une bourrade à assommer un âne.

« Cent fois plus que tout ce que tu pourras jamais amasser dans ta boutique. »

Où voulait donc en venir le capitaine Le Coz ? Mathieu trouvait long le temps qu'il mettait à lui proposer de participer à son entreprise, et redoutait cependant qu'il lui demandât d'avancer une mise de fonds. Il fut à la fois soulagé et inquiet d'être enfin brusqué :

« Veux-tu remplir ta cave de piastres et de marchandises ?

— C'est selon », répondit-il en rougissant.

Le capitaine Le Coz expliqua qu'il avait vendu ses trois navires pour participer à la société établie avec Saudrais et Le Fer. Maintenant, il voulait armer en course sous sa seule responsabilité et avait demandé à l'amirauté de lui faire obtenir une lettre de marque. Il lui manquait une petite partie des sommes nécessaires à cet armement.

« Veux-tu t'associer avec moi ? »

Mathieu affecta d'être surpris.

« Pourquoi t'adresses-tu à moi plutôt qu'à des armateurs ?

— Parce que tous les armateurs, un jour ou l'autre, armeront à la course, voudront être maîtres de leurs comptes et s'arrangeront pour que personne n'y mette le nez. Comme Saudrais et Le Fer l'ont fait avec moi, ils accepteront l'argent des associés mais ils refuseront de les faire apparaître en titre. Moi, je veux désormais risquer et gagner en mon nom. Si je m'adresse à toi, Mathieu, c'est parce que tu es mon ami, c'est aussi parce que, de tous les petits marchands de Saint-Malo, tu as été le seul à avoir l'audace de souscrire à la Compagnie des Indes orientales. Vous êtes des nôtres, monsieur Carbec! »

C'était faire chanter au cœur de Mathieu une aussi jolie musique que le tintement des piastres d'argent au fond des barils de morue rangés dans sa cave. Alors que la dureté des temps le faisait désespérer de voir se réaliser les rêves de grandeur osés le jour où il s'était rendu à l'invitation du duc de Chaulnes, voici qu'un armateur lui disait : « Tu es des nôtres. » Déjà consentant, il se défendit encore :

« Tu sais bien que je ne suis pas riche!

— Je n'ai pas tant besoin d'argent que de toile à voiles et d'apparaux. Il me faut aussi cinq mille livres en numéraire, c'est la moitié du prix de ma lettre de marque. »

Ils discutèrent longtemps. Le Coz alignait des chiffres : achat d'un navire de cent cinquante tonneaux, armements, vivres, avances à l'équipage, poudre, mousquets, armes blanches. L'amirauté fournirait les canons. A la fin, ils se serrèrent la main. Il ne leur restait plus qu'à se rendre chez le notaire. Négligemment, Le Coz avait dit pendant leur discussion :

« Tu seras bien surpris de connaître les noms des nombreux nobles qui se sont engagés secrètement dans ces sortes de société! »

Au moment de se séparer, Mathieu fut pris d'une grande agitation.

« Tout à l'heure tu m'as dit que vous ne rameniez pas toujours vos prises dans les ports. Qu'en faites-vous donc?

— Nous les laissons repartir.

– Toujours? »

Il avait posé cette dernière question en regardant le capitaine droit dans les yeux. Le Coz hésita pendant quelques instants.

« Moi, je les laisse toujours repartir.

– Tu le jures devant Dieu?

– Devant Dieu.

– Et les autres corsaires, tes amis, tes associés? Peux-tu t'en porter garant devant Dieu? »

Le Coz hésita encore, et dit :

« Non.

– Alors que font-ils? »

Le capitaine baissa les yeux pour avouer :

« Il est arrivé qu'ils soient obligés de les couler bas.

– Avec tous les passagers? »

Ils étaient debout, tous les deux, face à face.

« Ceux de Dieppe et de Dunkerque disent que c'est vrai.

– Et ceux d'ici? » demanda encore Mathieu.

Yves Le Coz haussa les épaules et fit un geste vague. Comme Mathieu reculait vers la porte, il entendit qu'on y frappait. C'était Jean-Marie. Il rentrait tard selon son habitude. Le Coz posa sa grosse main sur la tête du garçon.

« Quel âge as-tu, mon gars?

– Dix ans.

– Tu en parais davantage. Si tu avais deux ans de plus, bâti comme tu es, tu aurais fait un sacré mousse. Je t'aurais bien emmené avec moi. »

Le feu monta aux joues de Jean-Marie.

« Va vite apprendre tes leçons, gronda son père.

– S'il travaille bien, dit alors Le Coz, nous ferons de lui un capitaine. »

Mathieu ne répondit rien. Un maigre sourire éclaira ses yeux tristes. Ils se donnèrent rendez-vous chez le notaire.

Mathieu ouvre son gros registre et refait ses comptes. Il a entreposé dans son magasin et sa cave plus de toile, de cordages et de poulies qu'il n'en faut pour les besoins d'un navire de cent cinquante tonneaux. Après l'avoir plusieurs fois modifié, il s'arrête à un chiffre qui fixe le prix des apparaux représentant une partie de son apport à la société proposée par le capitaine Le Coz, soit 9 743 livres 3 sols et 6 deniers auxquels il ajoute 5 000 autres livres en numéraire pour parvenir à un total de 14 743 livres 3 sols et 6 deniers. Un soupir vide sa potrine. Lui demander de risquer une telle somme, c'est vouloir l'engloutir d'un seul coup : il va tout perdre et se retrouver avec quelques écus pour acheter un lot de chandelles qu'il revendra une à une comme l'ont fait avant lui ses lointains parents. Pourquoi s'est-il laissé tenter par ce Le Coz? Ruiné, il n'osera plus jamais sortir de sa boutique. Déjà il entend les quolibets qu'on lui jettera sur son passage : « Eh! corsaire, as-tu fait une bonne prise? »

Pris d'une grande lassitude, Mathieu Carbec décide d'aller se coucher. Alors qu'il commence à monter l'escalier qui conduit à sa chambre, un dernier scrupule lui fait prendre le chemin qui descend à la cave pour vérifier une fois encore le nombre des piastres consigné sur son registre. Depuis qu'il a prêté deux cents livres à son beau-frère Frédéric, il a rempli un autre baril qui, par précaution, est recouvert d'une couche de morue séchée. Sur une planche, il aligne des piles d'argent semblables à des petites colonnes cannelées, et se rappelle qu'à la mort de ses parents il n'a guère trouvé qu'un millier de livres au fond d'un tonneau. Avec la maison, les meubles, un peu de morue, de la chandelle et des cordages, c'était là tout son héritage. La toile à voiles, le goudron, le poivre, la cannelle, les noix de muscade et l'eau-de-vie sont entrés plus tard dans la boutique familiale quand il en est devenu le maître. Voilà ce qui a rempli les deux barils de piastres. Que l'héritage transmis par son père soit un jour transmis intact à son fils, Mathieu en demeure convaincu. C'est un dépôt sacré. Mais ce qu'il a gagné lui-même par son travail, quelle loi, quelle coutume, quel catéchisme pourraient lui interdire d'en disposer à sa guise? Il sait bien que les grandes familles se construisent davantage par la transmission des legs que par le labeur des héritiers, mais a-t-on jamais édifié une grande famille avec de minuscules héritages faits de morue séchée et de chandelles? Ces questions, Mathieu se les pose pour la première fois. Il les soupçonne dangereuses comme s'il devinait confusément que les sociétés commencent à se fissurer dès qu'on s'interroge sur la valeur des traditions, surtout les plus injustes et les plus sottes, qui en sont le ciment. Pour se rassurer, il se rappelle que, dans sa jeunesse, le prêtre qui surveillait les jeux à l'heure de la récréation avait coutume de dire à ceux qui redoutaient de prendre quelque coup que la fortune aime les audacieux.

Tout compte fait, après avoir versé sa part d'associé, il lui resterait assez de toile pour la voilure d'un navire de pêche et environ quatre mille livres de numéraire. D'un pas plus léger, il remonte se coucher. Passant devant la chambre de Jean-Marie, il s'arrête un instant, se décide à pousser doucement la porte et entre sur la pointe des pieds. C'est vrai que son fils paraît avoir beaucoup plus de dix ans. Il touche d'un doigt hésitant les cheveux bouclés du garçon et sort à reculons en murmurant : « Nous ferons de lui un capitaine. » Avant de s'endormir, il cherche encore à opposer de sages raisons à son désir de s'associer au capitaine Le Coz. Elles ne sont plus que des prétextes. Il sait bien qu'il ira chez le notaire. Soudain, il est secoué par un bon rire qui balaie ses dernières inquiétudes. Rire, cela ne lui est pas arrivé depuis dix ans. Il s'est vu chez le notaire, signant au bas du contrat de société : Mathieu Carbec, corsaire.

Le *Renard*, petit senau acheté par le capitaine Le Coz, n'était pas neuf. Construit depuis quelques années sur les chantiers de Solidor, il fallut le mettre hors d'eau, pousser de l'étoupe dans ses coutures et boucher les jointures du bordage, pendant que des femmes taillaient et cousaient de la toile sous la direction d'un maître voilier. Mathieu, qui ne se désespérait plus d'attendre vainement dans sa boutique les clients devenus de plus en plus rares, descendait plusieurs fois par jour jusqu'à la grève des Talards et surveillait d'un œil vif l'armement de son navire. Pour n'en posséder qu'un tiers, il ne s'en croyait pas moins propriétaire et pensait même avoir apporté la part la plus utile : un bateau sans voiles ne ressemble-t-il pas à un oiseau sans ailes? En le félicitant de sa décision, le notaire lui avait confirmé que de nombreux armateurs malouins ne possédaient souvent que de petites parts, les autres étant réparties entre de nombreux associés, nobles hommes qui trouvaient humiliant de mêler leur nom à une entreprise commerciale qu'ils estimaient sordide sans répugner pour autant à en réclamer les bénéfices avec une impatience hautaine.

Lui, Mathieu Carbec, n'en tirait pas encore vanité, mais il ne se cachait pas. Il avait mis la main à la besogne, aidé le lieutenant à ranger dans l'armurerie une grande quantité de mousquets, sabres et haches, et, comme s'il eût été expert en artillerie, donné des conseils sur l'emplacement des seize canons de 12 fournis par l'amirauté : douze en batterie, deux de chasse à l'avant, deux de retraite à l'arrière. Il aurait même voulu accompagner son associé dans les rues chaudes pour y recruter les quatre-vingts hommes à embarquer.

« Tu te vois entrer chez La Belle Anglaise ou à La Belle Viande? Mon pauvre Mathieu, il y a là des sorcières qui te mangeraient. »

Le rouge monta au front de Mathieu. Dressé dans son habit noir, il répondit au capitaine Le Coz :

« Je ne suis ni puceau ni homme d'Eglise, sais-tu? »

Stupéfait, l'autre le regarda, muet, quelques instants. Ce Mathieu, qu'il aimait bien, il n'imaginait pas son long nez, ses bras maigres et ses airs de séminariste chez les maquerelles de la rue des Mœurs. Il finit par rire, puis redoutant de l'avoir vexé :

« C'est le rôle du capitaine, dit-il. Ça n'est pas la place d'un armateur. »

Le mot magique avait été lancé. Armateur, Mathieu était devenu un armateur à la course. Sans plus insister, il rentra chez lui et voulut passer quand même devant les bordels d'où, par les fenêtres entrouvertes, des explosions de rires et de chansons le frappèrent en plein visage. Il pressa le pas pour ne plus entendre les jurons des ivrognes et les cris des putains. Ces lieux l'avaient toujours plus épouvanté que tenté. Il n'ignorait pas qu'on pouvait entrer à La Belle Viande par une porte dérobée et monter dans les petites chambres sans passer par la salle commune, mais c'est cette salle qu'il aurait voulu traverser ce jour-là en respirant à pleines narines le fumet des femmes chaudes auxquelles il aurait jeté des piastres à la poignée. Yves Le Coz et les autres capitaines devaient sûrement faire cela. Pour lui, c'était trop tard. Son tour était passé. Ça n'avait jamais été sa place et ça ne pouvait plus être sa place. Il se trouvait installé sur le barreau d'une échelle où la fréquentation des basses putains lui serait désormais interdite. Eh bien, j'attendrai mon jour de Paramé. La Rose Lemoal relève son cotillon pour moins cher que les femelles de la rue des Mœurs. Là-bas, je ne crains pas de choper la vérole.

Tandis que les grands navires corsaires remontaient vers le nord, là où la Manche se resserre entre la France et l'Angleterre, ou descendaient au sud vers Vigo, les plus petits préféraient s'embusquer dans les innombrables criques de la côte bretonne pour tomber à l'improviste sur l'ennemi. Leurs croisières ne duraient guère plus d'un mois. Au-delà, les associés craignaient le pire et se mêlaient aux femmes qui brûlaient des cierges.

Bien qu'il ne méconnût pas la pratique des lettres de change, Mathieu Carbec ne se trouvait à l'aise qu'à partir du moment qu'il touchait de ses mains l'argent ou les marchandises, les marchés à longue échéance l'inquiétaient toujours. Pourquoi le *Renard* était-il rentré deux fois bredouille, alors que la mer ne s'était pas montrée avare pour les autres? Chaque jour, il voyait un corsaire rentrer au port, suivi d'un lourd vaisseau d'où pendait, abattu, un pavillon blanc à bande orange, belle prise gorgée d'odeurs, peut-être d'or et d'argent. La dureté de la mer, la bouillasse, le convoi trop protégé, l'intervention d'un navire ennemi, aucune explication n'avait convaincu ou rassuré Mathieu. Irrité par ses questions soupçonneuses, son ami le rabroua.

« Tu n'y entends rien! Tu n'es qu'un regrattier fait pour le profit immédiat! Si tu deviens un jour armateur, tu comprendras mieux ces choses.

— J'ai le droit de connaître tout ce qui se passe, protesta Mathieu. Je suis propriétaire d'un tiers du *Renard*. »

Le capitaine Le Coz souriait avec indulgence, et il

y avait peut-être dans ce sourire l'explication des sentiments d'amitié qui liaient ce colosse à cet homme frêle depuis qu'ils avaient appris à lire ensemble. Il lui précisa très doucement :

« Non, Mathieu, tu n'en es pas propriétaire. Tu es associé pour un tiers dans l'armement du *Renard*. C'est moi qui ai acheté le navire. J'en suis le seul propriétaire, l'armateur et le capitaine. Relis notre charte et fais-la mieux expliquer par le notaire si tu n'as plus confiance en moi. N'allonge pas ton nez comme le museau d'un chat. Le prochain retour sera sans doute le bon. Dans huit jours, le temps de faire reposer les hommes, nous serons repartis. »

Sous les pieds de Mathieu Carbec, le sol s'était dérobé. Il était pourtant sûr d'avoir observé de très près toutes les opérations imposées par un armement à la course et d'y avoir participé : la réunion des fonds nécessaires, le choix et l'achat du navire, les modifications de sa voilure et de son gréement pour le rendre plus rapide, l'installation de l'artillerie aux bons endroits, les avances consenties à l'équipage.

« Il vous faut faire l'apprentissage des affaires, lui dit le notaire consulté en secret. De nombreux Malouins se trouvent dans la même situation sans avoir la chance d'être l'associé d'un armateur qui est en même temps le capitaine du navire considéré. »

Comme tous les hommes de tempérament inquiet, Mathieu Carbec n'accordait qu'un crédit passager à ceux qui prétendaient effacer ses tourments. Même si elles ne lui avaient rapporté que de maigres dividendes, ses trois actions de la Compagnie des Indes lui avaient au moins permis de participer à des entreprises qui autrement lui seraient demeurées fermées. C'était là un bon profit, mais près de quinze mille livres voguaient maintenant sur la mer dangereuse, et du même coup sa cave s'était vidée! A cette pensée, ses mains devenaient humides et froides. Le Coz avait eu raison de lui dire qu'il était demeuré regrattier... Pendant de longues nuits Mathieu s'efforça de peser les dangers qui le menaçaient, et se demanda s'il était préférable d'être propriétaire d'un navire, armateur, associé, capitaine ou marchand? Le premier louait son navire à l'armateur qui, au moment de rendre des comptes à l'associé, pouvait toujours prétendre que les dépenses avaient dépassé la valeur des prises; rien n'empêchait le capitaine de détourner à son profit quelques produits précieux avant de rentrer au port d'attache; quant au marchand, il achetait à l'armateur une cargaison sur laquelle trois rapaces au moins s'étaient enrichis avant qu'il puisse lui-même la revendre aux chalands. Où se trouvaient les meilleurs maillons de la chaîne? Après avoir exclu les risques de mer parce qu'ils pesaient sur tout le monde, Mathieu Carbec n'était parvenu à aucune conclusion qui pût le satisfaire, mais dans son ignorance du droit maritime et des pratiques du commerce lointain, il pressentait que le premier et le dernier maillon, l'associé et le chaland, demeuraient à coup sûr les moins bons. Ce qui était vrai pour l'armement au commerce ou à la pêche devait l'être davantage pour l'armement à la course. A la fin d'une nuit sans sommeil, la nécessité lui était apparue de tenir tous les autres maillons dans une seule main. Pour peu que la chance veuille lui sourire, le *Renard* rentrerait bien avec quelques bonnes prises. Dès lors, pourquoi ne deviendrait-il pas un jour le seul maître lui aussi d'une compagnie de commerce où il serait à la fois propriétaire, armateur, marchand? Des associés? Il savait maintenant qu'il en trouverait chez le notaire. Un capitaine? Il lui faudrait composer avec Yves Le Coz ou avec d'autres, il n'en manquait pas à Saint-Malo, en attendant que Jean-Marie soit devenu assez grand pour qu'on puisse lui confier le commandement d'un navire. Les capitaines de vingt ans n'étaient pas rares.

Parvenu à ce point de ses réflexions, Mathieu avait pris peur comme s'il eût eu conscience qu'il délirait, et s'était apaisé en pensant à ceux qu'on appelait les messieurs de Saint-Malo : les Magon, les Danycan, les Trouin, les Villebague, les Le Gonidec, les Porée, les Porcon ou les Surcouf. Qu'avaient-ils fait d'autre pour s'enrichir ? Et d'où étaient-ils partis ?

« Tous les Malouins sont un peu fous », murmura-t-il.

Une aube mouillée, pleine de cris furieux, barbouillait les vitres de sa chambre quand enfin il s'endormit.

Un soir du mois de septembre, le *Renard* rentra à Saint-Malo suivi d'un navire capturé au large de Morlaix. Son brigantin dissimulé au fond d'une crique, le capitaine Le Coz, accompagné de deux seuls matelots, était parti s'installer dans un creux de rocher, face à la mer libre. Pendant une longue semaine, les trois chasseurs avaient gardé l'affût, trempés par les vagues d'une grosse mer d'équinoxe qui se brisaient sur les récifs. C'était la bonne époque du retour des Indes. Ils virent d'abord passer un convoi marchand escorté par trois vaisseaux de ligne auxquels il n'aurait pas fait bon d'aller se frotter. Quatre jours plus tard, une flûte hollandaise était apparue, peinant dans la bouillasse. Au premier coup de longue-vue, s'étant rendu compte que le navire avait perdu de la toile et tenait mal au vent, le capitaine Le Coz avait regagné son bord, laissé le bateau hollandais s'éloigner afin que celui-ci ne puisse pas voir le *Renard* sortir de sa cachette, et, bon capitaine malouin, il n'avait pas hésité à déployer un grand pavillon anglais. Sûr de rattraper sa proie, il s'était alors lancé à sa poursuite. Encore que les règlements de la Marine leur fissent obligation d'envoyer leurs couleurs nationales avant d'engager le combat, c'était là un procédé de pirate que tous les corsaires utilisaient. Le capitaine du *Cornélius Janszen* consigna plus tard sur son livre de bord qu'ayant relâché à Lisbonne il y avait appris la nouvelle d'une paix séparée entre son pays et l'Angleterre, mais qu'il ne s'était pas moins méfié du pavillon arboré par le *Renard*. Les vieilles ruses de la mer lui étaient familières. Il ajouta que les avaries subies par son navire au cours de la traversée le plaçant dans l'impossibilité de manœuvrer utilement, il s'était contenté, pour l'honneur batave, de riposter par une bordée à celle de son adversaire avant d'amener son propre pavillon.

Débarquées, les marchandises furent rangées dans un magasin, inventoriés, étiquetées soigneusement. Il fallait attendre que le tribunal des prises validât leur capture dans un jugement motivé. C'était la loi. Chicaniers autant qu'insolents, les commis de l'amirauté interrogeaient les capitaines, prenaient leur temps, confrontaient les dépositions, rédigeaient des rapports. Mathieu Carbec enrageait. Il avait hâte de connaître la part qui lui reviendrait, s'indignait de telles lenteurs, se rebellait contre ces mesures d'inquisition qui contredisaient les souhaits exprimés par le roi. Celui-ci n'avait-il pas fait connaître que les particuliers désireux d'armer en course ne pouvaient rien faire qui lui soit plus agréable? Il semblait à Mathieu que ceux qui risquaient le moins s'acharnaient le plus à retarder la liquidation de son affaire.

« Cela aussi fait partie de ton apprentissage, lui dit un jour le capitaine Le Coz. Ces vilains congres d'écrivassiers considèrent que tu vas peut-être gagner beaucoup d'argent. Ils t'en veulent déjà et ne te le pardonneront jamais. »

Il fallut attendre trois mois la proclamation du jugement de bonne prise, un mois encore la vente aux enchères des marchandises saisies et du navire capturé, avant que les deux compères puissent régler leurs comptes : un tiers revenait à l'équipage, deux tiers à leur société. Déduction faite des droits d'amirauté, frais de magasinage et autres prélèvements, Mathieu reçut une somme d'argent représentant un bénéfice net de près de vingt mille livres. Combien de générations et de générations de Carbec s'étaient-elles étagées de père en fils, pendant des siècles, pour en amasser dix fois moins? Bien qu'il n'en eût pas espéré tant, et qu'il fût secrètement ébloui, Mathieu soupçonna aussitôt son ami de s'être taillé la part du lion mais accepta volontiers son invitation à souper pour fêter la bonne fin de leur première aventure.

Haute et étroite, la maison du capitaine Le Coz avait été bâtie avec des madriers et des planches. Mathieu qui passait devant sa porte depuis son enfance n'y était jamais entré. A Saint-Malo, chacun surveillait de près les échelons de la hiérarchie marchande : au plus bas, les crieurs des rues, puis les regrattiers qui assuraient le commerce de détail, plus haut les forains qui roulaient par la France, au-dessus les petits vendeurs de grains qu'on appelait aussi blatiers, encore plus haut les boulangers et les bouchers, enfin les marchands qui achetaient et revendaient à l'intérieur du royaume, et au sommet les négociants, souvent eux-mêmes armateurs, dont les marchandises et les correspondants passaient les frontières terrestres et maritimes.

Fils de regrattier, Mathieu avait franchi plusieurs barreaux de l'échelle sans se résoudre à l'abandon du commerce de détail, comme s'il eût obéi à une vieille sagesse dont la prudence tempérait la vanité qu'il dissimulait dans l'ombre d'une vie recluse. Le souper auquel le capitaine Le Coz l'avait convié lui plaisait et l'inquiétait en même temps. Depuis son veuvage, il avait refusé si souvent de partager le repas de voisins chaleureux que personne ne l'invitait. Maintenant qu'il était devenu presque riche, Mathieu Carbec ne redoutait plus que les autres veuillent se régaler de son malheur.

Nantaise, Emeline Le Coz était une solide commère de vingt-cinq ans, franche d'aspect et bavarde, qui s'entendait aussi bien au gouvernement d'une maison qu'au calcul des parts d'associé. Elle était grosse. Enorme rondeur, son ventre proclamait qu'elle allait bientôt arriver à son terme.

« Tu vois, dit le capitaine, nous te recevons comme un frère. »

Il n'était pas d'usage qu'une bourgeoise se montrât à souper dans un état de grossesse aussi avancée. Mathieu s'efforça de sourire et, regardant le visage paisible d'Emeline, essaya de retrouver les traits de sa femme disparue. Il n'y parvint pas davantage que les autres fois et jugea que les morts ont tout à fait cessé de vivre lorsque plus personne ne se souvient d'eux.

Haute de plafond, de forme carrée comme celle de sa propre maison, et meublée elle aussi d'une horloge, d'un coffre, d'une armoire et d'une table longue et épaisse comme un madrier, la pièce où on le recevait ressemblait à celle de sa propre demeure et ne lui ressemblait pourtant pas. Autant la salle de la maison Carbec paraissait sévère et pauvre, autant celle des Le Coz reflétait l'image de ses hôtes. On y sentait comme une odeur de vie heureuse. Même lorsque la Marie vivait, la maison de Mathieu était triste et sombre. Enfermé dans son souci d'économiser la chandelle, il ne s'en était jamais aperçu. Ici tout reluisait et tout paraissait clair, les dalles du sol, les solives du plafond, même le coffre passé au brou de noix. Sur la table, une soie rouge brodée d'or baignait dans la clarté d'un chandelier à six branches, et au-dessus de la cheminée, sur les pierres bien rejointoyées du mur, pendait un tableau représentant un gros bouquet de fleurs.

Mathieu fut surpris de ne point voir la table dressée. Naguère, si quelque ami était prié à souper chez lui, les assiettes étaient mises en place longtemps avant l'heure du repas. Dès que l'hôte arrivait, sa mère ou sa femme se précipitait dans la cuisine pour en rapporter une soupière fumante. Craignant un impair, il se demanda s'il ne s'était pas trompé de jour, n'en souffla mot et accepta de bon cœur le verre que lui tendait Emeline. C'était du vin d'Espagne. Les capitaines anglais, hollandais et français en faisaient une si grande consommation qu'il n'était pas de cambuse à bord de leurs vaisseaux qui n'en contînt pas plusieurs barils. Lui n'en avait jamais bu. Il en prit d'abord une prudente gorgée puis, imitant Yves Le Coz, il avala tout le reste d'une lampée. Une saveur chaude et fruitée lui inonda la poitrine. Emeline lui remplit une deuxième fois son verre.

« A la victoire de notre *Renard*! dit-elle.

– Au nouveau corsaire malouin! », fit le capitaine Le Coz.

Mathieu bredouilla quelques mots, les yeux soudain fixés sur le gros diamant qu'Emeline portait au médius de la main droite et qu'il n'avait pas encore remarqué. Sans en connaître la valeur, il savait que les joyaux de ce volume ne brillent guère qu'aux mains des duchesses et des femmes de fermiers généraux. L'idée lui vint que le capitaine Le Coz avait dérobé ce diamant à quelque passager du *Cornélius Janszen* avant qu'on y posât les scellés. Heureux de se laisser vivre dans cette maison si semblable à la sienne et qui se métamorphosait en un palais enchanté dans les brumes sucrées du vin d'Espagne, il chassa ses scrupules, n'y pensa bientôt plus. Une porte s'était ouverte, poussée par une servante qui, sans plus de façons, étendit une nappe blanche sur le bout de la longue table et dressa trois couverts. Il la regardait faire. C'était une fille de la campagne, aux joues rouges. Ses gestes lui parurent plus rapides que ceux de Rose Lemoal, mais elle reniflait aussi souvent que la nourrice et traînait derrière ses cottes la même odeur.

Emeline s'était placée entre les deux hommes. Avant de s'asseoir, son visage devenu plus grave, elle murmura :

« Seigneur, bénissez le repas que nous allons prendre. Protégez les marins qui sont en mer et l'enfant que je porte. Donnez du pain aux pauvres. »

Mathieu, qui avait baissé les yeux, les releva sournoisement pour voir le diamant tracer un signe de croix dans la lumière des chandelles.

Ce fut un repas d'amitié, plus que de fête. Point de soupe, mais du poisson bouilli, une viande rôtie, un gâteau de pâte sablée dont Emeline assura être seule à connaître la recette, et un flacon de vin que le capitaine était allé chercher lui-même dans sa cave. Mathieu mangea d'un appétit plus solide qu'il ne l'eût cru et écouta avec déférence les discours de son hôte qui, admis aux confidences des messieurs de Saint-Malo, aimait à en jeter quelques miettes à ceux qui n'y avaient pas accès. Il apprit que, pour effacer les échecs subis en Hollande, le roi venait de faire occuper la Franche-Comté par des troupes placées sous son propre commandement, tandis que celles de Turenne avaient chassé les Allemands d'Alsace. Comme ces événements se passaient loin de la Bretagne demeurée préservée des soldats dont le passage valait cent orages de grêle, Mathieu y prêta moins d'intérêt qu'à la décision prise à Saint-Germain de retirer à la Compagnie des Indes occidentales le gouvernement de Québec et celui des Antilles.

« Le roi va rembourser tous les actionnaires, dit glorieusement le capitaine Le Coz. Que penses-tu de cette nouvelle?

— Je n'ai point de souci, répondit Mathieu, je ne suis associé qu'à la Compagnie des Indes orientales.

— Combien as-tu d'actions?

— Trois. »

Emeline ne prit pas la peine d'effacer le sourire qui glissait sur ses lèvres, mais Yves Le Coz dit aussitôt sur un ton plus grave :

« Garde-les précieusement, quoi qu'il arrive, même si les nouvelles sont mauvaises. »

Le repas terminé, Emeline avait tôt disparu. Les deux hommes se retirèrent dans le cabinet du capitaine Le Coz. Rien n'y manquait, ni le coffre clouté et cerclé de fer où l'on range les papiers du bord et les lettres de change, ni les instruments pour la navigation, ni l'armoire aux armes, pas même la lampe à huile qui balançait une faible lumière sur les murs comme si le vent eût secoué la maison.

« Les messieurs pensent-ils que les nouvelles des Indes seront mauvaises? » s'inquiéta Mathieu.

Le Coz haussa les épaules :

« Comment seraient-elles bonnes, quand on a confié le commandement de la dernière escadre partie là-bas à un homme qui n'a jamais vu la mer! Ce Blanquet de La Haye est peut-être un gentilhomme courageux mais il ne pensera qu'à faire la guerre et les Hollandais installés aux Indes n'en feront qu'une bouchée. Voilà ce que nous disons entre nous à l'assemblée des armateurs. »

Il ajouta, plus bas :

« Ce que nous ne disons pas, mais que je te dis, moi, c'est qu'à la nouvelle d'un désastre, plus d'un associé voudra vendre ses parts. Alors, Mathieu, n'hésite pas à en acheter. Tu les trouveras à bas prix. Plus tard, tu ne le regretteras pas. »

Mathieu Carbec prenait du plaisir à écouter cet homme qui tantôt parlait avec une grande douceur de voix et tantôt explosait comme le tonnerre, connaissait les choses de la politique, lançait son négoce dans l'avenir avec la même audace qu'il dirigeait son navire sur la mer.

« Vois-tu, Mathieu, les directeurs de la Compagnie ont commis beaucoup d'erreurs : leurs dépenses ont été trop lourdes, ils n'ont pas tenu leurs promesses, et au lieu de faire du commerce, ils ont voulu mettre en place des colonies. Voilà ce qu'on leur reproche à l'assemblée. Tout cela est vrai et tout cela est faux! N'oublie pas que depuis dix ans la Compagnie dépense des millions de livres pour construire et armer des vaisseaux au Port-Louis, installer des comptoirs à Madagascar, à Bourbon, en Inde, entretenir les soldats d'une armée particulière, surveiller la sûreté de la navigation. Il faut la laisser faire, sa tâche est nécessaire à notre état de négociants, d'armateurs et de marins. Seule, une compagnie royale peut être assez riche pour combler les déficits qu'on nous apprend chaque année. Un jour viendra où elle s'essoufflera. Elle se ruinera peut-être, et entraînera quelques financiers qui n'auront vu dans sa création qu'une affaire d'argent. Alors ce sera le moment pour nous, armateurs et marchands, de profiter de ses efforts. Crois-moi, Mathieu, il vaut mieux être du côté des moissonneurs que des semeurs. »

Ces idées qui le tourmentaient depuis quelques années sans qu'il parvînt à leur donner une forme précise, Mathieu en recevait soudain l'expression brutale en plein visage. Il en fut troublé, se demanda s'il n'y aurait pas quelque chose de malhonnête là-dedans, mais garda le silence. Décidément il n'était pas fait pour les entreprises à longue échéance. Il entendit Yves Le Coz lui dire :

« Continuons-nous notre société après le règlement des comptes?

– Mais tous les comptes sont réglés! protesta Mathieu avec la véhémence d'un homme à qui on voudrait prendre son bien.

– Pas tout à fait, Mathieu. Tu vas avoir une bonne surprise. »

Le capitaine s'était levé et avait ouvert son coffre aux serrures cloutées dont il sortit un petit sac de toile qu'il posa sur la table, devant Mathieu.

« C'est ta part. »

Mathieu Carbec ne parvint pas à l'ouvrir tout de suite. Ses mains moites tremblaient et multipliaient les nœuds qu'il s'efforçait de défaire. Sainte Mère de Dieu! fit-il lorsque la poudre d'or lui glissa entre les doigts. Il n'avait pas besoin d'en avoir déjà vu pour reconnaître le prodigieux métal. Du même coup, il comprit la fraude, peut-être pis, commise par son associé. Envahi de scrupules, il était submergé par la convoitise, sachant trop bien que ceux-là finiraient par être vaincus par les raisons apaisantes qu'il trouvait toujours. Dans le temps de la guerre, toutes les prises ne sont-elles pas honnêtes même si elles proviennent du gousset d'un ennemi? Et fallait-il tant se soucier de savoir que cet or n'avait pas été remis aux commis ainsi que l'exigeait le roi? Frauder l'Etat, était-ce vraiment voler? L'hôtel des Monnaies n'était-il pas le véritable voleur puisqu'il exigeait qu'on lui apportât l'or et l'argent étrangers mais l'échangeait toujours à un taux inférieur à celui que proposaient les orfèvres et les banquiers? Mathieu Carbec savait aussi que certains corsaires friponnaient sans honte les capitaines neutres et leurs passagers, quitte à faire signer aux victimes, sous la menace du pistolet, une lettre par laquelle elles reconnaissaient les parfaites manières et l'honnêteté du capitaine détrousseur. Et lui-même, au cours de sa vie regrattière, n'avait-il rien eu à se reprocher?

Il rentra chez lui d'un pas vif. Le magot, pas bien gros, pesait lourd sur sa poitrine. Mathieu était inquiet. Dès demain, le cœur rapide et un écu en poche, il irait trouver son curé qui savait si bien faire disparaître ses tourments, mon fils l'aumône efface les péchés.

Quelques lumières tremblaient derrière les vitres des maisons. Une cloche sonna le couvre-feu. Il hâta le pas. Déjà il entendait aboyer les chiens. Chaque soir, lorsque la mer était basse, des dogues énormes étaient lâchés sur la grève. Ils surveillaient les navires affourchés sur la vase, toutes écoutilles fermées, pour empêcher les voleurs de les piller. Parvenu devant sa porte, Mathieu écouta la ronde hurlante qui tournait autour des remparts. Il sourit et pensa qu'il était juste que le bien d'autrui fût protégé par la meute de la nuit.

GORGÉES de poissons, les barques rentraient avec la marée. Habiles à manœuvrer dans les passes qu'ils étaient seuls à connaître, les patrons malouins s'y engageaient avec autant de prudence que de témérité : plus d'un navire qui avait franchi sans dommages les caps du commerce lointain s'était éventré sur des chicots à l'embouchure de la Rance. Ce spectacle de tous les jours, les habitants de Saint-Malo ne le manquaient pas. Ils en connaissaient assez les détails pour l'apprécier à sa valeur et ils aimaient se rencontrer sur le quai de Mer-Bonne où les femmes querellaient leurs hommes sur le produit de la pêche.

A peine sortis de l'école, les garçons étaient descendus en courant vers le port et s'étaient mêlés à la foule, jouant des coudes pour occuper les meilleures places, au bord du quai, là où étaient déchargées les corbeilles pleines de poissons qui brillaient comme des couteaux. Un panier sous le bras, quelques commères remontaient déjà vers la ville haute :

« Maquereau frais! maquereau frais qui vient d'arriver! »

Derrière elles, le sillage d'une légère fumée bleue léchait les murs. Bientôt, toute la ville sentirait le poisson grillé parce que, chez les armateurs de la rue Saint-François comme chez les filles de la rue des Mœurs, un poisson doit se manger sorti de l'eau, quelle que soit l'heure de la journée.

Jean-Marie resta sur le quai plus longtemps que ses compagnons. Jamais pressé de rentrer chez lui, il en retardait toujours le moment. Les autres retrouveraient des frères, des sœurs, des querelles, des jeux, des rires : les familles de huit à dix enfants n'étaient pas rares. Lui, il lui faudrait faire réchauffer la soupe qu'une vieille femme venait lui préparer deux fois par semaine, et s'asseoir en face de son père silencieux. Son père, il lui était arrivé de se demander s'il l'aimait comme il aimait maman Paramé. Une telle question l'avait effrayé et empêché de dormir tout au long d'une nuit où son cœur avait battu aussi fort que la grosse pendule de la salle dont il entendait le balancier rythmer à travers les planches le premier commandement de Dieu tes père et mère honoreras tac afin de vivre tac longuement tac tes père et mère tac... Est-ce qu'il vivrait longtemps lui, Jean-Marie, puisqu'il enviait souvent le sort des enfants trouvés et recueillis par l'hôpital où les capitaines sont toujours sûrs de trouver des mousses à inscrire au bas d'un rôle d'équipage?

L'année où Jean-Marie avait quitté maman Paramé, il avait découvert les cales où l'on construisait les navires à Rocabey, aux Talards, à Solidor. Alors que son père le croyait à l'école, il donnait un coup de main aux calfats et préparait leur étoupe, plus heureux de respirer l'odeur du goudron et d'entendre le bruit des maillets que d'ânonner l'abécédaire. La guerre avait rendu les chantiers silencieux et déserts. Inachevées, leurs grosses coques noires penchées sur la vase, les barques ressemblaient alors à d'énormes corbeaux aux ailes repliées. A part quelques navires corsaires, seuls les pêcheurs pouvaient sortir du port, prenant garde de ne pas perdre de vue la côte sous peine d'être surpris par un vaisseau ennemi. Le *Renard* était un de ces corsaires-là. Mathieu n'en avait jamais soufflé mot à son fils mais celui-ci n'avait pas été long à l'apprendre à l'école. Mortifié autant que glorieux, il avait eu l'esprit assez prompt pour faire accroire à ses compagnons qu'il n'ignorait rien des entreprises paternelles mais qu'il en avait gardé le secret par crainte des espions. A son tour, il jouait au petit maître.

Le mois de mai riait sur la mer. Comme tous les jours, jusqu'à ce que le soleil eût disparu, des hommes s'installaient sur la tour de la Découvrance dans l'espoir du retour de quelque navire. On y rencontrait des officiers de l'amirauté, des capitaines marchands, des commis d'armateurs, parfois des armateurs eux-mêmes, et de nombreux retraités. Ils surveillaient l'horizon, appréciaient la mobilité du vent, échangeaient des propos graves en évoquant les années à peine disparues où il y avait toujours quelque part dans le monde un Malouin sur la mer libre, tentaient de deviner le pavillon du navire qu'ils venaient de fixer dans l'oculaire de leur longue-vue, entamaient d'interminables discussions.

Espérant qu'on voudrait peut-être lui prêter un instant la lorgnette, Jean-Marie s'était mêlé à leur groupe. Chacun connaissait le fils à Mathieu.

« Alors, viens-tu attendre ton *Renard*? »

Fiérot, les deux poings sur les hanches :

« Dame oui! répondit-il.

– Celui-là, pour sûr, fit un vieux captaine, il ne restera pas longtemps dans la boutique de son père.

– Taillé comme il est, il est fait pour la morue, fit un autre qui ajouta en clignant de l'œil, il n'est pas fait pour la nourrice, ce Carbec-là! »

Un gros rire remua leurs épaules. Jean-Marie comprit cette fois qu'on se moquait de son père et

68

de sa maman Paramé. Immobile, bien campé sur ses petites jambes, il croisa ses bras sur sa poitrine et regarda ces hommes qui riaient. Avec son front têtu, ses cheveux bouclés, ses yeux fixes, son visage ressemblait à quelque mascaron sculpté sur les portes des riches maisons. Gênés, point méchants, les hommes s'arrêtèrent de rire.

« Tu veux lancer un coup de lorgnette? » dit l'un d'eux.

Jean-Marie haussa les épaules, leur tourna le dos, s'en alla. Il aurait voulu courir. Il traîna les pieds, s'efforçant de ne pas se hâter pour ne pas avoir l'air de fuir. La colère et le soleil déclinant doraient ses taches de rousseur. Au moment où il allait pleurer, il donna un furieux coup de pied à un caillou qui lui offrit le merveilleux plaisir d'une étincelle et le décida à retarder un peu plus le moment de rentrer chez lui. Il alla flâner sur le bastion où des maçons coulaient le mortier pour y fixer de gros canons. Jean-Marie s'y attarda quelques instants et se décida enfin à monter vers la ville.

« Maquereau frais qui vient d'arriver! »

Jean-Marie reconnut la voix de la Justine, une voix gourmande, pleine de rires, et vit venir vers lui, portant un panier sous le bras, une grande fille brune au visage étroit et lisse, aux yeux un peu bridés et d'un bleu hardi. On l'appelait Clacla, sans doute à cause du bruit qu'elle faisait avec ses sabots et parce qu'elle avait l'air de danser la dérobée en marchant. Elle n'avait guère plus de vingt ans, était mariée à un marin pêcheur et cousinait avec Jean-Marie. Les mauvaises langues racontaient que, bonne fille, Clacla vendait son poisson et donnait volontiers le reste.

Elle embrassa Jean-Marie avec une tendresse grondeuse :

« Tu traînes encore dans les rues, mauvais gars? »

Le garçon rougit. On ne l'embrassait plus guère que lorsqu'il allait voir maman Paramé : des baisers sonores et violents qui l'étouffaient comme un coup de vent et n'avaient rien à voir avec la bouche humide de Clacla. Elle prit dans son panier trois beaux poissons bleus, mouillés, tachés de raies noires.

« Tiens, porte ça à ton père! »

Jean-Marie demeurait muet, les oreilles rouges, retenant par les ouïes les maquereaux gluants dans ses mains maladroites. Elle l'embrassa une autre fois, et lâcha :

« Allez, déhale-toi! Ton oncle Frédéric est arrivé, il est chez ton père! Il a débarqué au Port-Louis! »

Les chansons de maman Paramé avaient bercé les premiers sommeils de Jean-Marie autant que le nom de l'oncle Frédéric avait hanté ses premiers rêves. Ce nom-là, ses tantes, ses oncles, ses cousins, même son père, le prononçaient en hochant un peu la tête, toujours avec des sourires mystérieux, parfois en se signant comme s'il s'agissait d'un mauvais diable. Peut-être d'un saint? Jean-Marie savait seulement que son oncle Frédéric s'était embarqué autrefois pour un pays où les églises sont recouvertes de plaques d'or, les magasins pleins de poivre et les habits couverts de diamants.

Il partit en courant. La Justine s'en alla de son côté.

« Maquereau frais qui vient d'arriver! »

Elle savait mettre dans sa voix une insolence qui provoquait les hommes et inquiétait les femmes. Le poids de son panier l'obligea à une cambrure des reins qui fit un peu bomber son ventre quand elle disparut au coin de la rue Saint-Vincent.

Frédéric avait poussé brutalement la porte de la boutique.

« Salut, Mathieu! » tonna-t-il, et son rire vola en éclats.

Courbé sur ses comptes, Mathieu releva la tête. Surpris un bref instant avant de reconnaître son beau-frère, il se leva et dit à son tour sur le même ton :

« Salut, Frédéric! »

Les deux hommes s'embrassèrent en riant, se frappant les épaules et se taisant soudain comme si leur gorge se fût nouée. Mathieu recula d'un pas pour mieux regarder le revenant. Il cherchait la raillerie du sourire, les boucles des cheveux bruns ombrés de roux, la jeune rondeur des joues, l'insolence façon de se balancer, d'une jambe sur l'autre, en parlant. Il ne retrouva qu'un visage maigre et jaune, mangé de barbe, creusé de rides où perlaient de minuscules ruisselets de sueur. Tout à coup une odeur d'alcool et de femme chaude lui sauta au nez. Mathieu la reconnut comme s'il eût conservé intact, pendant ces dix années, le souvenir du fumet que Frédéric traînait toujours après lui. Honteux, il affecta de baisser la tête.

Frédéric crut que son beau-frère regardait ses souliers, usés, déchirés par endroits, d'où sortaient des orteils enveloppés de chiffons sales.

« Tu regardes mes pieds? dit-il. Dame, ils ont fait de la route depuis que tu leur avais payé des souliers pour embarquer à Rochefort! »

Il ajouta en riant :

« Les souliers, ça s'use plus vite que les pieds.

– Pour sûr », répondit bêtement Mathieu.

Semblables à deux lutteurs qui s'observent et cherchent la meilleure prise, ils restèrent un bon moment à se regarder. Ni l'un ni l'autre n'était animé du désir, encore moins de la volonté, de l'emporter. Simplement ils cherchaient le bout qui leur servirait à démêler les fils que ces dix années avaient embrouillés autour de leurs deux vies, chacun brûlant et refusant à la fois de poser la première question qui en dénouerait la pelote.

« Ça sent toujours bon chez toi, dit enfin Frédéric.

— La guerre a pourtant vidé tous mes sacs, répondit prudemment Mathieu.

— Ta boutique est encore pleine d'odeurs. Lorsque j'étais enfant, j'aimais venir ici pour plonger mes mains dans tes caisses d'épices. Tu me querellais. Sacré Mathieu, m'en as-tu flanqué des tournées. Dame, tu n'avais pas la poigne légère! »

Frédéric disait cela en souriant, comme si les raclées de son enfance eussent été de bons souvenirs. Il ajouta, rêveur :

« Là-bas, quand je voulais retrouver le souvenir de ces bonnes odeurs, je pensais à toi. »

Mathieu ne comprit pas ce que son beau-frère voulait dire.

« Les Indes sont pourtant le pays du poivre, de la vanille, du gingembre et de la cannelle? »

Frédéric retrouva d'un coup son jeune sourire pour répondre sur le ton d'une gouaille sentencieuse :

« Les Indes, monsieur mon frère, sentent la merde. »

Un bref instant, il savoura la surprise de sa réponse et crut deviner dans les yeux de son beau-frère l'ombre que ses insolences provoquaient naguère.

« Tout le reste n'est qu'attrape-nigaud. Qu'en penses-tu, Mathieu? »

Sa voix était devenue soudain plus dure, et Mathieu Carbec en rougit de malaise parce qu'il se rappela n'avoir pas été mécontent du départ de Frédéric loin de Saint-Malo. Il se souvint aussi des

72

grandes affiches blanches de la Compagnie des Indes, timbrées du sceau royal et placardées sur tous les murs, où l'on promettait des marquisats aux courageux colons de Madagascar, l'île merveilleuse qui dispenserait la fortune et la gloire. Des quelques dizaines de Malouins tentés par cette aventure, Frédéric était le premier à revenir au pays. Il regarda plus attentivement ses yeux fiévreux, ses vêtements déchirés, ses souliers troués, et sentit déferler en lui une marée d'amitié qui engloutit d'un seul coup ses vieilles méfiances.

« Remets-toi, fils, dit-il, en désignant une chaise. Tu as l'air fatigué. D'où arrives-tu comme ça? »

Il avait posé cette dernière question comme si son beau-frère était parti depuis quelques jours pour Dinan ou Rennes, non depuis dix ans au bout du monde.

Frédéric s'était assis à califourchon.

« D'où j'arrive? Du bordel. »

Sa voix avait pris le ton à la fois narquois et rude d'un homme qui cherche une querelle. Mathieu se contenta de hocher la tête en souriant :

« Mon pauvre Frédéric, tu n'as pas changé!

— Dame non! Tu ne voudrais pas qu'à mon âge je me contente d'une vieille nourrice une fois par mois. »

Frédéric avait dit ces mots en regardant son beau-frère avec les yeux d'un chasseur qui épaule son fusil pour abattre un gibier. Mathieu Carbec reçut le coup sans broncher. Long, maigre, vêtu de noir, il avait l'air d'un mauvais prêtre pris en faute mais il releva bientôt la tête fièrement, comme un homme qui a du répondant.

« Mêle-toi de tes affaires. Où as-tu appris cela?

— Aux Indes, pardieu! »

Frédéric avait répondu en riant de tout son soûl devant son beau-frère dont la soudaine assurance dissimulait mal l'inquiétude qui mordait son visage, et bientôt la tristesse qui le rendit plus veuf que jamais.

« Misère humaine! dit doucement Mathieu.

– Que veux-tu dire?

– C'est ce que dit mon curé lorsque je lui confesse mes péchés. »

Frédéric répondit, avec un sourire grave, qu'il avait connu lui aussi la misère humaine. Il montra ses vêtements déchirés, posa ses mains maigres sur son visage décharné, et ajouta presque tendrement :

« Tu sais, Mathieu, je ne te l'ai jamais dit lorsque j'étais enfant mais je t'ai toujours beaucoup aimé, et j'ai été heureux d'apprendre le succès de tes entreprises. »

La lumière était revenue dans les yeux de Mathieu.

« C'est aussi aux Indes qu'on t'a appris cela? »

Frédéric haussa les épaules.

« Mais non, imbécile, pas plus que le reste. J'arrive du Port-Louis. Hier soir, je n'ai pas voulu te déranger. Je suis allé tout droit chez la Belle Anglaise. C'est elle qui m'a parlé de toi.

– Personne ne me connaît dans ces lieux infâmes.

– Tu crois cela? Quand on te voit passer rue des Mœurs, tu n'oses pas regarder devant toi comme si tu allais rencontrer le diable, mais tu en meurs d'envie. Tu fais rire tout le monde. »

Frédéric retroussa ses lèvres sur deux dents jaunes, longues comme ces coquillages qu'on trouve dans le sable autour du Mont-Saint-Michel :

« Ça m'a fait quand même plaisir, cette nuit, de baiser une Bretonne! »

Chez la Belle Anglaise, il avait retrouvé des anciens et des anciennes. Les années ne les avaient pas arrangés eux non plus.

« Tu n'as pas dû beaucoup te priver là-bas?

« – Tout ce qu'on raconte sur les filles de là-bas, ce sont des menteries comme les placards du roi. Il n'y a pas plus chaud que celles d'ici », répondit Frédéric.

Dix années séparaient les deux hommes. L'un avait entassé des piastres dans sa cave et s'était associé à un armateur, l'autre revenait des Indes, et voilà que leur vie se réduisait à des dimensions minuscules. Eloignés l'un de l'autre trop longtemps pour avoir encore quelque chose à se dire, ils demeurèrent silencieux. Frédéric s'était levé, se balançant d'un pied sur l'autre comme le jour où il était venu emprunter deux cents livres à son beau-frère avant de s'embarquer. Il sembla à Mathieu que c'était hier et il retrouva du même coup dans les yeux de Frédéric la séduction enfantine de son sourire de mauvais garçon, à ce point qu'il n'aurait pas été étonné de l'entendre dire : « Monsieur mon frère, vous allez me prêter un peu d'argent. » Sa surprise ne fut pas moins grande lorsque Frédéric lui demanda :

« Combien m'avais-tu prêté lorsque je suis parti? »

Mathieu choisit un vieux registre, au milieu d'autres dont les tranches étaient neuves, mouilla son pouce, le feuilleta avec soin, trouva la page et dit :

« Avec les intérêts, cela fait aujourd'hui quatre cents livres. Les comptes sont les comptes, disait mon père. »

Il ajouta avec une voix où personne n'aurait pu peser la part de l'espérance et celle de l'inquiétude :

« Tu as donc de l'argent!

– Paie-toi! » répondit Frédéric.

D'un geste superbe, il avait jeté une poignée de diamants qui crépitèrent comme une averse de grêle sur un des plateaux de la balance. Stupéfait,

Mathieu écarquilla les yeux, regarda de plus près les pierres précieuses et s'exclama :

« Mais tu es riche! »

Réinstallé sur sa chaise, Frédéric se contenta de froncer les sourcils :

« J'ai sauvé ma peau, c'est tout. »

Mathieu ne connaissait pas encore la valeur exacte de ces diamants, mais il savait déjà que cette fortune risquait de disparaître rapidement dans les maisons de la rue des Mœurs. Il devinait son beau-frère plus ombrageux que jamais, plus jaloux de sa liberté, plus rude, pourtant plus fragile, et toujours conscient de son charme. Encore qu'il brûlât de connaître pourquoi Frédéric était revenu en loques comme un vagabond avec des diamants plein le poche, il n'osait pas encore le lui demander. A la vérité, il ne s'en souciait pas au-delà d'une curiosité de commère : plus d'un Malouin, parti Dieu seul savait où, était revenu après un long silence avec un magot qui lui permettait d'armer à la pêche, vivre à la manière d'un noble homme, ou faire l'important sur les remparts à l'heure de la marée. Il s'inquiétait davantage des paroles entendues tout à l'heure : « Les Indes, c'est un attrape-nigaud! »

Mathieu hésitait, ne savait pas comment s'y prendre, cherchait le meilleur moyen de faire parler ce Frédéric naguère beau parleur et maintenant quasi muet. Il hasarda avec un sourire niais :

« Alors te voilà revenu? »

Le menton posé sur ses deux mains croisées, Frédéric ne regardait pas plus ses diamants que son beau-frère. Les yeux perdus, les joues soudain plus creuses, il paraissait épuisé, sans plus de défense qu'un marmot. Tout ce que l'autre lui racontait ne l'intéressait plus. Il s'en moquait. A peine entendit-il qu'on lui demandait : « Que vas-tu faire? » Il n'eut pas davantage conscience de répondre « dormir ».

Il ronflait déjà, submergé par une immense fatigue.

Lorsque Jean-Marie, essoufflé, entra dans la boutique, son père se dressa devant lui, un doigt impérieux sur les lèvres.

« Ne fais pas de bruit, ton oncle dort! »

Cet homme mal vêtu, en loques, aux souliers troués, c'était donc son oncle Frédéric, celui qui était parti pour les Indes et dont on disait qu'il y menait peut-être la vie d'un prince. Jean-Marie éprouvait toujours le besoin d'enluminer les êtres, de dramatiser les événements et de tisser autour d'eux des fils d'or. Il regarda le vagabond avec fierté et déclara :

« Il a certainement fait naufrage. »

Une heure s'écoula. Mathieu Carbec avait rangé les diamants dans son coffre cerclé de fer. Jean-Marie se taisait. Bientôt Frédéric ne ronfla plus. Sa respiration était devenue rapide, presque rauque, et la sueur coulait de son front dans ses sourcils. Le soir tombait. L'heure d'allumer les chandelles était venue. Mathieu qui avait entendu dire que des hommes envahis soudain par une grande faiblesse et inondés de transpiration étaient morts en quelques instants, s'inquiéta au point de prendre peur et, ne sachant quoi faire, dit à son fils d'aller chercher le capitaine Le Coz.

Lorsque Le Coz arriva rue du Tambour-Défoncé, l'état de Frédéric ne s'était pas amélioré. Etendu sur le sol, il claquait des dents et ses épaules étaient secouées de tremblements.

« Il a attrapé les fièvres, fit le capitaine. A chaque retour des Indes, les marins connaissent cela.

– Va-t-il passer? questionna Mathieu à voix basse.

– Oui, si tu appelles un médecin, parce qu'il lui fera une saignée qui le tuera aussitôt. Fais-le reposer dans un bon lit et fais-lui boire beaucoup de tisane. Sa fièvre tombera toute seule dans trois ou quatre jours.

– Trois ou quatre jours? Tu n'y penses pas! Que vais-je en faire? » protesta Mathieu.

Les bras croisés et la voix plus haute, Le Coz répondit :

« M'as-tu envoyé chercher pour t'aider à jeter un malade dans la rue? Ta maison est assez grande pour loger ton beau-frère. »

Quand Mathieu Carbec devait prendre une décision, il avait toujours soin d'en évaluer les conséquences et s'attardait volontiers sur les plus fâcheuses. Fermer sa porte à Frédéric, c'était à coup sûr commettre une action qui le ferait mal juger; l'ouvrir, c'était sans doute guérir un corps et peut-être sauver une âme, mais c'était aussi abriter sous son toit une sorte de démon prêt à jeter le trouble dans sa maison, à déranger ses habitudes, à le brocarder avec ce sourire railleur qui le brûlait comme l'aurait fait une goutte d'eau-forte tombée sur ses mains. A moins de s'en rendre complice, pouvait-il accueillir un homme qui vivait dans le péché comme un poisson dans la mer? Incapable d'en décider, il pensa gagner du temps :

« Je demanderai conseil à mon recteur.

– Laisse tranquille ton curé autant que ton médecin. Ni l'un ni l'autre ne feront tomber la fièvre de ce pauvre diable. Un bon lit et des tisanes, c'est tout. »

Le capitaine Le Coz ajouta d'une voix plus lente :

« Etre chrétien, c'est d'abord être charitable. Le reste, tu sais... »

Il n'acheva pas sa phrase parce que Jean-Marie s'était écrié tout à coup :

« Il faut coucher l'oncle Frédéric dans la grande chambre!

– Bien dit, mon gars! fit le capitaine. Toi,

Mathieu, prends-le par les pieds et moi je le prends par les épaules. Nous allons le porter là-haut. Passe devant, Jean-Marie, pour ouvrir la chambre. »

Ils montèrent l'escalier avec leur maigre fardeau.

Quand Frédéric reprit conscience, il regarda autour de lui sans comprendre comment sa barque était venue s'échouer sur des draps blancs qui sentaient la lessive. Peu à peu, il découvrit qu'il se trouvait dans la maison de son beau-frère, et il reconnut la chambre où il était entré naguère, avant les Indes, les yeux brouillés de larmes, pour se signer devant le cadavre de sa sœur, la femme de Mathieu. De cela, il avait gardé une mémoire fidèle mais il ne parvenait pas à savoir pourquoi il était couché dans ce lit, c'est encore cette foutue fièvre qui m'a repris. Ses jambes et ses épaules lui faisaient mal. Il avait soif. Sur la table de nuit, une lampe à huile tenait au chaud un pot de tisane. Il reconnut ce pot sans savoir où il l'avait déjà vu et il le vida d'un seul coup. Immobile, le dos bien calé par des oreillers où sa tête s'enfonçait, il ne tentait même plus de comprendre ce qui lui était arrivé. Il referma les yeux. Cette fois il ne s'écroulait pas dans un trou noir. Il buvait le plaisir du sommeil, qui, sous ses paupières mi-closes, allumait déjà les images de sa dérisoire aventure.

Quand il s'était embarqué, à Rochefort, sur le *Saint-Jean-Baptiste*, un des navires de la flotte que le marquis de Montdevergue conduisait à Madagascar avec un millier de colons, Frédéric était loin de se douter qu'il reviendrait dix ans plus tard au Port-Louis avec les débris d'une troupe de soldats vaincus. Dès le départ, le mauvais sort s'était installé à bord des vaisseaux et ne les avait plus lâchés, multipliant les tempêtes et les calmes plats, les avaries et les embarras au cours d'un interminable voyage qui avait duré treize mois au lieu de six. Les provisions prévues pour le temps d'une traversée normale une fois épuisées, il avait fallu ouvrir et vider les caisses de vivres destinées au ravitaillement de Madagascar, si bien que les navires étaient arrivés à Fort-Dauphin sans farine, sans lard, sans eau. Les garde-manger étaient vides et les passagers affamés.

La seule vue de la Terre promise avait redonné la confiance du départ aux émigrants agenouillés sur les tillacs pour remercier la Providence de les avoir conduits à bon port. Une plage de sable blanc bordée de palmiers avait suffi pour leur faire oublier plus de cent compagnons morts en cours de route et jetés à la mer. Ils ne se rappelaient plus que les affiches racoleuses où ils avaient lu la douceur du climat madégasque, la variété des fruits et des légumes, l'abondance du bétail, du gibier et des poissons, la richesse des mines d'or et d'argent, la docilité des nègres. Ce que Moïse avait accompli jadis pour son peuple, le roi de France le faisait aujourd'hui pour ses audacieux sujets.

A peine débarqués, les colons avaient compris qu'ils avaient été joués. Décrit sur les placards de la Compagnie sous les aspects d'une véritable ville, Fort-Dauphin n'était guère qu'un petit espace de terre entouré d'une palissade faite de troncs d'arbres et au milieu duquel s'écroulaient quelques huttes, des sortes de granges délabrées, et une cabane sommée d'une croix. Furieux et déçus, évadés de leurs rêves mais prisonniers de la grande île où ils venaient d'aborder avec des navires incapables de reprendre la mer, les plus courageux s'étaient lancés dans la brousse, voulant reconnaître le pays immédiat et ramener quelque nourriture. De ceux-là, un petit nombre était revenu pour raconter que derrière chaque buisson se cachait un guerrier à la peau noire et luisante, prêt à lancer son javelot d'une main terrible. Dès lors, il avait fallu organiser de véritables expéditions armées pour se procurer la moindre subsistance. Epuisés de fatigue, accablés de découragement, étouffés de chaleur humide, terrorisés par les bruits de la forêt, les moins solides n'avaient pas résisté plus de quelques jours : les premiers coups de pioche donnés à Fort-Dauphin avaient creusé les premières tombes de la Compagnie des Indes. Cependant, les plus robustes avaient réussi à entrer en rapport avec quelques indigènes et étaient parvenus à se procurer du riz et du bétail. De son côté, le marquis de Montdevergue n'avait pas hésité à puiser dans le trésor que lui avait confié la Compagnie : en échange de beaux louis d'or il avait conclu des traités de bon voisinage avec des chefs de tribus auxquels étaient solennellement attribués des titres de ducs et princes au nom du roi.

Six mois après leur arrivée, un mort chassant l'autre, les colons avaient élevé des défenses plus solides que les premières palissades pour faire de Fort-Dauphin un fort véritable sous la protection duquel une ville pourrait peut-être s'élever un jour. Ils cultivaient déjà quelques arpents, exploitaient une carrière, construisaient des fours à chaux, empierraient des chemins. Laboureurs, maçons, menuisiers, boulangers, forgerons, ils s'étaient vu assigner le chantier qui convenait le mieux à leur état. Peu à peu, l'espoir, au moins le goût de vivre, s'était rallumé dans le ventre de ces artisans, marins ou soldats de fortune, aventuriers de petit calibre ou fils de famille expédiés au loin pour éviter la prison. Et tous ces hommes, perdus de l'autre côté de la terre, jaloux de leurs rations et déjà prêts à se déchirer pour des préséances, avaient retrouvé ou découvert le bonheur d'une récolte bien venue ou d'un mur élevé droit.

Charpentier, Frédéric avait eu la chance d'être désigné pour renforcer l'équipe du *Saint-Jean-Baptiste* qui avait subi de graves avaries au cours de l'interminable traversée. Demeuré à bord, il n'avait connu ni les dangers ni les terreurs des compagnons débarqués à Fort-Dauphin mais il n'avait pas rechigné à la besogne quand le capitaine lui avait demandé de donner un coup de main à l'équipage épuisé pour remettre le navire en état de reprendre la mer le plus vite possible. Les agents supérieurs de la Compagnie qui y avaient pris passage n'étaient pas destinés à coloniser Madagascar mais à installer sur la côte des Malabars, à Surat, un premier comptoir. Ceux-là étaient, pour la plupart, des Hollandais débauchés par Colbert avec l'aide de quelques milliers de livres, et rapidement pourvus de lettres de naturalisation sans que le ministre se fût soucié de leur religion réformée. Impatients de quitter Fort-Dauphin, ils pensaient qu'il fallaït aller droit aux Indes afin d'y faire leur métier de marchands, acheter et vendre, et laisser aux songe-creux le souci de défricher une terre hostile en s'y écorchant la peau avant d'y mourir pauvres et égorgés.

Il n'avait pas fallu moins de six mois de durs travaux pour permettre au *Saint-Jean-Baptiste* d'appareiller. Ce jour-là, alors que Frédéric, déjà descendu à terre, se résignait à partager le sort des colons, le capitaine l'avait rappelé pour l'inscrire d'office sur le rôle d'équipage en remplacement d'un charpentier qui avait disparu. Bonne ou mauvaise, Frédéric acceptait toujours la fortune sans surprise. Il était remonté à bord, son coffre sur l'épaule, pas fâché de quitter Madagascar : on y mourait trop souvent, le travail y était trop dur, les femmes trop rares, les hommes se battaient entre eux, les accords conclus avec des sauvages parés de tricornes à galons d'or n'empêchaient pas les hommes noirs de massacrer les colons blancs, et le marquis de Montdevergue punissait de six heures de carcan quiconque blasphémait le nom de Dieu. Frédéric n'avait gardé qu'un seul bon souvenir de Fort-Dauphin : un jour qu'il était descendu à terre, il avait regardé longtemps un couple de bœufs aux larges cornes entrer dans un étang jusqu'au poitrail pour y brouter des nénuphars bleus.

Quand le *Saint-Jean-Baptiste* était arrivé devant Surat, le port grouillait de grosses barques de commerce battant pavillons anglais, espagnol, hollandais et autres flammes que Frédéric n'avait jamais vues sur le mât des bâtiments qui fréquentaient Saint-Malo. Chargées de caisses et de gros sacs de jute, des barges se croisaient sur l'eau ensoleillée, conduites par des rameurs debout, torse nu, et coiffés de turbans. Béjaune qui ne voulait paraître étonné de rien, la ville l'avait surpris davantage que les mouvements de la rade. Le premier jour, nez en l'air, pour mieux regarder les maisons hautes, blanches et roses, aux murs revêtus d'un enduit étincelant, il s'était perdu dans des ruelles tortueuses et s'était senti tout à coup isolé, inquiet, comme s'il eût été cerné par une multitude de regards immobiles. Certaines femmes étaient voilées, les autres offraient un visage lisse et cuivré où brillaient des yeux immenses. Vêtues de linges déchirés ou enveloppées d'étoffes légères aux couleurs vives, elles marchaient avec ces airs de princesses qui n'existent que dans les contes. De nombreux enfants l'avaient suivi, les yeux pleins de mouches, la main tendue, muets, et toujours cette fixité du regard. A un moment son pied avait buté sur une masse dure, celle d'un homme entièrement nu, avec un peu de mousse rouge qui coulait encore de sa bouche. Des squelettes, il lui était déjà arrivé d'en voir quelques-uns, soit dans le cimetière de Saint-Malo soit sur des tableaux accrochés aux murs d'une église : il ne savait pas encore que des squelettes peuvent être vivants. Il s'était arrêté, interdit, ébauchant un geste de pitié, mais au même moment la foule s'était écartée pour laisser passage à une petite troupe de gardes et de musiciens qui précédaient un palanquin où était étendu un homme gras, habillé d'amples vêtements, la tête couverte d'une calotte rouge brodée d'or. Sans rien connaître encore des races, des peuples, des religions, des sectes et des coutumes de ce monde étrange, Frédéric en savait assez pour comprendre qu'il s'agissait d'un de ces riches marchands mahométans, les banians, dont les mains impitoyables et soyeuses maîtrisaient tous les échanges commerciaux avec la Perse, l'Arabie, l'Europe, le Siam et la Chine. Lorsque les yeux du banian avaient croisé les siens, Frédéric avait éprouvé une sorte de malaise, il lui avait semblé qu'il n'avait pas été regardé par un homme mais par une femme.

Le sachant bon charpentier, le directeur de la Compagnie avait confié à Frédéric la construction d'un premier magasin et, bientôt, la responsabilité d'un petit chantier naval de réparations. Connaissant bien son affaire, il était devenu un petit chef en quelques mois, et lorsque le temps de la mousson revenu, le *Saint-Jean-Baptiste* était reparti pour la France avec ses cales bourrées de poivre, d'indigo, d'aloès, de gomme et d'ébène, Frédéric était resté à Surat pour respecter les clauses du contrat qui le liait à la Compagnie des Indes. D'abord découragé par la paresse souriante des ouvriers hindous, il avait découvert qu'ils étaient aussi habiles que les meilleurs Hollandais dans l'art de construire les navires, appris que le bois de teck valait les meilleurs chênes, et que les voiles de coton étaient plus souples que les grosses toiles de Bretagne. Son travail lui plaisait et la paie était assez bonne pour lui permettre de terribles parties de cartes avec quelques compagnons qui, eux aussi, avaient quitté un jour Brest, Londres, Amsterdam ou Lisbonne pour des raisons qu'ils étaient seuls à connaître. Ceux-là étaient d'abord descendus dans plus d'enfers qu'ils n'avaient abordé à des paradis, mais dès que Surat leur avait offert l'image dont ils avaient rêvé, ils s'étaient laissé engloutir peu à peu par cette ville géante qui étincelait sous le soleil, semblable à un marais salant étalé au bord de la mer, où une humanité immense, demi-nue, coulait lentement des montagnes voisines comme une huile gluante, dans le pullulement des fleurs, la vibration des insectes et cette odeur de pourriture fade qui les accompagnerait désormais jusqu'au bout de leur vie.

Le volume des affaires réalisées par la Compagnie des Indes n'avait pas répondu à ses premières espérances. Installés depuis près d'un demi-siècle à Surat, les Anglais et les Hollandais demeuraient les maîtres du négoce et s'entendaient toujours entre eux, même si leurs maîtres se faisaient la guerre en Europe, pour rafler tout le poivre et toutes les toiles peintes apportées sur le marché. Faute de marchandises à acheter ou faute de numéraire pour les payer, les Français, arrivés bons derniers, parvenaient difficilement à charger leurs navires mais trouvaient toujours des courtiers aux sourires déférents pour leur prêter l'argent nécessaire à leurs opérations.

Frédéric n'ignorait pas ces choses. Il ne s'en soucia pas jusqu'au jour où le mauvais sort ayant voulu que deux vaisseaux de la Compagnie disparussent coup sur coup au large du Cap, le directeur de Surat fut contraint de suspendre le paiement de ses commis et de ses ouvriers. L'or qu'il attendait était perdu. Trop sage pour avoir économisé dans un pays où la dépense lui paraissait la condition d'une vie heureuse, Frédéric n'avait pas un liard devant lui. Il demanda au pharaon et au lansquenet de se substituer au caissier de la Compagnie, préférant se confier au hasard des tailles, coupes, manches, relances et couleurs que de se vendre au riche banian qui, séduit par ses yeux clairs et ses cheveux bouclés, lui avait offert une embauche immédiate sur ses chantiers propres et une chambre dans sa maison. Aussi adroit à filer les tarots qu'à empoigner une hache, il avait ainsi passé plusieurs mois sans s'inquiéter du lendemain. La chance lui étant plus souvent favorable qu'infidèle, un jour fastueux, l'autre misérable, il trouvait toujours quelque ami de rencontre aux poches pleines de petits diamants, gai compagnon aussi prompt à trafiquer sur la pacotille apportée en fraude par des subrécargues peu scrupuleux qu'à risquer sa fortune sur un coup de dés. Touché par la grâce de quelque dieu, il était de ces êtres pour lesquels les pires orages sont d'abord des promesses de beau temps et qui, légers tels des funambules, traversent la vie sur un fil d'archal.

Frédéric ne fut donc pas surpris lorsque, le 28 septembre 1671, une escadre de six vaisseaux de haut bord, battant pavillon blanc timbré de fleur de lys d'or, apparut dans le golfe de Cambay et mouilla devant Surat : c'était la première expédition militaire de la France aux Indes. Le roi l'avait voulue magnifique, à son image, autant pour conforter la Compagnie des Indes et donner à l'empereur moghol un témoignage de sa puissance que pour disposer d'une flotte de guerre aux Indes dans le moment qu'il se déciderait à envahir la Hollande. Militaire aux horizons peu lointains, le comte Blanquet de La Haye, ancien colonel du régiment de La Fère, s'en était vu confier le commandement avant même qu'il eût navigué une seule fois dans sa vie.

L'apparition de l'escadre française, toutes voiles dehors sur la rade cuirassée de soleil, avait ébloui les habitants de Surat. Trois mois plus tard, ils demeuraient encore frappés d'admiration devant la splendeur des navires illuminés où les capitaines donnaient chaque soir des fêtes et tiraient le feu d'artifice. Tout le monde avait été enfin payé et les banians remboursés. Décidément, avait pensé Frédéric, le roi de France est le plus puissant monarque du monde et ses vaisseaux sont les plus beaux. Aussi, apprenant que M. de La Haye allait bientôt quitter Surat pour explorer la côte de Coromandel afin d'y installer de nouveaux établissements de la Compagnie, il s'était porté volontaire, sûr de retrouver là-bas des menuisiers adroits, des flambeurs aux mains dangereuses, des magiciens aux abracadabras impénétrables, et des bayadères à deux roupies. Ainsi s'était-il trouvé à bord d'un des navires de l'escadre française lorsque celle-ci jeta ses ancres devant San-Thomé, petite ville maritime située au sud de Madras, au moment où l'on apprenait que les armées de Louis XIV avaient franchi le Rhin.

Ce jour-là, M. de La Haye crut donner aux espérances de sa jeunesse la forme solide d'un beau fruit qu'on tient dans sa main avant de le croquer. Fier de commander en chef sur terre et sur mer, il brûlait de prouver que le meilleur moyen de montrer les forces navales placées sous son autorité, c'était d'abord de s'en servir avec éclat. Il bombarda donc San-Thomé, y lança ses quatre compagnies de débarquement, occupa la place, l'arma avec l'artillerie de sa flotte, et y envoya les couleurs de son maître. Chef austère, il avait répugné de négocier, par le moyen de quelques présents, la cession amiable de la ville et, s'entêtant à ne vouloir rien obtenir que par les armes, il avait du même coup manqué l'occasion inespérée de s'entendre avec le roi de Golconde. Quelques semaines plus tard, quatre-vingt mille guerriers mores l'assiégeaient, tandis qu'une escadre hollandaise forte de quinze vaisseaux se déployait devant San-Thomé.

Pressé à la fois par une armée innombrable encore que peu efficace, et par une flotte ennemie qui se contentait de croiser au large, M. de La Haye était décidé à attendre les renforts que le roi ne manquerait pas de lui envoyer. Soldat rude et courageux, connaissant bien son métier, il sut transformer San-Thomé en une sorte de camp retranché d'où les assauts mores furent repoussés les uns après les autres. Frédéric, pour sa part, donna la main aux travaux de fortification mais dut abandonner bientôt ses outils pour le mousquet. Il apprit même à tirer le canon. Comme les mois inutiles s'enchaînaient les uns aux autres, il perfectionna aussi sa pratique du pharaon, découvrit le secret de quelques tours de passe-passe où les hindous sont passés maîtres, pensa souvent à la bonne vie de Surat, et en arriva à regretter d'avoir quitté Fort-Dauphin quand il se rendit compte que rien ne ferait revenir M. de La Haye sur sa volonté obstinée d'espérer des secours auxquels personne ne croyait plus. En face, sur la mer immobile, les Hollandais allaient et venaient sans tirer un seul coup de canon : dédaignant d'écraser sous les feux de son artillerie la garnison française, l'amiral Rykloff se contentait de capturer un à un les vaisseaux désarmés de son vertueux collègue et ennemi.

Deux longues années s'étaient ainsi écoulées, au bout desquelles, décimés par la maladie autant que par les guerriers mores, affamés au point d'en être réduits à manger de l'herbe, pris aux pièges de la forêt et de la mer, cernés de toutes parts, les Français avaient finalement capitulé. L'amiral Rykloff ne leur ayant pas refusé les honneurs dus traditionnellement au courage malheureux, fût-il maladroit, ils étaient sortis de la place avec ce qui leur restait encore d'armes et de bagages, en piteux état mais redressant quand même la tête devant les mangeurs de fromage, tambours battant et mèches allumées en montant à bord de deux flûtes fournies par les vainqueurs pour leur permettre de regagner librement la France. A peine deux cents hommes, la plupart blessés, tous fiévreux, en loques, c'est tout ce qui restait de la majestueuse escadre, des équipages et des soldats envoyés par Louis XIV pour manifester sa puissance et aider les marchands de la Compagnie royale des Indes. Dans le même moment, les colons de Madagascar avaient tous été massacrés sauf quelques dizaines qui s'étaient réfugiés dans l'île voisine de Bourbon.

Frédéric débarqua à Port-Louis avec les survivants de San-Thomé. Pour gagner Saint-Malo, il lui fallait parcourir trente lieues. Bien qu'il eût perdu l'habitude des longues marches à pied, Frédéric prit d'un bon pas la route d'Hennebont, tenant sur l'épaule le coffre dont il ne s'était jamais séparé et auquel il avait accroché une petite cage d'osier où s'agitait une sorte de gros merle. C'était le printemps, des marguerites et des boutons d'or étoilaient les talus et les fossés. Frédéric, qui autrefois n'y avait jamais pris garde, les regardait en souriant. Il respirait à pleins poumons l'air frais de la campagne, observait les poules, les vaches, les chevaux, et s'arrêta près d'un buisson pour y tailler avec son couteau un bâton de marche. Sa veste déchirée, sa culotte en loques, ses souliers pleins de trous, les hommes et les femmes qu'il rencontrait n'y prêtaient guère attention : ils avaient l'habitude de voir passer, sur la route du Port-Louis, des marins qui revenaient au pays avec des airs de vagabonds. Eux-mêmes n'étaient guère mieux vêtus que lui, peut-être étaient-ils même plus guenilleux, et si leurs yeux n'avaient pas l'étrange fixité qui là-bas aux Indes l'avait toujours inquiété, quelque chose de farouche et comme une lueur d'épouvante s'y allumaient. A Hennebont, alors qu'il longeait les remparts de la ville close, il était passé devant un gibet où une dizaine de pendus achevaient de pourrir dans un tourbillon d'oiseaux et de grosses mouches. Pris de frayeur et de pitié, il avait ôté son bonnet et s'était signé. Sans doute, c'était une bande d'écorcheurs tombés sous la griffe du lieutenant criminel. Frédéric pensa aussi que, depuis son arrivée, il avait croisé beaucoup de soldats. Jamais il n'en avait tant vu. Au Port-Louis, ils défilaient dans les rues, à Hennebont des postes en armes surveillaient tous les carrefours, et tout à l'heure des dragons soupçonneux l'avaient interpellé pour lui demander d'où il venait et où il allait.

Le premier soir, Frédéric n'avait pas parcouru plus de cinq lieues quand il arriva dans un village triste et noir où chacun s'était déjà barricadé. On ne lui ouvrit même pas les portes où il avait frappé. Epuisé, il se dirigea vers le presbytère. La servante du curé, soit qu'elle eût pris peur devant son visage affamé, soit qu'elle fût secourable, le laissa entrer. Une large odeur de choux, de lard et de pommes de terre le suffoqua et, d'un coup, donna à son visage dangereux un air d'enfant inoffensif. Le curé était attablé devant une soupière fumante. C'était un homme d'âge, tout en os, dont le regard dominateur disait assez qu'il conduisait son troupeau avec plus d'intransigeance que de charité.

« Que veux-tu? » dit le prêtre d'un ton rude.

Frédéric n'osa pas dire qu'il avait faim et se contenta de répondre qu'il cherchait un abri pour dormir.

« D'où viens-tu? questionna encore le prêtre en le regardant de la tête aux pieds. Il n'y a pas de place au presbytère pour les bonnets rouges. Une compagnie de dragons patrouille par ici, prends garde à toi!

– J'arrive des Indes, protesta Frédéric, et je rentre à Saint-Malo dans ma famille. »

Le vieil homme se radoucit. Il savait bien pourquoi ses ouailles gardaient leurs portes verrouillées. Venus mettre à la raison des paysans qui s'étaient rebellés contre le papier timbré, le monopole du tabac et la marque sur la vaisselle d'étain, les soldats du duc de Chaulnes ne s'étaient pas contentés d'en tuer quelques-uns, ils s'étaient installés dans le pays pour en piller les réserves. Etouffés de colère, les hommes de Quimper, Châteaulin, Vannes, Pontivy, Hennebont, avaient alors incendié des châteaux, dévasté la maison des tabacs, molesté des prêtres, guidés par un vieil instinct populaire et s'en prenant à tout ce qui représentait l'autorité, les bureaux du roi, la noblesse, le clergé. On les appelait les « bonnets rouges ». L'émeute paysanne prenant bientôt l'ampleur d'une insurrection bretonne, M. de Chaulnes ne pouvant plus compter sur les seules milices, avait dû faire venir des troupes réglées de Nantes, et même d'Alsace : six mille soldats sillonnaient la Basse-Bretagne. Pour l'exemple, des centaines de Bretons avaient été arrêtés. A Carhaix, à Quimper et à Hennebont, il y avait eu beaucoup de penderies. Les autres avaient été jetés aux galères.

« Si tu as faim, assieds-toi. »

La servante remplit une écuelle. Frédéric posa à terre son coffre, s'installa sur un escabeau et se jeta sur la soupe comme un chien.

Le prêtre le regardait avec un sourire silencieux lorsqu'une petite voix se fit entendre :

« *Benedicite.* »

Rouge de confusion, Frédéric sortit la tête de son bol et dit timidement :

« C'est Cacadou. »

Stupéfait, fronçant d'épais sourcils blancs, son hôte le dévisageait avec le regard d'un homme dont on ne se moque pas sans risques. La petite voix reprit : « *Benedicite Dominus.* » Frédéric dut expliquer qu'il avait ramené des Indes cet oiseau, un mainate, auquel, par tradition, les marins apprenaient quelques prières. C'était la coutume à bord des navires où l'on manquait d'aumônier. Le vieux curé n'en croyait pas ses oreilles. Il se leva, tourna autour de la cage, observa l'oiseau, dit qu'il ressemblait à un merle mais qu'il était plus gros que ceux de par chez nous, et demanda s'il connaissait d'autres prières. Cacadou savait par cœur l'angélus, répondit Frédéric en se gardant d'avouer que son répertoire ordurier l'emportait sur son savoir religieux, secret que le mainate dévoila aussitôt en chantant d'une voix perçante au nez du saint homme penché vers lui : « A Saint-Jacut, y a des beaux culs! » La servante s'était enfuie en hurlant, et le prêtre, pinçant les lèvres, avait fait un signe de croix.

Huit jours plus tard, Frédéric arriva à Saint-Malo. Venant de Dinan, il avait suivi l'estuaire de la Rance jusqu'à la tour Solidor. Après dix ans, semblable à tant d'autres Malouins qui n'avaient jamais tenu dans leurs mains que l'ombre des proies rêvées, il fut heureux de revoir son clocher et les remparts mouillés de la ville. Bombant le torse et regardant les filles avec l'effronterie d'un homme demeuré jeune, il s'engagea dans la Grande-Rue sans se soucier de ses vêtements déchirés. Comme il traversait le Grand-Placître, il se heurta à un groupe d'hommes qui parlaient entre eux avec animation, gens d'importance dont il se rappelait les noms : Magon, Le Fer, La Chambre. Sans plus s'excuser, il les regarda dans les yeux, cracha à terre et poursuivit son chemin. Personne ne l'avait reconnu. Avait-il donc tellement changé? Et les autres? Ses oncles, ses tantes, ses cousins, son beau-frère Mathieu, dans quel état allait-il les retrouver? Peut-être étaient-ils morts? Avant d'affronter une maison familiale où il n'était pas si sûr d'être bien accueilli, il décida d'aller passer la nuit à La Belle Viande ou chez La Belle Anglaise. Là, il était sûr de trouver un lit, un vrai lit, avec une femme, du cidre, de l'eau-de-vie, et des nouvelles de tout le monde. Il n'avait pas oublié le chemin. Aveugle, il eût retrouvé la rue des Mœurs. Son nez n'avait pas perdu l'habitude de renifler l'odeur des putains.

Tombant du ciel sur la rue étroite, un rayon de soleil éclairait la fenêtre. Frédéric se réveilla, bâilla, s'étira et s'aperçut enfin que ses vêtements déchirés avaient été remplacés par une chemise de bonne toile. Il était encore courbatu mais ses jambes lui faisaient moins mal. Les yeux levés vers le plafond, il compta une à une les poutres qui traversaient la chambre et regarda autour de lui. A droite, près de la porte, assis sur une chaise paillée, Frédéric vit alors un jeune garçon dont le visage taché de son, les yeux bleus et les cheveux bouclés lui renvoyaient, comme l'aurait fait un miroir magique, l'image de celui qu'il avait été lui-même vingt ans auparavant. Il pensa que sa fièvre n'était pas tombée et se frotta les paupières.

Le jeune garçon s'était levé, venait vers son lit en souriant.

« Avez-vous bien dormi, mon oncle? »

Frédéric se redressa, posa sa main sur la tête de Jean-Marie et lui tira les cheveux pour être sûr qu'il ne rêvait pas. Là-bas, aux Indes, la fièvre lui avait souvent joué de véritables tours de sorcier.

« Comment t'appelles-tu? »

Il n'aurait pas été surpris de s'entendre répondre « Je m'appelle Frédéric » au lieu de :

« Jean-Marie, mon oncle. »

A Saint-Malo, on est toujours l'oncle de quelqu'un. Frédéric ne se rappelait plus qu'un des enfants de sa sœur eût échappé à la maladie noire qui l'avait tuée avec les deux autres. Il lui dit tout bas :

« Dieu! Que tu ressembles à la pauvre Marie!

– Dame, c'était ma mère! »

Frédéric comprit qu'il avait devant lui le fils de Mathieu. Emu, il le serra très doucement contre sa poitrine comme s'il avait retrouvé miraculeusement sa propre enfance dans les yeux du jeune garçon.

« Vous n'allez pas mourir, mon oncle?

– Non, mon gars, mais j'ai soif! »

Jean-Marie lui tendit le pot de tisane. Il le repoussa en riant :

« Ça n'est pas bon pour la fièvre. Il n'y a donc pas de rikiki chez ton père? »

Le garçon descendit en courant et revint aussitôt avec un cruchon d'eau-de-vie. Frédéric en lampa plusieurs gorgées à même le goulot.

« Je crois que nous allons faire une jolie paire d'amis tous les deux, Jean-Marie.

– Oui, mon oncle.

– Tu vas boire une goutte avec moi. Après cela, tu pourras m'appeler Frédéric et me tutoyer. »

Tandis qu'il aspirait avec un petit sifflement mouillé les gouttes d'alcool qui brillaient sur ses moustaches, il tendit le cruchon à Jean-Marie. Celui-ci le porta hardiment à sa bouche et rougit soudain jusqu'aux oreilles. Il venait d'entendre les pas de son père montant l'escalier.

Mathieu Carbec s'arrêta sur le seuil de la porte avant d'entrer d'un pas vif. La colère ensanglantait ses yeux et son visage avait pris la couleur de ses chandelles. Il levait déjà la main sur son fils lorsque, le prévenant, Frédéric attira Jean-Marie contre son épaule et dit joyeusement :

« Il ne manquait plus que toi, Mathieu! Tu arrives au bon moment. Je n'ai plus de fièvre et je connais enfin mon neveu. C'est un beau jour qu'il faut fêter en trinquant tous les trois. Va chercher des verres, Jean-Marie! »

Mathieu demeura stupéfait. La veille, ému par la faiblesse de son beau-frère, bousculé par le capitaine Le Coz, il avait consenti à ouvrir la chambre conjugale, y porter Frédéric, le coucher dans le lit où il n'avait pas osé dormir depuis que sa femme y était morte, et voilà qu'il le retrouvait tout ragaillardi, en train de boire son eau-de-vie avec son propre fils et donnant des ordres comme s'il fût déjà devenu le maître de la maison. Ce Frédéric avec ses sourires et ses bonnes manières, c'était le diable. Mathieu lui répondit avec humeur :

« A votre santé!

– Demandons plutôt à Dieu qui nous a réunis tous les trois de bénir ta maison. »

Les paroles de Frédéric et le ton grave avec lequel elles avaient été dites étonnèrent Mathieu Carbec. Pendant toute la nuit, le souvenir des reproches du capitaine Le Coz l'avait tourmenté, être chrétien, c'est d'abord être charitable, et leur écho s'était curieusement mêlé au bruit des petits diamants roulant sur le plateau de cuivre d'une balance. Chasser son beau-frère malade, c'était commettre une mauvaise action et c'était du même coup rendre les pierres précieuses, le garder sous son toit, c'était y installer un démon mais c'était peut-être garder aussi les diamants dont il supputait la valeur sans avoir besoin d'être joaillier. Comme tant d'autres fois, Mathieu s'était posé de nombreuses questions et, semblable à lui-même, il n'avait pas poussé trop loin l'examen de sa conscience comme s'il eût craint de creuser un long tunnel au bout duquel il n'était pas sûr de trouver la lumière et la paix de son cœur.

« C'est bien la chambre où la pauvre Marie...? demanda Frédéric sans oser terminer sa phrase.

– Oui, c'est ici. Personne n'y était entré depuis dix ans. Pas même moi. Hier, quand j'ai cru que tu allais passer, dame, ça nous a fait peur! Le capitaine Le Coz m'a aidé à te monter ici. Tant que tu seras malade tu pourras y rester. Jean-Marie va t'apporter du bouillon et de la tisane. Le rikiki, je l'emporte. »

Frédéric prit la main de Mathieu :

« Dès que j'irai mieux, je m'en irai. Il faut que je te demande encore quelque chose. Jean-Marie, laisse-nous un instant. »

Quand ils furent seuls, Frédéric poursuivit :

« Je voudrais que tu ailles chercher mon coffre. Marie m'en avait fait cadeau lorsque j'étais apprenti charpentier. Il ne m'a jamais quitté, je l'ai ramené des Indes.

– Où l'as-tu laissé?

– Chez la Belle Anglaise, pardi! »

Mathieu Carbec haussa les épaules. Si son beau-frère voulait déjà lui jouer un tour de sa façon il ne s'y laisserait pas prendre. Il se ravisa en se rappelant que, lorsqu'il avait voulu aller rue des Mœurs pour recruter lui-même les matelots du *Renard*, le capitaine Le Coz l'en avait dissuadé avec un dédain qui l'avait piqué au vif. Cette fois, on lui demandait de s'y rendre. S'il se dérobait, Frédéric ne manquerait pas de le moquer. Ce fut à son tour de regarder son beau-frère avec ce sourire protecteur qui lui montait aux yeux de temps en temps depuis que les piastres entassées dans sa cave le consolidaient de leur poids et le vivifiaient de leur éclat.

« Tu auras ton coffre, répondit-il avec autorité. Pour l'heure, je suis mandé à l'hôtel de la Compagnie et je ne peux aller moi-même le chercher. Je vais envoyer un matelot. »

La nouvelle de la capitulation de San-Thomé était parvenue à l'amirauté de Saint-Malo avant même que Frédéric fût lui-même arrivé rue des Mœurs. Après avoir tenté de la tenir secrète pendant deux jours, le commissaire de la Marine avait décidé de la rendre publique en la faisant connaître aux actionnaires de la Compagnie des Indes convoqués par leur syndic local à l'hôtel de Fresne pour avoir communication du dernier bilan présenté à Paris lors d'une récente assemblée générale. Les messieurs de Saint-Malo et des environs étaient tous venus, leur mine grave cachant mal leur impatience d'en connaître davantage sur cette affaire survenue aux Indes dont ils parlaient sans soupçonner l'étendue du désastre. Sachant d'expérience que les bilans et les visages se fardent avec la même complaisance, ils étaient d'autant plus résolus à accorder peu d'intérêt à la lecture des comptes qu'ils avaient répondu timidement à la souscription soutenue par le roi. La nouvelle que le capital initial de la Compagnie se trouvait être à peu près épuisé ne les surprit guère : ils savaient depuis longtemps à quoi s'en tenir sur les qualités commerciales des directeurs parisiens et ils pensaient tous que le marché des Indes ne deviendrait profitable que si on leur laissait la libre pratique du négoce.

Mathieu Carbec observait ses voisins. Les plus importants étaient assis autour d'une longue table, les autres se tenant debout derrière eux. Ainsi qu'il convient aux hommes d'argent pour lesquels l'indifférence apparente témoigne à la fois d'une bonne éducation et d'une longue pratique des affaires, leur regard demeurait impénétrable. Quand il avait entendu le syndic affirmer que, sur les quatorze vaisseaux de la Compagnie partis pour les Indes, huit étaient rentrés à L'Orient, il avait été tenté de demander ce qu'étaient devenus les autres mais, lui écrasant le pied sous ses bottes, le capitaine Le Coz l'avait fait taire. Proposée par le conseil, la distribution d'un dividende de dix pour cent, dans de telles conditions, n'avait guère déridé que les plus naïfs, les autres avaient compris que, prélevée sur les débris du capital, elle n'était accordée que pour mieux encourager les actionnaires à répondre à un nouvel appel de fonds.

Le syndic avait refermé son grand livre. L'œil lointain et vide d'expression, ces messieurs de Saint-Malo demeuraient muets. Une voix haut perchée frappa le silence, celle de l'armateur Magon.

« N'avez-vous point d'autres nouvelles à nous faire connaître, monsieur le syndic ? »

Le syndic se tourna vers le commissaire de la Marine car il appartenait à cet homme du roi d'apprendre aux actionnaires malouins de la Compagnie des Indes le massacre des colons de Madagascar et la destruction de l'escadre envoyée à Surat. Il s'en acquitta avec assez d'habileté pour détourner contre les seuls Hollandais la colère de ceux qui l'écoutaient, et assez de noblesse pour rendre hommage à la mémoire des disparus. Le commissaire évoqua l'interminable siège de San-Thomé, les souffrances endurées par les valeureux compagnons de M. de La Haye, la lutte qu'ils avaient soutenue avec tant d'honneur que, refusant de faire prisonniers les survivants de la forteresse, l'amiral Rykloff leur avait donné deux vaisseaux pour qu'ils puissent rentrer dans leur patrie. Il ne manqua pas non plus de préciser que si l'escadre du roi avait été perdue dans cette affaire, les navires de la Compagnie demeuraient, à sa connaissance, libres et en bon état ainsi que les comptoirs établis à Surat, à Pondichéry, à Bourbon, et conclut en affirmant qu'il ne fallait voir là qu'un épisode d'une longue guerre. Les pertes provisoires subies aux Indes seraient largement compensées par les victoires remportées en Flandre et en Alsace où se jouait la véritable partie. Le jour n'était plus éloigné où le roi dicterait ses conditions de paix.

La séance terminée, les messieurs de Saint-Malo retrouvèrent leur langue. Enrageant de voir confier la direction des affaires à des commis qui n'entendaient rien au commerce lointain mais tranchaient sur tout avec superbe, les marchands s'emportèrent contre les bureaux parisiens, et les armateurs convinrent entre eux que la course demeurait plus profitable et moins dangereuse. Pour leur part, les capitaines attestèrent qu'une escadre confiée à un terrien était fatalement vouée au désastre.

Mathieu Carbec et Yves Le Coz quittèrent ensemble l'hôtel de Fresne.

« Souviens-toi de ce que je t'avais dit, fit le capitaine. Le moment est venu où nous allons pouvoir racheter à bas prix des actions de la Compagnie. »

Mathieu en était moins sûr, mais il savait maintenant que son beau-frère faisait partie des survivants de San-Thomé rapatriés sur les navires de l'amiral hollandais :

« Ce Frédéric, confia-t-il à son compère, j'ai toujours pensé qu'il ferait un jour honneur à la famille! »

Tous les deux hâtèrent le pas vers la rue du Tambour-Défoncé, inquiets de la santé du héros retour des Indes. Soutenu par des bruits de pas précipités qui faisaient trembler le plafond, un air de musique endiablé les accueillit quand ils poussèrent la porte de la boutique. L'escalier rapidement monté, ils entrèrent dans la chambre où l'on menait ce sabbat.

Assis sur son lit, Frédéric jouait du violon. Les deux poings sur les hanches, la Justine dansait la bourrée. Debout sur une chaise, Jean-Marie battait des mains et, dans une cage d'osier posée à terre, une sorte de merle accompagnait le violoneux avec un fifre caché au fond de son gros bec jaune. L'arrivée des deux hommes ne les avait pas plus surpris qu'elle ne les embarrassait. Ils ne leur prêtaient aucune attention comme si le rythme qui les emportait eût tendu autour d'eux un filet dont les mailles les isolaient du reste du monde. Agiles et maigres, les doigts de Frédéric couraient sur les cordes frottées par un archet rapide, accompagnés par les mains rougeaudes de Jean-Marie qui manquaient parfois la cadence, mais le véritable chef d'orchestre, c'était le petit démon emplumé qui, dans sa cage, menait le bal avec son flûtiau impérieux. Le visage ardent, la danseuse faisait claquer ses sabots sous ses jupes tournoyantes, légère et sonore, bombant le ventre, allant et venant d'un bout à l'autre de la chambre. A un moment, peut-être lasse, elle parut ralentir son mouvement.

« Allez-y, ma cousine, en avant deux! dit Frédéric sans cesser de jouer.

– Plus vite! » cria Jean-Marie comme s'il se fût trouvé dans la cour de son école.

Et il ajouta tout à coup :

« Clacla, danse avec mon père! »

Clacla repartit de plus belle, le feu aux joues. Elle se dirigeait vers Mathieu et l'enveloppait déjà du froissement de ses jupes et du rire de ses dents. Craintif, il fit un pas en arrière mais ses yeux ne lui disaient pas non. Il recula d'un autre, tandis qu'elle l'entourbillonnait. Ce fut le capitaine Le Coz qui le décida.

« Danse donc, tu es un homme, non? »

Il poussa son ami dans le cercle enchanté dessiné par la Justine autour de lui. D'abord maladroites et raides, les jambes de Mathieu retrouvèrent peu à peu les souvenirs de sa jeunesse, au temps où, avec les garçons de Saint-Malo, il faisait une ou deux lieues, par les longs soirs d'été, pour aller faire tourner les filles à La Gouesnière, Saint-Méloir ou La Guimorais. Naguère bon danseur, il se rappela bientôt les pas simples et toujours recommencés de la bourrée telle qu'on la dansait en Bretagne. Le capitaine Le Coz les observait en souriant. Il les vit avancer, reculer, virer à droite et à gauche, elle, baissant les yeux avec une modestie feinte, lui, relevant peu à peu le menton, prenant garde tous les deux de se frôler sans se toucher, tournant sur eux-mêmes, réinventant sans même y songer la parade amoureuse des oiseaux.

Soudain, plus aigu que les autres, un long sifflement partit de la cage. L'oiseau déploya ses ailes, les replia et s'arrêta de chanter. Frédéric posa aussitôt son violon sur le lit.

« Cacadou est fatigué! Moi aussi. Le bal est terminé. »

Les deux danseurs se trouvaient face à face. C'était au tour de Mathieu à baisser les yeux sous le regard effronté de Clacla. Ruisselant de sueur, Frédéric demeurait immobile, ses doigts bruns tremblant encore sur les draps blancs. Par l'échancrure de sa chemise, apparaissait une longue estafilade, boursouflée et rouge.

« C'est à San-Thomé qu'on t'a arrangé comme ça? demanda le capitaine Le Coz.

— Oui, ça aussi, répondit-il.

— Quand tu seras reposé, tu nous raconteras ce qui s'est passé là-bas? »

Frédéric secoua doucement la tête.

« Non. Demandez-le à Cacadou. Il sait tout. »

Le Coz avait déjà vu des papegais, gros oiseaux vert et jaune au bec crochu que des marins avaient rapportés des îles, c'est la première fois qu'il voyait un oiseau semblable.

« Qu'est-ce que c'est? interrogea-t-il.

— Un mainate.

– Tu l'as dressé pendant longtemps?

– Il s'est dressé tout seul.

– Parle-t-il aussi bien qu'il siffle?

– Il parle aussi bien que vous, capitaine. »

Surpris, le capitaine Le Coz se pencha sur la cage où Cacadou feignait de dormir, les yeux mi-clos. Devinant qu'on l'observait, l'oiseau releva la queue et lâcha une fiente nauséabonde.

« Il n'est guère poli, ton merle, fit le capitaine en riant.

– C'est pour vous dire qu'il a sommeil et de le laisser tranquille. Paix, Cacadou! Dors. »

Nette, aiguisée comme une lame, une petite voix répondit.

« Bonne nuit, Frédéric. »

Le capitaine s'était rapproché du lit.

« Là-bas, tout est foutu?

– Peut-être pas. Il y aurait gros à gagner, mais... »

Frédéric parut réfléchir longtemps, cherchant à rassembler quelques idées ou peut-être quelques mots pour les exprimer. D'un geste de la main passée devant les yeux, il semblait vouloir chasser des images qui lui faisaient mal.

« Tu y retourneras? » demanda encore le capitaine Le Coz.

Frédéric sentit alors que la fièvre l'envahissait à nouveau. Il avait froid.

« Pour moi, c'est trop tard. Mais lui, peut-être? »

Son doigt avait montré Jean-Marie qui, à genoux, faisait l'inventaire des objets rangés dans le coffre de son oncle : des foulards de soie, un rabot, une lime, et des petites timbales d'argent emboîtées les unes dans les autres.

« J'ai soif », dit Frédéric.

Une voix étrange ordonna :

« Du rikiki, nom de Dieu! »

Le capitaine Le Coz, Clacla et Jean-Marie se regardèrent stupéfaits, tandis que Mathieu Carbec faisait un large signe de croix, sans oser regarder la cage de Cacadou.

JEAN-MARIE était devenu un petit garçon heureux. Dès que la cloche de l'école sonnait la fin de la classe, il se hâtait de rentrer chez lui pour retrouver son oncle au lieu d'aller flâner sur les quais. La présence du héros de San-Thomé dans la maison de son père avait posé sur sa tête une couronne que ses compagnons lui enviaient. Hier dédaigné par certains, il n'était pas loin d'être aujourd'hui admiré par tous, il le savait, et jouait à son tour au petit maître dans la ronde des jeunes héritiers de Saint-Malo. A quelques-uns d'entre eux, Le Fer, Troblet, Porée, Trouin, La Chambre, Jonchée, Biniac, Grout, toujours les mêmes, il permettait parfois de l'accompagner rue du Tambour-Défoncé où l'oncle Frédéric tenait ruelle depuis plus d'un mois. Mathieu Carbec n'avait pas pu leur défendre sa porte, pas davantage qu'il n'avait osé la fermer aux pères de ces garnements. Quelques heures avaient suffi pour que sa maison silencieuse fût désormais remplie de discussions et de commérages, de chansons et de musique, de rires et de tours de passe-passe.

Les oncles et les tantes, les cousins et les cousines étaient venus les premiers, chacun voulant tirer à soi un petit morceau de la gloire tombée sur la maison de l'ancien regrattier, celui-là toutes les chances lui arrivent en même temps, et porter secours à Frédéric avec un zèle aussi fervent qu'on avait mis de virulence à le maudire naguère. A ce miraculé qu'on n'attendait plus, dont on se croyait débarrassé non pour toujours mais pour longtemps, des reines mages apportaient du beurre, du lait, des culottes, des chemises, un poisson frais, des crêpes, voire du rikiki en cachette, qu'elles enveloppaient de souvenirs larmoyants, t'étais si mignon. Dans le cœur de Frédéric, ces humbles présents tintaient comme une menue monnaie retrouvée au fond de sa poche. Point rancuneux, il n'en distribuait pas moins, en retour, les trésors qu'on attendait de lui : récits fabuleux, ritournelles violoneuses et selon les humeurs de Cacadou, la mélodie d'un pipeau ou une puanteur exécrable, autant de paroles, de sons et d'odeurs qui donnaient une forme aux chimères de ceux dont l'aventure n'avait jamais dépassé les remparts de leur cité.

Plus curieux de recueillir un témoignage sur la pratique du commerce aux Indes qu'ils ne connaissaient guère que par les discours des directeurs ou des syndics, le capitaine Le Coz et ses associés venaient aussi rue du Tambour-Défoncé. Sur les dix années qu'avait duré son absence, Frédéric était demeuré à Surat un peu moins de soixante mois, le reste du temps il l'avait passé en mer, à Madagascar et à San-Thomé, occupé à manier la varlope, le rabot et la hache, voire les tarots et le mousquet, non à tenir des livres de comptes. Les marchandises, il lui était souvent arrivé d'aider à leur arrimage au fond des cales des navires de la Compagnie, jamais il n'en avait acheté ou vendu. Ses yeux et ses oreilles lui avaient appris cependant que les plus fins calicots s'achètent à Surat, le meilleur poivre dans les petits ports malabars, les soies les plus douces au Bengale, et que tous ces produits se trouvaient réunis en abondance sur la côte de

Coromandel. Il n'ignorait pas non plus que, malgré les efforts des Hollandais, des Anglais et des Portugais, tout le commerce indien était tenu dans les mains de quelques riches musulmans qui, affectant de dédaigner les produits des manufactures européennes, ne lâchaient les épices, les drogues et les étoffes dont ils dominaient le marché qu'en échange de numéraire sonnant et trébuchant. Aux questions posées par les marchands ou par les armateurs sur la valeur locale du poivre ou de la cannelle, des toiles peintes ou de l'indigo, Frédéric avait répondu avec assez de précision pour leur permettre de confronter ses avis aux rapports des directeurs, et d'évaluer la hauteur des bénéfices possibles, compte tenu des dépenses et des risques des entreprises lointaines. Tous ceux qui l'écoutaient pérorer n'étaient déjà que trop enclins à peser les périls et la vanité des projets coloniaux de M. Colbert. La malheureuse tentative de Madagascar où de nombreux Malouins avaient péri, les uns brûlés par la fièvre, les autres dépecés vifs par des sauvages à la peau d'ébène, les avait tous confortés dans l'idée que le développement du négoce et la propagation de la foi chrétienne ne font pas toujours bon ménage. La défaite subie à San-Thomé leur apportait maintenant la preuve qu'on ne fait pas de bon commerce à grands coups d'artillerie. En face de si cuisants échecs comparés aux succès remportés par les Anglais ou les Hollandais, les messieurs de Saint-Malo concluaient gravement que le poivre, le girofle, le gingembre, le café, le sucre, le thé, le coton, la soie, le pyrèthre ou l'opopanax ne doivent en aucun cas être mélangés à la poudre à canon ou à l'eau bénite.

Mathieu Carbec acceptait volontiers les allées et venues dans sa maison. Il en éprouvait une fierté non dissimulée sans trop s'attarder à supputer les bénéfices que ne manquerait pas de lui procurer le fait d'avoir gravi un nouvel échelon dans la société malouine, et sans prêter plus d'attention aux diableries de Frédéric qui charmaient les amis de Jean-Marie au point de les ensorceler. Dès qu'ils sortaient de l'école, les garçons couraient vers la rue du Tambour-Défoncé et arrivaient essoufflés dans la chambre où trônait, assis sur un lit aux draps frais, le héros retour des Indes. Malgré les bouillons des reines mages et les poissons grillés de Clacla, Frédéric ne retrouvait pas rapidement ses forces. Heureux de faire le faraud et de répondre à des questions posées par des hommes importants, il lui arrivait souvent d'être pris de faiblesse. Encore qu'il le soupçonnât un peu de jouer quelque farce à l'italienne, soit pour être réconforté d'un bon coup de rikiki, soit pour retarder le moment où il cesserait d'être mignoté par ceux qui le visitaient, Mathieu était pris d'inquiétude quand il voyait son beau-frère devenir soudain plus jaune, renverser la tête sur l'oreiller et porter la main au côté droit, sous les côtes, comme s'il eût ressenti une douleur vive qui, une fois apaisée, le plongeait dans une profonde hébétude dont ne le sortaient que la voix de la Justine, maquereau frais qui vient d'arriver, ou les pas de Jean-Marie montant l'escalier avec ses camarades.

Tous ceux-là l'appelaient maintenant « l'oncle Frédéric », mais, soucieux de montrer qu'il était maître à bord, Jean-Marie ne permettait à aucun d'entrer dans la chambre avant lui. Il leur ordonnait de se tenir près de la porte et se dirigeait seul vers le lit pour voir dans quel état se trouvait le malade avant de lui demander la permission de faire entrer son monde. Invariablement, Frédéric posait sa main sur la tête de son neveu, bonjour fils, et retrouvait aussitôt sa gaieté. Bien qu'il eût entendu les pas précipités des garçons, il s'amusait toujours à faire durer le plaisir de leur impatience avant de leur donner le signal attendu.

« A l'abordage! » disait-il enfin, et le soleil inondait alors la chambre de Frédéric.

Certains jours, Cacadou était à l'honneur et devenait le centre de la fête. Bon siffleur, beau parleur et bon chanteur, le mainate se prêtait volontiers au jeu. Plus fat qu'un comédien, il se faisait prier autant qu'il est convenable à un artiste impatient de roucouler. A la vigueur des applaudissements des jeunes Malouins, Cacadou avait deviné qu'ils éprouvaient un goût particulier pour une certaine chanson qui brocardait les Cancalaises. Dressant sa petite tête noire ornée à la base du cou d'un liséré blanc, il modulait sur un ton solennel : « *Les filles de Cancale – elles n'ont pas de tétons – elles s' mettent de la filasse – pour faire croire qu'elles en ont.* »

Les garçons riaient aux éclats, battaient des mains, se tapaient sur les cuisses, se donnaient de furieuses bourrades. En bas, dans sa boutique, Mathieu Carbec qui avait tout entendu prenait un air mi-figue mi-raisin, allongeait son nez, fronçait ses gros sourcils. Il savait à quoi s'en tenir sur les rondeurs de la Cancalaise à laquelle il payait fidèlement, depuis dix ans, une robe neuve pour Pâques, et des sabots peints pour le 15 août. L'oreille tendue vers le plafond, il prenait le parti de sourire et profitait de l'occasion pour consulter son almanach où il vérifiait le compte des jours qui le séparaient de sa prochaine escapade. Là-haut, une lueur malicieuse passait dans les yeux de son beau-frère, et Jean-Marie criait « Encore! » plus fort que les autres, sans avoir soupçonné la moindre allusions aux belles tétasses de maman Paramé.

D'autres jours, Frédéric racontait des histoires merveilleuses ou jouait du violon. Mais, aux contes et à la musique, les garçons préféraient les tours de passe-passe.

« Faites-nous des abracadabras, oncle Frédéric! »

L'oncle installait alors une petite planche sur ses genoux tandis que le neveu apportait les cinq petites timbales d'argent et un des foulards de soie retiré du coffre. Autour du lit, silencieux, les garçons épiaient avec autant de vigilance que de trouble inavoué tous les gestes de Frédéric qui, à ce moment-là, avec ses cheveux bouclés, ses yeux creux, son visage dévasté, jaune, envahi de barbe, ses mains pleines d'os et la broussaille mousseuse qu'on devinait par sa chemise entrouverte, ressemblait à quelque personnage fantastique sorti des légendes qui avaient plongé leur petite enfance dans un ravissement mêlé de terreur.

Une à une, Frédéric prenait les timbales, très lentement, les agitait en tous sens pour bien montrer qu'elles étaient vides, et les posait enfin, retournées, sur la planche. Les yeux remplis de mystérieux sourires, il étendait le foulard sur les timbales et prononçait d'une voix qui semblait venue d'un autre monde deux mots mystérieux :

« Gali gala! »

Devant lui, les garçons retenaient leur souffle et, dans sa cage, Cacadou se tenait aussi coi qu'un oiseau empaillé. Frédéric prenait toujours son temps. Quand il avait jugé que le moment était venu de vérifier son pouvoir, il enlevait le foulard, remettait une à une les timbales à l'endroit et sortait de l'une d'elles un écu d'or qui brillait au bout de ses doigts maigres. Un « ah! » dont on ne savait s'il était plus épouvanté que joyeux grondait dans toutes les bouches. Clignant de l'œil comme s'il eût voulu dire qu'il allait maintenant jouer un bon tour aux génies invisibles qui l'assistaient, Frédéric replaçait l'écu d'or dans une des cinq timbales en le faisant tinter sur les parois pour prouver qu'aucune sorte de supercherie ne pipait cette affaire. Il renversait les cinq timbales, reposait sur elles le foulard de soie, et dessinait de sa main droite une passe magique.

« Gali gala. »

Promu aide-enchanteur, Jean-Marie se penchait sur le lit et d'une main mal assurée, retirait le foulard, puis soulevait les timbales une à une. L'écu d'or avait disparu.

Grisés d'admiration, les garçons trépignaient à en faire trembler le plancher. Il arriva cependant que l'un d'eux demandât, à la limite de l'insolence :

« Vous qui êtes si habile homme, oncle Frédéric, faites donc revenir la pièce sans vous servir des gobelets ni des foulards. »

Guy Kergelho, l'aîné de la bande, pouvait bien avoir treize ans. Son père, un fameux Malouin qui armait à la course, l'avait mené une fois à la foire de Rennes où des faiseurs de tours venus on ne sait d'où abusaient les naïfs.

« Approche donc un peu voir, mon garçon », répondit Frédéric.

Kergelho hésita un court instant mais fut poussé par les autres, contre le lit, tout près du magicien qui lui dit sur un ton sévère :

« Tu m'as manqué, mais je te pardonne pour cette fois. »

Comme le garçon, rouge de confusion, avait baissé le front, Frédéric lui tira l'oreille en signe d'amitié, et s'exclama soudain :

« Tiens, voilà la pièce! Elle était partie dans ta tête. Je te la donne. Mets-la toi-même dans ta poche et prends-en bien soin. Elle vient des Indes. »

Ils s'étaient tous tus. Un petit rire moqueur vrilla le silence. C'était Cacadou. Ce jour-là, l'oncle Frédéric n'avait pas fait d'autres abracadabras, et les garçons étaient rentrés chez eux de bonne heure pour raconter à leurs parents tout ce qu'ils avaient vu et entendu. Parvenu au coin de la rue du Tambour-Défoncé, Guy Kergelho mit la main dans sa poche pour serrer bien fort dans ses gros doigts le bel écu d'or venu des Indes. Il n'y était plus.

A Lorient comme à Nantes, à Saint-Malo et à Rouen, même à Paris, tout le monde savait maintenant que les beaux vaisseaux de l'escadre des Indes avaient été capturés ou coulés bas par les Hollandais. Il n'avait pas fallu trois mois pour que les langues des rescapés de San-Thomé se délient et racontent les détails d'un siège sans espoir subi pendant deux années pour obéir aux ordres d'un général qui se pavanait maintenant dans son désastre parce que le roi lui avait confié un nouveau commandement en Alsace pour le consoler. Comme ils n'ignoraient pas que la Compagnie avait avancé cinq cent mille livres pour subvenir aux frais de l'expédition, les souscripteurs n'enrageaient pas tant de voir le comte de La Haye faire le glorieux qu'ils ne craignaient de voir disparaître leur argent dans le gouffre des prochains bilans. Parmi eux, les gros marchands, les financiers et les armateurs, auxquels Colbert avait forcé la main, ne se gênaient plus pour dire tout haut que les affaires commerciales ne regardent pas l'Etat. A l'un d'eux, Danycan, qui valait déjà son poids d'or, on prêtait un mot dont les Malouins se délectaient : « Si aux risques de mer et aux dangers de la guerre, il nous faut ajouter désormais l'irresponsabilité des grands commis et l'incapacité des chefs militaires, autant dire que la Compagnie royale des Indes orientales est moribonde. »

En Bretagne, les nobles en sabots qui vivaient chichement sur leurs terres se muraient dans le silence d'une rancune sans courage. Ceux-là n'avaient acheté le plus souvent qu'une ou deux actions par famille et, faute de n'être jamais parvenus à répondre à l'appel du deuxième tiers, avaient été déchus de leurs droits. D'autres gentilshommes moins dépourvus, titulaires de charges rémunérées, gens de robe ou heureux gendres, venaient d'empocher joyeusement les derniers dividendes versés par les directeurs sans se soucier de connaître si ces bonis avaient été prélevés sur les débris du principal. Ignorant tout de la grande comptabilité, encore qu'ils fussent fort curieux de leurs comptes ménagers, la peur soudaine de tout perdre venait de leur sauter au ventre. Les uns et les autres n'avaient guère souscrit que sous la menace à peine voilée du duc de Chaulnes : montrer au roi la liste de ceux qui répondraient favorablement, n'était-ce pas désigner du même coup ceux qui auraient tenu fermée leur bourse ?

Mieux que beaucoup d'autres Malouins, nobles hommes, armateurs ou boutiquiers, Mathieu Carbec savait à quoi s'en tenir sur les mirages de la Compagnie. D'abord muet comme un homme qui ne veut pas se rappeler les mauvais jours, son beau-frère avait fini par céder au besoin de parler. Alors que la plupart des navigateurs qui vont au bout du monde n'en rapportent guère que des souvenirs dérisoires, énormes beuveries et adresses de bordels, Frédéric avait cueilli aux Indes des images peut-être moins nombreuses et moins belles que celles qu'il avait inventées pour son propre usage avant de s'embarquer à Rochefort, il n'en avait pas moins ramené des observations pertinentes sur les difficultés quasi insurmontables que devait affronter la Compagnie à Surat pour assurer un maigre trafic.

« Comment voulez-vous que les actionnaires y trouvent leur compte ? disait-il à ceux qui le questionnaient. Si vous ajoutez les uns aux autres les frais d'armement et d'assurances, la solde des équipages et les appointements des agents, marchands et sous-marchands, la perte des navires, le prix d'achat des marchandises, les commissions versées aux banians, les primes touchées par les directeurs parisiens, les gaspillages des commis et les fraudes des capitaines, il ne vous reste plus que des dettes à payer, même après avoir revendu à Rouen dix fois plus cher ce que vous avez acheté à Surat.

– Où as-tu donc appris tout cela? lui demandait-on. Tu parles comme un financier rompu aux affaires. »

Frédéric se contentait de hocher la tête comme quelqu'un qui en sait long, non pas avec la mine grave qu'affectent volontiers les importants, mais avec ce même sourire enfantin dont on ne savait jamais s'il n'enveloppait pas quelque moquerie.

« J'en connais plusieurs, lui dit un jour Mathieu Carbec, qui ont pourtant gagné beaucoup d'argent aux Indes.

– C'est vrai, répliqua Frédéric en riant. Je crois même que tout le monde en a gagné, sauf les actionnaires de la Compagnie.

– Comment expliques-tu ce mystère? »

Agitant ses longs doigts maigres, habiles aux tours de passe-passe, Frédéric s'était contenté de répondre :

« Gali gala! »

Les messieurs de Saint-Malo n'ignoraient rien des dépenses considérables engagées par la Compagnie, ni des gaspillages ni des fraudes qui épuisaient son trésor. La plupart n'en décoléraient pas. Assez solides pour supporter la perte de quelques milliers de livres, ils attendaient patiemment que le moment fût venu de se saisir des rênes du carrosse embourbé. Pressé de marquer sa place parmi eux, Mathieu Carbec s'était laissé finalement convaincre par son associé d'acheter les parts de ceux qui voulaient s'en débarrasser.

Le bruit s'était vite répandu dans les terres que deux petits armateurs achetaient à bon prix des actions de la Compagnie des Indes. Après avoir hésité pendant une longue semaine à faire une démarche qui l'humiliait, le chevalier de Couesnon se rendit à Saint-Malo. Cadet d'une grande famille, sa part d'héritage se réduisait à un petit domaine, dans la campagne de Dol, qu'il exploitait lui-même avec quelques paysans, tandis que ses frères et sœurs se consacraient au service du roi ou de l'Eglise. A chaque génération, on trouvait un Couesnon à la Cour ou au Parlement, aux armées ou au couvent, et un misérable cadet courbé sur son fief. A force de l'engrosser, le chevalier de Couesnon avait tué sa femme. Il élevait ses deux garçons, trois autres enfants étant déjà morts, dans l'idée qu'il n'y a pas de plus grand mérite en ce monde que celui d'être noble et dans la certitude qu'il y aurait toujours assez d'oncles et de tantes pour prendre soin d'eux s'il mourait avant de voir établie sa descendance.

Les deux compères l'accueillirent avec la déférence que la roture doit à la noblesse mais où transparaissait, dans le bref éclat d'un regard échangé, la supériorité du nanti sur le besogneux. Entré dans la boutique de Mathieu Carbec sous le prétexte de quelque achat, le chevalier saisit la première occasion venue pour lui demander comment on pouvait réussir à se procurer du poivre alors que la mer demeurait interdite aux retours des Indes. Mine prudente sinon déconfite, Mathieu se contenta de répondre « C'est difficile », mais le capitaine Le Coz, calme et précis, la bouche honnête, énuméra les risques du commerce lointain avant de conclure benoîtement que la guerre avec les Hollandais n'arrangeait sûrement pas les affaires de la Compagnie. Le chevalier ne cilla pas, maintenant sa garde bien fermée devant l'attaque imprévue du capitaine et craignant que son affaire fût mal engagée. Il n'y tint bientôt plus :

« Pour vous autres, hommes du commerce, la baisse, voire la perte de quelques actions, ne compte pas pour grand-chose, dit-il d'un ton dédaigneux. Pour nous, une livre vaut une livre. Il est défendu de laisser un seul grain dans la paille. »

Saisis de compassion, les deux marchands hochèrent la tête, calculant leurs silences et leurs soupirs. Ils savaient bien que la terre était plus avare que la mer, mais leur cœur était devenu soudain plus dur qu'une enclume devant le spectacle du chevalier de Couesnon qui s'était redressé de toute sa taille dans ses habits usés. Ça n'était pas la première fois qu'un gentilhomme paysan venait leur proposer d'acheter une ou deux actions souscrites naguère pour ne pas déplaire au duc de Chaulnes. Avec une indifférence rusée, plus normande que bretonne, les deux Malouins attendirent que l'autre découvrît sa batterie.

« On m'a dit que vous seriez peut-être acquéreur...

– De quoi donc? » coupa Mathieu comme s'il eût voulu, sans même s'en rendre compte, faire durer le plaisir d'une revanche sur les humiliations subies par les générations regrattières qui l'avaient précédé.

Le capitaine Le Coz intervint. Sa haute taille était rassurante, et il savait donner à son visage la candeur de l'honnêteté.

« Ne seriez-vous pas vous-même, monsieur le chevalier, désireux de vous débarrasser de quelques actions de la Compagnie royale des Indes orientales?

– Euh! Vous allez vite en besogne. Débarrasser n'est pas le mot. Disons que je serais disposé à vous céder quelques parts. Mon frère, le comte de Morzic, les acheta, il y a plus de dix ans. J'en ai hérité après sa mort. Pour certaines commodités domestiques, je préférerais disposer de numéraire.

– Nous comprenons cela, fit Mathieu, et nous serions heureux de vous être agréables, mais nous nous trouvons un peu serrés en ce moment. »

Devinant qu'on le jouait, le malheureux se redressa encore. Dans une telle circonstance, le comte de Morzic n'eût pas hésité à faire donner du bâton à ces deux insolents. Ici, à Saint-Malo, les gueux n'attendaient même plus d'être devenus des bourgeois pour prendre des airs de gentilshommes.

« Je ne suis pas venu pour discuter avec des marchands. J'ai cinq actions à vendre. Je vous les cède à la moitié du nominal. En tout, cela fait deux mille cinq cents livres. Finissons-en!

– Hélas! nous sommes très loin du compte, répondit le capitaine Le Coz. Ces actions valent beaucoup moins cher.

– Comment? Vous savez bien qu'elles viennent de rapporter un gros dividende.

– C'est vrai, poursuivit le capitaine. Mais, nous autres qui avons l'habitude de la comptabilité, nous savons aussi que ce dividende a été prélevé sur le principal, alors que personne ne connaissait encore l'affaire de San-Thomé. »

M. de Couesnon s'irrita.

« Vous êtes tous les mêmes, mais vous ne me flouerez pas! Dites-moi donc pourquoi vous achetez des actions qui ne vaudraient même plus la moitié de leur prix d'achat?

– A vous parler franc, monsieur le chevalier, dit le capitaine, c'est parce que nous espérons bien que

116

leur cours remontera quand cette guerre de Hollande sera terminée. »

Et Mathieu Carbec ajouta avec un sourire faux d'homme d'Eglise :

« C'est aussi pour vous rendre service, monseigneur. A votre place, je ne vendrais pas. Le moment est mal choisi. Les cours sont au plus bas. »

Le chevalier lui tourna le dos. Il préférait discuter avec le capitaine Le Coz.

« Combien? lui demanda-t-il.

– Pour vous être agréable, cent livres par action. »

M. de Couesnon serra les poings. La colère lui ensanglantait les yeux.

« Donnez l'argent! Ne dites plus un mot! Taisez-vous! » finit-il par dire.

Et il jeta sur une table cinq feuilles de papier jauni, timbrées aux armes de la Compagnie royale des Indes orientales.

Mathieu Carbec ouvrit son coffre et en retira vingt louis d'or qu'il aligna avec précaution sur la table. D'un geste à la fois rapide et négligent ainsi qu'il convient à un gentilhomme qui sait concilier le goût et le dédain de l'argent, M. de Couesnon les rafla et s'en fut sans un mot. Mais il avait claqué la porte derrière lui.

« Encore cinq cents livres! soupira Mathieu. Es-tu sûr que nous ne les avons pas jetées à la mer?

– Pour l'heure, je ne suis sûr que d'une chose, c'est que nous ne nous sommes pas fait un ami aujourd'hui. Prends patience, Mathieu. Ne t'avais-je pas dit que nous achèterions un jour ces actions à bas prix? »

Un peu plus tard, il ajouta :

« Crois-tu que le spectacle d'un gentilhomme venu tendre la main dans la boutique d'un regrattier ne vaut pas cinq cents livres? »

Mathieu rougit. Avec ses airs d'honnête marin, le

capitaine Le Coz devinait toujours les pensées les plus secrètes de son associé.

C'est ce soir-là que Mathieu Carbec a repris possession de la chambre conjugale désertée depuis la mort de sa femme. Frédéric la lui a rendue la veille pour s'installer dans une pièce voisine. Se coucher dans le lit d'une morte, il a cru pendant treize ans que ce serait faire acte sacrilège, mais en y dormant pendant trois mois son beau-frère l'a tiré de cette épouvante. Ce soir, il s'est glissé sous les draps comme un propriétaire retrouve son bien et, les yeux grands ouverts, la chandelle éteinte, il rêve tout haut. Oui, cela valait bien cinq cents livres. Si cet argent est perdu, il le rattrapera avec les prises du *Renard*, car si les Hollandais sont toujours les maîtres de la mer des Indes, les Malouins sont redevenus les maîtres de la Manche. Mathieu a beaucoup appris. En lui donnant du poids, ses barils de piastres lui ont ouvert le cercle des messieurs de Saint-Malo qui discutent devant lui de leurs affaires. L'autre jour, Nicolas Magon est venu, de sa personne, lui demander s'il ne serait pas intéressé par une part dans un nouvel armement. Nicolas Magon, c'est un homme considérable. Connétable de la ville, il arme à la course, à la pêche, au cabotage et entretient des agents à Cadix. Des Magon, il y en a beaucoup à Saint-Malo, celui-là est le plus riche. Pour se distinguer les uns des autres, ils ont tous accolé à leur nom celui d'un petit domaine des environs. Magon de la Chipaudière, Magon de la Lande, Magon de la Balue, cela sonne bien. Un jour ou l'autre, le roi leur fera parvenir des lettres de mérite qui confirmeront la noblesse accordée naguère par le duc de Bretagne ou achetée avec leurs écus. Et pourquoi lui, Mathieu, ne ferait-il pas suivre son nom de celui de la terre dont

118

il a hérité à la mort de Marie? Carbec de la Bargelière. Mathieu sourit, hausse les épaules. Ça n'est pas pour lui. Lui, il achète des actions aux nobles en sabots et participe à l'armement du *Renard*. Jean-Marie? Plus tard, peut-être. Mais le roi a tant besoin d'argent pour faire la guerre qu'Yves Le Coz pourrait être tenté de lui acheter tout de suite une charge? Cette pensée donne de l'humeur à Mathieu. Le Coz, c'est un capitaine armateur. Il a épousé une Nantaise qui vient de lui donner un garçon et qui lui fera d'autres enfants, il connaît les affaires de l'Etat, soupe chez Saudrais, Le Fer, Eon, Trouin, et les invite dans sa maison. Il est devenu un vrai bourgeois de Saint-Malo. Mathieu n'en est pas encore tout à fait un. Il le sait. Mathieu vit au-dessus de ses barils dans une odeur de morue séchée entre son garçon, il aura bientôt l'âge d'aller à la mer, un beau-frère qui a repris l'habitude du bordel, et un démon emplumé qui lui fait un peu peur. Il arrive parfois à Mathieu de se sentir seul. Jamais son lit ne fut plus large que ce soir. Pourquoi ne se remarierait-il pas? Les veuves ne manquent pas à Saint-Malo. Il y en a partout, sacrées commères qui s'entendent aussi bien à gérer les comptes qu'à gourmander leur mari. Le capitaine Le Coz le pousse à en prendre une, à suivre son exemple, n'ont-ils pas le même âge tous les deux? Mais Yves Le Coz a épousé une fille qui a du bien. Elle est devenue une associée qui tient les livres, négocie les lettres de change, connaît les prix des marchandises et le cours du métal. Elle pourrait en remontrer au notaire pour rédiger un contrat à la grosse aventure, et elle porte à son doigt un diamant de fermier général. Comment Mathieu pourrait-il tolérer qu'une femme mette son nez dans ses registres et descende avec lui dans la cave aux barils de piastres? Ce qui lui conviendrait, c'est une bonne ménagère, ne disant pas un mot plus haut que l'autre, laborieuse et sachant lire. Compter? Les femmes savent toujours compter. Elles n'ont pas besoin de savoir écrire. Le capitaine Le Coz, qui comprend tout sans qu'on lui fasse de confidence, l'a percé l'autre jour avec la même sûreté qu'aurait fait un barbier avec sa lancette. « Alors, pourquoi n'épouses-tu pas ta Cancalaise? » Mathieu en ressent encore la brûlure comme s'il avait essuyé un affront. Il l'aime bien pourtant, la Rose Lemoal. S'il ignore que les plus grands plaisirs se trouvent dans l'habitude, il sait qu'avec la Cancalaise il ne chopera pas la vérole et il connaît le coût exact des déduits qui le maintiennent en bonne santé. Treize ans, pense-t-il ce soir, il y a treize ans, l'âge de Jean-Marie, qu'il rend des visites régulières à la Cancalaise.

Rose Lemoal, sa poitrine est demeurée ferme, peut-être même qu'elle est devenue plus douce. Mathieu ne s'attarde plus à la caresser mais, sa besogne terminée, il aime toujours s'asseoir devant la table épaisse pour boire lentement deux ou trois bolées tandis que la nourrice casse un œuf sur une crêpe de blé noir et s'inquiète de Jean-Marie qui vient moins souvent la voir depuis le retour de l'oncle Frédéric. A Paramé, tout le monde connaît Mathieu, on le salue avec déférence comme s'il était un noble homme. Le recteur qui sait tous les secrets de ses ouailles lui témoigne de la considération et une indulgence souriante, mon fils l'Eglise serait pauvre sans les péchés des hommes. Même à Saint-Malo, personne ne fait plus allusion à la nourrice. Tout cela, Mathieu le sait. Il sait aussi que si Rose Lemoal est de bon usage, qu'il y prend son plaisir et y trouve ses aises, il ne la conduira jamais à l'autel. Le capitaine Le Coz, le premier, l'en empêcherait. A peine entrouvertes, les portes malouines se refermeraient : on n'épouse pas les tétasses de maman Paramé. Il vaudrait encore mieux épouser Clacla.

Après tout, Clacla c'est ma cousine. Mais elle est déjà mariée. Bien sûr, le marin pêcheur de Rose Lemoal s'est perdu en mer et le mari de Clacla a été embarqué de force sur les vaisseaux du roi... Une pensée horrible monte à la tête de Mathieu, tout soudain, comme un grand coup de vent, et lui fait faire un large signe de croix. Mais l'image de Clacla tourne déjà dans la chambre, s'approche du lit, s'éloigne, revient, provocante, insaisissable, comme l'autre soir lorsque le capitaine Le Coz l'avait poussé devant la danseuse tu es un homme, non? Mathieu se bouche alors les oreilles pour ne plus entendre les petits sabots qui dansent le sabbat autour de son lit. Quel dommage que Clacla soit pauvre, elle aussi!

Vingt louis d'or qu'on fait tinter avec une petite tape sur la ceinture, cela vaut mieux que cinq morceaux de papier enfermés au fond d'un coffre et dont la valeur fond plus vite que la chandelle allumée. M. de Couesnon n'était pas loin de penser qu'il n'avait pas réalisé une si mauvaise affaire. N'empêche que ces gueux-là lui avaient payé cinq cents livres ce que son aîné, le comte de Morzic, avait acheté cinq mille livres. Au lieu de se rendre rue du Tambour-Défoncé, dans une boutique de regrattier, pourquoi n'avait-il pas plutôt sollicité un des Magon? Les Magon étaient riches, secourables, et d'une noblesse qui, sans valoir le lignage des Morzic, était admise par toute la Bretagne. Eux aussi rachetaient des actions de la Compagnie des Indes orientales. Ils en auraient peut-être offert le double? Voire. M. de Couesnon entendait peu de chose à ces sortes de tractations mais il n'ignorait pas que les fleurons malouins sentent toujours un peu la boutique. Tout compte fait, il préférait avoir été dupé par des regrattiers qu'humilié par la générosité d'un Magon.

M. de Couesnon descendit vers le quai de Mer-Bonne, le pas plus assuré, l'œil plus vif, la tête plus haute, autant de signes extérieurs arborés volontiers comme des pavillons dès qu'une bourse est un peu garnie. C'est dire que le chevalier hissait rarement le grand pavois et que, ce jour-là, la mort du chef de sa famille lui donnait soudain des ailes. Petites ailes, mais imprévues. Un écu trouvé par chance au fond d'un tiroir donne plus de plaisir que cinq louis économisés à longue patience.

Plus occupé à regarder les maisons de bois peintes de couleurs vives qu'à s'orienter vers le port où il avait remisé sa carriole, il se perdit dans le dédale des rues malouines. La gaieté des passants l'étonna autant que la qualité de leurs vêtements, du bon gros drap de Morlaix, inusable. Sur le pas de leur porte, des commères jacassaient, le verbe haut, et riaient à pleines dents bien qu'elles eussent l'air de se gourmander. Par les fenêtres ouvertes, M. de Couesnon jeta un furtif coup d'œil dans les cuisines sombres où des chaudrons de cuivre brillaient comme des soleils rouges. Du pilori au marché aux herbes et à la halle à la viande, il croisa des femmes qui le dévisageaient sans modestie mais sans insolence avec des yeux tantôt clairs comme l'aube sur l'embouchure de la Rance, tantôt plus sombres que ceux des diseuses de bonne aventure et voleuses de poules. Il s'attarda devant les échoppes et les étals où l'on vendait ici de la toile, là des légumes ou des œufs, plus loin des épices ou des quartiers de viande, partout où l'argent passait de main en main, léger et rapide comme un danseur de corde qui se meut dans un monde enchanté. M. de Couesnon ne venait guère plus qu'une fois par mois à Saint-Malo pour y faire les achats utiles à l'ordinaire de sa maison. Attelé à une mauvaise voiture de paysan, son cheval mettait moins de deux heures à parcourir les cinq lieues qui séparaient le domaine familial du sillon. Cinq lieues, autant dire rien. Et pourtant, un gouffre béant s'ouvrait entre la maison du chevalier et les remparts de Saint-Malo. Deux univers. D'un côté, la mer ouverte sur le monde, les nouvelles, les compagnons, l'argent facile qui va et qui vient comme les marées, les appareillages et les retours; de l'autre, la terre avare, les espaces clos, les récoltes manquées, l'argent resserré, les habits usés, la solitude, le silence, les commis de la gabelle et la troupe que le duc de Chaulnes faisait revenir d'Alsace pour mater les Bretons indociles à l'impôt. A tout bien considérer, M. de Couesnon préférait son univers terrien. Dès qu'il franchissait la Grande-Porte de Saint-Malo, il sentait qu'il entrait dans un monde dangereux où tout était à vendre et où l'on pesait la valeur des hommes au seul poids de leurs lingots. Personne ne tirait le chapeau sur son passage. Tout à l'heure, un matelot qui n'était même pas ivre avait refusé de lui céder le pas.

Ses achats terminés, M. de Couesnon avait l'habitude de rentrer aussitôt chez lui. Ce jour-là, il ne lui déplaisait pas d'en retarder le moment. Il prit quelque intérêt à lire le nom des rues où il passait, la Diacrerie, le Jard, et déboucher sur la Crevaille où des auberges tenaient table ouverte jusqu'à l'heure du couvre-feu. A la porte de l'une d'elles, La Malice, se balançait une enseigne où étaient peints une femme, un singe et un chat. Encore qu'il sût qu'on y traitât avec convenance les gens de qualité, le chevalier n'y était jamais entré, non qu'il ne fût pas tenté mais parce qu'il n'était pas de ces gentilshommes qui se paient des bâfrées ou perdent un troupeau au pharaon lorsque les enfants ont des souliers troués. Toute la rue baignait dans une large odeur de cuisine faite de poissons grillés, de moules à la marinière et de viandes rôties. M. de Couesnon hâta le pas, la nuque roide et, sans même s'en apercevoir, redonna une petite tape de la main sur sa ceinture. Il n'avait disposé d'une pareille somme en numéraire qu'au moment de son mariage. Elle avait vite disparu. Aujourd'hui, il ne pouvait pas même justifier des mille livres de revenus nécessaires pour obtenir droit de séance aux états de Bretagne depuis que cette décision avait été prise par les plus nantis pour éliminer la noblesse démunie.

Le chevalier était passé devant l'auberge sans tourner la tête. Soudain, soit qu'il fût pressé par la faim, soit qu'il fût las d'être vertueux par pauvreté, il revint sur ses pas et, affectant l'aisance d'un vieil habitué, poussa la porte de La Malice et entra dans une salle pleine d'hommes qui mangeaient et buvaient. Il trouva une place au bout d'une table, réclama du vin, regarda autour de lui et écouta ses voisins. C'étaient pour la plupart des armateurs, des gens du commerce lointain, des négociants en gros et des capitaines marchands qui pratiquaient la course de temps à autre. Ils parlaient fort et payaient large. L'un d'eux arrivait du Port-Louis où la Compagnie des Indes avait installé, sur des terrains vagues situés à l'embouchure du Scorff, des chantiers de construction et d'armement que tout le monde appelait L'Orient depuis qu'on y avait lancé le plus beau navire marchand du monde, ce *Soleil-d'Orient* tout bosselé d'or qui jaugeait plus de mille tonneaux. L'homme, un négociant en bois qui suait l'argent, raconta que là-bas les cales étaient désertes, mais que si la Compagnie n'y construisait plus de navires elle venait de passer de gros marchés pour la construction d'une corderie, d'une église et de logements en pierres couverts d'ardoises pour remplacer les cabanes de planches qui avaient abrité les premiers charpentiers. On devait en conclure que, passé les moments difficiles provo-

qués par la guerre de Hollande, la Compagnie rede-
viendrait prospère.

« Tant pis pour les imbéciles qui ont vendu au
rabais leurs actions », fit-il secoué d'un rire satisfait.

Sans le connaître, les clients de La Malice avaient
reconnu en M. de Couesnon un de ces cadets du
pays malouin qui, tournant le dos à la mer, leur
étaient plus lointains que s'ils eussent habité une
autre province. Ils prirent peu garde à sa présence,
parlant entre eux, se comprenant à mi-mots, n'ex-
cluant pas le chevalier de leurs propos mais sans
l'inciter à y participer. Ainsi qu'il arrive aux habitants des villes maritimes, ils discouraient d'abondance et paraissaient n'ignorer rien de ce qu'on
disait à Rennes, à Rouen, voire à Paris. Alors
qu'enfermé dans son manoir, à deux heures de
bidet, M. de Couesnon n'avait même pas connu la
tentative d'un débarquement ennemi à Belle-Ile,
voici qu'il apprenait tout à coup que les troupes
françaises remportaient maintenant des succès heureux en Flandre, que des vaisseaux commandés par
Duquesne venaient de gagner en Méditerranée une
bataille navale au cours de laquelle ce maudit
congre de Ruyter avait été tué, et que, fort de ces
victoires remportées sur terre et sur mer, le roi
avait fait ouvrir des négociations de paix, qu'il
entendait mener rondement, avec la Hollande et
l'Espagne.

A ces nouvelles, écoutées sans avoir l'air d'y
prêter autrement attention, M. de Couesnon fut
d'abord saisi d'un grand trouble. Ne s'était pas trop
pressé de vendre à bas prix les actions que lui avait
léguées son aîné? Pour le rassurer, une voix inté-
rieure lui soufflait qu'il avait eu raison de s'en
débarrasser avant qu'elles ne vaillent plus un sou.
Sans doute, leur cours pouvait remonter. Dans six
mois ou dans six ans? Les actions émises par ces

sortes de compagnies ne sont bonnes que pour les riches. Eux seuls peuvent attendre. Les autres, gentilshommes ou roturiers, ont toujours besoin d'argent frais. Ce capitaine Le Coz et ce regrattier Mathieu Carbec devaient être riches, autant que tous ceux-là qui, sans même se soucier de sa présence, s'empiffraient sous son nez et prétendaient tout connaître, même que la Cour allait s'installer à Versailles comme s'ils avaient été dans le secret du roi, alors que lui-même, héritier des Morzic dont un lointain aïeul était tombé à Mansourah en protégeant Saint Louis de son corps, n'en savait rien et ignorait tout! La société changeait trop vite. Plus que de ses frères et sœurs qui ne lui avaient laissé qu'un misérable domaine, M. de Couesnon était victime d'un monarque trop enclin à faire des grands commis d'Etat avec de petites gens, et d'un temps où le pouvoir, les hommes et l'or passaient dans des mains roturières aussi rapidement que les cinq actions de la Compagnie royale des Indes orientales, imposées à sa famille par le duc de Chaulnes, étaient passées de son coffre dans celui d'un regrattier. Remuant ces pensées, il en éprouva quelque humeur et envia, pendant un long moment, tous ces hommes qui mangeaient et buvaient des choses exquises avec la lente quiétude de ceux qui se mettent à table deux fois par jour. Soudain, la vulgarité de son voisin le persuada que la valeur séminale de la vraie noblesse finirait par l'emporter sur celle de l'argent. Chassant ses soucis besogneux, M. de Couesnon eut envie de manger des huîtres. Il commanda deux douzaines de cancales sur un ton de gentilhomme et les goba avec la goinfrerie d'un manant.

Le chevalier n'avait pas englouti un si bon repas depuis longtemps. Il décida de faire une promenade sur le port avant de rentrer chez lui. La digestion colorait ses joues. Quels chemins sa vie aurait-elle pu prendre si son père n'avait pas épuisé toutes les ressources familiales au point de n'avoir pu disposer du crédit nécessaire pour faire obtenir à son cadet la moindre position? Faute de pouvoir payer sa nourriture et son logement, des maîtres et des livres, un uniforme et un brevet, la marine du roi lui avait été interdite. La dot des sœurs, l'achat d'une charge, d'un office ou d'une compagnie pour les aînés, les interminables procès immobiliers qui sont la marque d'une bonne noblesse : tout le patrimoine était tombé dans les coffres des juges, des gendres, des couvents, de l'armée ou du parlement de Rennes. On lui avait bien trouvé une place au séminaire mais, préférant labourer ses terres, il avait fini par épouser une fille aussi démunie que lui. Au reste, il n'en voulait à personne. Pourquoi se serait-il rebellé? Il croyait encore que la Providence règle avec une bonté minutieuse tous les actes de la vie, et il pensait que le fait d'appartenir à une famille alliée naguère à celle des ducs le dédommageait de bien des maux. Aujourd'hui, à Saint-Malo, on l'avait ignoré, mais dimanche prochain, dans son village, le curé l'accueillerait sur le porche de l'église, le conduirait à sa stalle d'honneur, lui balancerait un encensoir d'argent sous le nez avant de dire sa messe, et renouvellerait le même hommage à la lecture de l'Evangile. Même pauvre, il devait tenir pour vrai qu'un chevalier de Couesnon en sabots a plus de prix qu'un armateur décrassé par l'achat d'un titre de noblesse, même authentifié par une lettre du roi.

Destinés à la pêche ou armés pour le commerce, de nombreux navires branlaient à l'ancre sur l'anse de Mer-Bonne. M. de Couesnon s'attarda devant quelques bâtiments amarrés au quai et remarqua qu'on s'y agitait davantage que les mois précédents. Allait-il se mettre à envier ces capitaines marchands dont on disait que, sans instruments et sans calculs, ils commandaient mieux à la mer que la plupart des officiers du roi? Il n'ignorait pas que certains cadets, aussi bretons et dépourvus que lui, faute d'avoir pu fréquenter les écoles de Brest ou Rochefort, faisaient aujourd'hui carrière dans la navigation du commerce sans perdre leur qualité de gentilhomme. Sans doute, ceux-là ne portaient pas sur leur habit bleu les parements d'écarlate réservés aux officiers de la marine royale, mais ils couraient les mers, connaissaient les îles, faisaient sonner tous les jours les écus dans leur ceinture et n'en tiraient pas moins le canon que les officiers rouges. Naguère, ayant dû renoncer au Grand Corps, le chevalier avait exprimé timidement le souhait d'entrer au service d'un armateur. Son frère aîné l'avait rabroué avec un tel mépris au nom de l'honneur et de la déchéance qu'il avait dû se résigner aux mancherons d'une charrue. Tout était fini pour lui. Il avait quarante ans, l'âge d'un barbon. Pourtant le sang lui galopait dans les veines. Porter des sacs de blé d'un quintal[1], au moment de la moisson, ne lui faisait pas peur, et, lorsque l'occasion se présentait de trousser une fille, il la fatiguait plusieurs fois sans qu'il fût lui-même essoufflé. La marine, c'était trop tard. Il fallait la choisir avant d'avoir quatorze ans. C'était l'âge de l'aîné des garçons qui lui restaient. Et pourquoi n'en ferait-il pas un capitaine marchand? Lorsque le notaire lui avait remis les cinq actions laissées par son frère, il avait d'abord considéré ce legs comme une sorte de méchante plaisanterie inventée pour brocarder une dernière fois le chef d'escadre qu'il aurait pu devenir avec un peu de chance et beaucoup de protections. Plus tard, il avait pris plaisir à les regarder, les palper, étudier les jolis détails des

----

1. A cette époque le quintal pèse cent livres et non cent kilos comme dans le système métrique. (N.d.E.)

dessins et du graphisme. Un jour, pressé par le besoin, il s'était décidé à s'en séparer, comme il avait vendu les pauvres bijoux de sa femme peu de temps après sa mort.

A ce souvenir, le chevalier serra les dents. Il se revoyait dans la boutique que tenait la veuve Hamon, rue de la Croix-du-Fief. La vieille orfèvre l'avait reçu avec mille grâces enfarinées, lui donnant du monseigneur sans chipoter, mais au moment d'estimer le collier, le médaillon et les bracelets qui venaient échouer là comme tant d'autres parures, la lueur du profit avait flambé au fond de ses yeux où dansaient de minuscules démons en forme de chiffres. Il n'avait pas discuté le prix, pas plus que celui des actions de la Compagnie des Indes. Marchander n'est pas d'un gentilhomme. Ce soir-là, quand il était rentré chez lui, au milieu des choux-fleurs, du sarrasin et des poireaux, le cœur violent, la colère l'emportant sur son chagrin, plus honteux que veuf, il avait haï pendant quelques instants le comte de Morzic qui, au nom de l'honneur, l'avait condamné à la charrue et à la boutique de la veuve Hamon. Où étaient l'honneur et la déchéance ?

Le chevalier s'était arrêté devant un brigantin d'une centaine de tonneaux dont les seize canons, douze en batterie, deux à l'avant, deux de retraite à l'arrière, disaient assez qu'ils armaient un redoutable corsaire. Etroitement ferlées sur les vergues, ses voiles paraissaient presque neuves. Sur le pont, des matelots étaient occupés à ces travaux d'entretien et de réparation dont les navires en parfait état ont toujours besoin. D'autres, sous l'œil attentif d'un maître d'équipage, portaient des caisses et de gros sacs. Leurs gestes étaient mesurés, adroits, rapides. Comment ces hommes qu'on ramassait si souvent ivres morts dans les rues pouvaient-ils être si appliqués ?

« Eh bien, monsieur le chevalier, comment trouvez-vous mon *Renard*? »

M. de Couesnon avait reconnu la voix du capitaine Le Coz. D'être surpris à regarder le brigantin du nouveau propriétaire des actions familiales de la Compagnie des Indes le fit rougir malgré lui. Mais l'autre lui disait déjà pour le tirer d'embarras :

« Consentiriez-vous à me faire l'honneur d'une courte visite à mon bord? »

Le capitaine Le Coz s'était exprimé avec tant de bonne grâce qu'il eût été discourtois sinon ridicule de refuser, encore que le chevalier fût tenté, pendant un court instant, de ne pas même répondre et d'aller son chemin. Quand les deux hommes s'engagèrent sur la passerelle, le maître d'équipage mit à ses lèvres le sifflet d'argent qui lui pendait en sautoir et en tira un son prolongé. Aussitôt, tous les matelots interrompirent leur besogne pour ôter leur bonnet. Surpris, M. de Couesnon se tint immobile et, tout soudain, comme s'il fut devenu par quelque enchantement le chef d'escadre qu'il avait rêvé un jour, il rendit la politesse par un large coup de chapeau et, d'une main à la fois autoritaire et bienveillante, signifia à l'équipage de poursuivre ses travaux. Souriant, le capitaine Le Coz fit faire le tour du pont à son visiteur, répondit gracieusement à toutes les questions posées, le fit descendre dans la batterie, lui montra la soute aux poudres. M. de Couesnon ne perdait rien de ce qu'il voyait ou entendait. La légère houle qui soulevait doucement le *Renard* lui brouilla bien un peu l'estomac mais il sut se contenir et accepta volontiers le vin d'Espagne que le capitaine lui offrit dans sa chambre. Cela plaisait au chevalier de se trouver dans cette petite pièce lambrissée où brillaient, bien alignées dans un râtelier d'armes, des lames nues dont les énormes coquilles supposaient des mains de forgeron.

Sa petite épée lui parut plus dérisoire qu'une broche de rôtisseur. Il aurait voulu en saisir une et montrer qu'il était capable lui aussi, avec ses poignets de laboureur, de manier un sabre d'abordage. Il n'osa pas. L'aisance, l'autorité naturelle, les manières du capitaine le surprenaient.

« Le *Renard*, si j'en crois ce que j'ai vu, va bientôt reprendre la mer? se contenta-t-il de dire.

– Monsieur le chevalier, ce sont là des secrets que nous n'avons point coutume de révéler, répondit Yves Le Coz qui ajouta en souriant : Vous paraissez ignorer que la côte est infestée d'agents, même français, à la solde d'Amsterdam? »

Devenu pâle sous l'affront, M. de Couesnon s'était levé et portait déjà la main à l'épée lorsque, toujours souriant, le capitaine poursuivit :

« A vous, je vais tout dire parce qu'entre nous il ne saurait y avoir de mystères. Ne sommes-nous pas en affaires depuis ce matin? Remettez-vous, monsieur le chevalier. Encore un peu de vin d'Espagne? Pour vous prouver ma confiance et vous remercier de l'honneur que vous m'avez fait en montant à mon bord, je vais vous livrer mes secrets, sachant bien que vous ne les répéterez à quiconque, surtout à l'amirauté. Le *Renard* lèvera l'ancre demain matin à la pique de l'aube, avec la marée, sous le commandement de mon second. Pour ne rien vous cacher, je resterai à terre parce que je ne veux pas laisser seule Mme Le Coz au moment où elle vient de me donner un fils. Encore un peu de vin d'Espagne?

– Monsieur, répondit M. de Couesnon, vous êtes un honnête homme. Je bois à la santé de votre fils. »

Il ajouta, hochant la tête :

« Un fils, c'est important.

– Dame oui! fit le capitaine avec un sourire qui adoucissait la rudesse de son visage.

– Vous en ferez un capitaine marchand comme son père?

– Pour sûr! A douze ans, il sera mousse et prendra la mer.

– Pourquoi mousse? Vous êtes riche, capitaine Le Coz!

– Pourquoi ne serait-il pas mousse? Tous les fils d'armateurs ont été mousses. Il n'y a point d'offense. C'est la seule école des vrais marins. Avez-vous des garçons, monsieur le chevalier?

– J'en ai deux.

– Ils sont au collège de Morlaix, sans doute? »

M. de Couesnon, baissant la tête, répondit qu'ils avaient douze et treize ans et qu'ils l'aidaient à cultiver ses terres. Il dit aussi, plus sombre, qu'un jour viendrait où le domaine serait trop petit pour nourrir les deux garçons.

« Embarquez-les, monsieur le chevalier!

– Vous les prendriez avec vous?

– A bord du *Renard*, je ne le pense pas. Pour la course, nous préférons les enfants trouvés de l'hôtel-Dieu. Mais pour la morue, c'est à voir. On n'a jamais trop de mousses, parce que la pêche à Terre-Neuve, c'est très dur, monsieur le chevalier.

– Labourer aussi, monsieur Le Coz », répondit très simplement M. de Couesnon.

Le capitaine expliqua que, si les bruits sur les pourparlers se confirmaient, les patrons de pêche n'hésiteraient pas à partir sur les bancs avant même que le roi ait signé la paix. Que le chevalier lui amène alors ses deux fils, il parviendrait bien à les faire embarquer. Et s'ils prenaient goût à la mer, pourquoi n'y feraient-ils pas carrière? Avec la paix revenue, la mer allait se couvrir de navires du commerce, jusqu'aux Indes, en Chine, et dans toutes les mers d'Amérique. Il y aurait de la place pour tout le monde.

« Vous croyez donc encore aux Indes, après les

drames de Madagascar et de San-Thomé? interrogea M. de Couesnon.

– Pourquoi vous aurais-je acheté cinq actions de la Compagnie? »

La ruse d'un demi-sourire avait glissé sur les lèvres du capitaine. Son hôte se redressa, furieux.

« Vous m'avez floué, n'est-ce pas? Vous avez profité de mon inexpérience!

– Ecoutez-moi, monsieur le chevalier, vous étiez vendeur, vous êtes venu chez mon associé de votre plein gré! En achetant vos actions, nous avons acheté surtout un risque. C'est notre affaire. Mais nous avons calculé ce risque à la valeur que nous estimions être la moins dangereuse. Cependant, il ne sera pas dit que M. de Couesnon a quitté mon bord avec des regrets sur le cœur. Le marché est conclu, nous avons payé vos actions, elles sont à nous, nous les gardons. Eh bien, si elles regagnent un jour leur valeur nominale, je vous promets de vous les revendre au même prix que nous vous les avons achetées. Cela vous convient-il? »

Interdit, le chevalier regarda fixement le capitaine :

« Vous le dites sur votre honneur?

– Monsieur le chevalier, n'étant pas gentilhomme, je ne vous donnerai point ma parole. Nous autres marchands, nous nous contentons de tenir nos promesses. C'est cela, notre honneur. »

Sur la route de Dol, M. de Couesnon est reparti au trot fatigué de son cheval. Derrière lui, les remparts et la tour de Saint-Servan ont déjà disparu. Tournant la tête, il voit la silhouette de trois moulins à vent immobiles sur la ligne d'horizon, points minuscules sur le ciel immense qui lui servent de repères quand il vient à Saint-Malo. Sa carriole grince de partout, les cahots le secouent et le jettent sur les planches. Devant lui, s'étale une campagne plate, verte et brune, carrés de choux et champs moissonnés, coupés de haies où s'élèvent çà et là des chênes à la parure sombre. Le soleil d'octobre s'est incliné déjà trop bas pour projeter encore des ombres sur la route. M. de Couesnon presse le pas de son cheval pour arriver chez lui avant la nuit hue! Pompon! et, une fois encore, il refait le geste qui depuis ce matin le conforte : la main à sa ceinture pour reconnaître que des louis d'or s'y trouvent toujours. Cela le fait sourire et penser tout haut.

« Grâce à Dieu je n'ai pas perdu ma journée, hue! Pompon! Vingt louis d'or, c'eût été peut-être une aumône pour le comte de Morzic mais bien sonnants dans ma ceinture ils me donnent plus de solidité que toutes leurs rêveries de la Compagnie des Indes, le métal pèsera toujours plus que le papier. Ces gueux qui sentent encore la chandelle ne sont peut-être pas de très mauvais bougres, le Mathieu Carbec est plus tire-sou que le capitaine Le Coz, hue! Pompon! Ce patron du *Renard* a-t-il été assez fier de ma visite à son navire! Ça ne doit pas arriver souvent qu'un gentilhomme boive du vin d'Espagne à la santé d'un chiot! hue! Pompon, hue, donc! Ça n'est peut-être pas une mauvaise idée d'envoyer les deux aînés à la mer. Tout compte fait, il y a plus de profit à naviguer qu'à labourer et pas plus d'offense à vendre de la pacotille qu'à planter des choux-fleurs! hue! Pompon! Ces sacrés Malouins, ils ont tous été mousses à Terre-Neuve, ça ne les a pas empêchés de devenir capitaines, armateurs, marchands et de remplir leurs caves avec des piastres, hue donc! Mes garçons tout mousses qu'ils deviennent resteront toujours les fils du chevalier de Couesnon, des garçons qui ne sont point manchots, pas plus que leur père, hue! Pompon! J'aurais bien pris passage sur le *Renard* une fois ou deux, hue donc! C'est trop tard, chevalier, c'est trop tard, hue! Pompon, hue!... »

Après avoir raccompagné M. de Couesnon sur le quai, Yves Le Coz remonta à bord et appela aussitôt son second, un petit homme noiraud, tête ronde et jambes courtes, d'aspect malingre avec ses épaules étroites mais dont les mains étaient plus dures et plus larges que les battoirs des laveuses. Selon la coutume malouine, le second était un cousin du capitaine.

« Tout est paré?

– Tout est paré, répondit Jean Rouvelho.

– Ne laisse plus aucun matelot descendre à terre et personne monter à bord. Départ à l'aube avec la marée, au premier vent. Tu connais la règle : la course est faite pour la prise. Donc, ne jamais engager le combat sauf en cas de nécessité! Ne reviens pas avec mes voiles trouées. Si d'ici quinze jours tu n'as rien trouvé, rentre au port. »

Yves Le Coz avait dressé lui-même Jean Rouvelho. Il était aussi sûr de son courage que de sa prudence, de son autorité que de sa compétence, mais c'est la première fois qu'il lui confiait le soin du *Renard* hors de son commandement personnel. Les deux hommes firent ensemble une dernière inspection du navire. Il ne s'agissait plus de faire admirer le brigantin à un visiteur, mais d'examiner l'approvisionnement des batteries, l'ouverture des sabords, le magasin aux vivres. C'était le dernier coup d'œil d'un maître dur. Au coup de sifflet du maître d'équipage, les matelots s'étaient rassemblés sur le pont. Yves Le Coz passa devant eux, lentement. Connaissant la plupart, il dévisagea les nouveaux embarqués. Tous sentaient le cidre aigre.

« Bonne course, capitaine! dit le propriétaire du *Renard*.

– Au revoir, monsieur l'armateur », répondit le cousin Rouvelho.

Descendu à terre, le capitaine Le Coz se retourna pour regarder encore une fois son bateau. C'est à ce moment qu'il vit venir lentement vers lui un homme vêtu de drap marron, à la façon des plus riches messieurs de Saint-Malo, sur l'épaule duquel était perché une sorte de gros merle. Il reconnut Frédéric.

« Mâtin! te voilà fait comme un Magon, admira Yves Le Coz.

– Dame! répondit Frédéric, je ne pouvais pas rester toujours avec les habits des autres, maintenant que je me porte bien. »

C'est vrai qu'il allait bien, l'oncle Frédéric. Six mois après son retour, bien nourri, logé, mignoté, reposé, il était redevenu un homme jeune, au visage coloré, sans avoir rien perdu de ses airs de funambule. Depuis qu'il était guéri, il passait son temps à flâner sur les remparts, le long des quais, buveur de soleil, les yeux perdus au loin, au milieu de ceux qui se rassemblaient pour discuter, palabrer, supputer en attendant le retour des barques. Il habitait toujours chez son beau-frère Mathieu mais il disparaissait tout à coup et on ne le revoyait pas pendant deux ou trois jours. Tout le monde sachant qu'il était allé rue des Mœurs, chacun se plaisait à laisser entendre que le héros de San-Thomé avait été sans doute victime de ses propres enchantements : gali gala! A la fin, convaincu qu'on ne le retrouverait pas sous un de ses gobelets magiques, on allait le chercher au bordel.

Comme Frédéric examinait le *Renard* avec des yeux de connaisseur, le capitaine Le Coz s'en aperçut :

« Ça t'intéresse donc toujours, la marine?

– Oh! non. Plus jamais! » se défendit Frédéric

avec la véhémence et le regard innocent des menteurs.

Le Coz n'insista pas. Il posa une autre question :

« C'est Mathieu qui t'a payé de si beaux habits?

– Dame non, capitaine! Vous connaissez assez mon beau-frère pour le savoir avaricieux.

– Tu es donc riche? »

Frédéric prit l'air modeste de ceux qui ont toujours peur qu'on les croie plus riches qu'ils ne le sont en réalité, alors que la plupart des Malouins adoptaient volontiers une attitude plus glorieuse.

« J'ai rapporté d'Inde quelques petits diamants. De temps en temps je vais en vendre un chez la veuve Hamon. Elle ne m'en donne pas la moitié de sa valeur, mais cela m'est égal, c'est si facile, là-bas, de s'en procurer.

– Tu t'en retournerais donc là-bas? demanda très vite le capitaine.

– Là-bas? Non, jamais. Ça sent trop la merde.

– C'est dommage », dit le capitaine Le Coz au bout d'un long moment. Il ajouta : « Parce que avec tout ce que tu sais nous aurions pu nous entendre.

– Quoi donc? questionna Frédéric soudain alerté.

– Malin comme tu es, reprit Le Coz en allumant dans son regard la flatterie d'un sourire amical, tu n'es pas resté si longtemps à Surat et à San-Thomé sans apprendre le langage de ces Indiens?

– C'est vrai, admit Frédéric. J'ai appris le tamil et je sais même quelques mots d'arabe et de chinois. Dites-vous bien, capitaine Le Coz, que ces diables-là apprennent plus vite à parler français, anglais ou hollandais que nous autres à les comprendre. A Surat, tous les marchands ont d'habiles truchements. »

Quand les deux hommes se séparèrent, le capitaine Le Coz se demanda si, à la façon des joueurs d'échecs, il n'avait pas placé un pion sur une case qui pourrait plus tard être utile. Il avait hâte de rentrer chez lui pour y retrouver sa femme et son fils. Frédéric s'attarda à regarder dans le soleil couchant les glissades des goélands aux larges ailes qui tournaient autour de lui en piaillant comme s'ils eussent voulu faire un mauvais parti à Cacadou, cet oiseau étranger à leur ciel qui se blottissait contre le cou de son maître avec une peur ébouriffée.

Les Malouins n'attendirent pas que la paix fût officiellement proclamée pour préparer une nouvelle campagne de pêche à Terre-Neuve. Maîtres de la Manche grâce à leurs corsaires, ils se souciaient peu des minutieuses discussions qui, à Nimègue, n'en finissaient pas d'opposer les négociateurs. En revanche, ils étaient pressés de rouvrir un marché où, bien avant que le roi eût décidé de faire la guerre aux Hollandais, ils tenaient les premières places. La morue les nourrissait tous : les plus humbles avec leurs parts de pêche, les plus fastueux avec leurs parts d'armement, et tous les corps de métier, charpentiers et menuisiers, forgerons et calfats, voiliers et couteliers, marchands d'apparaux, de vinaigre, de cidre, de farine, de lard et autres avitailleurs. Les notaires et les fabricants de cierges n'étaient pas les derniers à profiter de Terre-Neuve, ceux-là en rédigeant des contrats d'association, d'engagement ou d'emprunt, ceux-ci en coulant des chandelles qui, dans l'ombre des églises ou le creux des minuscules oratoires suspendus au coin des rues, veilleraient sur les marins perdus dans les mers grises.

Silencieux depuis cinq années, les chantiers de Rocabey, des Talards et de Solidor étaient redevenus sonores du choc des maillets, des marteaux et des haches. La plupart des navires n'ayant besoin que d'être radoubés, une odeur âcre de goudron enveloppait la ville et lui redonnait cette senteur mouillée faite de brai, de sel, de fumée, de poisson et d'algues que les plus frustes Malouins, même les yeux bandés, eussent reconnue pour être celle de leur cité. Sur les routes convergeant vers Saint-Malo, on voyait se hâter des fardiers sur lesquels les paludiers du Brouage avaient chargé des montagnes de sel, des chariots bourrés de caisses de couteaux à décoller fabriqués à Sourdeval derrière Grandville, des tombereaux pleins de grosses toiles tissées dans le pays de Quimper, des caisses de clous forgés à Dinan, et les grosses chevilles taillées par les charpentiers de Cancale dans du bois de chêne qu'on faisait durcir pendant plusieurs années en le laissant mijoter dans des fosses pleines de vase que le flot recouvrait à chaque marée.

Armateurs ou artisans, marchands ou matelots, tous les hommes étaient heureux à la pensée de cette prochaine campagne de pêche, ceux qui partiraient pour six mois et ceux qui attendraient, penchés sur des livres de comptes, le retour des absents. La guerre de Hollande n'avait permis qu'à quelques rares audacieux de regagner par la course les bénéfices commerciaux que leur avait fait perdre l'insécurité des mers. N'ayant risqué ni leurs écus ni leur peau, la plupart des armateurs étaient d'autant plus pressés d'envoyer leurs navires sur les bancs que les réserves de morue séchée étaient épuisées à Lisbonne, Cadix, Séville ou Marseille, et que dans les îles d'Amérique les colons ne parvenaient plus à nourrir leurs nègres. Les plus heureux, c'étaient les deux cents jeunes garçons qu'on inscrivait sur les rôles d'équipage. Parmi eux, une trentaine appartenaient à ce qu'il était convenu d'appeler les grandes familles de Saint-Malo, futurs capitaines, armateurs ou marchands dont les pères savaient bien qu'une saison de pêche à Terre-Neuve suivie d'une campagne de vente en Méditerranée serait pour leurs héritiers la meilleure école du commandement et du négoce. Finis les devoirs, les leçons, les déclinaisons latines et les quatre règles! L'école des Frères s'était vidée d'un coup car la règle exigeait que, plusieurs semaines avant le départ, les mousses aident les matelots à bouchonner le navire, donnent un coup de main au chargement des vivres, se familiarisent avec tous les recoins du bâtiment où ils allaient vivre pendant six mois si, la pêche finie, ils revenaient en droiture à Saint-Malo, pendant un an s'ils allaient la vendre au Portugal ou à Marseille.

Grâce aux prises rapportées par le *Renard*, le capitaine Le Coz et Mathieu Carbec avaient acheté, de moitié, un morutier de quatre-vingts tonneaux : un senau, sorte de navire de charge, à deux mâts carrés, qui naviguait depuis dix ans sous un joli nom qui assurait sa protection, la *Vierge-sans-Macules*. Nettoyé et goudronné par les calfats, gratté et repeint au-dessus de la ligne de flottaison, ses vergues regréées et ses voiles enverguées, il se balançait tout neuf au milieu de la flotte malouine, sans doute plus pataud que le *Renard* mais sa solidité avait rassuré les commis de l'amirauté. Au moment de recruter l'équipage, Mathieu Carbec avait voulu choisir un mousse parmi les enfants trouvés de l'hôtel-Dieu.

« Et Jean-Marie? » tonna le capitaine Le Coz.

Mathieu Carbec ne savait pas pourquoi il redoutait le départ de son fils. Il n'avait jamais été mousse, ni à Terre-Neuve, ni ailleurs. Lorsque Yves Le Coz s'était embarqué, la première fois, à quatorze ans, Mathieu était resté dans la boutique de son père le regrattier. Les tempêtes, la mer déserte, les mâts gainés de glace, le givre sur les haubans noirs et la neige poudreuse, horizontale, qui vous envoie une poignée de clous dans la gueule, il ne les connaissait qu'à travers les récits des autres. Pour lui, une morue, c'était ce triangle sans arêtes qu'on achète chez l'épicier, blanc d'un côté, grisâtre de l'autre, tout plat. Quand les autres mousses étaient partis, ils lui avaient ri au nez de le voir habillé en enfant de chœur et tenant un pan de la chasuble du vieux prêtre qui les bénissait avec une voix de chèvre bêlant le latin. Mathieu Carbec en avait été si malheureux que ce seul souvenir, après trente années, lui faisait craindre qu'en demeurant près de lui son fils fût rejeté d'une société dont il gravissait lentement les premiers échelons. Mais, sans les avoir lui-même partagés, il connaissait trop bien les périls de la pêche lointaine pour ne pas redouter que Jean-Marie en soit victime. A chaque campagne de Terre-Neuve, quelques navires ne revenaient pas. C'est la volonté de Dieu, disait Mathieu Carbec. Il lui arrivait aussi de penser que la Providence a plus besoin d'être aidée que provoquée, et il s'apercevait alors que maladroit avec son fils, incapable de lui témoigner la moindre marque d'amitié, il avait toujours veillé sur lui avec une tendresse violente, à ce point qu'il avait souffert des liens qui s'étaient si rapidement noués entre Jean-Marie et cet oncle Frédéric dont il redoutait peut-être l'influence et dont il était encore plus jaloux dans le secret de son cœur.

« Jean-Marie, il est bien jeune pour Terre-Neuve.

– Il va avoir quatorze ans, répliqua le capitaine Le Coz, c'est l'âge qui convient le mieux, d'autant que ton fils est déjà fort comme un Turc. »

Mathieu Carbec s'entêta doucement :

« Ne pourrais-je pas l'envoyer au Collège de marine que le roi a ouvert à Saint-Malo? Il y apprendrait le métier de marin pour devenir capitaine.

– Tu ne connaîtras jamais rien à la mer, répondit brutalement Le Coz. Le Collège de marine, ce sera bon pour l'an prochain. Il faut que ton gars fasse d'abord son apprentissage. Pour aller à Terre-Neuve, nous aurons toujours besoin de capitaines qui savent reconnaître les lieux de pêche qu'à la couleur du ciel et à celle de la mer, sans instruments. On ne lui apprendra jamais cela à l'école. »

A la surprise du capitaine, Mathieu Carbec avait légèrement écarquillé les yeux comme s'il eût voulu retenir une larme qui, sous ses gros sourcils charbonneux, étoilait son regard.

« Toi, tu as une femme et un fils. »

Yves Le Coz demeurait interdit. Il dit enfin :

« C'est vrai, j'ai une femme et j'ai un garçon. Mon gars, tu sais, Mathieu, je l'aime déjà. Il n'est guère plus gros qu'une bouteille, mais je l'aime davantage pour lui que pour moi. Si ton fils n'embarque pas, que penseront les autres gars de l'école, les fils de Le Fer, Porée, La Chambre, Biniac, Trouin? Et leurs pères? Pour ceux-ci tu seras redevenu un petit regrattier. Quand tu seras mort, ton fils n'aura plus qu'à leur vendre ses parts du *Renard* et de la *Vierge-sans-Macules* avant de s'enfermer dans une boutique pour y vendre de la chandelle. »

Mathieu Carbec baissait la tête. Pouvait-il isoler son fils de ses compagnons alors qu'il était si fier de voir venir rue du Tambour-Défoncé les héritiers des messieurs de Saint-Malo? C'eût été désavouer les risques qu'il avait osés, renier les ambitions qui mûrissaient dans son cœur tandis que le métal s'entassait dans ses caves. Il n'ignorait pas que le capitaine avait raison et qu'il finirait lui-même par donner son consentement mais voilà qu'il se revoyait à Paramé, chez la nourrice, le jour où pour la première fois Rose Lemoal lui avait montré Jean-Marie, les deux poings serrés, le front têtu, les joues rouges comme des pommes, dormant dans un petit lit de bois taillé en forme de barque qui semblait partir à la dérive, perdu en mer.

« Tu me dis que Le Fer, Trouin, La Chambre, Biniac, Porée font embarquer leurs gars?

— Pour sûr! Ils embarquent tous. Et je vais t'apprendre une nouvelle. Le chevalier de Couesnon m'a demandé de prendre ses deux fils.

— Le chevalier de Couesnon?

— Lui-même. Si ses gars ont bonne mine, j'en prendrai un à bord de la *Vierge-sans-Macules*. »

Mathieu Carbec se rebiffa :

« La place de mousse sur la *Vierge-sans-Macules* revient de droit à mon fils! »

Le capitaine Le Coz comprit alors qu'il avait gagné la partie.

« Il y a de la place pour deux, la vie sera moins dure. Ils vont faire une paire d'amis. Plus tard, cela pourra être utile à Jean-Marie. »

M. de Couesnon n'avait pas oublié la promesse d'Yves Le Coz. Accueilli dans la maison du capitaine par un cordial « Je vous attendais, monsieur le chevalier! » il regarda avec surprise les beaux meubles, solides et luisants, le chandelier d'argent et, pendu au mur, le portrait d'un homme emperruqué qui ressemblait à ceux de la grande salle du château où il était né. D'une voix qu'il n'aurait peut-être pas voulu si insolente au moment où il venait solliciter, il ne put s'empêcher de dire, désignant le tableau :

« C'est un de vos ancêtres? »

Le capitaine Le Coz partit d'un bon rire :

« Pas encore, monsieur le chevalier! Ce portrait provient d'une prise hollandaise. Il ornait la chambre du capitaine. Mais si Dieu protège ma famille pendant deux générations, mes descendants ne manqueront pas de dire que ce tableau représente leur grand-père! »

M. de Couesnon affecta de rire à son tour, et alla chercher ses garçons qui attendaient dans la rue, sur le seuil de la porte où ils avaient quitté leurs sabots. L'aîné ne paraissait pas bien solide avec ses épaules minces, ses longues jambes et ses joues creuses. Au contraire, plus jeune d'une année, l'autre éclatait de santé rougeaude, à la fois violente et gaie. Tous les deux avaient appris à lire, écrire, compter avec leur curé, et à tirer l'épée avec leur père. Ils n'étaient jamais sortis de leurs terres, sauf pour aller au Mont-Saint-Michel, mais ils venaient d'atteindre l'âge où il n'est pas un Breton qui, ne se contentant plus de regarder par-dessus les haies, ne soit impatient de s'en aller droit devant soi. Petits rustres sans manières, les deux frères se tenaient l'un contre l'autre, le bonnet à la main, les yeux baissés, timides devant ce géant barbu dont leur père leur avait dit cependant qu'il était d'une condition inférieure à la leur.

« Approchez, les gars, n'ayez pas peur, et regardez-moi en face. Alors, vous voulez aller à la morue? »

Les garçons ne disaient rien, la tête toujours courbée vers le sol. Comme M. de Couesnon, mortifié, leur ordonnait de répondre, ils eurent une sorte de petite rire bête qui aurait déchaîné la colère de leur père si le capitaine Le Coz ne l'avait prévenue d'un ton bienveillant.

« Ces jeunes gens n'ont pas l'habitude de la ville. Ils ont trop vécu aux champs. Il est temps de les frotter un peu. S'ils sont venus jusqu'ici avec vous, monsieur le chevalier, c'est qu'ils sont d'accord, n'est-ce pas, les gars? »

L'aîné répondit d'une voix à peine timbrée :

« Oui. »

L'autre, sur un ton qui aurait voulu être viril :

« Pour sûr, capitaine!

— Voilà donc qui est entendu, reprit Yves Le Coz. Comme je l'ai dit, il y a quelques semaines à votre père, nous autres nous tenons toujours nos promesses. Je tiens la mienne. Maintenant que je vous ai vus tous les deux, je vais y apporter une légère modification si M. de Couesnon n'y fait pas opposition. Comment s'appelle celui-ci?

— Jacques, c'est l'aîné, fit M. de Couesnon.

— Eh bien, Jacques embarquera sur la *Vierge-sans-Macules*. Et l'autre?

— Romain.

— Romain embarquera, c'est là qu'est ma surprise, sur le *Renard*. Bien sûr, vous partirez tous les deux le même jour pour Terre-Neuve, mais l'un pêchera sur les bancs et l'autre ouvrira l'œil. N'oubliez pas que nous sommes toujours en guerre avec les Hollandais et les Espagnols. Etes-vous d'accord, monsieur le chevalier? »

C'est ainsi que les deux fils de M. de Couesnon furent inscrits sur les rôles des navires qui appartenaient à Yves Le Coz et Mathieu Carbec. Habitué à peser les hommes, le capitaine avait jugé que le plus jeune des garçons, vite dégrossi, ferait pour le *Renard* une recrue de choix qui saurait se rendre utile en cas de mauvaise rencontre. Quant à l'aîné, l'air du large lui donnerait bonne mine.

M. de Couesnon voulait maintenant s'entretenir avec le capitaine d'une question qui ne regardait pas ses fils. Il les fit ressortir dans la rue et demanda brusquement à Yves Le Coz s'il ne pourrait pas placer trois à quatre cents livres sur le prochain armement du *Renard*. Fort surpris, le capitaine avait d'abord répondu que c'était là une bien petite somme, mais l'autre ayant rétorqué d'un ton plus vif que cet argent provenait de la transaction dérisoire qui lui avait été imposée, il s'était bientôt ravisé :

« Le *Renard* vient de rentrer bredouille, monsieur le chevalier. Sa prochaine campagne n'a pas d'autre but que de protéger les marins pêcheurs sur les bancs de Terre-Neuve. Elle ne rapportera donc rien, sauf le prix de location aux armateurs. Si vous avez quelques livres à placer, demandez plutôt à votre notaire s'il a encore à vendre des parts d'armement à la morue. »

Participer à l'armement d'un navire corsaire, c'était faire plaisir au roi, prêter de l'argent à un armateur au commerce, c'était réjouir M. Colbert, mais pour autant que Louis XIV et son contrôleur général encourageaient la course et le négoce lointain, ni l'un ni l'autre n'avaient encore poussé les gentilshommes à faire le commerce de la morue. M. de Couesnon voulait bien entreprendre, non déroger. Il s'en ouvrit à son notaire, homme d'expérience et d'expédients, dépositaire de secrets autrement graves que le curé n'en absolvait mais que le chevalier considérait comme un simple scribe juste bon à dresser des actes auxquels les parties entendent donner un caractère d'authenticité.

Héritier d'une famille de tabellions dont les aînés, depuis deux cents ans, s'étaient ingéniés à solliciter les textes pour mieux tourner la loi, maître Huvard recelait dans ses greniers des milliers de minutes : testaments, contrats de mariage, actes de donations, de ventes, de louage et fermage, associations, emprunts, et tous autres certificats passés entre gens ne sachant ni lire ni écrire. Rompu aux subtilités du droit maritime, il prodiguait à chacun de ses clients la doucereuse certitude d'apporter un soin tout particulier à l'étude de son affaire. Mieux que lui, personne ne connaissait la fortune des Malouins, au moins celle qui passe un jour ou l'autre des mains d'un cadavre à celles de ses héritiers, d'un beau-père à son gendre, d'un fils prodigue à son créancier. Le contenu des caves lui demeurait imprécis mais il parvenait à l'évaluer de près grâce à un flair d'épagneul qui le trompait peu, sachant bien qu'il devait toujours multiplier ou diviser, selon les dispositions naturelles de son client, la fausse déclaration dont il se faisait l'écouteur attentif et dévot. Toujours vêtu de drap noir, prêtre des confessions mensongères qui précèdent les mariages et les décès, maître Huvard sentait l'encre et la chandelle éteinte. Aux inquiétudes de M. de Couesnon, il opposa d'abord les déclarations de Colbert :

« Monsieur le chevalier, l'édit de 1669 est formel : « Tous gentilshommes pourront entrer en
« société et prendre part dans les vaisseaux mar-
« chands sans qu'ils soient censés déroger à la
« noblesse, pourvu toutefois qu'ils ne vendent pas
« au détail. »

— J'entends bien. Je préférerais placer mon argent, soit sur un corsaire, soit sur un navire négrier allant en Afrique. Pour puants qu'ils soient tous les deux, le bois d'ébène n'est pas dégradant.

— C'est vrai, monsieur le chevalier, mais je ne dispose d'aucune part pour la course ou pour la Guinée. En revanche, je connais un petit armateur qui serait disposé à emprunter cinq mille livres pour Terre-Neuve, divisées en dix parts de cinq cents. Si vous daignez prendre une part, elle est à vous. C'est une bagatelle mais elle peut être d'un gros rapport car mon client accepterait d'emprunter à la grosse. Connaissez-vous les risques et l'intérêt d'une telle opération, monsieur le chevalier ?

— Répétez-les-moi donc. »

Maître Huvard avait eu vite fait de peser son visiteur au maigre poids de ses écus. Le regardant avec des petits yeux immobiles, un peu rouges, il récita avec le ton supérieur que confère une longue pratique du droit :

« En cas d'heureux retour, la somme versée par le prêteur lui est remboursée avec un intérêt de vingt-cinq à trente pour cent, dit prime de grosse aventure. En cas de perte du navire, ou même de la cargaison, il n'y a lieu à aucun remboursement : le prêteur à tout perdu. »

M. de Couesnon réfléchit un long moment. Cinq cents livres, c'était pour lui une somme considérable, plus que la moitié de son revenu annuel. Grâce à la vente des actions de la Compagnie des Indes, et en raclant les fonds de coffres, il parviendrait à la réunir mais il ne lui resterait plus un sol d'argent frais.

« Vous avez bien dit trente pour cent? demanda-t-il.

— C'est un maximum, se hâta de préciser le notaire.

— Donc, trente pour cent pour six mois? questionna encore le chevalier.

— Pour six mois en effet. C'est la durée d'une campagne.

— Eh bien, j'accepte! décida le chevalier. Mais à une condition. Mon nom ne paraîtra pas sur le contrat d'armement. Je ne veux pas qu'on reproche un jour, à moi-même ou à mes fils, de sentir la morue.

— Qu'à cela ne tienne, monsieur le chevalier. Nous avons l'habitude de ces sortes de difficultés. Les notaires ont été créés pour les aplanir. Il n'est plus nécessaire aujourd'hui de mettre sa noblesse en sommeil pour faire du commerce, même de détail, il suffit d'un prête-nom. En voici une liste. Lequel choisirons-nous? Jean Mesnil, Yves Nantec, Georges Boutiron, Joseph Sardel, Martin Legros? Ils sont tous libres. Tenez, en voici un autre, Jean

Pleumeur, qu'utilisa plusieurs fois votre frère, feu le comte de Morzic, qui daignait me consulter.

– Mon frère aîné, le comte de Morzic? »

Le notaire souriait d'aise devant la stupéfaction de M. de Couesnon.

« Mon Dieu, monsieur le chevalier, aujourd'hui que le Seigneur a rappelé près de lui votre cher frère aîné, je me sens moins lié par le secret. Il est vrai que le comte de Morzic a signé ici, là où vous êtes, de nombreux contrats de prêts à la grosse aventure. Oh! il n'était question que de négoce fort honorable, et même agréable au roi, il s'agissait d'acheter des nègres en Afrique pour les revendre en Amérique. Cependant, je dois à la vérité que le comte de Morzic ne dédaignait pas pour autant le commerce de la morue. »

A la mi-février, une trentaine de navires quittèrent Saint-Malo pour Terre-Neuve. Entamées à Nimègue, les négociations de paix traînant toujours, les Malouins avaient décidé de ne plus attendre encore une année pour repartir sur les bancs. La veille du départ, un grand banquet de partance avait réuni les armateurs et leurs associés, les patrons pêcheurs, et les matelots. Ceux-ci avaient beaucoup mangé, beaucoup bu, souvent toute la nuit, jusqu'au moment où ils avaient roulé à terre, ivres morts. Le lendemain matin, personne n'avait manqué la messe et, à la sortie de l'église, un roulement prolongé de tambour, tout le monde à bord! avait fini de dessoûler les plus hagards et précipité les adieux. Malgré la pluie qui les trempait jusqu'aux os, les Malouins s'étaient rassemblés sur les remparts pour assister à l'appareillage de la flottille. Cela ne leur était pas arrivé depuis cinq années. Au premier rang, sur le quai de Mer-Bonne, mêlées aux armateurs, se tenaient les familles des mousses désignés pour Terre-Neuve, pères, mères, grands-parents qui remuaient leurs souvenirs en embrassant quatre fois les gars, deux bises sur chaque joue. Confondues dans une même angoisse qu'elles dissimulaient sous des sourires fiérots, les grandes dames de Saint-Malo et les femmes de pêcheurs, les vendeuses de poisson et les servantes, allaient oublier tout ce qui les opposait, rancunes et dédains, pendant les courts instants où elles pourraient tenir encore dans leurs mains inquiètes les pognes rougeaudes de leurs petits. Les dames Le Fer, La Chambre, Blanchard, Eon, Lossieux, Porée, Surcouf, Taillebot, Rouxel, Trouin, formaient un groupe à part, jacasses dont la voix haut perchée faisait plus de bruit que leurs fins sabots, et qui se montraient d'un coup d'œil entendu une Cancalaise au visage de pierre, à la taille lourde, silencieuse, ne paraissant connaître personne sauf le grand garçon aux cheveux bouclés qu'elle serrait contre elle.

Dès qu'il avait vu que son père acceptait son embarquement à bord de la *Vierge-sans-Macules*, Jean-Marie avait couru apprendre la nouvelle à maman Paramé. Rose Lemoal n'avait rien dit de plus haut que d'habitude. Sans larmoyer, elle avait rempli une bolée de cidre, cassé un œuf sur une crêpe, et s'était mise à tricoter. Quinze jours plus tard, Jean-Marie était revenu pour prendre son trousseau et embrasser sa nourrice.

« T'es venu chercher tes hardes ? avait-elle dit en forçant son rire. Elles sont prêtes, mais il faut que tu les essaies, que je regarde comment elles te vont. »

Jean-Marie avait dû enfiler deux paires de chaussettes, deux tricots, deux hauts-de-chausses, un bonnet, et un caban taillé dans une vieille veste du mari qui n'était jamais revenu.

« Comme te voilà greyé ! dit-elle avec admiration. T'as déjà l'air d'un capitaine. »

Au moment où Jean-Marie allait repartir, maman Paramé lui avait remis un petit sachet destiné à le protéger, qui contenait des morceaux de goémon séché, une petite perle trouvée au fond d'une moule, et le coquillage qu'elle avait naguère placé, selon la coutume, dans le berceau de son nourrisson. Pendu à son cou, sur sa poitrine, Jean-Marie le garderait toute sa vie comme un scapulaire dont il se souciait peu de connaître les origines chrétiennes ou païennes mais qui était certainement breton.

Silencieuse et solitaire, Rose Lemoal s'était mêlée discrètement à la foule. Ne connaissant personne elle espérait que personne ne la remarquerait quand, tout à coup, une voix lui avait fait battre le cœur plus vite « Maman Paramé! » Levant les yeux, elle avait vu Jean-Marie se ruer vers elle. Du même coup elle avait vu Mathieu Carbec dont le visage renfrogné disait qu'il était fâché que la nourrice fût venue à Saint-Malo. Aux portraits que Jean-Marie lui avait faits si souvent, elle avait reconnu aussi l'oncle Frédéric et le capitaine Le Coz. Ainsi, ils étaient tous venus pour dire au revoir à son gars.

« Les mousses dans les canots! »

Sans plus regarder derrière eux, les garçons s'y précipitèrent pour rejoindre, rassemblés sur la rade, les navires couverts de toile où l'on voyait des matelots descendre des mâtures. Bon chien de garde, le *Renard* donna le signal du départ, se déhala le premier et franchit la passe du Grand-Blé. Un à un, les autres se dégagèrent. Ils se ressemblaient tous mais chacun reconnaissait le sien et citait son nom : la *Rédemptrice*, le *Vigilant*, la *Couronne-d'Epines*, le *Saint-Sauveur*, le *Saint-Doigt-de-Dieu*, le *Saint-Jacut*... A chaque passage, ils étaient salués par des vivats auxquels les équipages, rassemblés sur le pont, répondaient par des cris que le vent étouffait au fond des gorges. Quand vint le tour de la *Vierge-sans-Macules* le capitaine Le Coz dit à son associé :

« Regarde ton gars, c'est celui qui porte un bonnet rouge! »

Raide dans un justaucorps de coupe sévère, Mathieu Carbec ne cachait pas son inquiétude de voir la proue de son navire s'enfoncer dans la mer dure au milieu des rochers à fleur d'eau. A chaque plongeon de la *Vierge-sans-Macules* dans le creux des vagues, il lui semblait que le sol s'effondrait sous ses pieds, et il sentit soudain une sorte d'étau serrer son cœur. Il devint si pâle que le capitaine Le Coz passa son bras sous le sien comme s'il eût craint de le voir défaillir.

« Ne t'inquiète pas, Mathieu. La mer est bonne. Il n'y a pas d'autre moyen de devenir capitaine. »

Portés par les rafales, les goélands accompagnèrent longtemps les navires malouins. Quand la dernière barque eut disparu dans la pluie, le curé de Saint-Malo traça dans le ciel mouillé un grand signe de croix et, précédé de nombreux prêtres aux surplis détrempés, remonta vers les hauts quartiers. Alors, la foule se dispersa et chacun rentra chez soi. Bientôt, on entendit une voix familière qui claquait au vent des rues étroites dans un bruit de sabots : « Maquereau frais! Maquereau frais qui vient d'arriver! » Les portes s'ouvrirent sur le sourire de Clacla comme si son appel avait mis en déroute les vieux destins qui pesaient sur la ville. Une fumée odorante, épaisse, bleue, parfuma les ruelles : la morue, c'était bon pour les pauvres, pas pour les Malouins. Des femmes étaient allées s'agenouiller devant l'autel de Notre-Dame-de-la-Recouvrance où flambaient autant de cierges que de marins partis pour les bancs de pêche.

La paix avait été signée depuis quelques semaines lorsque les terre-neuvas rentrèrent à Saint-Malo. Les mêmes yeux qui avaient vu leur départ six mois auparavant contemplaient leur retour, inquiets de dénombrer les voiles qui, au-delà des Bés, attendaient la marée. Pour d'autres que les Malouins, tous ces navires, trapus, bas sur l'eau, avec leurs toiles frappées de lumière, se seraient ressemblés. Rien qu'à les regarder en protégeant leurs yeux avec la main droite contre le soleil de midi, eux ils les reconnaissaient : le *Saint-Luc*, la *Bénédiction*, le *Saint-Gilles*, la *Vierge-de-la-Miséricorde*, le *Saint-Laurent*. Çà et là des noms claquaient comme des bannières dans le vent des pardons, lancés par des gosiers sonores, secoués de rires brefs qui s'achevaient dans le murmure d'une action de grâces.

Sur les quarante terre-neuvas partis au mois de février, on en compta bientôt vingt-six auxquels il convenait d'ajouter les dix bâtiments qui faisaient route vers la Méditerranée et ne rentreraient à Saint-Malo que six mois plus tard après avoir vendu leur pêche. Il en manquait encore quatre. A la traîne ou disparus? Personne ne le disait tout haut, tout le monde le pensait tout bas, et tout à coup, jaillissant d'un creux de silence, une voix hurlait sa joie : « C'est la *Marie-aux-Sept-Douleurs*! »

154

Le *Renard* s'engagea le premier dans la passe. Un coup d'œil avait suffi au capitaine Le Coz pour constater l'état de son navire.

« Ils ont un peu souffert », dit-il à Mathieu Carbec.

De la foule entassée sur le quai et les remparts, partaient des clameurs auxquelles répondaient les gens du retour perchés sur les vergues. Selon la coutume, les terre-neuvas avaient hissé le pavois des jours de fête. Quand ce fut le tour de la *Vierge-sans-Macules* de manœuvrer au milieu des rochers à fleur d'eau, les rires et les cris s'arrêtèrent soudain au fond des gorges. Groupés sur le pont ou branchés sur les mâts, les gars agitaient bien leurs bonnets de laine mais aucun pavillon ne décorait le navire, pas la moindre flamme. Un homme, au moins, de l'équipage, était donc mort.

Dans ses gros doigts, le capitaine Le Coz prit le bras maigre de son associé et le serra jusqu'à l'os. Mathieu se dégagea en souriant. Bien qu'il n'eût pas encore reconnu Jean-Marie, il ne craignait pas. Il était sûr que son fils se trouvait parmi tous ceux-là qui faisaient de grands gestes sur le pont de la *Vierge-sans-Macules* où les voiles s'affalaient déjà. Les autres navires s'engagèrent à leur tour. Ils étaient tous pavoisés. Sans plus se soucier des quatre manquants, les rires et les cris secouèrent à nouveau la foule malouine. A regarder leur ligne de flottaison au ras de l'eau, chacun avait compris que les barques revenaient gorgées de morue. Les parts de pêche seraient grasses.

Avant que les terre-neuvas se soient rangés côte à côte dans l'anse de Mer-Bonne selon la règle imposée par l'amirauté, les armateurs étaient montés à bord de leurs bâtiments. Yves Le Coz commença par le *Renard*, chien du troupeau ramené au bercail. Les marins pêcheurs entouraient leur capitaine, Jean Rouvelho, dont c'était le premier commandement à la mer. Leurs pattes énormes et velues, la barbe qui mangeait leur peau tannée, l'odeur épaisse qu'ils rejetaient, les faisaient ressembler à des bêtes. Seule une petite lueur de gaieté au fond des yeux leur donnait un aspect humain. L'armateur n'y prit pas garde, il avait l'habitude, se contenta d'un bref salut, posa sa main sur l'épaule de Rouvelho.

« Quels sont les manquants?

– Le *Saint-Joseph*, la *Rance*, le *Vigilant*, et la *Couronne-d'Epines*.

– A la traîne, ou perdus? »

L'autre se redressa :

« Je ne les aurais pas laissés à la traîne!

– C'est bien, dit le capitaine. Pas de mauvaises rencontres sur la route?

– Non. Nous n'avons pas eu à tirer un seul boulet, mais nous avons subi une tempête comme je n'en avais jamais vu. Cela a duré trois jours et trois nuits. C'était sur le chemin du retour. Les barques étaient pleines à ras bord. Le deuxième jour, quatre avaient disparu. Elles ont dû couler à pic. On n'a pas même retrouvé un bout de bois.

– Tu as consigné tout cela sur ton livre de bord?

– Oui, monsieur.

– Tu le porteras à l'amirauté. Elle seule a le droit de faire connaître la nouvelle aux familles. Maintenant, dis-moi ce qui s'est passé sur la *Vierge-sans-Macules*. »

Jean Rouvelho haussa des épaules résignées.

« Un coup de pas-de-chance, la chaloupe qui s'est perdue dans la brume. On l'a cherchée pendant près d'un mois. Dans la bouillasse, vous savez ce que c'est que la dérive. Quand on l'a retrouvée, les pauvres gars étaient couchés dedans, durs comme des galets, tout noirs.

– Combien d'hommes?

– Trois hommes, répondit Rouvelho. Trois hommes et un mousse. »

Le capitaine Le Coz hésita quelques instants avant de demander :

« Tu connais le nom du mousse?

– Pour sûr! Il y en avait trois à bord de la *Vierge-sans-Macules*. Celui-là, il s'appelait Couesnon, c'était le frère aîné du petit gentilhomme embarqué sur le *Renard*.

– Et celui-ci, comment s'est-il comporté? »

Un sourire éclaira le visage de Rouvelho :

« Oh! celui-ci, il est dur comme un morceau de fer. Pas facile à commander, mais dans quelques années il en remontrera à plus d'un. C'est de la graine de corsaire. Dès qu'on signalait une voile, il voulait qu'on tire le canon. Si seulement, j'avais eu la chance de rencontrer un Hollandais... »

Le capitaine Le Coz expliqua que le temps du canon était terminé. Le roi avait signé la paix. Dans quelques mois, après un grand radoub, le *Renard* repartirait vers les bancs de Terre-Neuve pour prendre de la morue comme les autres.

Monté à bord de la *Vierge-sans-Macules*, Mathieu Carbec avait appris lui aussi la mort du fils aîné du chevalier de Couesnon. Par habitude, il se signa et murmura une prière passe-partout mais un flux de joie lui inondait le cœur. Si trois marins pêcheurs et un mousse de quinze ans avaient péri de faim, de soif et de froid au fond d'une chaloupe à la dérive dans le brouillard glacé, c'est que Dieu en avait arrêté ainsi. Comme il avait voulu naguère faire mourir la Marie et ses deux enfants de la maladie noire, il avait décidé aujourd'hui de protéger Jean-Marie.

Mousses, novices, pilotins ou matelots, maîtres ou capitaines, les hommes de la mer parlent le même langage, font les mêmes gestes, partagent les mêmes craintes, croient aux mêmes légendes, subissent les mêmes coups du sort et les mêmes coups de tête. Le patron de la *Vierge-sans-Macules* n'admirait pas sans réserve la réussite de Mathieu Carbec.

« Pendant près d'un mois, on s'est relayé jour et nuit pour souffler dans la corne de brume. On priait sur toutes les barques. Mais là-bas, sur les bancs, il se passe des choses que même nous autres, les marins, ne comprenons pas. »

Il avait murmuré ces derniers mots comme s'il avait voulu exprimer qu'il n'avait rien de commun avec le regrattier, hochant sa tête ronde pleine de sirènes et de monstres sous-marins, d'îles flottantes et de chevaux bleus aux crinières écumeuses, et tant d'autres mystères qu'un marchand de chandelles, fût-il malouin, n'aurait jamais pu imaginer. Ses grosses mains crevassées placées devant sa bouche comme un porte-voix, il cria :

« Ho! Ho! Jean-Marie! Arrive un peu voir ton père! »

Occupé à ferler une toile, le garçon fit signe qu'il allait descendre sur le pont.

« Ça fera un sacré matelot, ton Jean-Marie, dit encore le patron pêcheur. Tu vas en faire un capitaine?

– Si Dieu le protège, il commandera un jour un de nos navires, répondit Mathieu qui posa à son tour la question qui le taraudait.

– La campagne a-t-elle été aussi bonne qu'on l'espérait?

– Les cales sont pleines. Nous avons eu juste assez de sel. »

Descendu de la mâture, dressé sur ses gros pieds nus, Jean-Marie paraissait avoir encore grandi. Il se planta devant son père en riant de toute sa large bouche qui lui fendait la figure. Bien qu'il eût à peine quinze ans, sa tête ourlée de boucles rousses qui rebiquaient dans le cou, dépassait celle des autres matelots de l'équipage. Interdit, Mathieu, le regarda avec un peu de fierté.

« Embrasse-moi, mon fils », dit-il enfin.

Jean-Marie riait à la façon des jeunes garçons qui ne savent pas encore manifester leurs sentiments. Il tendit le front à son père. La sueur qui coulait sur son visage avait une odeur forte.

Lorsque le soleil eut disparu à l'horizon, quelques femmes se tenaient toujours sur la Découvrance. Elles ne savaient pas encore que les quatre navires manquants avaient disparu corps et biens. A chaque retour de Terre-Neuve, des Malouines s'entêtaient pendant plusieurs jours à attendre jusqu'au soir l'apparition de quelque voile. Elles revenaient à l'aube et restaient là, immobiles, pendant des heures, les yeux plissés de soleil, jusqu'au moment où la nuit les ramenait, chèvres noires, vers la ville haute, le long des ruelles où le bruit de leurs sabots se mêlait aux chansons des filles qui avaient retrouvé leurs hommes.

Le retour de la paix avait été sonné à grands coups de trompe avec la même solennité que l'ouverture des hostilités avait été annoncée sept ans auparavant. L'Espagne, en cédant à la France la Franche-Comté, payait seule les frais de la guerre de Hollande. Sur la mer redevenue libre, ces messieurs de Saint-Malo qui, les premiers, avaient eu l'audace de reprendre le chemin de Terre-Neuve avant même que le traité de Nimègue ne fût signé, s'apprêtaient à de grandes entreprises. Parmi eux, quelques-uns s'étonnaient de la singulière modération dont avait fait preuve le roi à l'égard des Provinces-Unies auxquelles il avait rendu la place de Maëstricht et consenti un traité de commerce avantageux, d'autres n'auguraient rien de bon du récent mariage de Guillaume d'Orange avec la nièce du roi d'Angleterre. Les plus nombreux, malgré quelques succès remportés à Palerme, Gibraltar et Ouessant, s'inquiétaient toujours des qualités maritimes des officiers rouges. Qu'ils fussent de bonne ou mauvaise foi, le désastre naval subi par le comte d'Estrée au large du Venezuela où, à la suite d'une erreur d'estime, treize navires de sa flotte s'étaient empalés sur les brisants des îles Aves confirmait leur mauvaise opinion à l'égard d'un vice-amiral qui ne savait pas naviguer.

Lorsque la nouvelle parvint à Saint-Malo que la Compagnie royale des Indes orientales avait décidé le réarmement du *Soleil-d'Orient* dont les opérations avaient été interrompues pendant la guerre de Hollande, les actionnaires qui s'étaient débarrassés de leurs parts à bas prix connurent des nuits d'insomnie. Venus du Port-Louis, des marins racontaient que l'énorme navire de mille tonneaux, tout bosselé d'or, allait bientôt partir pour Surat et pousser jusqu'en Insulinde, à Bantam, avec une fabuleuse cargaison : trois cent mille livres de métal précieux, et plus de cent mille livres de ballots de dentelle, mercerie et chapeaux entassés dans les cales à côté d'une grosse quantité d'armes à feu, sabres, boulets, barres de fer et masses de plomb destinés à être échangés contre les étoffes, épices et bois dont les boutiquiers français étaient avides. Quelles que soient les faiblesses d'un traité gros de nuages dont les dispositions accusaient la lassitude des deux principaux belligérants, la paix de Nimègue n'en rouvrait pas moins la route des Indes.

Après les années de vache maigre imposées aux marchands et aux armateurs qui n'avaient pas pratiqué la course, les heureux résultats de la dernière campagne de pêche permettaient aux Malouins de concilier leur goût du risque et leur passion de l'argent. La morue, c'était du rêve payé comptant. Aucun de ceux qui, après les massacres de Madagascar ou la reddition de San-Thomé, avaient le plus manifesté leur confiance à la Compagnie n'y échappait, ni les Magon, ni les Le Fer, ni les Danycan, qui connaissaient le dessous des cartes dans le jeu des grandes affaires, ni le capitaine Le Coz admis depuis peu dans leur cercle, ni même Mathieu Carbec encore obscur et non décrassé! Pour tous ceux-là, les succès ou les échecs de la Compagnie n'avaient de sens que dans la mesure où de telles aventures reculaient ou faisaient naître les occasions de trafiquer librement. Les mieux pourvus estimaient que le défrichement de la route des Indes vaudrait bien quelque jour le prix des actions dont ils étaient propriétaires, les autres clamaient leur impatience en reniflant à pleines narines les morues trempées dans la saumure ou mises à sécher sur les plages, les toits, même les fenêtres, dont l'odeur asphyxiait la ville.

Mathieu Carbec retrouva les habitudes hors desquelles il se sentait mal à l'aise. L'arrivée imprévue d'un navire, le *Rossignol*, parti de Surat depuis de longs mois, lui avait permis d'acheter quelques sacs d'épices dont la présence le rassurait davantage que ses parts du *Renard*, de la *Vierge-sans-Macules* ou de la Compagnie. Il aimait toujours plonger ses mains dans ses barils pleins de morue séchée, de poivre ou de piastres, ignorant qu'il s'offrait un plaisir rare en mélangeant des odeurs à des sons. Pendant les six mois qu'avait duré l'absence de Jean-Marie, il s'était souvent surpris à regretter de ne plus entendre les pas précipités des garçons qui venaient chercher son fils ou écouter les contes de l'oncle retour des Indes. Les soirées devinrent encore plus longues lorsque son beau-frère Frédéric, lassé des bavardages des anciens qui le harponnaient sur les remparts, partit pour le Port-Louis où l'arsenal embauchait des charpentiers, emportant avec lui son violon et Cacadou. Maintenant que son fils était revenu, Mathieu Carbec voulait rattraper le temps perdu mais ne savait pas comment s'y prendre avec ce Jean-Marie qui n'était plus un enfant, pas encore un homme, roulait des épaules comme un vieux matelot, le regardait droit dans les yeux et jouait au capitaine.

Le lendemain du retour des terre-neuvas, les deux associés étaient partis pour Dol. Ils voulaient annoncer eux-mêmes au chevalier de Couesnon la mort de son fils aîné. Précédés des deux garçons qui couraient en riant à travers les champs moissonnés, Yves Le Coz et Mathieu Carbec, comme au temps de leur jeunesse lorsqu'ils allaient faire danser les filles, marchèrent par les chemins de terre dont ils avaient gardé le souvenir, faisant craquer sous leurs pas la rousseur des éteules chauffées au soleil du mois d'août.

Un long discours ne leur fut pas nécessaire pour expliquer le but de leur visite. A peine les avait-il aperçus au bout de la longue allée bordée de chênes qui menait au manoir que M. de Couesnon avait compris. Il vint au-devant d'eux, toucha d'abord la main du capitaine puis, après une brève hésitation effleura celle de Mathieu, et posa enfin ses lèvres sur le front de son fils qui avait pris soudain une attitude respectueuse. Avant que les deux armateurs aient seulement pu ouvrir la bouche, le chevalier dit :

« Ces garçons ont bonne mine, ils ont grandi et forci. »

Il ajouta, souriant, la voix à peine altérée, et leur faisant signe de passer devant lui :

« Remettez-vous. »

Les trois hommes traversèrent une cour de ferme où quelques volailles, l'œil inquiet, semblaient attendre l'heure de la provende, et ils entrèrent dans la salle de la maison, les garçons restant dehors sur un geste du chevalier. C'était une grande pièce dominée par des poutres de chêne, aux murs chaulés que les fumées d'hiver avaient teintés d'une couleur sombre et où étaient accrochés deux portraits en pied. La dorure des cadres faisait paraître encore plus sévères l'épaisseur de la table et la raideur des chaises posées sur des dalles mal rejointoyées.

« Maintenant, messieurs, dites-moi très simplement ce qu'il est advenu du comte de Morzic. »

Devant la surprise de ses visiteurs, le chevalier précisa :

« Mort sans descendance mâle, feu mon frère a légué ce titre à l'aîné de mes fils. »

Lentement, hésitant sur les mots, d'une voix sourde, qu'il aurait voulue aussi calme que celle de M. de Couesnon, Yves Le Coz répéta le récit de son capitaine en prenant soin d'omettre les détails les plus horribles. Le chevalier le laissa parler sans l'interrompre. A la fin, il demanda :

« Comment se passent, dans ces circonstances, les cérémonies religieuses ?

— Monsieur le chevalier, un aumônier se trouvait à bord du *Renard*. Il est monté à bord de la *Vierge-sans-Macules* et...

— Je comprends », interrompit M. de Couesnon.

Aucun trait n'avait bougé sur le visage du chevalier, sa tête ne s'était pas inclinée un instant. Il regardait droit devant lui, au-delà des deux hommes qui, les yeux au sol, roulaient leur chapeau au bout de leurs doigts. Il ne le voyait même plus. Venant de la cour ensoleillée, des éclats de voix, un bruit de course, le jappement d'un chien, le caquetage des poules apeurées, s'engouffrèrent dans la salle avec des bouffées de rire.

« Comment s'est comporté le cadet ? questionna M. de Couesnon.

— Encore mieux que je l'avais prévu, répondit

163

Yves Le Coz. Le capitaine du *Renard* m'a dit que votre fils avait la mer dans le sang. »

Le chevalier se raidit à peine. « Messieurs, je vous remercie de votre visite », et se dirigea vers la porte.

Dans la cour, les deux garçons jouaient à se lancer des pommes qui ronflaient dans l'air doré comme des boulets. Il les regarda sans sourire et dit sur un ton de commandement :

« Monsieur de Morzic, vous allez atteler Pompon et reconduire ces messieurs à Saint-Malo.

— Il nous reste encore une mission à remplir, dit alors le capitaine Le Coz. Voici la part de pêche de votre fils. »

Soupesant la bourse que le capitaine venait de lui remettre, le chevalier s'étonna :

« Ça n'est point là la part d'un mousse ?

— Non, monsieur le chevalier, c'est une part entière de marin pêcheur. Quand il y a mort d'homme, c'est la coutume de calculer sa part sur la totalité des prises, quelles que soient la date de sa disparition et la place qu'il occupait sur le rôle d'équipage. »

Dans la carriole qui les ramenait à Saint-Malo, le nouveau comte de Morzic avait pris les rênes. Derrière lui, le capitaine Le Coz, Mathieu Carbec et Jean-Marie se tenaient serrés l'un contre l'autre. Ils demeurèrent longtemps muets, ne sachant pas s'il convenait d'admirer ou de plaindre le noble en sabots laissé derrière eux. Utilisant le même mot dont les maîtres se servaient volontiers pour qualifier un rude matelot, le capitaine Le Coz se contenta de dire :

« Y a d' l'homme !

— Pour sûr », répondit gravement Mathieu Carbec.

Au même moment, caché dans sa chambre, le chevalier de Couesnon s'agenouillait.

Un collège de marine avait été fondé à Saint-Malo par Colbert depuis quelques années. Les jeunes Malouins embarquaient toujours à quatorze ans pour apprendre à la mer l'art de naviguer mais, au retour, entre deux voyages, ceux dont les parents étaient les plus ambitieux allaient suivre les cours que M. Denis Beauvoisin, maître d'hydrographie, dispensait gratuitement. Jean-Marie y retrouva plusieurs compagnons de l'école des Frères et, parmi eux, ceux que les abracadabras de l'oncle Frédéric avaient émerveillés. Si son père n'était pas encore admis par les messieurs de Saint-Malo, Jean-Marie prit conscience d'être devenu un fils de bourgeois le jour où M. Beauvoisin l'inscrivit sur la liste des élèves de la première salle de cours réservée aux « personnes de distinction », où figuraient des noms dont les syllabes sonnaient comme des écus : La Chambre, Taillebot, Danycan, Rouxel, Porée... D'autres encore, et celui d'un nouveau venu, Romain de Couesnon, comte de Morzic.

Tous ceux-là étaient déjà des anciens terre-neuviens, n'entendaient pas qu'on les traitât comme des novices et souriaient à la limite de la pitié ou de l'insolence lorsque le maître d'hydrographie voulait leur décrire les principales pièces qui entrent dans la construction d'un navire. Ils avaient assez rôdé autour des chantiers de Rocabey, des Talards ou de Solidor pour croire qu'ils n'ignoraient plus rien des éléments d'une carène. Quille, couples, varangues, allonges, arcasses, virures, bordages, les maîtres charpentiers leur avaient appris tous ces mots qui correspondaient pour eux à des formes précises. L'autorité de son magistère, M. Beauvoisin le retrouvait lorsqu'il sortait d'une armoire les instruments qui servent à prendre la hauteur du soleil pour déterminer la latitude et dont les noms racon-

taient à eux seuls des aventures : l'astrolabe, l'arbalète qu'on appelle aussi bâton de Jacob ou verge
d'or, et le quartier de Davis. Le maître montrait
encore à ses élèves des portulans illustrés et leur
apprenait le dessin pour qu'ils puissent établir
eux-mêmes les cartes des terres inconnues qu'ils
découvriraient peut-être un jour. Tous les matins,
quittant la Maison de Ville qui abritait le Collège
de marine, les garçons descendaient en groupe, par
la rue des Cordiers et la place du Poids-du-Roi, vers
le port où des maîtres leur faisaient exécuter quelques exercices pratiques et les emmenaient deux
fois par semaine au-delà des Bés pour tirer le
canon.

Que le descendant d'une vieille souche aristocra-
tique et le fils d'un regrattier fussent devenus
compagnons d'études, c'était là un signe des temps
nouveaux où le négoce s'installait bruyamment
dans la société des provinces maritimes. M. de
Couesnon devait s'y résigner. Il appartenait à une
famille où l'on ne comptait plus les gens d'épée, de
robe ou d'Eglise, voire les nobles en sabots qui ne
dérogeaient pas pour autant, mais où aucun marchand ou financier ne figurait sur l'arbre généalogique dressé avec vanité et tenu à jour avec précision
depuis que le Parlement contrôlait périodiquement
les titres nobiliaires et supprimait les plus récents
d'un trait de plume, quitte à les revendre plus cher
à ceux qu'il avait découronnés. La mort de son fils
aîné sur les bancs de Terre-Neuve l'avait plongé
dans une humeur, faite de mélancolie et de terreur,
que les gains de la campagne de pêche avaient
d'abord assombrie au point que l'argent de sa
première opération commerciale lui avait brûlé la
main comme le feu d'un reproche.

« C'est un premier bénéfice, vous en ferez d'autres si vous suivez la voie ouverte par feu le comte

de Morzic », lui avait dit le notaire en lui remettant sa part.

Souriant, le tabellion avait même ajouté :

« J'ai un autre contrat à vous proposer, monsieur le chevalier. »

Tourmenté, peut-être honteux, M. de Couesnon n'avait rien voulu entendre jusqu'au moment où la révolte avait fait tourner sa tête, à la pensée que son frère aîné lui avait interdit de devenir capitaine marchand alors que, dans le même temps, il s'abritait lui-même derrière des roturiers pour vendre de la morue à Lisbonne et des nègres aux îles d'Amérique. Voir dans la mort de son fils une sorte d'avertissement sinon de châtiment, comme il l'avait supposé au long de toute une nuit, la tête dans les mains, c'était imaginer quelque vengeance de Dieu, autant dire blasphémer. Il avait fini par signer un nouveau contrat, et fait inscrire son cadet au Collège de marine.

La colère avait apaisé le chagrin du chevalier. Après être passé de l'indignation au dédain et de la rancœur au doute, M. de Couesnon se résigna même à accepter que son fils prît pension rue du Tambour-Défoncé. Le capitaine Le Coz avait arrangé ces choses auxquelles Mathieu Carbec s'était d'autant moins dérobé qu'il n'était pas insensible à l'honneur d'abriter sous son toit un jeune gentilhomme. Au moment où il allait quitter le manoir familial, le garçon s'entendit dire par son père :

« Ce n'est pas la première fois que nous nous séparons puisque vous avez déjà navigué. Cette fois, vous n'embarquez pas à bord d'un navire. Pour un jeune homme de votre âge qui se destine à la marine du commerce, les périls sont d'une autre nature que ceux auxquels succomba votre malheureux frère, mais plus graves pour votre salut. Vous allez passer six mois à Saint-Malo. Vous habiterez chez le marchand dont le fils était mousse à bord de la *Vierge-sans-Macules* et qui se trouve être inscrit comme vous-même au Collège de marine. Je paierai le prix de votre pension, n'ayez point de souci à ce sujet. Plus riche que votre père, ce Mathieu Carbec n'est qu'un regrattier. Cependant, ne lui refusez pas votre courtoisie, même si cela doit vous en coûter. Soyez honnête avec son fils comme avec tous vos compagnons, et ne vous tenez jamais pour rien. N'oubliez pas que vous êtes comte de Morzic. »

Les deux garçons prétendaient à un autre destin que celui de morutier et se pliaient sans rechigner aux disciplines de la navigation maritime. M. Denis Beauvoisin n'avait jamais eu de si bons élèves que ces deux gaillards aussi habiles à la manœuvre qu'ouverts à la théorie. Ils se tutoyèrent bientôt, apprirent autant de jurons qu'il y a d'espèces de nœuds dans la marine et ramenèrent rue du Tambour-Défoncé les rires et les chansons qui s'y étaient tus depuis le départ pour L'Orient de Frédéric et de Cacadou.

Mathieu Carbec s'en réjouissait. Il avait perdu le goût de la solitude, admirait secrètement la science des deux jeunes gens, leur offrait volontiers une tournée de rikiki, et avait troqué ses vêtements de deuil contre un habit marron qu'il portait les jours de fête pour aller souper chez le capitaine Le Coz. Il lui arrivait même de demander à Clacla de partager leur repas du soir quand elle avait fini sa tournée. Les rires des garçons le réchauffaient. En les entendant jurer, il se contentait maintenant de hausser les épaules. Seule leur intimité lui causait du souci. Autant lui paraissait naturelle la familiarité dont usait le fils du chevalier de Couesnon avec le sien, autant le comportement de Jean-Marie envers le jeune gentilhomme le mettait mal à l'aise, comme si des générations de bâtonnés lui eussent rappelé que, malgré leurs bonnes manières, les gentilshommes méprisent toujours les manants. Il n'en demeurait pas moins flatté, espérant que le comte de Morzic apprendrait un jour à son fils les façons de se conduire avec aisance en société.

Le soir, en sortant du Collège de marine, les élèves allaient flâner sur les quais où ils rencontraient les écoliers des Frères chrétiens. C'était à leur tour de faire aux plus jeunes les fabuleux récits que les aînés leur avaient racontés naguère. Eux, ils étaient allés sur les bancs, ils connaissaient la haute mer, les vieux matelots les écoutaient avec une gouaille indulgente. La tempête, la brume, la glace, les couteaux à décoller, les hameçons, le vent plein de neige, les violences dont on n'osera jamais parler, ils avaient déjà connu tout cela. A ces futurs capitaines de quinze ans promis aux Indes, il manquait encore les bordels de la rue des Mœurs qu'ils n'osaient pas fréquenter faute d'argent et d'audace.

Romain de Couesnon n'était plus puceau, c'était la seule supériorité qu'il affectât devant ses nouveaux compagnons. Il n'y manquait pas. Contraint à la continence, il avait découvert que les bonnes fortunes sont aussi rares à la ville qu'elle sont faciles aux champs mais il ne désespérait pas d'être remarqué par quelque putain qui se contenterait de sa bonne mine. Pour rentrer chez eux, les deux amis empruntaient souvent la rue des Mœurs, passant et repassant devant La Belle Anglaise où des matelots bretons et irlandais chantaient à pleine gueule en se tenant par le bras. Les deux garçons avaient la même taille, les mêmes cheveux bouclés, l'un roux l'autre brun, également bravaches et timides. Une fille dépoitraillée leur ayant fait signe d'y entrer, Jean-Marie fut poussé vers la porte du bordel par son compagnon au moment où une voix bien connue retentissait au bout de la rue :

« Maquereau frais! Maquereau frais qui vient d'arriver! »

Clacla courait déjà vers eux. Ils entendirent ses sabots claquer comme des grêlons d'orage.

« Maudits gars! »

La colère tordait sa bouche faite pour la criée aux poissons. Arrivée devant les garçons, son panier battant ses lourdes hanches, elle gifla Jean-Marie.

« Ne me touche pas! fit Romain de Couesnon.

– Tout gentilhomme que vous êtes, vous êtes encore un marmot. Votre père le saura. Vous allez rentrer tous les deux à la maison. Passez devant! »

Baissant le nez, plus penauds que furieux, ils obéirent, cinglés par le rire de la putain comme par un coup de fouet, au lit les enfants! Clacla ne détourna pas même la tête mais elle retroussa les lèvres sur ses dents à la façon d'un chien qui ramène son troupeau à l'étable.

Revêtu de son bel habit marron, Mathieu Carbec s'apprêtait à partir pour l'hôtel de Fresne où quelques armateurs associés se réunissaient pour fixer le prix de vente d'un navire de trois cents tonneaux à la Compagnie des Indes.

« Tu arrives à point, dit Mathieu en voyant arriver Clacla. Je dois m'absenter pour une affaire importante. Garde la boutique, tu souperas avec nous. »

Les garçons étaient montés dans leur chambre. Clacla s'installa dans la cuisine, choisit dans son panier quatre beaux poissons qu'elle vida d'une main rapide, alluma un feu de charbon de bois, puis ferma au verrou la porte qui donnait sur la rue. Elle enleva ses sabots, gravit les deux premières marches de l'escalier, s'arrêta, redescendit, remonta en prenant le plus grand soin de ne pas faire craquer le bois. Parvenue sur le palier, elle s'arrêta encore et tendit l'oreille. La maison demeurait silencieuse.

Elle se décida enfin à pousser doucement une porte. Jean-Marie était étendu sur son lit, l'air buté, le front bas. Elle s'approcha, la mine sévère, et dit tout bas :

« Maudit gars! tu n'as pas honte! »

Jean-Marie répondit, la bouche pleine de hargne :

« Tu l'as dit à mon père? »

Clacla répondit sur le même ton :

« Pas encore. Mais je le dirai. »

Elle ajouta :

« T'en avais tellement envie d'aller rue des Mœurs, dis, mauvais gars? T'en avais tellement envie, t'en avais tellement envie, t'en avais tellement envie d'aller rue des Mœurs? »

Disant ces mots, sa main allait et venait sur la culotte du garçon. – « T'en avais envie, dis, mauvais gars, t'en avais envie? » Brusquement, elle retroussa ses cottes, s'assit à califourchon sur le garçon dont elle déboutonna la braguette – « Tiens mon gars, tiens mon gars, tiens mon gars! » Soudain, Jean-Marie devint rouge comme un homard ébouillanté. Brutalement, il prit dans ses grosses patoches les bras de la fille qu'il serra aussi fort qu'il murmura tout doucement « Clacla! » C'était fini. Elle s'était déjà relevée, le feu aux joues, rajustant sa robe. Elle embrassa Jean-Marie avec une maternelle douceur.

« Tu vas plus vite qu'un oiseau, mais c'était bon tout de même!

– On recommencera? questionna Jean-Marie.

– Si tu me jures devant Dieu que tu n'iras plus jamais rue des Mœurs.

– Oui, Clacla », promit-il.

Elle lui claqua trois gros baisers avant de s'en aller. Il la retint par sa jupe :

« Ce que tu m'as fait, tu vas le dire aussi à mon père?

– Maudit gars! » lui souffla-t-elle dans la figure. Et comme elle n'avait pas eu le temps de se contenter elle l'enfourcha une deuxième fois.

Contrairement aux espoirs du capitaine Le Coz, la paix de Nimègue n'avait pas donné un nouvel élan au commerce lointain. Des vingt-six bâtiments dénombrés au dernier bilan établit par les directeurs, bien peu se trouvaient être en état de prendre la mer : quatre étaient immobilisés aux Indes, huit avaient été vendus ou capturés, les autres attendaient au Port-Louis, au Havre et à La Rochelle d'être réarmés quand ils ne pourrissaient pas. Au moment où l'Océan redevenait libre, la Compagnie ne disposait plus du tonnage nécessaire pour assurer des retours rénumérateurs, la plus grande partie des cargaisons envoyées à Surat devant être utilisée pour payer les dettes les plus pressantes de ses commis. Pour survivre, il lui restait encore à acheter de nouveaux navires, en louer à des armateurs qui exigeraient la libre pratique, ou bien faire banqueroute. Inconciliable avec les engagements pris par le roi, cette dernière option lui avait paru d'autant plus inacceptable que les nouvelles du nouveau comptoir établi à Pondichéry valaient mieux que les premières promesses. Accrochée à ce nouvel espoir, elle avait alors donné à deux de ses propres directeurs, MM. Mathé de Vitry et Pocquelin, la permission de faire le commerce des Indes pour leur propre compte. Une première brèche venait d'être ouverte dans le privilège de la Compagnie.

Depuis qu'un fils lui était né, le capitaine Le Coz était devenu impatient d'entreprendre. Ayant compris depuis longtemps que les compagnies d'Etat doivent assumer des dépenses considérables et n'enrichissent guère que leurs clients et leurs agents, il n'avait pas hésité à souscrire une part importante du capital de la nouvelle société ainsi fondée par les deux directeurs. Moins nanti et plus prudent Mathieu Carbec qui le suivait toujours de loin s'était contenté d'une mince participation, sûr de l'amortir d'un coup avec l'avitaillement de deux navires destinés à la mer des Indes. Les Indes, il s'en méfiait depuis que Frédéric lui avait raconté Madagascar et San-Thomé. Pour sûr, il y avait bien la grosse poignée de diamants à peine entamée par les ventes à la veuve Hamon, mais tout compte fait, quels que soient leur nombre, leur valeur, leur éclat, tout ce qui fait rêver, il leur accordait moins de confiance qu'à la morue.

Les six mois d'étude imposés par le règlement du Collège de marine passèrent sans que Jean-Marie s'en rendît compte : les leçons du maître d'hydrographie, le tir au canon, les exercices en haute mer, prolongeaient les jeux de son enfance. Il lui tardait cependant de reprendre le large comme s'il se fût senti plus libre dans un étroit poste d'équipage que dans la maison de la rue du Tambour-Défoncé ou même sur les remparts. Rien n'eût pu le retenir, ni les sourires indulgents de son père, ni la présence fraternelle de Romain de Couesnon, ni les bonnes manières de Clacla auxquelles il avait pris goût mais dont il voulait se délivrer parce qu'il avait toujours peur d'être surpris par son père, par Romain, tous les autres, et parce qu'elle entendait le régenter alors que les capitaines le considéraient comme un homme. Cela avait commencé le jour où la Maison de Ville avait affiché les noms des matelots du comte d'Estrée péris sur les récifs des îles d'Aves.

« Tiens! Nicolas Locdu! C'est l'homme à la Justine! » avait dit tout haut une commère qui savait lire.

Devant tous ceux qui s'appliquaient à déchiffrer la liste funèbre, elle lui avait donné son vrai nom, Justine, n'osant pas dire Clacla dans une telle circonstance. Comptant bien être la première à lui annoncer la nouvelle, elle l'avait trouvée au coin d'une rue, son panier de maquereaux sous le bras.

« Depuis les temps qu'il est parti, cela devait arriver! » dit simplement Clacla.

Quelques instants plus tard, agenouillée devant l'autel de Notre-Dame-de-la-Recouvrance, elle avait prié avec une sincère ferveur pour la paix éternelle de Nicolas sans lésiner sur la grosseur du cierge. C'est ce soir-là qu'elle avait dit à Jean-Marie :

« Maintenant tu es mon petit mari. »

Elle le surveillait comme un enfant, s'ingéniait à passer devant le Collège de marine à l'heure de la sortie et venait de plus en plus souvent rue du Tambour-Défoncé où Mathieu Carbec l'accueillait sans déplaisir. Parée du malheur qui faisait d'elle la veuve d'un marin du roi, elle s'asseyait en face du regrattier, les yeux étincelants au-dessus de ses pommettes hautes, entourée des deux garçons. Quand elle leur servait la soupe, Jean-Marie baissait la tête dans son assiette pour fuir son regard et Romain de Couesnon la dévisageait avec le mépris tombé d'un lignage insolent.

Dès que fut décidé l'armement de la *Vierge-sans-Macules* pour la prochaine campagne de Terre-Neuve, Jean-Marie demanda à être inscrit sur le rôle d'équipage. Il avait passé avec succès un premier examen devant deux anciens pilotes hauturiers et pouvait prétendre à être embarqué comme pilotin. Son père ne s'y opposa pas. Cette fois, l'absence du garçon serait plus longue, un an environ, car le morutier irait vendre sa pêche à Marseille et à Civitavecchia avant de rentrer à Saint-Malo. De son côté, le fils du chevalier de Couesnon rejoindrait Brest pour y poursuivre des études désormais facilitées par une nouvelle ordonnance adressée aux jeunes gentilshommes désireux de servir dans le Grand Cadre.

Avant de se séparer, la veille de leur départ, les deux amis firent une dernière promenade à travers les rues de la ville, s'arrêtant chez Le Fer, Kergelho, Troblet, La Chambre, tous ceux qui avaient été leurs compagnons. Les uns s'apprêtaient à partir pour les bancs, d'autres rejoindraient bientôt le Port-Louis, les plus riches bouclaient déjà leur malle pour Séville et Cadix où leurs pères entretenaient des correspondants. Comme ils passaient par la rue des Mœurs, le fils du chevalier de Couesnon pouffa :

« Te souviens-tu du jour où la Clacla nous a ramenés comme deux écoliers? »

Jean-Marie sentit ses oreilles devenir rouges. Sans y prendre garde, son ami lui dit alors :

« Pourquoi ne m'as-tu jamais dit que tu baisais Clacla?

– Comment le sais-tu? » s'inquiéta Jean-Marie.

L'autre éclata de rire.

« Parce que j'en faisais autant! »

Il ajouta plus sérieux :

« Un jour, je vous ai surpris tous les deux. J'ai voulu d'abord t'en demander raison parce que j'avais été le premier. Mais j'ai vite pensé que la Clacla ne valait pas une affaire d'honneur. De toute façon un gentilhomme ne peut pas se battre avec toi. »

Partie au mois de mars, La *Vierge-sans-Macules* rejoignit douze mois plus tard son port d'attache avec un gros chargement d'huile, de savon et d'alun.

Cette fois, Jean-Marie n'avait pas été soumis aux humbles travaux dont les mousses étaient accablés. Sur les bancs pendant la période de pêche, il n'en avait pas moins aidé les autres à tendre les lignes, donné un coup de main aux étêteurs, creusé à la pioche des couloirs de sel pour entasser le poisson au fond de la cale, dures besognes dont le capitaine Rouvelho l'avait récompensé en faisant semblant de lui confier de temps en temps le soin de la navigation sur la route du Sud. Après les brumes de l'Océan, il avait découvert la Méditerranée, les calanques, les voiles latines, les galères, Marseille où le maître d'équipage l'avait entraîné à la recherche des matelots perdus dans les rues chaudes, Civitavecchia et ses palais de marbre tout le long d'une immense plage bleue et or. Alors, Jean-Marie s'était rappelé les merveilleuses histoires racontées par l'oncle Frédéric et il s'était promis de fuir les mers grises, la morue et la brume dès qu'il en aurait terminé avec le Collège de marine où il devait rentrer pour une nouvelle période de six mois.

Le capitaine Le Coz sauta dans un canot et nagea vers son navire où, cette fois, le patron de pêche avait fait hisser le grand pavois. Rassuré, calme, le ventre prospère, il dit à Jean-Marie :

« Es-tu content de rentrer à Saint-Malo?

— Dame oui, monsieur!

— Eh bien, moi aussi! Il y a du nouveau à la maison. J'ai une fille. Je t'attendais pour le baptême parce que tu seras son parrain.

— Comment s'appelle-t-elle?

— Marie-Léone. C'était le nom de ma grand-mère. Nous la baptiserons dimanche. Il faut que tu aies le temps de te gréer un peu. On dirait que tu as encore grandi, tes hardes sont devenues trop courtes!

— Et mon père? Comment se porte-t-il? Il ne sait

donc pas que la *Vierge-sans-Macules* est entrée au port?

— Ton père? Là aussi, il y a du nouveau, répondit le capitaine Le Coz en souriant.

— Quoi donc?

— Ton père s'est remarié.

— Avec maman Paramé? dit Jean-Marie le visage épanoui.

— Non, avec Clacla. »

Le garçon sursauta comme s'il fût effrayé :

« Non, pas Clacla ça n'est pas possible! »

Le capitaine Le Coz posa une main très douce sur son épaule.

« Pourquoi ça n'est pas possible, mon gars? Ton père est encore solide, il a mon âge, et moi je viens d'avoir une petite fille. »

Jean-Marie secouait toujours la tête.

« La Justine est une fille honnête et courageuse, poursuivit Yves Le Coz, elle aidera ton père qui veut garder sa boutique. Tout le monde la connaît. C'est une cousine. Et puis elle t'aime bien!

— Non!

— Tu ne sais pas ce que tu dis. Toi, on ne te verra pas souvent à Saint-Malo. Tu repartiras bientôt. Pense à ton père qui ne peut pas rester toujours seul.

— Il n'a pas osé venir, c'est lui qui vous a envoyé pour m'apprendre la nouvelle?

— Jean-Marie, c'est moi qui ai proposé à ton père de venir te chercher. »

Buté, Jean-Marie n'osait plus regarder en face le capitaine. Quelque chose lui étouffait le cœur. Tristesse, honte, colère? Il savait seulement qu'il ne devait pas mettre sac à terre.

« Je ne rentrerai pas à la maison.

— Ecoute-moi, reprit le capitaine Le Coz, tu ne connais pas ton père comme je le connais. Lorsque ta mère est morte avec ta sœur et ton frère, tu

177

n'étais pas plus gros qu'une bouteille. Il a voulu partir au loin, aux Indes. Il est resté à cause de toi, sans vouloir se remarier, et il a beaucoup travaillé, beaucoup risqué, pour que tu deviennes un jour capitaine. Si tu t'en allais sans le revoir, il en mourrait sûrement de chagrin. Ne ris pas comme un sot, ce sont des choses qui arrivent.

— Mon père se consolera avec Clacla!

— Clacla, ça n'est pas la même chose qu'un fils, dit gravement Yves Le Coz. Tu es devenu un homme, non? Alors, tu dois comprendre. »

Jean-Marie secouait toujours la tête. Il avait envie de crier au capitaine : « C'est vous qui ne comprenez rien! »

« Tu ne veux donc pas être le parrain de Marie-Léone?

— Oh! si, monsieur.

— Alors va chercher ton coffre. Je vais t'accompagner chez ton père », dit le capitaine en poussant Jean-Marie vers une petite échelle qui descendait dans la cale de la *Vierge-sans-Macules*.

C'était l'heure du dîner. Quand l'angélus de midi sonna au clocher de la cathédrale, Jean-Marie en reconnut les tintements et eut chaud au cœur. Il reconnut aussi des visages malouins qui lui adressaient un sourire amical auquel il répondit à peine, redoutant qu'on se moquât de lui. Les maisons de bois peintes de couleurs vives brillaient sous le jeune soleil du mois de mars. Ils arrivèrent rue du Tambour-Défoncé.

« Voici notre Jean-Marie! » s'écria Clacla.

Elle avait la gorge pleine de rire et ses petits sabots dansaient toujours le sabbat sur le sol carrelé. A côté d'elle, Mathieu Carbec faisait le beau dans un habit de couleur claire décoré de larges boutons d'argent. Il n'avait plus l'air d'un mauvais prêtre et il ouvrit les bras à son fils. Jean-Marie posa lentement son coffre à terre, les regarda tous les deux sans dire un mot, se décida enfin à leur dire bonjour comme s'il eût quitté la maison ce matin-là pour aller à Saint-Servan, remit son coffre sur l'épaule et monta dans sa chambre où il s'enferma.

Quelques instants plus tard, on frappait à sa porte.

« C'est moi, Clacla, ouvre-moi. Je vais t'expliquer. »

Jean-Marie ne répondit pas. Il regardait le lit où il avait été dépucelé en un tournemain. Non, il ne pouvait admettre que cette catin se soit installée dans la maison. Il dirait tout à son père.

« Descends donc dîner. La soupe est prête, tu dois avoir faim. »

C'est vrai qu'il avait faim. L'odeur des poissons grillés montait dans sa chambre. Une si bonne odeur qui sentait la marée, le sel, l'iode et le charbon de bois, il ne l'avait jamais sentie qu'à Saint-Malo. Il résista un quart d'heure et se décida à ouvrir la porte. La Justine était là, attendant.

« Je suis toujours ta Clacla, tu sais. »

Elle lui avait soufflé ces mots dans l'oreille avec la voix un peu rauque qu'il lui connaissait bien. Il passa devant elle, pour lui faire un affront, s'engagea dans l'escalier, et descendit dans la salle.

Mathieu Carbec s'était déjà installé à table, souriant, le visage quiet.

« Assieds-toi, mon gars. Un retour comme le tien, cela vaut bien un coup de rikiki pour commencer. »

Il remplit les verres.

« A ta santé! » dit-il. Puis se tournant galamment vers Clacla, il dit aussi : « Et à la santé de madame Carbec! »

Jean-Marie vit s'allumer dans les yeux de Clacla

une telle lueur de triomphe qu'il demeura quelques instants immobile, incapable de porter à ses lèvres le verre qu'il serrait dans ses doigts. Il regarda son père et le vit si tranquillement heureux, si paisible, que sa rage tomba d'un coup. Il avala son rikiki d'un seul trait.

« Raconte-nous un peu tout ce que tu as vu. »

Ni Mathieu ni Clacla ne se souciaient de connaître si leur nouvel état pouvait provoquer quelque surprise. Ils ne firent aucune allusion à leur mariage, s'y trouvant à l'aise comme un vieux couple au milieu de ses habitudes. Jean-Marie parla peu. Il fuyait les yeux de Clacla mais la regardait tourner autour de la table. Vive et rapide, elle avait l'air de danser. Ses gestes étaient précis. Elle savait où se trouvaient les objets rangés dans l'armoire et les tiroirs. Elle était chez elle.

Jean-Marie regarda aussi la salle où ils étaient réunis tous les trois. C'étaient bien la même table, les mêmes chaises, la même horloge, les mêmes pots d'étain alignés au-dessus de la cheminée, mais quelque chose de nouveau y rôdait, imperceptible, qui déconcertait Jean-Marie, ne se décelait ni avec les yeux ni avec les oreilles, donnait aux gros meubles bretons, au balancier de l'horloge et aux yeux de Mathieu Carbec une lumière qu'ils n'avaient jamais eue. Même les gros sourcils de son père avaient l'air de rire.

A la fin du repas, comme Jean-Marie se levait brusquement Mathieu lui demanda soudain inquiet :

« Tu nous quittes déjà? Où vas-tu donc? »

Jean-Marie répondit en regardant Clacla.

« Je m'en vais rue des Mœurs. Au bordel, madame Carbec. »

Le capitaine Le Coz avait remis à Jean-Marie l'argent qui lui revenait après douze mois de navigation. Jamais le garçon n'avait vu pareil pécule. Parrain et fier de l'être, il acheta des vêtements neufs pour faire bonne figure dans cet événement où il jouerait un des premiers rôles. Semblable à tous les autres Bretons, quels que fussent leur état, leur condition ou leur âge, il croyait en Dieu mais il aimait la Vierge Marie. Il avait aussi la vague conscience qu'un chrétien n'est jamais tout seul depuis qu'il avait vu disparaître dans la mer grise de Terre-Neuve le cadavre du jeune Couesnon enveloppé du double linceul d'un sac de toile et de prières murmurées par des hommes soudés les uns aux autres par une même foi. Ce souvenir n'avait pas cessé de l'habiter. Il se le rappela dans l'ombre du baptistère lorsque, vêtu d'un surplis blanc orné d'une étole brodée d'or, le prêtre imposa ses deux mains sur la tête de Marie-Léone. Prenant garde de ne pas incliner son cierge, Jean-Marie prononça d'une voix forte, au nom de sa filleule, le serment rituel : « Je renonce à Satan... »

Derrière lui, trois hommes se tenaient droits : le capitaine Le Coz avec sa barbe solennelle, Mathieu Carbec plus grave que l'officiant, et le grand-père de Marie-Léone, l'œil humide. Seule la marraine souriait, sa poitrine opulente de bourgeoise aisée avait l'habitude d'abriter les nourrissons. Jean-Marie fut heureux de ne pas voir Clacla aux côtés de Mme Trouin et il regarda son père. Parce que le maison de Dieu lui inspirait plus de terreur sacrée que de joie, la quiétude qui baignait hier le visage du regrattier avait disparu au moment même qu'il franchissait le porche de l'église. Jean-Marie se rappela les leçons du catéchisme, les prônes du curé, les litanies du chemin de croix, toutes les prières ou cérémonies religieuses de son enfance.

On y parlait davantage du péché que du bonheur et l'odeur du soufre était mêlée à celle de l'encens, comme si la religion était toujours associée à la faute, au châtiment et à la mort. Inquiet, il reporta son regard sur sa filleule et tandis que le prêtre versait sur son front l'eau lustrale il promit à Dieu, au fond de son cœur, de la protéger. La cérémonie terminée, le petit groupe se dirigea vers la sacristie pour signer le livre sur lequel l'acte de baptême était déjà dressé. « Marie-Léone Le Coz, fille de Yves Le Coz, capitaine armateur à Saint-Malo et de Emeline Lajaille, sa femme, a été baptisée par moi le 22 mars 1680. Ont été parrain Jean-Marie Carbec, élève au Collège de marine, et marraine dame Marguerite Trouin. » Les cloches sonnèrent au moment où ils sortaient de la cathédrale. Le soleil aussi tintait gaiement sur le ciel bleu et blanc.

Relevant de couches difficiles, Emeline Le Coz était demeurée chez elle et avait surveillé les préparatifs du repas. Ses invités étaient déjà réunis lorsque le petit cortège arriva de l'église. Marie-Léone disparut bientôt dans les bras d'une nourrice et le capitaine, frappant dans ses mains avec simplicité, convia tout son monde à passer à table où fleurissaient des porcelaines semblables à de grosses corolles écloses sur la neige de la nappe. Homme d'âge, venu de Nantes pour le baptême de sa petite-fille, le père de Mme Le Coz prit une assiette dans sa main, la retourna et la leva sans façon devant ses yeux pour la regarder en transparence. Il y découvrit, enlacées, les trois initiales, V.O.C. de la Vereenigde Oostindische Compagnie[1].

« Quelle merveille! fit-il sur le ton d'un fin connaisseur. Les avez-vous achetées à la dernière vente d'Amsterdam? »

Après en avoir exclu les Portugais et les Espa-

---

1. Compagnie hollandaise des Indes orientales.

gnols, les Hollandais étaient encore les seuls Européens qui fussent parvenus à établir un courant commercial avec l'Orient lointain. Ils dominaient le marché de la porcelaine, le considéraient comme leur monopole et le gardaient mieux que n'importe quel territoire de chasse. Dès qu'un de leurs navires touchait Amsterdam, des marchands y accouraient, venus de Genève et de Londres, de Paris et de Florence, de Madrid, de Francfort ou de Dresde, mandatés par les cours royales, les principautés allemandes et les grandes familles nobles, pour se disputer à prix d'or les pièces d'un service chinois vendues aux enchères. Quelques riches bourgeois, très rares, montraient parfois une soupière et des assiettes mais, à la porcelaine fragile, ceux-là préféraient encore la solidité de l'argenterie, preuve et témoin d'une réussite familiale construite patiemment, cuiller par cuiller, qu'on exposait avec ostentation ou qu'on cachait, selon son humeur, au fond des coffres avec des précautions dévotes.

Pour rapide qu'elle ait été, la promotion sociale du capitaine Le Coz n'était pas encore parvenue à ce point où il est de bonne manière de gaspiller ses écus pour acheter des objets inutiles.

« Vous plaisantez, monsieur Lajaille! Elles proviennent d'une prise de la dernière guerre. »

Il ajouta, en confidence :

« J'ai trouvé ces assiettes dans le coffre d'un capitaine hollandais. »

Le grand-père avait compris. Des yeux, il soupesa la soupière d'argent qui trônait au milieu de la table et regarda un à un les convives. Il y avait là Luc Trouin, Alain Porée, Noël Danycan, des hommes à la réputation établie, et ce Mathieu Carbec devenu l'associé de son gendre. Bien que les Nantais ne laissassent pas de jalouser les Malouins aussi habiles qu'heureux à la morue, à la course et au négoce, de bonnes relations s'étaient établies entre les deux cités maritimes. On se surveillait sans complaisance, on clabaudait l'un sur l'autre, mais on s'associait volontiers et il n'était pas rare que deux familles d'armateurs ou de marchands resserrent leurs liens d'affaires par l'union de leurs enfants. M. Lajaille se félicita d'avoir marié sa fille au capitaine Le Coz. Il contempla l'aisance avec laquelle Emeline tenait le dé de la conversation au milieu des autres femmes qui, bonnes Malouines, défendaient leur réputation de terribles « pétasses », ainsi qu'on appelait les commères à la langue bien pendue. Celles-ci n'y manquaient pas. Le poids de leur mari, le nombre de leurs enfants, la part qu'elles prenaient à la gestion des affaires, leur conféraient une autorité et une liberté de langage qu'affectait la nouvelle société bourgeoise dont elles étaient le solide ciment. Comme il avait regardé tout à l'heure leurs hommes, le Nantais les observa une à une, y mettant peut-être plus d'insistance parce qu'ayant dépassé l'âge d'un barbon il avait atteint celui où l'on peut s'attarder sur un visage féminin et lui adresser un sourire. Brunes ou blondes, elles étalaient les apparences d'une vie ordonnée où tout était rangé à la place convenable : le mari et les enfants, la prière et la médisance, les comptes et la lessive, l'aumône et l'église, tous ces piliers de leur vertu domestique. Au-delà de ces signes invisibles, la rondeur de leur poitrine autant que la raideur de leur robe les confondaient dans un même moule. Seule Clacla y échappait. Sentant qu'on la regardait, elle soutint le regard du vieil homme. Il la trouva belle, et ce fut lui qui baissa les yeux. Observant alors sa fille, il lui parut qu'autant Emeline se trouvait à l'aise avec tous les autres, femmes ou hommes, autant la présence de Mme Carbec paraissait la gêner. Au bout de la table, Jean-Marie s'appliquait à imiter les gestes du capitaine Le Coz pour ne pas commettre d'incivilités. Seul de son âge, invité pour la première fois à un grand repas de fête familiale, il se sentait perdu au milieu de ces grandes personnes qui parlaient fort sur des sujets dont il ignorait à peu près tout. Elle aussi, Clacla, éprouvait le même isolement. Lorsque leurs yeux se rencontrèrent, une sorte de complicité les réunit un instant dans l'échange d'un bref regard.

Vers la fin du repas, alors que les servantes venaient d'apporter d'énormes pâtisseries, la nourrice entra dans la salle et fit le tour de la table pour présenter Marie-Léone à chacun des convives. Ceux-là avaient tous eu de nombreux enfants et savaient comment on les tient dans les bras. Enveloppé d'une longue robe blanche où brillait une petite médaille d'or, la filleule de Jean-Marie passa de l'un à l'autre en souriant, mais lorsque le tour de Clacla arriva, elle poussa tout à coup des cris. D'un bond Emeline Le Coz s'était levée et arrachait sa fille des mains maladroites de Mme Carbec.

« On ne tient pas un nouveau-né comme un panier de poissons! »

Absorbés dans une discussion animée, les hommes n'avaient guère prêté attention à l'algarade, sauf Mathieu qui remarqua sur les bouches des autres femmes une moue dédaigneuse et dans les yeux de Clacla une lueur qu'il n'y avait jamais vue.

Le même soir, Jean-Marie arriva chez maman Paramé. La maison était vide. Il posa son coffre sur le sol de terre battue, fut surpris de n'y pas trouver les volailles familières, et attendit. Une année s'était écoulée depuis sa dernière visite. Ici, rien n'avait changé non plus : la table massive, les deux bancs grossiers, la cheminée noircie, les deux lits clos et la minuscule chaloupe où Rose Lemoal avait si souvent bercé son sommeil. Il lui apparut, pour la première fois, que tous ces meubles étaient tristes, misérables, sales. Jamais il n'avait encore imaginé que sa maman Paramé pût être pauvre. Comme le jour tombait et qu'elle n'arrivait toujours pas, il alla frapper à la porte de vieux voisins qui le connaissaient depuis sa naissance.

« Elle sera allée au varech ou bien pêcher des coques », dit l'homme.

C'étaient là de dures besognes auxquelles elle n'était pas habituée.

« Pourquoi? demanda innocemment Jean-Marie.

– Faut bien qu'elle mange, mon gars! » répondit la femme, d'une voix revêche.

Il baissa la tête. La maison des voisins lui apparut alors telle qu'elle était, aussi délabrée que celle de sa nourrice, et, rouge de honte, devant ces deux vieux, vêtus de guenilles, qui regardaient ses habits neufs avec des yeux enflammés de rancune, il comprit qu'il s'en apercevait pour la première fois. Inquiet, il repartit. La voyant enfin arriver de loin, il courut vers elle et ce fut lui qui, le premier, la prit dans ses bras pour la serrer contre sa poitrine de jeune homme aussi fort qu'elle le pressait naguère sur ses belles tétasses.

« Alors te voilà revenu de sur les bancs?

– Oui, mais je vais repartir. »

La jolie clarté qui avait un instant rajeuni maman Paramé s'éteignit. Elle ressemblait aux pauvres meubles de sa maison avec son corps alourdi, usé, un peu déjeté. Ils restèrent longtemps silencieux, se regardant, n'osant dire ni l'un ni l'autre ce qui les étouffait, mais ils n'avaient pas besoin de parler pour retrouver leurs vieilles connivences. Il parla le premier :

« Tu sais que mon père s'est remarié avec Clacla?

– Je l'ai entendu dire, répondit-elle tout doucement.

– Il n'est donc pas revenu te voir?

– Pour sûr que non! » dit-elle, véhémente.

Pendant plus de seize années, elle avait pris l'habitude de ramasser le petit écu que Mathieu n'omettait jamais de laisser timidement quand elle avait le dos tourné, sur le coin de la table. C'étaient ses gages. Elle n'avait jamais rien réclamé, rien espéré, mais ils parlaient si souvent ensemble de Jean-Marie qu'elle avait fini par imaginer que le garçon était leur enfant, à tous les deux. Aujourd'hui que le maître s'était remarié, elle n'aurait jamais accepté le moindre liard. Pour sûr que non!

« Ton père, dit-elle, c'est un bon homme. Tu dois l'aimer. Ton père c'est ton père. »

Jean-Marie ne répondit pas. Il se rappelait ce que lui avait dit le capitaine Le Coz, mais il avait décidé de partir et de ne pas revenir à Saint-Malo tant que la Clacla serait installée rue du Tambour-Défoncé.

« Je peux coucher ici? Je repartirai demain.

— Tu embarques?

— Je n'en sais rien.

— As-tu soupé au moins? »

Elle lui fit une crêpe, large comme se deux mains jointes. Bien qu'il n'eût pas faim, après le repas de baptême, il la mangea de bon appétit. La bouche pleine, il dit :

« Un jour je serai riche moi aussi. Tu habiteras dans ma maison et tu seras toujours ma maman Paramé. »

Le lendemain matin, juste avant de partir, Jean-Marie laissa sur le coin de la table, discrètement, la moitié de la haute paie versée par le capitaine Le Coz.

La Compagnie avait établi ses chantiers sur la lande du Faouédic, au fond de l'estuaire du Blavet et du Scorff qui s'ouvre sur le littoral breton en face de l'île de Groix : un bon mouillage dont l'accès était défendu par la forteresse du Port-Louis. Venus de toutes les régions, des centaines d'ouvriers y avaient bâti de misérables baraques, transformant peu à peu la lande marécageuse en un campement désordonné que les gens d'Hennebont et de Quimperlé avaient vite appelé « L'Orient » depuis qu'on y construisait de navires destinés aux Indes orientales. Parti de La Rochelle, c'est là qu'avait débarqué Frédéric lorsqu'une flûte hollandaise l'avait ramené en France avec les débris de l'expédition du comte de La Haye. Le jour de son retour, soudain pressé de rentrer chez lui, de tourner le dos à la navigation, aux Indes, à la guerre, il ne s'était pas attardé dans les chantiers que le blocus avait rendu déserts. Et voilà que trois ans plus tard il s'y trouvait revenu parce que les bourgeois de Saint-Malo l'ennuyaient de leurs bavardages toujours pleins de gros sous et que, la paix enfin signée, la Compagnie des Indes orientales avait fait connaître qu'elle embaucherait des maîtres charpentiers. Plusieurs magasins, une corderie, une voilerie, une boulangerie et une chapelle s'élevaient maintenant sur la lande du Faouédic, bâtiments de pierre qui portait l'espoir d'une cité nouvelle.

Ebauche urbaine, à peine sortie d'un cloaque, Lorient n'était encore que L'Orient du Port-Louis. Confiants dans l'avenir autant que dans la parole du roi, les directeurs avaient jeté les bases d'un véritable arsenal et imaginé un grand programme de constructions navales et d'armements. Peine perdue. Les projets de sa politique aux Indes ayant échoué, Louis XIV estimait qu'il avait assez donné d'argent, ne voulait plus rien entendre, et refusait même de rembourser les dépenses engagées par la Compagnie sur la flotte du comte de La Haye. En revanche, il permettait à ses vaisseaux du Ponant d'utiliser le matériel, les provisions et les chantiers du Faouédic sans payer ni fournitures ni main-d'œuvre. Jamais les caisses n'avaient été aussi vides, les cales de lancement si silencieuses, les désillusions si amères, à ce point que certains directeurs soupçonnaient M. Colbert de les avoir obligés à s'installer au Port-Louis et à y développer des chantiers, avec l'arrière-pensée d'offrir à la marine royale, entre Brest et Rochefort, un port d'abri et de ravitaillement dont la Compagnie ferait les frais.

Frédéric, dès le premier jour de son arrivée, comprit que les promesses d'embauche n'étaient liées qu'à de minces espérances. On ne construisait plus de navire à L'Orient, on se contentait d'entretenir ou de réparer les derniers rafiots qui avaient pu résister à la mer et à la guerre. Pas plus que le roi n'avait tenu ses engagements, la paix n'avait ramené la prospérité. Comme tant d'autres, Frédéric s'était laissé berner par des placards racoleurs, mais il ne regretta pas d'avoir quitté Saint-Malo quand il se trouva au milieu des compagnons installés au Faouédic depuis une dizaine d'années, hommes rudes qui connaissaient leur métier, parlaient haut, buvaient fort et se battaient jusqu'au sang, enfermés dans la puanteur de leurs baraques où les archers du Port-Louis n'osaient jamais intervenir. Charpentiers, menuisiers, cloutiers, cordiers et voiliers, calfats, accourus de Normandie, du Pays basque et de Provence, de Flandre, d'Angleterre ou d'Irlande, ils avaient suivi les leçons des maîtres de hache achetés à prix d'or en Hollande pour construire les premiers navires de la Compagnie, l'*Aigle-d'Or*, la *Force*, le *Saint-Paul*, le *Dauphin-Couronné*, le *Petit-Saint-Louis*, et le plus beau de tous, ce *Soleil-d'Orient*, fier de ses mille tonneaux, parti l'année précédente pour Surat avec une fabuleuse cargaison. Lorsque le rythme des travaux s'était ralenti sur les cales, la plupart de ces hommes étaient repartis comme ils étaient venus, aussi pauvres, leurs outils rangés dans le coffre porté sur l'épaule, à la découverte d'autres chantiers, Amsterdam, Hambourg ou Gênes, Marseille ou Lisbonne. Les autres, une centaine peut-être, étaient restés accrochés au Faouédic parce qu'ils étaient las de courir après l'embauche, qu'ils gardaient l'espoir et guettaient l'occasion d'un embarquement clandestin dès qu'un navire appareillerait pour les Indes orientales ou les îles d'Amérique, d'autres encore parce qu'ils avaient trouvé à Hennebont et à Quimperlé des veuves et des filles aux cuisses chaudes dont les mâles avaient disparu. Ils vivaient entre eux selon des règles sinon des lois, dont ils respectaient la stricte discipline, qui leur permettaient de travailler à tour de rôle sur les chantiers et de fréquenter l'humble bordel où trois drôlesses ne suffisaient pas à la besogne. Petit autant que rare, l'argent ne manquait jamais à ces hommes : qu'une partie d'hombre ou de reversis fût proposée, les écus surgissaient on ne sait d'où, sautant d'une poche à l'autre pour y revenir et s'en évader sans disparaître tout à fait. Ces compagnons, Frédéric les avait flairés dès le premier jour. Eux, ils s'étaient d'abord méfiés du Malouin mais ils avaient fini par l'adopter, parce qu'il était allé aux Indes, maniait le troussequin et la gouge comme un ancien, inventait des tours inconnus, les faisait danser avec son violon, causait avec un oiseau et faisait naître au bout de ses longs doigts la magie des pays dont ils rêvaient les soirs de grande soûlerie dans leurs cabanes puantes. Au bas d'une liste clouée sur une planche ils écrivirent son nom, et, lorsque son tour de chantier arriva, Frédéric se rendit sur la cale où l'on avait tiré l'*Heureuse*, une flûte de trois cents tonneaux rentrée des Indes avec de graves avaries.

Ce jour-là, les ouvriers achevaient de mettre en place les derniers bordages. Avant d'empoigner ses outils, Frédéric fit très lentement le tour du navire, le regardant de près et passant les mains sur la carène pour en apprécier la courbure : un bâtiment de belle apparence, fort de membrures dans les fonds, léger dans les hauts, fait pour recevoir des cargaisons lourdes.

« D'où sors-tu, toi, le nouveau? »

Le capitaine de l'*Heureuse* qui surveillait les réparations de son bâtiment venait de l'interpeller. C'était un petit homme, large d'épaules et rond de ventre, à la figure rougeaude trouée de deux yeux rusés.

« De Saint-Malo, répondit Frédéric.

– Avec un oiseau comme celui qui est sur ton épaule, tu dois venir de plus loin? »

Comme s'il eût compris qu'on parlait de lui, Cacadou se redressa, battit des ailes, récita sa leçon :

« Surat et San-Thomé. »

D'expérience, le capitaine connaissait ces curieux merles pour en avoir eu un à son bord qui récitait l'angélus lorsque l'aumônier était malade. Il ne fut pas surpris et se contenta de sourire.

« San-Thomé? Alors tu es rentré avec les Hollandais? Tu étais resté longtemps là-bas?

– Trop longtemps!

– Qu'y faisais-tu?

– J'étais maître charpentier à la Compagnie, aux chantiers de Surat. »

Le capitaine de l'*Heureuse* le regarda avec l'insistance d'un maître d'équipage, des yeux de peseur d'hommes. Il dit encore :

« J'ai vu tout de suite que tu connaissais ton métier. C'est du beau travail? Qu'en penses-tu? »

Frédéric hocha une tête prudente, passa encore ses deux mains sur l'assemblage d'une virure et donna son accord :

« Oui, c'est du beau travail. »

Il ajouta :

« Mais il faudra renforcer la coque à votre prochain retour.

– Où as-tu été chercher cela? gronda le capitaine.

– Vous êtes allé souvent là-bas? questionna Frédéric.

– Deux fois. Trois mois à Surat, le temps de charger et d'attendre la mousson.

– On voit bien que vous n'y êtes pas resté longtemps. Vous sauriez que dans ces mers chaudes les coques ne résistent pas si on ne double pas leurs bordages et si on ne les recouvre pas de clous dont les têtes doivent être bien serrées les unes à côté des autres. Comme une cuirasse, quoi!

– Et la dépense? Tu oublies la dépense?

– Dame! continua Frédéric, ça doit faire dans les six mille livres pour un navire comme le vôtre, mais ça coûte moins cher que de refaire une coque tous les deux ans. »

Le capitaine ne répondit pas tout de suite. Il paraissait réfléchir, faire des comptes. Il finit par dire :

« Si l'*Heureuse* était à moi, peut-être... Mais ce sont les directeurs qui paient. Les comptes de la Compagnie... »

Sa pensée s'acheva dans le flou d'un geste insouciant. Brusquement, il demanda :

« Lorsque les travaux seront terminés, on armera l'*Heureuse* pour Pondichéry. J'aurai besoin d'un bon maître charpentier. Ça te conviendrait d'embarquer ?

— Non, monsieur, répondit poliment Frédéric.

— Tu ne veux donc pas retourner là-bas ? insista l'autre. C'est devenu intéressant pour l'équipage. Avec moi tu aurais le droit d'emporter toute la pacotille que tu voudrais. Nous la revendrions tous les deux à compte à demi.

— N'insistez pas, capitaine. Là-bas, ça sent trop la merde. »

Au cours de sa carrière, le capitaine de l'*Heureuse* avait connu de nombreux maîtres et matelots, brutes entêtées et violentes qu'il fallait tenir dans une main de fer, il n'en avait jamais rencontré un seul qui refusât sa proposition de trafiquer avec la pacotille.

Il s'emporta.

« Tu préfères croupir ici, dans vos sales baraques. Elles ne sentent pas la merde, peut-être ? »

Frédéric avait retrouvé la gaieté de son sourire et ce mouvement de balance qui le faisait se dandiner d'une jambe sur l'autre. Il dit, sur le ton d'une confidence :

« Ici, monsieur, la merde a une odeur d'homme vivant. Là-bas, c'est de la merde de cadavre. »

Tous les capitaines abusaient de la permission accordée aux hommes embarqués sur les navires de la Compagnie d'emporter gratuitement aux Indes une certaine quantité de marchandises dont le montant avait été fixé par un règlement minutieux que personne ne respectait : seize mille livres de pacotille pour un capitaine, cinq mille pour un premier lieutenant, trois mille pour un deuxième, mille pour un premier enseigne, deux cents pour un premier maître, six pour un matelot, deux pour un mousse. C'était le port permis. Mais tout le monde fraudait. Il suffisait que le capitaine se mît d'accord avec le subrécargue et son maître d'équipage au moment d'arrimer la cargaison, et avec tel agent de la Compagnie chargé de la visite des bâtiments à leur retour en France, pour que le montant du port permis atteigne des proportions incroyables. Il arrivait que l'état-major et l'équipage d'un navire possèdent le tiers de sa cargaison. Chacun se vantait d'être un grand pacotilleur.

Si courantes fussent-elles, Frédéric répugnait à ces pratiques, non qu'il méprisât l'argent, mais cette façon de s'enrichir, sans danger, au détriment de la Compagnie, lui paraissait sordide, à la limite de la friponnerie. Sa passion du risque l'emportant sur celle du gain, il préférait tenter la fortune en jouant aux cartes. Là, il avait affaire à de redoutables virtuoses, et s'il advenait que ses propres mains soient trop agiles, c'est parce que celles de ses adversaires étaient elles-mêmes trop adroites. C'est là-bas, à Surat, qu'il avait appris les finesses et les arcanes de l'hombre, du quadrille, de la bête et du triomphe, la manipulation des cartes, des gobelets et des dés, les combinaisons qui exigent le calcul, forcent la mémoire et supposent l'adresse, l'art de se composer un visage imperturbable ou d'y graver un sourire insolent, voire de découvrir un tricheur trop maladroit.

Souvent, il pensait à ces compagnons dont il avait été l'élève. Qu'étaient-ils devenus? Vérolés jusqu'à l'os, englués par la population huileuse, épaves ou colonels chez un nabab, pendus à la branche d'un manguier en fleur, cadavres dont la pourriture se mêlait à l'odeur fade, immense, tendue comme un tapis invisible d'un bout à l'autre des Indes? Il y revenait toujours. L'odeur le poursuivait, le lâchant rarement. Parfois, il esquissait un geste de recul comme pour se dégager d'une charogne. Tout compte fait, il avait eu de la chance de s'en tirer et remerciait en secret l'amiral Rykloff de l'avoir ramené en Bretagne. Le désastre de San-Thomé, les espoirs engloutis de la Compagnie des Indes, les honneurs militaires rendus aux Français vaincus par les Hollandais vainqueurs, tout ça il s'en foutait bien.

Frédéric s'en foutait mais il s'ennuyait. L'âpreté des marchands, la cautèle des banians, la fièvre et la faim, les plaies purulentes, les balourdises du général, le coup de sagaie qu'il avait reçu dans la poitrine, c'étaient autant de durs souvenirs qui faisaient monter sa colère comme du lait qui se sauve, mais, semblable aux amants qui, après s'être déchirés, conservent sur leur peau la lumière des jours heureux, il gardait au fond des yeux d'étroits saris verts et bleus passant le long d'innombrables ruisseaux où glissaient des barques chargées d'ananas, de lotus, de bananes roses et ces cocos qu'il ouvrait d'un coup de hache pour en boire l'eau fraîche et parfumée. La première année de son retour à Saint-Malo, il avait cru détruire ces images, au moins les chasser par le plaisir de redécouvrir le granit, le crachin et les hanches trapues des Bretonnes. Pendant quelques mois, il avait fait le faraud et joué au héros. Bon complice, Cacadou l'y avait aidé autant que la jeunesse de Jean-Marie et de ses petits camarades. Le jour où ils étaient partis pour Terre-Neuve, Frédéric s'était soudain trouvé seul, au milieu de retraités bavards, d'armateurs rapaces et dévots qui associaient Dieu à leurs affaires, vaniteux de leur argent ou de leurs titres, sûrs d'eux-mêmes, fiers de posséder et tremblant à l'idée de manquer. Ces gens-là n'étaient plus faits pour lui. Un jour, une petite poignée de diamants dans la poche, laissant le reste à la garde de Mathieu, pour Jean-Marie quand il reviendrait des bancs, emportant ses outils, son violon, Cacadou sur l'épaule, il avait disparu derrière la porte de Dinan : gali gala !

Les jours où les ouvriers ne travaillaient pas sur les chantiers de L'Orient, ils déambulaient volontiers dans les rues du Port-Louis, vieille cité commerçante et militaire, Saint-Malo en miniature qui, après avoir trafiqué avec les ports norvégiens ou irlandais, avait armé à la course pendant la guerre de Hollande. Les chefs d'escadre qui y avaient alors cherché refuge conservaient l'habitude de fréquenter sa rade, tantôt pour s'y ravitailler, tantôt pour s'y faire radouber, certains de trouver dans les magasins du Faouédic des mâts, des voiles et des cordages, voire des canons et des boulets, et d'utiliser gratuitement ses charpentiers, forgerons et calfats. Robustes comme des forteresses dont la masse n'était guère allégée que par quelques lucarnes taillées dans du granit, les maisons du Port-Louis abritaient les bureaux de l'amirauté et ceux de la Compagnie. C'est là, rues de la Brèche, des Dames, ou de la Haute-Notre-Dame, qu'habitaient le directeur particulier et ses commis principaux, caissiers, contrôleurs, écrivains, gardes-magasins, aumôniers, médecins et chirurgiens, en attendant qu'on leur construisît, dans la ville future, des bâtiments dont la superbe l'emporterait sur la hautaine sévérité des demeures du prince de Guéménée. C'est là aussi que prospéraient quelques hôtelleries, le Saint-Yves, le Petit Louvre, où les voyageurs prenaient du bon temps dans l'attente du vent favorable. Les ouvriers de la Compagnie se contentaient de regarder à travers les vitres, ou se tenaient sur le pas des portes, ces auberges n'étant point ouvertes à ceux de leur condition. Même s'ils avaient voulu y dépenser toute leur paie d'un seul coup, des valets les eussent jetés dehors.

Un soir, vêtu d'un habit de coupe honnête que lui avait vendu un tailleur de Saint-Malo et portant son Cacadou sur l'épaule, Frédéric entra au Saint-Yves. On l'avait pris pour un voyageur, on le laissa s'installer. A une table voisine, un groupe d'hommes où se trouvait le capitaine de l'*Heureuse* achevaient un joyeux souper. Plus loin, dans le fond de la salle, une partie de pharaon était engagée; le banquier taillait contre six pontes. Frédéric lampa un premier flacon de vin de Nantes, regarda autour de lui et répondit courtoisement au clin d'œil amical adressé par le capitaine de l'*Heureuse*. Il aimait ces petits vins blancs des bords de Loire, gais danseurs au fond du verre, qui demandent à être bus largement, donnent de la bonne humeur et aiguisent la soif. A la fin du deuxième flacon, il se leva et alla regarder la partie. Le banquier, grand escogriffe fait pour tenir les rôles de spadassin au théâtre italien, avait déjà amassé de nombreux écus d'argent et quelques louis d'or. De temps à autre, comme s'il eût voulu apprivoiser de mystérieux génies, il en caressait le petit tas et le faisait bruisser sous ses longs doigts aux phalanges osseuses. Alors, au coup malheureux qui lui avait fait perdre une mise, succédaient immédiatement une série de coups heureux qui le remboursaient au décuple. En face de lui, à droite, à gauche, les autres joueurs le surveillaient sans manquer le moindre de ses gestes ou même de ses regards, soupiraient, s'entêtaient à ponter, reprenaient courage quand il leur arrivait de rafler l'enjeu, et le maudissaient l'instant d'après. Quelques-uns s'étaient retirés et se contentaient de suivre des yeux la partie. Lui aussi, Frédéric l'observa longtemps, en connaisseur, sans pouvoir découvrir la moindre piperie dans le ballet enchanté que dansaient les mains du joueur allant et venant de ses cartes à ses pièces d'or et d'argent, lorsque Cacadou poussa soudain un petit cri aigu, moitié rire moitié sifflet admiratif. Après avoir caressé un écu de sa main droite, le banquier venait de la poser, d'un geste négligent, sur son poignet gauche et s'apprêtait à distribuer les cartes. Surpris, il leva les yeux, rencontra ceux de Frédéric, aperçut le mainate. Les deux hommes se regardèrent sans broncher, mais Frédéric crut apercevoir dans le regard de l'autre un imperceptible sourire, et la partie continua.

Leur repas terminé, les soupeurs de la table voisine s'étaient levés et se tenaient maintenant derrière les joueurs. Le maître de l'*Heureuse* s'approcha de Frédéric.

« Ne jouez jamais avec ce fripon, dit-il à voix basse.

– L'envie m'en démange cependant, fit Frédéric.

– Il en a ruiné de plus malins et de plus riches que vous. Même de plus pauvres. C'est un recruteur de la Compagnie. Quand il ne trouve pas de bourgeois à détrousser, il s'attaque aux ouvriers de l'arsenal, les laisse gagner deux ou trois parties et décave les malheureux qui, pour payer leur dette de jeu, n'ont plus qu'à s'enrôler dans l'armée de la Compagnie.

– Etes-vous donc sûr qu'il triche? questionna Frédéric.

– La vérité, c'est que personne n'a jamais pu le prendre sur le fait. C'est le diable! »

Un à un, les joueurs avaient quitté la table.

« J'ai fait lessive! dit le dernier. Mais vous me donnerez ma revanche demain?

– Quand vous voudrez », répondit le gagnant en faisant glisser dans un petit sac de cuir pendu à sa ceinture les pièces amoncelées sur la table.

Il ajouta avec une exquise courtoisie qui sentait

son gentilhomme : « Dormez en paix, mon tour viendra d'être flambé! »

Frédéric avait pris place sur le siège laissé vide par le dernier joueur.

« Compliments! dit-il. Je suis moi-même amateur. Voulez-vous me faire l'honneur d'une partie? »

L'officier recruteur hésita quelques secondes comme si son instinct de chasseur l'eût averti qu'il aurait en face de lui non un gibier mais un fusil aussi adroit que le sien.

« Demain, si vous le permettez, finit-il par répondre. Ces bourgeois m'ont épuisé.

– Non, je préfère ce soir. »

Le ton de Frédéric n'admettait pas la moindre dérobade. Ils se regardèrent sans ciller.

« Soit! Je vous donne même le choix du jeu. Hombre, reversis, pharaon, vingt-et-un, lansquenet?

– Lansquenet! dit la voix flûtée de Cacadou.

– Vous l'avez ramené des Indes? demanda l'officier.

– Oui.

– Surat?

– Non, San-Thomé.

– San-Thomé? Je connais. Moi aussi, j'étais à San-Thomé. »

Etonné, Frédéric attaqua l'imposteur :

« Vous mentez! Si vous aviez été à San-Thomé je vous aurais connu, nous n'étions pas si nombreux. »

L'homme ne releva pas l'injure et se contenta de sourire.

« Moi non plus je ne vous ai pas vu, jeune homme! J'étais de l'autre côté de la barricade. »

Frédéric comprit qu'il avait en face de lui un de ces aventuriers que le roi de Golconde engageait dans son armée pour tirer le canon et apprendre à ses guerriers mores à se servir d'un mousquet.

Espagnol? Italien? Allemand? Anglais? Français? Son accent ne le marquait pas, demeurait indéfinissable. Ses gestes aussi rapides que précis dénonçaient un compagnon dangereux. Il aurait pu être un des déserteurs qui lui avaient appris à jouer aux cartes dans les bordels de Surat. Piqué de curiosité, Frédéric commanda du vin.

« Messieurs, l'heure du couvre-feu va sonner, je ne puis vous servir, s'excusa l'aubergiste.

– Nous jouerons donc demain, s'empressa le recruteur.

– Non pas, ce soir! » rétorqua Frédéric.

Son refus avait bondi comme un ordre. Il ajouta, plus cordial :

« Accompagnez-moi donc à L'Orient. Nous jouerons dans ma baraque. Il y a là-bas quelques compagnons qui ont toujours à boire et qui seront heureux de vous connaître. »

La nuit sentait le goudron et le bois mouillé. Ni l'un ni l'autre ne se connaissaient mais ils avaient l'habitude, peut-être le goût, de ces rencontres d'aventure. Se tenant sur leur garde, ils firent quelques pas sans un mot. Maigre comme l'épée qui lui battait la jambe, le recruteur parla le premier.

« Vous avez beaucoup d'argent à perdre?

– J'en ai beaucoup à gagner, dit Frédéric.

– Alors ne jouez pas contre moi.

– Pourquoi donc?

– Parce qu'avec moi le jeu devient vite un combat, et parce qu'on ne se bat pas contre un compagnon.

– D'où tenez-vous que nous sommes compagnons?

– Ne revenons-nous pas des Indes tous les deux?

– Nous ne servions pas dans le même camp.

– Un camp, trancha le ruffian, qu'est-ce que cela veut dire? Moi, je n'en ai pas. Un jour l'un, un jour l'autre. Quand on a touché aux Indes, qu'on soit anglais, français, allemand, hollandais ou portugais, charpentier, marin ou n'importe quoi, marchand ou militaire, on est toujours un peu pourri, alors on est compagnon. Le camp où l'on vous paie? Pfhu!... »

Frédéric ne répondit pas. Des hommes semblables à celui-là, il en avait rencontré quelques-uns aux Indes, à Surat comme à San-Thomé. Il risqua un nom :

« Monteros? Vous l'avez connu?

– Je pense bien! Monteros... il cachait sous ce nom celui d'une grande famille d'Espagne. Il a été pendu. Vous voyez bien que nous avons les mêmes connaissances. Ecoutez, l'ami. Ne jouez pas contre moi, c'est mon métier de gagner. Je racole pour la Compagnie des Indes. Avec moi, vous êtes sûr de perdre tout votre petit bien. Pour vous refaire vous jouerez sur parole, vous perdrez encore et vous n'aurez plus qu'à poser votre signature au bas de votre contrat d'engagement pour cinq ans. J'en ai une centaine qui sont tout prêts dans ma sacoche. Seulement, au lieu de toucher la prime, c'est moi qui l'empocherai et vous me devrez encore de l'argent. C'est cela que vous voulez?

– Je veux seulement vous reprendre celui que vous avez pris tout à l'heure au Port-Louis. »

Le racoleur ricana. Il y avait dans son rire de la diablerie. Frédéric pensa un instant que cet homme était peut-être le démon. Bon Breton, il fit semblant de se gratter la tête mais traça furtivement un petit signe de croix sur son front. Non, ce ne pouvait être le démon, il eût disparu dans un nuage sulfureux avec un long sifflement comme à la fin des contes du curé.

« D'où êtes-vous donc? s'inquiéta Frédéric.

– Moi? De partout. Avant hier, sergent dans la compagnie franche du comte d'Aguilbra, hier colonel de l'artillerie du Soubab à Haidarabad, aujourd'hui racoleur à la Compagnie des Indes orientales, capitaine Hirshdorfer pour vous servir, demain agent de l'honorable East India Company, après-demain fermier général ou pendu comme votre ami Monteros. »

Il rit encore. Tout à coup, sérieux, il proposa :

« Puisque vous voulez de l'argent et que je suis bon prince, je veux vous en faire gagner, mais pas au lansquenet. C'est mon domaine. Vendez-moi votre oiseau. Avec lui, je peux faire une fortune. Je vous en donnerai un bon prix.

– Cacadou n'est pas à vendre! protesta Frédéric.

– Tout est à vendre, cela dépend de la somme, répliqua l'autre. Cinq mille livres? »

Pour un mainate, le prix était considérable. Frédéric se contenta de hausser les épaules et sentit Cacadou qui, tremblant de peur, se blottissait contre son cou. Ils poursuivirent leur chemin, désormais silencieux et arrivèrent à L'Orient devant la baraque des charpentiers de la Compagnie. Ils poussèrent la porte et entrèrent dans l'épaisseur d'un remugle qui les suffoqua. Des ouvriers vivaient là, serrés les uns contre les autres, comme des matelots dans un poste d'équipage. Quelques-uns dormaient, la bouche large ouverte, secoués par des cauchemars qui les faisaient hurler, d'autres alignaient sur un mouchoir des colonnes de poux et de punaises qu'ils écrasaient avec une conscience grave. Les plus nombreux jouaient aux cartes. Ils levèrent la tête et s'arrêtèrent aussitôt de jouer ou de s'épouiller. Le racoleur, ils le connaissaient bien, tantôt pour en avoir été victimes, tantôt pour l'avoir vu opérer. Aucun d'eux n'aurait pu jurer qu'il trichait, tous le redoutaient. Les passe-passe de Frédéric, ils les avaient acceptés de bonne grâce parce que, plus heureux de réussir que d'empocher, le Malouin rendait toujours l'argent à ceux qui perdaient honnêtement, et que ses mains adroites à tailler le bois les rassuraient. L'autre, sans métier et sans terroir, avec ses yeux de chat moitié faux moitié méchants, avait des mains dont on ne pouvait deviner si c'étaient celles d'un bateleur ou d'un tueur.

Surpris par le couvre-feu, il n'était pas rare qu'un voyageur demandât à s'abriter dans une baraque de L'Orient. Il était sûr d'y trouver une paillasse. Sauf le capitaine Hirshdorfer.

« Salut les gars! Le capitaine qui m'accompagne, s'empressa d'annoncer Frédéric, ne vient pas ici pour dormir. Nous allions tous les deux terminer une affaire lorsque le gargotier nous a mis dehors. »

Les dormeurs s'étaient réveillés, une vingtaine d'hommes aux épaules lourdes entourèrent les nouveaux venus vite assis, face à face, devant trois madriers posés sur des tréteaux. Des sourires curieux s'allumèrent à la flamme ravivée des chandelles. Le racoleur n'était pas lâche. Seul au milieu de tous ceux-là dont il savait que quelques-uns gardaient bonnes raisons de lui faire mauvais parti, il ne témoignait d'aucune peur, soit qu'il eût senti qu'on ne l'avait pas attiré dans un guet-apens, soit que, semblable à Frédéric, son goût pour les situations périlleuses lui eût fait savourer un instant délectable.

Le sort l'ayant désigné pour tailler la première banque, le capitaine Hirshdorfer mêla longuement trois jeux, fit couper son adversaire et, suivant la règle, annonça la première somme qu'il voulait jouer.

« Cinq livres.

– Tenu », dit Frédéric avec une nuance de dédain pour une mise si mince.

La partie était engagée. Le banquier retourna une première carte, un valet de trèfle, qu'il plaça devant lui, et une autre, un huit de cœur, devant Frédéric. Il lui fallait maintenant en retourner d'autres jusqu'à ce qu'il en amène une semblable à la sienne ou à celle de son adversaire. Dans le premier cas il gagnerait, dans l'autre il perdrait et ce serait alors au tour de Frédéric de tailler. Ainsi, le jeu du lansquenet ne dépendait que du hasard, aucun calcul ne pouvait corriger la fortune, bonne ou mauvaise, des joueurs.

La cinquième carte retournée lui ayant été favorable, Hirshdorfer laissa son gain sur la table.

« Vingt livres, dit-il.

– Tenu, répondit Frédéric qui perdit une deuxième fois.

– Cent livres, annonça le banquier.

– Tenu. »

Frédéric perdit encore. Il n'avait pas l'air de s'en soucier, levait les yeux vers le plafond, s'amusait de l'inquiétude de ses compagnons de travail, apaisait l'agitation de Cacadou. Au bout d'une demi-heure, il avait perdu mille livres sans avoir pu gagner un seul coup. Sa bourse était vide. Autour de lui, il vit des hommes de pierre, hébétés, taillés dans la masse du silence. Mille livres, cela représentait trois ans de labeur pour un charpentier. En face, le racoleur caressait distraitement le petit tas de pièces amoncelées sur la table improvisée.

« Nous continuons ? »

D'un signe de tête Frédéric donna son accord.

« Deux mille livres.

– Tenu.

– Mettez l'argent sur la table ! » ordonna le banquier avec une voix de bas officier.

Frédéric fit rouler devant lui un petit diamant. Un léger murmure bourdonna dans la baraque. Impassible, le sourcil à peine froncé, le capitaine retourna un roi de carreau pour lui et un sept de trèfle pour Frédéric. Le silence s'était encore épaissi. Deux, trois, quatre, cinq cartes passèrent sans résultat positif, manipulées par le banquier tantôt avec précaution, tantôt avec une dextérité d'escamoteur. Quand il retourna la sixième carte, les hommes ne purent retenir leur cri : un sept de trèfle. D'un seul coup, le Malouin récupérait ses pertes, son diamant, et gagnait mille livres.

C'était maintenant au tour de Frédéric de tailler la banque et de fixer l'enjeu. Quelques gouttes de sueur perlaient à son front, l'une d'elles glissa le long de son nez et tomba sur ses mains qui battaient les trois jeux. Il prenait son temps, paraissait réfléchir, chuchotait quelques mots mystérieux en tournant la tête vers Cacadou qui opinait de la queue et pétillait de ses petits yeux ronds. L'autre s'impatienta :

« Finissons-en et annoncez votre mise! »

Frédéric semblait encore hésiter et avait pris le visage d'un homme isolé dans des calculs difficiles. Soudain, il retrouva son sourire enfantin qui ne plaisait qu'aux femmes et dit, la bouche pleine de miel :

« Tout ce que vous avez dans votre sacoche! »

Le ruffian s'était levé d'un bond, la main sur son épée.

« Vous vous moquez, camarade!

– N'est-ce point au banquier de fixer la mise?

– Soit! Mais vous devrez mettre sur la table autant d'argent que moi. C'est la règle.

– Cela va sans dire, admit Frédéric qui sortit de sa poche une poignée de diamants. Cela vous suffit-il? A votre tour de montrer vos écus. »

N'ayant plus les cartes en main, le racoleur devait se soumettre soit au hasard soit à un maître pipeur plus fort que lui. Un moment, il songea à tirer l'épée, en tuer deux ou trois, rafler les diamants et sauter dans la nuit. Il s'était déjà sauvé de situations d'où un rat ne serait pas sorti. Avides de savoir de quel côté pencherait la balance, des gars l'entouraient, massifs, muets, aux poings énormes qui l'auraient assommé avant même qu'il eût dégainé. Dérisoire, il risqua :

« Vous savez qu'une ordonnance de M. Colbert punit de prison les joueurs de lansquenet... »

Le rire des ouvriers interrompit la grossièreté de sa manœuvre.

« Je connais l'ordonnance de M. Colbert, répondit Frédéric. Personne ici ne nous dénoncera. Misez donc votre part, n'ayez pas peur, monsieur le capitaine Hirshdorfer! »

Ces derniers mots, Frédéric les avait prononcés en affectant un ton de faux respect à la limite de l'insulte. Les charpentiers s'esclaffèrent une deuxième fois, mais leur rire s'étouffa au fond de leur gorge parce que le racoleur avait ouvert sa sacoche et fait rouler sur les madriers le carillon d'une richesse.

« Votre mise, jugea Frédéric, est loin d'atteindre la hauteur de la mienne, mais je l'accepte. Nous réglerons nos comptes à la fin de la partie. »

Comme il allait distribuer les cartes, le capitaine racoleur l'arrêta :

« Retroussez vos manches, camarade! »

Frédéric parut se rembrunir, hésita quelques instants, finit par les relever jusqu'au coude. C'était à son tour de mener la danse. Il retourna un as de cœur qu'il posa délicatement devant lui, puis une dame de pique devant le racoleur. Tout se passa ensuite avec la soudaineté d'un coup droit porté par un maître d'armes. A peine avait-il servi son adversaire que Frédéric tirait une autre carte et l'abattait. Elle était semblable à la première : un as de cœur. Il avait gagné. Une tempête secoua la baraque, courbant la flamme des chandelles. Seuls les deux combattants demeuraient silencieux, comme paralysés par la rapidité d'une victoire qui semblait relever de ces sortilèges dont ils ne pouvaient se défaire l'un et l'autre depuis qu'ils étaient allés au pays où l'on adore des milliers de dieux en même temps que les bêtes, les arbres, l'eau, le vent, les astres, même les pierres, forces étranges que là-bas des hommes sans ombre font naître au bout de leurs doigts. Tous les autres fixaient le petit trésor avec gourmandise, les mains tremblantes. D'un bond, le mainate s'y installa, battant des ailes, le bec menaçant, prêt à sauter au visage de celui qui s'aviserait d'y toucher. Frédéric l'écarta de sa main, paix, Cacadou! remit dans sa poche toutes ses mises, numéraire et diamants, et dit à ses compagnons, montrant les pièces d'argent et les écus d'or :

« C'est pour vous. Le capitaine Hirshdorfer vous rend ce soir tout ce qu'il vous avait volé. Nous ferons le partage tout à l'heure. »

Aussi prompt que Cacadou, le racoleur avait mis la main à l'épée, mais des hommes le pressaient déjà, préférant le tuer plutôt que perdre un sol d'un butin inattendu.

« Laissez-le! commanda Frédéric. Il a perdu, il doit payer. Pour lui, c'est fini.

— Pas encore, répondit l'autre. J'ai gagné la première manche, vous la seconde. N'oubliez pas que vous m'avez insulté deux fois ce soir. Vous me devez réparation, faisons la belle.

— Je ne jouerai plus jamais aux cartes avec vous, capitaine Hirshdorfer.

— Vous aurez raison, parce que nous sommes de la même force tous les deux. Mais, puisque vous semblez connaître les usages, vous ne pourrez pas me refuser une partie de passe-couteau. »

C'était en effet la coutume, dans les bouges de Surat fréquentés par les aventuriers européens, d'accorder une partie de passe-couteau à celui qui avait été décavé, jeu stupide où l'on risquait d'être mutilé pour le restant de sa vie. Il y fallait du courage, de la rapidité, du coup d'œil, du sang-froid, de la chance. Les règles en étaient simples. Assis à une table, les deux adversaires se tenaient face à face comme pour une partie de cartes. L'un d'eux, désigné par le sort, posait sa main droite bien à plat sur la table, tandis que l'autre pointait un couteau, au-dessus du centre de la table, à une hauteur de deux pieds. Au moment où le meneur du jeu commandait « Passe couteau! », la main du premier joueur devait glisser vers la gauche de la table sans se faire toucher par le couteau qui s'abattait verticalement. Si, après trois passes, le premier joueur n'avait pas été touché, c'était à lui de prendre le couteau.

Quel démon souffla à Frédéric, ce soir-là, d'accorder une telle partie au capitaine Hirshdorfer? La peur de paraître couard devant les charpentiers de la Compagnie des Indes, la gloriole malouine, le plaisir trouble de marcher au bord d'un précipice? Un vieux maître de hache ayant accepté d'arbitrer la partie procéda religieusement à la cérémonie du tirage au sort en faisant pirouetter un écu sur la table. Dans les yeux du ruffian, une étincelle s'alluma lorsque l'arbitre lui remit son propre tranchoir, une lame redoutable à la fois épaisse et fine, affûtée comme un rasoir et emmanchée d'un bois dur que des années de labeur avaient poli. Désigné pour frapper le premier, le sort l'avantageait, il le savait et était résolu à mener rapidement la partie.

Très consciencieux, le maître de hache mesura les deux pieds qui devaient séparer la table de la pointe du couteau et recommanda au capitaine de demeurer immobile jusqu'à son commandement. En face, Frédéric avait posé sa main droite sur les madriers, une belle main, plus faite pour la varlope et la musique, les jolis tours et les caresses, que pour les chiffres ou le meurtre. Il la regarda avec amitié, et pensa qu'il était un fieffé imbécile de s'être engagé dans une telle aventure.

« Etes-vous prêts? » demanda l'arbitre.

Les deux joueurs firent un léger signe de tête.

« Passe couteau! »

Avec une rapidité violente, le couteau s'abattit et pénétra d'un bon pouce dans un madrier. Frédéric avait été encore plus rapide. Il comprit qu'il avait affaire à un tueur et il replaça sa main sur sa droite.

Sûr, cette fois, de déceler le moment où il faudrait frapper, le capitaine ne quittait pas des yeux la main de son adversaire dont il avait mesuré la vitesse. Frédéric l'observait aussi.

« Passe couteau! »

A peine perceptible, la légère contraction des muscles qui précède immédiatement un geste rida la main du Malouin. L'ayant devinée, le racoleur crispa involontairement ses doigts sur le manche du tranchoir. S'en étant aperçu, Frédéric parvint à freiner son départ, et le couteau vibra une deuxième fois dans le bois.

« Mille bordels de Dieu! » jura le capitaine Hirshdorfer.

Haletants, les charpentiers n'osaient même plus encourager leur compagnon et s'étaient un peu éloignés des deux lutteurs pour ne pas les gêner. La passe-couteau, ils la connaissaient bien, on la jouait dans de nombreux ports du Ponant depuis que des navires reliaient les Indes à l'Europe, mais les joueurs se contentaient, le plus souvent, de se piquer un doigt avec un petit couteau. Jamais ils n'avaient assisté à une partie où un joueur abattait sa lame avec la brutalité d'un charcutier. Cette fois le tranchoir s'était enfoncé si profond que l'arbitre dut faire effort pour l'arracher. Frédéric savait que la brute ne le manquerait plus, qu'elle allait enclouer sa main. Un coup trop lent, un coup trop rapide, il ne pourrait pas échapper au troisième. Il allait souffrir.

Il regarda autour de lui. Sur les murs, au-dessus des paillasses de varech, les haches des charpentiers étaient suspendues, lourdes et tranchantes, qui dans la main des Malouins devenaient des armes terribles. Pourquoi n'en avait-il pas saisi une tout à l'heure? Le coquin, avec sa flamberge ridicule, n'aurait pas résisté longtemps et c'est lui, Frédéric, qui l'eût abattu, han! comme à l'abordage. Maintenant, c'était trop tard. De sa main gauche, il fit une dernière caresse à Cacadou qui lui becquetait très doucement l'oreille, s'efforça de garder sa main droite immobile, et attendit le troisième ordre de l'arbitre.

« Passe couteau! »

Les deux joueurs se lancèrent au même moment, l'un à l'horizontale, l'autre à la verticale. En un éclair, Frédéric comprit que sa main se précipitait à la rencontre du couteau, il ferma les yeux et écarta les doigts. Le tranchant passa entre l'index et le médius, leur écorchant légèrement la peau, et se ficha une dernière fois dans la table.

Aveuglé de colère, le capitaine Hirshdorfer tentait déjà d'arracher le couteau et d'en frapper son adversaire, lorsque la main énorme du maître de hache lui tordit le poignet. Posément, le Hollandais remit le tranchoir à Frédéric.

« C'est à ton tour de piquer. »

Le Malouin examina la lame d'acier d'un œil connaisseur. Pour lui, ça n'était pas une arme, c'était un outil de tous les jours qu'il connaissait bien, aussi affûté sur la pointe que sur ses deux tranchants, un outil honnête qu'un bon ouvrier façonne à sa paume et qui l'accompagne, rangé dans son coffre, de chantier en chantier, tout le long d'une vie. C'est à ce moment qu'une grande lassitude lui mouilla soudain la nuque comme s'il allait être pris d'une de ces faiblesses qui parfois le terrassaient sans qu'il pût se défendre. Livide, il demeurait immobile avec une douleur, vieille ennemie, qui le fouaillait sur les côtes, à droite. Il voulait dire que l'autre aille se faire pendre ailleurs, mais il parvint à se ressaisir.

« Allons-y! Vérifiez les mesures », demanda-t-il avec douceur.

Le capitaine paraissait lui aussi avoir retrouvé son calme, encore que sa paupière fût agitée d'un léger clignement qu'il ne pouvait réprimer. Mince, tout en muscles, bon escrimeur, sac de ruses autant que risque-tout, il avait, comme Frédéric, jeté un bref regard sur les haches suspendues au mur au-dessus des paillasses. Pour tenter un tel coup de force, il aurait fallu qu'il parvînt d'abord à s'emparer du tranchoir. Il ne lui restait plus que son adresse, la maîtrise de ses gestes, la rapidité, la chance et le diable. C'était beaucoup. Tout n'était pas perdu.

« Etes-vous prêts? »

Les deux hommes acquiescèrent. Parce que la baraque était pleine de murmures, l'arbitre, tel un musicien qui exige le plus grand silence avant sa première note, attendit encore un instant.

« Passe couteau! » dit-il enfin.

On aurait dit une formule magique née de l'imagination de quelque conteur d'histoires. Elle ne les surprit ni l'un ni l'autre, chacun se tenant sur ses gardes et attendant le moment de frapper ou de feinter. Le capitaine ne se pressait pas, sachant bien que son adversaire ne pourrait pas demeurer longtemps le bras tendu. Fin renard, il fit trembler volontairement sa main comme si elle allait partir. Le bras de Frédéric descendit légèrement, mais s'immobilisa aussitôt, évitant le piège, et remonta vers la position réglementaire. La main du racoleur fila alors comme une flèche. Au même moment, le couteau replongea et, d'un seul coup trancha le pouce du capitaine qui poussa le hurlement d'une bête égorgée dans la nuit. Sans prendre garde au sang qui pissait par saccades sur les madriers, Frédéric jeta le couteau à terre, posa sa main sur la manche gauche du capitaine, en retroussa le revers d'où il sortit plusieurs cartes qu'il lui jeta à la figure.

« Il faudra faire recoudre votre pouce, monsieur le capitaine Hirshdorfer, si vous voulez trouver de la compagnie pour jouer encore à l'hombre ou au lansquenet ! »

Chez les aventuriers, c'était alors la règle de couper le pouce droit des tricheurs. Epuisé, Frédéric tourna la tête et vomit un flot de bile qui lui gâta ses hauts-de-chausses.

Jean-Marie arriva au Port-Louis vers la fin du mois de septembre. Il ne s'était pas pressé, marchant à petites journées à travers les chemins de terre et dormant à l'abri d'une meule. Semblable à beaucoup de Bretons qui étaient allés à Terre-Neuve, à Lisbonne, Marseille et Civitavecchia, il ne connaissait pas encore la Bretagne. Il en découvrit la misère quotidienne. Depuis son départ de Paramé, la pauvreté des autres le harcelait comme un tourment. Derrière lui, la vallée de la Rance à peine dépassée, s'étendaient des landes désertes, coupées çà et là de petits bois. A part Dinan, Ploërmel, Josselin, où il avait regardé quelques belles demeures, tous les villages traversés étalaient les mêmes maisons basses, semblables à celle de sa nourrice, misérables avec leur torchis délabré et leurs toits écroulés. Il dut pousser jusqu'à Hennebont pour retrouver une véritable petite ville, aux maisons solides et aux rues pleines des bruits qui lui étaient le plus familiers. Le vent du large s'y engouffrait. Trois lieues seulement le séparaient du Port-Louis. Cette fois il tournait le dos à la terre avare, il allait retrouver la mer généreuse.

Tout le monde, au Port-Louis, connaissait le charpentier qui portait sur l'épaule un oiseau parleur et jouait aussi bien aux cartes qu'au passe-couteau. Il ne fallut pas longtemps à Jean-Marie pour retrouver son oncle. Occupé à l'étrave de l'*Heureuse*, Frédéric ne vit pas arriver son neveu sur le chantier, mais un long sifflet de Cacadou le prévint d'un événement insolite.

« C'est pas Dieu possible! »

L'herminette lui en tomba des mains. Ils ne s'étaient pas revus depuis le premier départ de Jean-Marie pour Terre-Neuve. L'oncle contempla son neveu, cherchant l'enfant d'hier sous les traits du solide jeune homme qui portait la barbe en collier, c'est pas Dieu possible!

« D'où arrives-tu? Où as-tu traîné dans les temps? T'es au moins lieutenant ou même capitaine, non? Sacré Jean-Marie! C'est pas Dieu possible! Non, ne me dis rien, tu raconteras tout à l'heure. Maintenant, je ne t'entendrais pas bien. Il faut que je termine ce travail, je n'en ai point pour longtemps. Installe-toi là, fils. C'est pas Dieu possible! »

Assis sur un gros madrier, Jean-Marie regarda travailler son oncle. Il n'avait pas perdu le souvenir des mains rapides qui faisaient apparaître des écus d'or et des diamants au bout de leurs doigts enchantés. Ouvrier adroit, Frédéric maniait l'herminette avec précision, faisant voler sous la lame recourbée de minces copeaux dans le soleil d'une belle fin de journée. Parfois, il s'arrêtait, passait son pouce sur le bois, appréciait le profil de l'étrave, clignait de l'œil vers son neveu, s'éloignait comme un sculpteur taillant dans la masse aurait fait avec son bloc de marbre, revenait sur ses pas et frappait un léger coup de son outil tranchant. Il rangea soigneusement ses outils dans son coffre après les avoir nettoyés avec soin.

« Maintenant, on va fêter ça tous les deux avec un coup de rikiki! Tu te rappelles, Jean-Marie, la première fois que je t'en ai fait boire? Ton père n'était pas content, il avait même remporté la bouteille. Comment va-t-il, ton père?

– Tout à l'heure », répondit le neveu.

Frédéric n'insista pas. Ils partirent pour le camp des baraques et entrèrent dans une auberge bâtie avec quelques planches où l'on trouvait toujours du cidre, du muscadet et de l'eau-de-vie. Deux ans! Jean-Marie avait dû en voir et en faire pendant ces deux ans! Il raconta les bancs de Terre-Neuve, la morue et la tempête, la mort du mousse Couesnon, le Collège de marine, le voyage hauturier en Méditerranée, l'Italie, le retour à Saint-Malo. L'oncle le laissait parler, posait peu de questions, l'observait en souriant, ne comprenait pas encore les raisons de l'arrivée de Jean-Marie au Port-Louis.

« Maintenant, tu vas me donner des nouvelles de ton père? »

Jean-Marie haussa les épaules :

« Il s'est marié avec Clacla!

– Quoi? s'exclama Frédéric, étouffant de rire. J'aurais dû m'en douter, il lui tournait autour des cottes sans oser la regarder. Eh bien, à leur santé! »

D'un trait, il avala son verre d'eau-de-vie.

« Ne riez pas, oncle Frédéric, cela n'est pas drôle.

– Comment, cela n'est pas drôle? Je pense que c'est une bénédiction pour ton père. Tout le monde, Dieu merci, n'est pas comme moi. Il n'est pas bon que les hommes vivent seuls. Tu n'as pas l'air d'être satisfait? »

Jean-Marie fuyait le regard de son oncle, baissait la tête, buté comme un jeune taureau.

« C'est pour cela que tu as quitté Saint-Malo? » demanda, plus doucement, Frédéric.

Jean-Marie baissait toujours la tête. Ses joues s'étaient tout à coup enflammées. Il dit, d'une coulée :

« Ça n'est pas parce qu'ils se sont mariés, c'est parce que mon père a épousé une putain.

– Clacla, une putain? Non, Jean-Marie! Moi, je les connais, les putains!

– Si, une putain! même qu'avant de se marier avec mon père, elle a couché avec Couesnon et avec moi! »

Frédéric se donna une joyeuse tape sur la cuisse :

« Ah! C'est encore plus drôle! »

Il faillit dire que lui aussi... mais il se retint.

« Sacrée Clacla, la voici devenue Mme Carbec. Ta belle-mère, quoi! »

Redevenu sérieux, il questionna :

« Elle n'était pas déjà mariée, la Clacla?

– Si. Son mari a péri en mer, du côté des îles d'Amérique. »

Frédéric jugea qu'il était convenable d'accorder quelques instants de silence au disparu, puis il déclara d'un air sentencieux :

« Les veuves ont toujours besoin de l'homme. Quand elles n'en trouvent point, la méchanceté leur remonte du ventre jusqu'au cœur. Aucune n'y échappe. Allez, bois un coup! »

Jean-Marie, qui n'avait pas encore touché à son verre, le vida d'un seul trait.

« Tu n'es pas jaloux de ton père? s'inquiéta Frédéric avec une sorte de tendresse narquoise.

– Moi, jaloux? Ah! non, protesta Jean-Marie. Ils se sont mariés pendant que j'étais en mer. Moi et Clacla, c'était fini depuis longtemps. »

215

Il ajouta sur un ton de petit-maître :

« N'empêche que si j'avais voulu l'autre jour... Vous voyez bien, mon oncle, que c'est une putain.

— Ecoute-moi, fils, si toutes les femmes qui couchent de temps en temps avec d'autres hommes que leurs maris étaient des putains, il n'y aurait pas assez de bordels sur la terre pour les loger.

— Toutes les femmes? demanda Jean-Marie.

— A peu près. Sauf ta mère, la mienne, et les laides. Les putains, ce sont celles qui font ça pour l'argent. La Clacla, c'est jamais pour l'argent, c'est pour rien, pour le plaisir, pour rire, comme je joue du violon pour faire danser, ou aux cartes pour réussir un joli coup. Tu sais, Jean-Marie, dans toutes les familles, il y a une Clacla, ça n'est pas la plus mauvaise femme. Mais toi, si tu ne voulais pas revoir ton père parce qu'il s'est remarié, tu ne te conduirais pas comme un bon gars. »

Jean-Marie se taisait. Il ressemblait au petit enfant qui se promenait solitaire sur les remparts de Saint-Malo en poussant du pied un caillou pour en faire jaillir le bonheur d'une étincelle.

« Te voilà devenu un homme pour de vrai, continua Frédéric. J'aurais été fâché d'avoir un neveu encore puceau à ton âge. Entre nous, je préfère que tu aies tiré ton premier coup d'épée avec Clacla qu'avec une putain de la rue des Mœurs. La vertu, je ne sais pas très bien ce que cela veut dire, ce doit être le contraire de la méchanceté.

— Oncle Frédéric, pourquoi tout le monde vous aime bien?

— Ce doit être à cause de lui », répondit-il en désignant Cacadou qui, s'étant redressé, approuva son maître d'un hochement de queue.

A la nuit tombante, Frédéric emmena son neveu dans sa baraque où il lui trouva une paillasse. Ils bavardèrent longtemps mais c'était au tour de Jean-Marie d'écouter. Comme son oncle lui confiait la proposition du capitaine de l'*Heureuse*, « Partons ensemble pour Surat! » lui dit-il. Peu pressé de retourner aux Indes, Frédéric l'était encore moins d'y emmener le fils de son beau-frère. S'il se décidait à donner son accord, il savait déjà qu'il partirait seul. L'aventure ne se mange pas en famille. Avant de s'endormir, il promit cependant à son neveu d'en parler au capitaine de l'*Heureuse*.

« Il paraît que tu voudrais embarquer sur mon bateau? demanda quelques jours plus tard le patron de la flûte. Où as-tu navigué?

– Deux campagnes de pêche à Terre-Neuve et un long cours jusqu'en Méditerranée.

– Ton oncle m'a dit que tu connaissais l'hydrographie. C'est vrai?

– J'ai étudié six mois au Collège de marine, à Saint-Malo.

– Aujourd'hui, ça suffit pour faire un savant. De mon temps on apprenait le métier pendant des années, dans les hunes. Pourquoi ne retournes-tu pas au Collège? Deux fois six mois, c'est bien le règlement? »

Jean-Marie ne répondit rien.

« C'est ton affaire, poursuivit le capitaine. Eh bien, mon gars, je vais transmettre ton nom aux bureaux de la Compagnie. Si le directeur de la navigation t'accepte en qualité de deuxième enseigne, sans solde bien entendu mais nourri et logé, je veux bien te prendre avec moi, à condition que ton oncle embarque comme charpentier sur l'*Heureuse*. Les matelots et les maîtres, c'est moi qui les inscris sur le rôle d'équipage mais c'est la Compagnie qui embauche les officiers. »

Le capitaine le regardait avec des petits yeux moqueurs. Depuis que l'*Heureuse* était prête à être remise à flot, il ne se passait pas de jours qu'on ne vînt le solliciter alors que les directeurs eux-mêmes

ignoraient encore s'ils disposeraient des fonds
nécessaires pour un armement destiné aux Indes.

« Et les novices, demanda hardiment Jean-Marie,
c'est bien votre maître d'équipage qui les enrôle?

– Quel âge as-tu donc?

– Dix-huit ans.

– Tu es trop vieux pour faire un novice, je n'ai
pas besoin de matelots, et tu es trop savant pour
moi. Mais, comme tu m'as l'air de connaître le
métier, reviens me voir dans quatre ou cinq mois. Il
y a toujours des manquants le jour de l'appareillage.
Si c'est encore moi qui commande l'*Heureuse*, tu
auras ta chance à condition que ton oncle embarque avec toi. N'oublie pas de m'apporter l'autorisation de ton père!

– Mon père?

– Dame! Tu te prends donc pour un homme? »

Le capitaine lui tourna le dos en riant. Jean-Marie
serrait les poings, tremblant de colère.

« Il s'est moqué de moi, il me prend pour un
mousse à qui on donne des coups de garcette pour
faire lever le vent!

– Tu as tant envie de partir aux Indes? demanda
Frédéric.

– Aux Indes ou ailleurs. Je veux m'en aller. On
m'a dit que les Hollandais engageaient. Ceux-là ne
me demanderont pas l'autorisation de mon père. »

Frédéric comprit que son neveu n'en démordrait
pas s'il ne trouvait lui-même un moyen de tourner
sa position. Il savait aussi que le garçon était
capable de quelque coup de tête qui l'aurait fait
s'embarquer sur un navire batave où l'on appréciait
fort les marins bretons. « Ce Jean-Marie, pensa-t-il,
je ne peux pas l'abandonner, c'est le fils de ma
sœur. Un fils, j'en ai peut-être un moi aussi, un ou
deux, Dieu sait où, peut-être à Surat, peut-être bien
à Saint-Malo, ou plus près d'ici à Hennebont? »

Quand la remise à flot de l'*Heureuse* fut décidée, son capitaine confia à Frédéric le soin des menuisiers et des matelots chargés de couper les cordages et de retirer les étançons qui assurent l'équilibre du navire sur sa cale. C'est toujours un événement qu'une remise à flot. Elle ne commande pas le même cérémonial religieux et militaire qu'un lancement ou un baptême mais elle marque la fin de longs travaux et ouvre l'espoir sur de nouveaux départs. Directeur en exercice de la Compagnie des Indes au Port-Louis, M. de Prémesnil s'était déplacé, entouré de ses commis principaux. De nombreux habitants de la ville étaient venus eux aussi à L'Orient et, dès les premières heures du jour, les baraques s'étaient vidées de leurs ouvriers. Ceux-là ne voulaient pas perdre un seul moment du spectacle, ni la pose des câbles qui freineraient la vitesse de l'*Heureuse* sur la pente du chantier, ni l'étalement d'une couche épaisse de suif sur le plan incliné pour empêcher que le frottement de la quille ne provoque un incendie, encore moins l'arrivée du condamné à mort chargé d'enlever la dernière pièce de bois servant de soutien au navire lorsque la nef commencerait à branler au-dessus de sa tête.

Entouré par quatre archers que précédait un piquet d'infanterie, mèche allumée, le prisonnier arriva vers onze heures, au moment du plein de l'eau. Enchaîné, vêtu d'une camisole sans boutons et d'une culotte qui lui battait les tibias, il marchait pieds nus et portait sur la tête le bonnet des galériens. On le délia près du ber et le capitaine de l'*Heureuse* lui montra le trou, aménagé sous l'appareil, dans lequel il devait s'installer. S'il était assez rapide pour que sa nuque ne soit pas arrachée, il sauverait sa vie du même coup : c'était là une grâce que Sa Majesté très chrétienne ne manquait jamais d'accorder aux condamnés à mort. L'homme écouta avec attention, se fit expliquer plusieurs fois la manœuvre, mais ne réfléchit pas longtemps à penser s'il convenait mieux d'avoir la tête réduite en bouillie que d'être pendu. Il disparut sous le navire après avoir salué d'un geste obscène la foule qui lui répondit par des clameurs joyeuses.

Frédéric se tenait à l'extrémité du ber, vers la proue, le torse et les bras nus, serrant dans ses mains une énorme masse. Au roulement d'un tambour, les charpentiers retirèrent un à un les étançons, et le capitaine de l'*Heureuse* commanda « Coupe! ». Alors Frédéric leva son merlin et l'abattit sur la dernière clef de l'appareil comme il eût fait pour assommer un bœuf. Quasi religieux, le silence paralysait la foule. Le navire demeura un court instant en équilibre, comme s'il eût hésité, puis glissa lentement, à peine balancé, prit de la vitesse et se mit soudain à courir sur le plan incliné dans de formidables craquements enveloppés de fumées bleues. La poupe de l'*Heureuse* ouvrit l'eau qu'elle repoussa à droite et à gauche, soulevant des vagues qui se ruèrent sur les chaloupes noires de monde. A terre et sur la rade de L'Orient, on cria « Vive le roi! ». La gueule hilare, le condamné à mort était sorti de son trou. Il avait sauvé sa tête, il lança en l'air son bonnet de bagnard. Sans perdre un instant les archers l'enchaînèrent pour le ramener en prison. Jean-Marie regardait son oncle avec des yeux émerveillés.

« Bon coup d'œil et solide coup de maillet! dit le capitaine. As-tu réfléchi à ma proposition?

— Capitaine, répondit Frédéric, je crois bien que nous sommes d'accord tous les deux pour embarquer avec vous, mais j'irai d'abord à Saint-Malo pour demander moi-même à son père l'autorisation d'emmener mon neveu.

— Tope là! fit le capitaine. Le directeur m'a donné de bonnes nouvelles. L'armement de l'*Heureuse* commencera plus tôt que je ne l'espérais. Je réserve ta place. Si dans huit semaines, tu n'es pas revenu, je prendrai un autre maître charpentier. »

Les deux hommes se touchèrent la main. Ils n'avaient pas besoin d'aller chez le notaire. Jean-Marie n'avait posé qu'une seule condition à cet accord, il accompagnerait son oncle à Saint-Malo mais ne mettrait pas les pieds rue du Tambour-Défoncé et irait loger chez maman Paramé.

La bénédiction du curé avait fait de Clacla la femme de Mathieu, à peine Mme Carbec. Ce que l'Eglise avait noué, la société ne l'infirmait pas mais l'acceptait avec réticence, lèvres dévotes et pincées. Pourquoi Mathieu était-il allé chercher la veuve d'un matelot du roi, autant dire rien, alors que la ville était pleine de marchands qui avaient du bien et n'auraient pas demandé mieux que de lui accorder leur fille? Pourquoi cette Clacla? Une femme qui, hier encore, criait son poisson dans la rue, maquereau frais qui vient d'arriver, et qui vous regardait sans baisser les yeux. Moins aigres, les hommes avaient été les plus surpris, non qu'ils fussent insensibles à la gaieté et aux rondeurs de Clacla mais parce qu'il leur semblait que Mathieu Carbec eût dû demeurer toujours prisonnier de l'image qu'ils s'en étaient fait. Abandonner ses airs de sacristain et la nourrice de Paramé, c'était tricherie.

« Avec tout l'argent que vous lui avez fait gagner, votre ami Mathieu, s'il en avait épousé une autre, serait devenu bientôt un homme comme vous. Avec cette femme il est retourné à sa regratterie, ou pire! »

Mme Le Coz avait prononcé cette condamnation. Indulgent, son mari lui avait répondu :

« C'est peut-être vrai. Eh bien, c'est Jean-Marie

qui deviendra un bourgeois, ou plus! En attendant, il nous faut les aider à être heureux. »

Emeline avait haussé les épaules et serré un peu plus fort Marie-Léone contre sa poitrine.

Rue du Tambour-Défoncé, Mathieu Carbec n'avait pas eu besoin d'attendre le baptême de la filleule de son fils pour comprendre que les bourgeois de Saint-Malo n'avaient pas accepté sans clabauderies une union qui dérangeait leurs préjugés tout neufs sur les bons mariages et tant d'autres bonnes manières où ils pataugeaient en se donnant des airs. Lui, il retrouvait le goût de la bonne chère et du lit sans bouleverser pour autant la discipline d'une vie domestique en dehors de laquelle son corps et son âme se fussent trouvés en état de perdition. C'est assez dire qu'il surveillait la dépense de près, gardait toujours sur lui la clef de sa cave, tenait ses comptes avec une égale rigueur sauf à veiller moins tard, solitaire, avec ses écus, ses piastres et ses livres. Dès la fin du souper, la hâte du lit le surprenait, sûr d'y être rejoint par une femme active, jeune et rieuse qui le rudoierait en même temps qu'elle le mignoterait de caresses inavouables que la pauvre Rose Lemoal eût été bien incapable d'imaginer. « Qui t'a appris cela, ribaude? » avait-il demandé une fois à Clacla. Elle s'était contentée de rire en lui fermant la bouche de façon bien plaisante et, sans entendre l'horloge sonner les heures sages de la nuit, ils avaient fait le sabbat avec l'intrépidité des veufs.

Dernière couchée, Clacla se levait la première. Dès que les goélands rayaient le jour, elle préparait la soupe du matin et lavait à grands seaux d'eau le sol carrelé de la salle. Elle avait à cœur que son homme fût satisfait de tout et demeurait encore étonnée de s'appeler Mme Carbec. Cela s'était fait si rapidement! Quand elle y pensait le feu lui montait toujours aux joues. Un soir, c'était quelques jours après le départ de Jean-Marie et de Romain de Couesnon, qu'elle était venue rue du Tambour-Défoncé et qu'elle s'affairait à souffler sur le foyer pour y faire cuire deux beaux poissons, Mathieu lui avait relevé brutalement ses jupes. D'un bond, elle s'était redressée, colère, et le tisonnier haut. Penaud, soudain incapable de pousser son affaire, il avait dû se rajuster. Clacla prit le parti d'en rire, mais elle n'était plus revenue.

Son beau-frère parti, les deux garçons en allés, jamais Mathieu ne s'était senti aussi veuf dans sa grande maison de bois. Guetter Clacla, à l'heure du retour des marins pêcheurs, quand il l'entendait passer dans la rue, maquereau frais qui vient d'arriver, il ne pouvait s'y résoudre, retenu par son âge, son état, la peur des moqueries dont il avait assez souffert à cause de la nourrice. La nourrice? Il n'était pas allé à Paramé le jour fixé par le calendrier. Jamais un tel manquement à ses habitudes ne lui était arrivé. Etait-il devenu si malheureux au point d'en oublier Rose Lemoal? Le capitaine Le Coz s'était bien aperçu de quelque chose mais il en avait rendu responsable le départ des deux garçons, et Mathieu avait enfoui son secret dans un cœur de barbon allant vers ses cinquante ans, sachant d'instinct que les chagrins d'amour parent les jeunes gens d'une sorte de grâce et couvrent de ridicule les vieux fous.

Ils se rencontrèrent, nez à nez, au coin d'une rue. Elle n'avait pas l'air malheureux, la Clacla! Jamais ses yeux n'avaient relui comme ce jour-là.

« Bonjour, mon cousin », avait-elle dit avec autant de simplicité que s'il ne se fût rien passé entre eux.

Un instant décontenancé, Mathieu avait fini par répondre, tout à trac :

« Eh bien, ma cousine, faudra-t-il que je vous

mène devant M. le curé pour que vous vouliez revenir chez votre cousin?

– Ma foi, c'est à voir, mon cousin! »

Et tournant le dos, relevant son panier avec le mouvement qui donnait toujours à sa taille épaisse un déhanchement provocant, elle était repartie, maquereau frais qui vient d'arriver.

Un mois plus tard, ils étaient mariés. Non contente de mettre de l'ordre dans le ménage, le vêtement et la cuisine d'un homme seul, Clacla tenait la boutique comme si elle s'y était toujours entendue, mesurait la toile sans générosité, ne confondait par la cannelle avec la noix muscade, prenait du plaisir à bavarder avec les commères et toujours bon bec avec les hommes. Plus affairé que jamais, retenu dans le magasin aux voiles, cordages et poulies installé sur les quais, ou convoqué à quelque assemblée d'armateurs, Mathieu se réservait le commerce de gros et confiait volontiers à sa femme le soin du détail, n'exigeant d'elle que de tenir des comptes rigoureux. Elle s'y prêtait avec bonne humeur, même quand il lui arrivait de rester plusieurs heures sans voir un chaland entrer dans la boutique et qu'elle trouvait le temps assez long pour se demander si elle ne regrettait pas les jours où, remontant du port vers la ville haute, de rue en rue, elle vendait ses poissons et en ajoutait un, manière de cadeau, pour ceux qui l'appelaient Clacla. Epouse au logis et maîtresse au lit, elle ne regrettait rien. Elle était même bien décidée à mener une vie exemplaire, aller au prône et à confesse comme les autres, Mathieu, elle l'aimait bien. Ce grison ne lui apportait pas seulement de la considération, il savait lui donner du plaisir mieux que ne l'avaient jamais fait ni son premier mari toujours ivre mort, ni Jean-Marie toujours engourdi par la peur d'être surpris par son père, ni le petit gentilhomme qui la troussait toujours comme une servante. Mathieu, elle ne lui reprochait que d'être trop serré! Tous les soirs elle devait montrer, à un sol près, l'argent des marchandises vendues dans la journée. Adieu les petites pièces qui, hier encore, dansaient tous les jours à l'heure de la marée dans la poche de son tablier. Elles avaient disparu. C'est le prix que Clacla avait payé pour devenir Mme Mathieu Carbec.

Un après-midi d'été, lasse de l'épicerie, elle prit quelques écus dans un tiroir et sortit. Il faisait chaud, le soleil dorait le ventre des mouettes, tous les Malouins avaient l'air de se promener et les vieux se tenaient près de leurs fenêtres ouvertes. L'envie lui était venue, d'un coup, d'aller par les rues, comme avant, et de dépenser un peu d'argent, d'acheter quelque chose, n'importe quoi, pour elle toute seule. Sur son passage, elle entendit des « Bonjour, Clacla », moins souvent « Bonjour, madame Carbec », et sans même songer où la conduisaient ses petits sabots, elle se trouva devant la porte d'une boutique où elle savait trouver des toiles peintes qu'un navire de la Compagnie des Indes avait récemment ramenées de Pondichéry. Elle y entra. Sur une longue table de chêne, des pièces d'étoffe étaient étalées, nuages de soie brodée d'or et d'argent, mousselines et percales bleu indigo, jaune de cade, vert émeraude, rouge de safran, où s'étoilaient des pavots, tulipes, magnolias, anémones comme dans un jardin de conte de fées. Clacla qui n'avait jamais porté que des robes solides, futaine, droguet ou grisette les jours de fête, avait remarqué que les dames malouines ne se contentaient plus du bon gros drap de Rouen ou de Reims qu'on se passait d'une génération à l'autre, ni même des taffetas de Lyon ou des velours de Florence, mais recherchaient des étoffes plus légères, aux tons plus vifs, et ces toiles peintes venues des Indes qui leur faisaient perdre la tête. Pendant plus d'une heure, elle s'attarda à les regarder, à les toucher d'abord du bout du doigt, s'enhardissant bientôt à y plonger la main, et questionnant la marchande qui répondit avec un sourire de magicienne :

« Ce sont des chites des Indes, madame Carbec. Celle-ci est un zénana, celle-là un circasas, cette autre un calandaris. Voici un gourgouran, et voilà un montichidour. Préféreriez-vous ce madras ou bien ce mazulipatam? Regardez comme cette soie tissée d'écorce vous sied à ravir! C'est du Pondichéry. »

Clacla hésitait. Les étoffes brûlaient délicieusement sa peau rude mais à chaque geste qu'elle faisait elle entendait tinter dans son tablier les écus qu'il lui faudrait rendre tout à l'heure à son mari. Tout à coup, elle se décida pour une grande pièce de soie vert émeraude brochée d'or, du gourgouran, auquel elle ajouta un coupon de toile blanche semée de petites fleurs. Tenant sous le bras son trésor plus léger qu'un duvet, elle rentra en courant, joyeuse à la pensée de la surprise qui troublerait Mathieu le jour où il la verrait dans la robe qu'elle allait faire tailler en secret. Jamais ses petits sabots n'avaient ri autant quand elle poussa la porte de la boutique. Sa gaieté se brisa d'un seul coup. Livide, Mathieu l'attendait.

« D'où viens-tu? »

Sauf au lit, jamais il ne la tutoyait. Déconcertée, comprenant qu'il lui fallait retarder le moment de relater l'achat qu'elle venait de faire, elle raconta d'abord sa promenade, et puis, prévenant sous un flot de paroles les questions qu'elle ne pouvait plus éluder, tête haute et voix perchée, Clacla monta bravement à l'assaut. Oui, elle était sortie pour se promener, toute seule, parce qu'elle n'en pouvait plus de rester enfermée dans une boutique sombre qui sentait mauvais. Elle avait même acheté une pièce de gourgouran qui arrivait tout droit de Pondichéry. Avec quel argent? Mais avec celui qu'elle avait gagné l'après-midi en vendant de la toile, du savon, de la cannelle, du poivre, que sais-je encore? Les comptes? Non, elle n'en rendrait pas ce soir. Elle ne voulait plus être bouclée comme une recluse et traitée comme une esclave, pas même comme une servante puisqu'on ne lui donnait pas de gages et qu'elle devait mendier pour s'acheter un jupon ou un mouchoir. Quand elle était mariée à son matelot ou quand elle était veuve, elle était libre de puiser dans son tablier pour y prendre l'argent qu'elle voulait dépenser, c'est comme je vous le dis monsieur Carbec!

Ils soupèrent en silence. Avait-elle seulement deviné que l'inquiétude de son absence avait été pour Mathieu aussi grave que le fait qu'elle aît puisé dans le coffre de la boutique, violant la tradition de cinq générations regrattières? Il pensa à sa mère, à sa première femme, aux sous économisés jour après jour, à leur honnêteté rigoureuse, à leur horreur de la dépense inutile, au respect qu'elles témoignaient à leur mari en ne leur disant jamais un mot plus haut que l'autre. Sentant monter en lui une vague d'inquiétude qui allait le submerger, il monta dans la chambre, les pieds soudain plus lourds. Ce soir-là, Clacla ne connut pas de semblables tourments : elle avait dit tout ce qu'elle avait sur le cœur et elle avait acheté des indiennes dont elle allait pouvoir rêver. Une fois au lit, avant même d'avoir soufflé la chandelle, elle sut qu'elle était pardonnée. Elle s'endormit en épelant des noms qu'elle ne connaissait pas tout à l'heure : calandaris, zénana, montichidour, circasas, et le plus étrange de tous, mazulipatam.

Tous les deux n'y pensèrent bientôt plus. Clacla avait compris qu'il n'y a point de commerce sans comptabilité et qu'il convient de mettre autant d'ordre dans ses écritures que dans sa maison. Si désagréables fussent-elles, les tracasseries de Mathieu contentaient peut-être un besoin de sécurité qu'elle éprouvait pour la première fois ou qu'elle n'avait pas osé s'avouer lorsque son vieux cousin l'avait conduite à l'autel. La vie redevint quotidienne, jours laborieux, nuits chaudes d'où Mathieu émergeait les reins douloureux et reconnaissants avec la certitude qu'aucun capitaine n'avait découvert avant lui une île aussi merveilleuse.

Après avoir pris une petite part dans l'armement du *Renard* et d'autres, plus grandes, dans l'achat de plusieurs morutiers, Mathieu Carbec avait développé son entreprise d'avitaillement. Il était même devenu un des copropriétaires du *Saint-François-d'Assise*, un navire tout neuf de deux cent cinquante tonneaux qui avait été construit sur les chantiers du Talard. Ses associés s'appelaient maintenant Porée, Le Fer, Le Coulteux, Trouin, Le Coz, d'autres encore, toujours ces mêmes Malouins qui freinaient leur impatience d'en finir avec les règlements de M. Colbert, et pressés de voir disparaître les grandes compagnies à charte dont chacun profitait par des moyens souvent frauduleux. Celle des Indes orientales n'en finissait pas de mourir. Au moment de déposer son bilan, un peu d'argent frais tombé on ne sait d'où, du ciel, du roi, ou d'un retour inespéré, la sauvait. Hier, elle avait vendu à deux de ses directeurs la permission de trafiquer à Surat pour leur propre compte, aujourd'hui, incapable de faire construire un navire, elle demandait aux Malouins de lui louer leur *Saint-François-d'Assise*.

« Nous avons réussi un fameux coup! s'exclama le capitaine Le Coz en se frottant les mains. Qu'en penses-tu, Mathieu? »

Les deux amis venaient de participer à la dernière réunion au cours de laquelle, après d'âpres pourparlers, les propriétaires du *Saint-François-d'Assise* avaient finalement consenti à louer leur navire à la Compagnie pour la somme considérable de quatre mille huit cents livres par mois, six mensualités payables d'avance, tous les frais d'armement, d'assurances et autres demeurant à la charge de l'affréteur.

« Je t'avais bien dit d'avoir confiance! poursuivit le capitaine.

– C'est vrai, convint Mathieu. Pour moi, les affaires, c'est l'argent qu'on voit.

– Sacré regrattier, tu ne changeras jamais! L'argent que nous ne voyons pas, nos enfants en profiteront. Crois-tu donc que les Magon ou les Danycan sont devenus riches d'un seul coup? Ils sont partis de rien, comme tout le monde. Pour te rassurer, je vais essayer de te faire obtenir l'avitaillement de notre *Saint-François-d'Assise.* »

Comme ils allaient se séparer, Yves Le Coz demanda comment allait Justine.

« Justine? s'étonna Mathieu.

– Oui, Justine, ta femme.

– Clacla? Elle va bien, Dieu merci. »

Le capitaine Le Coz parut réfléchir un instant, et se décida :

« Mathieu, il faut que je t'entretienne à son sujet. D'abord, quand tu parles d'elle, évite de l'appeler Clacla.

– Pourquoi donc?

– Clacla, c'était hier, c'était la marchande de poissons que tout le monde connaissait. Maquereau frais qui vient d'arriver, ah! qu'elle était plaisante à entendre! Aujourd'hui, c'est Mme Carbec. Voilà un an bientôt que vous êtes mariés. Tu comprends la différence? Si tu veux entrer un jour dans la société, il ne faut pas qu'on dise en voyant arriver ta femme : " Tiens, voilà la Clacla! " »

Ils firent encore quelques pas, et Mathieu dit :

« Qu'est-ce que c'est la société?

— Ne fais pas l'hypocrite! gronda Yves Le Coz. C'est là où tu meurs d'envie de te pousser, comme nous tous. C'est une sorte de pays, dur à ceux qui ne sont pas ses habitants. Ce pays-là, personne ne l'a connu au moyen d'une description. Il faut le parcourir longtemps avant de le deviner et d'y être accepté.

— Tu ne me vois pas parcourir le pays des Magon avec ma Clacla, non?

— Pourquoi pas? J'y vais bien moi avec Emeline. Ecoute-moi bien, Mathieu. Ça, c'est le premier travail d'une femme. La tienne est jeune, avenante, mais elle sent encore un peu trop la marée. On ne le pardonnera ni à elle, ni à toi, si vous ne faites pas vous-mêmes les premiers pas. Voici ce que ta Justine doit faire. »

Les deux hommes se promenèrent longtemps sur les remparts, et le capitaine Le Coz chuchota de nombreux conseils à son associé.

« Tu as bien compris? Emeline m'a promis de l'aider. Tu sais qu'on peut lui faire confiance.

— Oui, fit Mathieu, à condition que Mme Carbec accepte. Elle a parfois la tête dure. »

Le soir même, Mathieu confia à sa femme les recommandations de son ami : il était indispensable qu'elle rende visite à quelques dames de Saint-Malo. C'était une règle toujours respectée par les nouveaux mariés qui se présentaient ainsi à la société. Cette politesse une fois accomplie, ils inviteraient quelques personnes à une collation.

A la grande surprise de Mathieu, elle avait accepté aussitôt ce nouveau rôle, sûre de rabattre le caquet des plus pimbêches qui sentaient le poisson au moins autant qu'elle-même. Dès la semaine suivante, chaperonnée par une Emeline d'autant plus soucieuse des bonnes manières qu'elle les connais-

sait de fraîche date, Mme Carbec avait été accueil-
lie avec une condescendance fardée de gentillesse
familière, bonjour Clacla, par ces dames malouines.
Il n'en fallait pas davantage pour que Mathieu
respire une légère bouffée de vanité qui s'accordait
bien avec la joie enfantine de son épouse. Sa Clacla
qui avait puisé dans le coffre pour s'acheter des
indiennes, c'est tout de même devant elle que
s'étaient ouvertes les portes de Mme Magon et de
Mme Danycan! Ces deux-là, qui tenaient le haut du
pavé malouin, il ne fallait pas songer à les prier :
elles acceptaient volontiers les hommages mais ne
les rendaient qu'à leurs égales. On demanderait
donc à Mme Le Coz d'arrêter elle-même le choix
des invités.

Emeline s'y prêta de si bonne grâce que la liste en
fut bientôt dressée : M. et Mme Trouin, M. et
Mme Porée, M. et Mme Le Coz, le capitaine du *Renard*
et sa femme. Avec eux deux, cela faisait dix convives. Jamais Clacla ne devait être plus heureuse, plus
inquiète, plus affairée. Elle se regardait dans la
glace, prenait des airs, inventoriait la vaisselle insuf-
fisante et l'argenterie réduite à quelques cuillers,
querellait son tailleur, jouait à la dame, se tracassait
pour des riens, riait toute seule, battait des mains,
ne dormait plus. Il fallut acheter une nappe blanche, des assiettes, des verres, des fourchettes, et
engager une femme de cuisine, Emeline ayant bien
voulu prêter sa servante. Mathieu ne tordait pas
trop le nez. La fuite de ses écus le poignait bien un
peu au ventre, mais vit-on jamais un Malouin renoncer à la dépense quand il s'agit de paraître?

Le grand jour arriva enfin. Tout était en place
depuis midi alors que le souper était prévu pour six
heures. Au dernier moment, Mathieu, soudain fastueux, avait fait clouer sur le mur une tapisserie
représentant une scène de chasse où l'on voyait
d'élégants cavaliers figés dans un galop immobile

232

comme si une fée forestière les eût frappés d'un charme. Inquiet, tournant autour de la table, il interrogeait la servante de Mme Le Coz, qui, n'en étant plus à son premier raout, répondait à ses regards anxieux par des sourires indulgents. Là-haut, Clacla s'attardait à sa toilette. Elle descendit enfin, très lentement, prenant garde de ne pas marcher sur sa traîne, le visage plus grave et les yeux plus grands, consciente d'être belle dans sa robe de gourgouran verte garnie de dentelles or et argent avec des petits nœuds roses aux poignets et à la base du décolleté généreux. Stupéfait, Mathieu la regarda descendre, raide, à pas comptés, dans un chuchotis soyeux semblable à celui des petites vagues qui, au moment des grandes marées basses, ourlent le sable avant d'y mourir. Ravissement et inquiétude, un curieux sentiment l'agitait, l'avertissait qu'elle était trop parée, lui disait que si elle avait toujours été pavoisée de cette façon, il n'aurait jamais eu l'audace de la regarder, encore moins de l'épouser. Il regretta même le bruit de ses petits sabots, claclaclacla, et la grosse jupe de droguet qui découvrait ses mollets ronds quand elle se penchait pour saisir quelque seau d'eau ou souffler sur les cendres du foyer.

« Dites-moi que ma robe est jolie, monsieur Carbec, minauda-t-elle.

– Sans doute, s'excusa Mathieu. Vous savez que je ne suis pas très savant en cette matière. »

Il s'empressa d'ajouter « en aucune autre d'ailleurs », car on lui avait appris dans son enfance que l'humilité plaît à Dieu et conjure les périls. Mais, éblouie, la servante avait poussé un cri d'admiration et dit le mot juste, celui qu'attendait Clacla :

« J'en connais des qui vont être jalouses! »

Il n'y avait plus qu'à attendre encore quelques heures. Pour tuer le temps, Mathieu s'installa devant son pupitre et griffonna sur une feuille de papier les chiffres qui lui tenaient toujours compagnie. Le nombre de ses registres avait encore augmenté. Par jeu, il ouvrit celui de l'année 1664 où, il y avait dix-huit ans déjà, il avait inscrit l'achat de ses trois premières actions de la Compagnie des Indes orientales. Il le referma, en ouvrit d'autres, feuilleta quelques pages de sa vie : les prises du *Renard*, une conversion de piastres achetées clandestinement à Cadix, une jupe pour Rose Lemoal, l'aumône pour les pauvres, ses parts dans la *Vierge-sans-Macules* et dans le *Saint-François-d'Assise*, l'acquisition des actions du chevalier de Couesnon, la pension de Jean-Marie au Collège de marine, son association avec MM. Vitry la Ville et Pocquelin. Les dépenses engagées pour le souper remplissaient à elles seules une grande page de cette année 1682. Il en fut effrayé, refit ses additions, le compte était exact. Derrière la porte, il entendait la voix de sa femme, *la la la la*, elle chantait l'air de la bourrée que Frédéric jouait souvent sur son violon. Mathieu sourit, referma le registre, se prit à rêver. Il n'avait pas si mal mené sa barque, l'argent ne lui manquait pas, il aurait bientôt cinquante ans, Clacla trente, et ils allaient tout à l'heure franchir ensemble les frontières de ce pays difficile que son ami Le Coz appelait la société. La Rose Lemoal, il n'y pensait plus. Savoir si ses tétasses se tenaient encore fermes? Il faudrait tout de même qu'il lui paie, à Noël, une pièce de gros drap pour se faire une robe. Et Jean-Marie? Pourquoi celui-là s'était-il conduit de façon si insolente avec Clacla, sa belle-mère devant Dieu? Mathieu ne savait quoi répondre à cette question, ne comprenait pas, roulait dans sa tête des suppositions qui s'embrouillaient, s'effilochaient, pour mieux s'emmêler. Si au lieu d'avoir eu la faiblesse de vouloir en faire un capitaine il lui avait appris le commerce, il serait encore là, dans la boutique ou au magasin, et s'entendrait bien avec

Clacla. Où donc était-il parti, ce mauvais gars? Non, ce n'était pas un mauvais gars, chacun le disait, les patrons et les capitaines, ses maîtres d'école et même les pilotes. Tout le monde l'aimait bien, le capitaine Le Coz l'avait choisi pour être le parrain de Marie-Léone, Mme Trouin avait été heureuse d'être sa commère et Clacla ne lui en voulait pas de ce qu'il lui eût manqué. C'était bien la peine d'avoir un seul fils pour le voir s'en aller tout soudain en claquant la porte! Yves Le Coz avait plus de chance, il avait attendu d'avoir près de cinquante ans pour faire un garçon à sa femme. Il le regardait longtemps. Et pourquoi lui, Mathieu, n'en ferait-il pas un à Clacla? Il avait le même âge qu'Yves Le Coz, son ventre avait un peu grossi, ses épaules étaient demeurées un peu étroites, mais sa vigueur bourgeonnait comme un printemps, et, pour être moins larges mais plus rondes que celles de Rose Lemoal, les tétasses de la Clacla n'en seraient pas moins gonflées de bon lait.

C'est à ce moment de sa rêverie que le capitaine Le Coz arriva rue du Tambour-Défoncé.

« Je pensais à toi et à ton fils, s'étonna Mathieu. Tu as l'air tout essoufflé? »

Le visage du capitaine était gravé d'un souci qui ne lui était guère habituel.

« Justement, je suis venu en courant te parler de lui.

– Quoi donc? s'inquiéta Mathieu. Il n'est pas malade? »

D'un coup, l'angoisse de la fièvre noire avait balayé les dix-huit années consignées sur ses registres et le ramenait au jour où, revenant de l'assemblée présidée par le duc de Chaulnes, il avait découvert sa femme évanouie au milieu de vomissures dégoûtantes, les bras croisés sur les deux petits qui dormaient contre son ventre.

« Je ne crois pas que ce soit très grave, répondit

Le Coz, mais tu connais les mères, elles s'inquiètent pour un rien. Cette nuit, il a un peu toussé et il est devenu tout rouge. Emeline a pris peur et... »

Et, l'air gêné, ne regardant plus Mathieu droit dans les yeux selon sa coutume, il dit :

« Elle ne trouve pas prudent de quitter ce soir la maison.

— Pour sûr! fit Mathieu. Elle a raison. Clacla en aura du chagrin parce qu'elle aime beaucoup ta femme mais elle comprendra. Viendras-tu au moins, toi?

— Il n'y a rien de changé. »

Dans la pièce voisine, on entendait Clacla chanter un air de danse, *la la la la la la*.

« Veux-tu que je prévienne moi-même Mme Carbec? »

Déjà la porte s'ouvrait. Clacla apparut, éclatante, un léger feu colorant ses pommettes hautes.

« Vous êtes bien en avance, capitaine Le Coz! Il n'est que trois heures... »

Interloqué, il la regarda sans bien la reconnaître. Elle brûlait trop vite les étapes, la Clacla.

« Madame Carbec, notre fils a été pris d'une toux subite. Emeline vous a prêté notre servante, et elle n'ose pas laisser l'enfant tout seul. »

Clacla, compatissante, écouta jusqu'au bout l'associé de son mari avant de lui répondre :

« Je tiens beaucoup à la présence de Mme Le Coz qui s'est montrée si bonne pour moi. Je l'aime comme une sœur. Sans elle, ce souper n'aurait jamais eu lieu. Ramenez donc votre servante tout de suite, je ferai le service moi-même!

— Vous n'y pensez pas! Pas ce soir, pas pour ce premier souper! Vous gâcheriez tout! Et surtout, pas avec cette jolie robe de princesse! »

Clacla retira simplement un couvert. Au milieu de l'après-midi, Mme Trouin fit parvenir un billet où elle écrivait que, prise de soudaines vapeurs, elle ne

236

pourrait certainement pas assister à ce souper dont elle se faisait cependant une joie, mais que son mari ne manquerait pas d'être présent. Clacla pinça à peine les lèvres et reprit sa chanson *la la la la la la*. Un peu plus tard, c'était au tour de Mme Porée de s'excuser, sa vieille tante de Morlaix venait de débarquer à l'improviste et s'installait chez elle pour un mois avec un encombrant domestique. Cette fois, elle avait compris. Les dames malouines avaient décidé entre elles de ne pas donner suite aux caresses dont elles avaient gratifié cette Clacla qui voulait devenir trop vite une des leurs. Elle se redressa, fit bonne figure devant la servante à qui elle commanda, sur le ton d'une maîtresse, d'enlever un troisième couvert. Seule, la femme du capitaine du *Renard* ne s'était pas décommandée.

« Eh bien, il y aura donc cinq hommes pour deux femmes! » conclut-elle avec bonne humeur, mais Mathieu entendit comme une fêlure dans la voix qui s'efforçait de chanter encore *la la la la la la*.

Trouin, Porée et Le Coz arrivèrent ensemble tous les trois, présentèrent les excuses de leurs femmes et s'extasièrent devant la robe de leur hôtesse. Le capitaine du *Renard* vint le dernier. Il était seul.

« Au dernier moment, bredouilla-t-il, ma femme n'a pas osé venir se mêler à d'aussi beau monde. Elle n'a pas l'habitude, vous comprenez, madame Carbec... »

Et elle, Clacla, avait-elle l'habitude? La colère lui brûlait les yeux. Elle l'effaça d'un sourire, fit enlever un quatrième couvert et servit elle-même du vin de Porto à ses invités. D'abord noués d'embarras, les gestes des uns et des autres devinrent bientôt plus libres, et les voix plus sonores quand on se mit à table. Aucun ordre de préséance n'ayant été prévu, ils restèrent debout, personne n'osant s'asseoir avant que Mathieu, peu soucieux d'étiquette, eût désigné la place de chacun. Le bon Le Coz le tira d'embarras.

« Asseyez-vous là, madame Carbec.

– La place de la reine! fit galamment Alain Porée en s'inclinant.

– Mettez-vous donc à sa droite, poursuivit Yves Le Coz, et monsieur Trouin à sa gauche. Mathieu, en face de sa femme, entouré du capitaine Rouvelho et de moi-même. »

Tous ces hommes, à part Mathieu, avaient l'habitude de bien manger et de boire largement. Ils ne furent déçus ni par la cuisine ni par la cave, et s'empiffrèrent comme dans une auberge. Plus elle les regardait, plus Clacla retrouvait son aplomb. Jusqu'à présent, elle s'était imaginée que les personnes réputées riches ne mangeaient pas tout à fait comme elle, et elle voyait que ses invités avaient le menton barbouillé de jus, enfonçaient leurs doigts dans la bouche pour en retirer un morceau coincé entre deux dents, et s'essuyaient les lèvres d'un revers de la main après chaque rasade quand ils ne donnaient pas une claque sur les fesses de la servante. Où donc se croyaient-ils? Elle se rappela qu'au dîner offert pour le baptême de Marie-Léone les mêmes convives avaient observé la plus grande réserve comme si la présence de leur femme leur eût imposé cette retenue. Bien droite sur sa chaise, attentive au service dont elle ignorait cependant les règles élémentaires, elle s'efforça d'attirer l'attention de ses invités en les dévisageant tour à tour pendant quelques instants. Plus préoccupés de leur nourriture, de leurs bavardages d'hommes ou de la croupe de la servante, ils ne remarquèrent même pas son manège. Mathieu lui-même ne la regardait pas, attentif à écouter respectueusement les oracles ou les plaisanteries tombant des lèvres ensaucées de ces hommes qui lui faisaient l'honneur de goûter à son pot. Une seule fois, elle avait rencontré les

238

yeux du capitaine Le Coz et il lui avait semblé y lire quelque chose de bienveillant qui voulait peut-être dire « Tiens bon, Clacla! » A un autre moment elle avait senti contre sa jambe droite la pression appuyée du genou de son voisin. Perdue au milieu de ces goinfres qui ne faisaient pas même attention à sa robe, elle l'avait d'abord accepté comme un hommage qui valait bien, en retour, un sourire à un important armateur, mais M. Porée ayant aussitôt poussé sa manœuvre elle avait ramené brusquement ses jambes sous sa chaise, comprenant tout à coup qu'aucun homme n'aurait osé frôler le genou d'Emeline Le Coz ou de Mme Trouin. Sans rancune, Alain Porée avait alors porté à ses hôtes une santé en forme de compliment dont la chute exprimait une galanterie en l'honneur de Mme Carbec. Personne ne voulant demeurer en reste, elle avait bu coup sur coup quatre verres de vin venus s'ajouter à quelques autres.

Elle devint soudain le centre de la tablée vers lequel convergeaient les regards de tous ces hommes. La boisson lui tournant un peu la tête, elle parla plus fort et partit d'un petit rire aigu lorsqu'un autre genou, cette fois celui de Luc Trouin, frôle le sien. Plusieurs flacons furent vidés à la suite. On ne l'appelait plus ni Mme Carbec ni Justine, mais du sobriquet qui lui convenait si bien malgré sa belle robe de gourgouran semée de petits nœuds roses. Et comme ils s'étaient tous mis à battre des mains en scandant Clacla, Clacla, Clacla, elle monta sur son siège et, au milieu des vivats, les deux mains plaquées sur les hanches, elle lança « Maquereau frais, maquereau frais qui vient d'arriver! » Les hommes furent secoués d'un rire énorme, Yves Le Coz renversa son verre sur la nappe et le capitaine du *Renard* abattit son poing sur la table. Ils s'étaient maintenant tous pris par l'épaule et chantaient une chanson à boire dont les paroles eussent fait rougir un âne, se balançant dans un lent mouvement de roulis qui faisait s'incliner de droite à gauche les cloisons de la salle, tout hilares sauf Mathieu qui avait pris le regard un peu lointain des gens qui boivent.

« Ecoutez! » dit l'un d'eux.

L'heure du couvre-feu les surprenait. Ils se levèrent rapidement, fermes sur leurs jambes car ils avaient l'habitude de tenir l'alcool, et prirent congé de leurs hôtes. Mathieu referma avec soin la porte sur leur gaieté trop bruyante et tira le verrou. Clacla n'avait pas attendu les derniers au revoir pour monter se coucher.

Pendant quelques instants, Mathieu Carbec s'attarda à regarder les reliefs de son souper. Jamais il n'avait vu pareil gâchis de plats à moitié dégarnis, d'assiettes sales, de verres vides et de flacons. Tant que les autres étaient là il ne s'en était pas aperçu mais leur départ précipité accusait davantage le désordre, le gaspillage et les souillures laissés derrière eux. Après les rires et les chansons de tout à l'heure, les battements de la grosse horloge, familiers et rassurants, lui donnèrent à penser que ni sa mère ni sa première femme ne fussent allées dormir en laissant derrière elles un tel saccage. Il éteignit les chandelles. Sans doute, le souper n'avait pas été ce qu'il avait espéré, mais ils avaient tous passé une fameuse soirée dont ils se souviendraient toujours grâce à Clacla qui avait tenu sa partie à table comme un capitaine redresse un navire en perdition. Elle devait être en train d'enlever sa robe. Mathieu en eut chaud au ventre et monta à son tour.

Clacla ne s'était pas déshabillée. Etendue en travers du lit blanc, décoiffée, la tête enfouie dans un oreiller, elle sanglotait. Mathieu n'avait jamais encore vu une femme dans cet état. Bouleversé autant que maladroit, il s'approcha.

240

« Ne me touche pas! » gronda-t-elle.

Elle gisait à plat ventre, sa robe retroussée découvrant ses jambes écartées que Mathieu, gêné, recouvrit pudiquement.

« Clacla, pourquoi pleures-tu? »

Retournée brusquement, elle lui fit face.

« Pourquoi? Tu me demandes pourquoi? Tu ne sais donc pas qu'on s'est moqué de toi, qu'on m'a insultée, que toute la ville en parlera demain! Tu as cru aux menteries de ces sales pétasses? La fièvre du mouflet de la Le Coz, les vapeurs de la Trouin, la vieille tante de la Porée, tu y as cru, pauvre niquedouille!

– Les hommes sont venus, hasarda Mathieu. Ce sont mes amis.

– Tes *amis*? »

Maintenant elle hurlait : « Tu crois que ce sont tes amis? Ils m'ont tous manqué de respect! Tu veux savoir ce qu'ils m'ont fait?

– Tais-toi, parle plus bas, ne dis rien! » suppliat-il.

Dans l'après-midi, Mathieu avait éprouvé le sentiment qu'un danger le menaçait. Ça n'était pas la première fois. Depuis son remariage il redoutait les châtiments qui frappent un jour ou l'autre les pécheurs de la chair. Sa dévotion était demeurée fervente, il se confessait avec la même régularité, mais lui seul savait qu'en ne disant plus toute la vérité à son curé, il commettait le mensonge d'omission, un de ceux qui offensent le plus le visage de Dieu parce qu'il est seul à savoir qu'on le trompe. Les châtiments se précipitaient : son fils avait disparu depuis trois mois, et voilà qu'on venait d'infliger à sa femme un affront auquel il n'avait pas voulu croire. Dieu le punissait. Le capitaine Le Coz ne l'avait-il pas prévenu en lui disant que la société est dure à ceux qui lui sont étrangers?

Mathieu s'était assis sur le bord du lit.

« Clacla, écoute-moi. Lorsque je me trouve dans une situation difficile, j'ai toujours recours à la Vierge Marie. Tu sais bien qu'elle nous protège. »

Elle se redressa, échevelée, les yeux rouges, un mauvais rire à la bouche.

« Laisse-la tranquille, celle-là! Les bigotes qui la prient tous les jours sont les plus mauvaises femmes de la ville. »

Avec une voix tendre qu'il ne se connaissait pas, il continua :

« Ne blasphème pas. Tu ne veux pas que nous priions ensemble? Après, tu enlèverais ta belle robe, nous nous coucherions, et nous retrouverions tous les deux la paix. »

Elle se leva d'un bond.

« La paix? Non. Je te connais. La prière terminée, tu sauterais sur moi, comme un chien, et je me laisserais faire! J'aime ça moi aussi. Ma belle robe, regarde-la bien. »

De ses deux mains aux ongles ras, elle venait d'en déchirer le décolleté, découvrant ses épaules. Mathieu n'osa pas la regarder et baissa les yeux.

« Couchez donc seul, monsieur Carbec, et dormez tout votre soûl! »

Avant de quitter la chambre en claquant la porte, elle lui lança encore :

« Vous n'aurez pas besoin d'aller demain à confesse! »

Dans le noir, elle se dirigea vers le palier, sachant où elle allait, entra dans une autre pièce, s'y enferma et chercha à tâtons le petit lit où elle s'écroula. C'était la couette de Jean-Marie. Clacla y retrouva l'odeur de la jeunesse et pleura sans faire de bruit.

Frédéric et Jean-Marie arrivèrent à Saint-Malo quelques jours après la Toussaint. Ils se séparèrent devant la porte Saint-Vincent, l'un entrant dans la ville, l'autre tournant à droite vers Paramé. Il pleuvait. Des nuages noirs couraient dans le ciel, le vent poussait d'énormes vagues sur les rochers où elles explosaient comme ces bombes dont on usait depuis quelque temps sur les vaisseaux du roi.

Rose Lemoal, en voyant entrer Jean-Marie, laissa tomber sur le sol ses aiguilles à tricoter sans trop savoir si elle étouffait de joie ou d'inquiétude.

« J'étais sûre que tu reviendrais! finit-elle par dire en riant. Mais je ne savais point quand. Tu m'as saisie.

– Pourquoi en étais-tu sûre, maman Paramé? »

Elle lui montra, suspendue au plafond, une feuille de joubarbe qu'elle y avait accrochée le jour de son départ.

« Tant qu'elle restera verte, je n'aurai rien à craindre pour toi. Dame! ça ne plaît pas beaucoup à notre curé. Il faut aussi que je prie le Bon Dieu, mais tout ça, mon pauvre gars, je crois bien que c'est du pareil au même. C'est comme le scapulaire que je t'ai donné dans les temps où t'étais parti sur les bancs. L'as-tu toujours, au moins? »

Jean-Marie montra, sur sa poitrine, le petit sachet brodé d'une croix qui contenait une pincée de goémon, un minuscule coquillage et une perle de moule. Ils demeurèrent longtemps silencieux. A chacun de ses retours, c'était toujours la même chose. Le vent sifflait autour de la maison et de grosses gouttes d'eau tombaient dans la cheminée. A un moment, la porte s'ouvrit avec fracas et l'averse les cingla en plein visage. Jean-Marie dut s'arc-bouter au mur pour la refermer.

« Vas-tu rester plus longtemps cette fois? »

Il expliqua les raisons de son retour et dit qu'il resterait plusieurs jours avant de repartir pour L'Orient où il espérait s'embarquer pour les Indes.

« Alors, tu vas aller chez ton père?

– Oui, mais je vais habiter ici. »

Elle parut hésiter avant de dire :

« Ton père est venu la semaine dernière. Il n'est pas resté longtemps, juste pour me demander si je savais où tu étais. Il n'avait pas l'air heureux. Il a oublié ça sur le coin de la table, dit-elle aussi en retirant de son tablier un petit écu d'argent.

– Tu ne l'as pas dépensé? s'étonna Jean-Marie en rougissant.

– Pour sûr que non! Je l'ai gardé pour te le rendre quand tu reviendrais. C'est ton bien. »

Ce soir-là, le bonheur s'installa chez maman Paramé. Jean-Marie avait tiré de son sac du pain, du fromage, du lard, une petite pièce de drap et une paire de sabots. Ils parlèrent longtemps. Le vent hurlait toujours sur la crête des vagues mais ils ne l'entendaient plus, ni l'un ni l'autre. Ils voguaient vers un pays mystérieux, étoilé de fleurs étranges, bâti de palais fabuleux, étincelant de pierreries, sentant le poivre et la cannelle, un pays que ne connaissaient ni Jean-Marie Carbec ni maman Paramé et qui s'appelait les Indes.

Une mauvaise nouvelle était parvenue le même jour à Saint-Malo, le naufrage du *Soleil-d'Orient*. Au large du cap de Bonne-Espérance, le plus beau navire dont s'enorgueillissait la Compagnie des Indes orientales avait sombré corps et biens. Bosselé d'or comme un vaisseau du premier rang, jaugeant mille tonneaux, lourd d'une cargaison de trois cent mille livres d'or et de cent mille livres de marchandises diverses, il avait quitté le Port-Louis depuis trois ans, avec ses quarante canons et ses trois cents hommes d'équipage. Après un long séjour à Surat où les subrécargues avaient échangé leur numéraire contre des toiles peintes, il avait gagné l'île de Java pour y bourrer ses cales du meilleur poivre du monde. Sur la route du retour,

portant dans ses flancs six cent mille livres de marchandises, et dans ses appartements les ambassadeurs que le roi de Siam envoyait à Louis XIV, le *Soleil-d'Orient* avait disparu au large du cap des Tempêtes.

Soucieux, les épaules basses, le capitaine Le Coz sortait des bureaux de l'amirauté où on lui avait confirmé ce nouveau malheur qui accablait la Compagnie quand il rencontra Frédéric et son fidèle Cacadou. La surprise dissipa un peu son humeur.

« Te voilà revenu à Saint-Malo avec ton oiseau? Il y a longtemps qu'on ne t'avait vu par ici.

— Deux ans, répondit Frédéric. J'arrive du Port-Louis seulement, pas des Indes.

— Tu vas trouver du nouveau chez ton beau-frère.

— Jean-Marie m'a raconté cela.

— Où est-il, celui-là?

— A Paramé, chez la nourrice. Nous sommes arrivés ensemble.

— Quand tu le verras, dis-lui donc de venir embrasser sa filleule. Toi aussi, viens me voir. »

Frédéric saisit la balle au vol :

« Capitaine, je préférerais vous parler avant que je me rende chez mon beau-frère. »

Côte à côte, ils partirent le long des quais. Parce qu'il était consterné par le drame appris à l'amirauté, Yves Le Coz affecta un ton bourru.

« Tu arrives du Port-Louis? Eh bien, il y en a qui n'y retourneront jamais plus.

— Qui donc?

— Le *Soleil-d'Orient* a sombré.

— Mon Dieu, est-ce possible?

— Oui, perdu corps et biens. Il y avait pour six cent mille livres de marchandises à bord. Cela fait beaucoup d'argent. »

Frédéric se contenta de répondre :

« Les pauvres gars! »

Installée dans un fauteuil tapissé au petit point, Emeline Le Coz tenait sa fille dans ses bras et racontait une fable à son fils qui venait d'avoir cinq ans. Elle aimait l'ordre, les grands nettoyages, les meubles cirés, les hommes sérieux, les robes de drap fin, l'argenterie et la considération. L'arrivée de Frédéric la contraria lorsque le petit Hervé courut vers la cage de l'oiseau. Si le mainate ne se trouvait pas dans un de ses bons jours, il commettrait sûrement quelque incongruité dont il était coutumier dès qu'il devinait qu'on n'appréciait ni sa présence ni celle de son maître. Déjà il levait la queue pour lâcher sa fiente.

« Paix, Cacadou! gronda trop tard Frédéric.

– Regardez, maman, l'oiseau a cagué! »

Le capitaine riait de tout son ventre, mais Emeline Le Coz pinça les lèvres, fit sortir son fils et se cala un peu plus dans son fauteuil pour faire comprendre à son mari qu'elle assisterait à leur conversation.

Regardant autour de lui le spectacle familial, Frédéric songeait qu'avec les diamants laissés dans le coffre de Mathieu, il pourrait lui aussi louer une maison, acheter des meubles, se marier et recevoir par surcroît l'argent d'une dot qu'il s'empresserait de dépenser avec des filles. Mais il fallait être au moins gentilhomme pour faire admettre cette conduite et il ne se voyait pas solliciter un titre de noblesse contre une poignée de pierres précieuses, quels que fussent les embarras du roi. Il raconta l'arrivée de son neveu au Port-Louis, sa volonté obstinée de partir au loin pour ne jamais revoir son père marié avec Clacla, et la proposition du capitaine de l'*Heureuse*.

« Je lui ai promis d'intervenir auprès de Mathieu pour obtenir son autorisation, mais avant de me rendre rue du Tambour-Défoncé je suis venu vous demander votre aide et votre avis. »

Il ajouta avec un sourire adressé à Mme Le Coz :

« ... sachant que vous êtes de bon conseil et connaissant votre bonne influence sur mon beau-frère. »

Emeline n'y fut pas insensible. Avant même que son mari ait ouvert la bouche elle répondit :

« Ne vous mettez en peine ni l'un ni l'autre. Si Jean-Marie part pour les Indes, il ne retrouvera plus rien à son retour. Cette femme n'est qu'une intrigante, elle n'a épousé Mathieu que pour son argent. Nous savons toutes que c'est une catin. L'autre soir, lorsque vous êtes rentré, capitaine Le Coz, vous étiez tellement pris de boisson que vous m'avez réveillée pour me parler de sa robe. On ne s'enivre jamais chez une femme honnête, sachez cela ! Jean-Marie devra choisir entre les Indes ou son héritage. »

A la plus grande surprise de Frédéric, le capitaine Le Coz, qui parlait volontiers sur un ton de commandement, se tenait coi comme un petit garçon pris en faute. Il se contenta de dire :

« Notre Mathieu n'est pas si fou. Tel que je le connais, il aura pris ses précautions. Quant à Clacla, il faut peut-être lui laisser le temps...

– Le temps de nous ruiner tous ? Vous comme les autres, peut-être ? »

Comme cinglé d'un coup de fouet, Yves Le Coz se rebiffa.

« Viens dans mon cabinet, Frédéric. Nous avons à parler seuls. J'ai une affaire à te proposer. »

Offensée, Emeline serra davantage sa fille sur sa poitrine. Les deux hommes quittèrent la salle.

« Te rappelles-tu notre conversation devant le *Renard*, quelques mois après ton retour de San-Thomé ?

– Pour sûr! Vous m'avez même demandé si je parlais un peu la langue des Indiens, et je vous ai répondu que j'avais appris le tamil. »

Deux heures plus tard, ils se séparèrent. Au terme d'une longue discussion, Frédéric avait abandonné l'idée d'embarquer sur l'*Heureuse*. Il partirait quand même pour les Indes mais avec le *Saint-François-d'Assise*, le navire malouin affrété par la Compagnie, non pas comme maître charpentier, mais en qualité de troisième subrécargue pour surveiller sur place les achats de la société Vitry la Ville et Pocquelin où Yves Le Coz et ses associés avaient pris des parts importantes. Jean-Marie pourrait accompagner son oncle, le capitaine Le Coz se faisant fort de le réconcilier avec son père, d'obtenir l'autorisation nécessaire à son inscription sur le rôle et son admission par les bureaux de Paris en qualité de deuxième enseigne.

« Vous y croyez donc toujours aux Indes? avait demandé Frédéric.

– Peut-être pas pour la Compagnie. Pour le libre commerce, oui. Le prix de la location du *Saint-François-d'Assise*, c'est déjà une bonne prise, non? Ajoutes-y le produit de la vente des retours et nous n'aurons pas perdu notre temps. Douze ou quatorze mois, c'est vite passé! Tous les commerces se ressemblent. »

Frédéric, sceptique, souriait :

« Les Indes, capitaine Le Coz, ça n'est ni une boutique de regrattier, ni un magasin de gros marchands, ni la morue de Terre-Neuve, ni la toile de Bretagne. C'est une dangereuse partie de lansquenet où les gains et les pertes sont énormes. Cela vous tente tellement?

– Comprends-moi bien, j'ai besoin pour ce premier voyage à Pondichéry d'un homme à moi qui connaisse le pays, les naturels, leur langage, surtout les toiles peintes.

– Et s'il nous arrive la même affaire qu'au *Soleil-d'Orient*? Vous serez bien avancé! »

Le capitaine Le Coz haussa ses grosses épaules.

« La fortune de mer, c'est Dieu qui en décide. Pour le reste c'est notre affaire. Le *Saint-François* partira sans doute vers la mi-janvier, à cause des vents, tu connais la manœuvre. C'est la première fois qu'un navire reliera directement Pondichéry. »

Au moment de se séparer, Frédéric avait posé une dernière question.

« Vous, vous avez confiance en moi, mais il y a aussi Mme Le Coz. Qu'en pense-t-elle?

– Cela, mon gars, c'est aussi mon affaire. »

Huit jours plus tard, ni les bons offices du capitaine Le Coz ni les conseils de Frédéric n'étaient parvenus à vaincre l'entêtement de Mathieu Carbec : il n'accorderait son autorisation d'embarquer à son fils que s'il venait faire des excuses à sa femme. Comme il arrive souvent aux hommes parvenus à cet âge, la réussite des affaires éveillait son appétit pour le plaisir. Lorsque, après quelques jours de bouderie, Clacla avait regagné le lit conjugal, il avait vite oublié qu'elle l'avait moqué. Le plaisir retrouvé dans la nuit, c'est toujours la chair qui pardonne, avait encore aiguisé le goût qu'il avait d'elle.

Depuis que la Compagnie lui avait sous-traité l'avitaillement du *Saint-François-d'Assise*, Mathieu était encore plus affairé qu'aux premiers temps du *Renard* quand il faisait son apprentissage d'armateur à la course. On le rencontrait partout, dans les bureaux de la Compagnie, à l'amirauté, la Maison de Ville, dans son propre magasin situé sur le port ou chez les gros négociants de farine, de lard, de morue séchée, de cidre, vin, eau-de-vie et autres provisions nécessaires à l'équipage de deux cents hommes d'un navire qui naviguerait pendant quatorze mois au moins et ferait de rares escales pour acheter des *rafraîchissements*. Il rentrait chez lui de plus en plus tard, des liasses de papier noirci de chiffres sous le bras, soupait rapidement, travaillait encore, refusait de prendre un commis et, supputant ses prochains bénéfices, montait rejoindre Clacla. Tout regrattier qu'il fût, il n'ignorait pas que, duchesses ou harengères, elles aiment toutes la victoire au point de déserter toujours la défaite. Il avait besoin d'une revanche. Faire preuve d'autorité dans une affaire qui l'opposait à son fils, c'était déjà en remporter une, gagner assez d'argent pour payer à Mme Carbec un bijou aussi gros que celui qu'il avait vu au doigt de Mme Le Coz en serait une autre.

Un soir qu'il était courbé sur le registre consacré à l'avitaillement du *Saint-François*, une multitude de petites taches noires se mêlèrent soudain à ses chiffres. Surpris, il voulut les chasser de la main, elles avaient déjà envahi la table. Il ferma les yeux, les taches devinrent des gouttes de lumière. Il les rouvrit, des mouches d'or dansèrent autour de lui, sur les murs, les meubles, le plafond. Mathieu pensa qu'ayant veillé tard, la fatigue lui jouait des tours. Il décida d'aller se coucher dès qu'il en aurait fini avec sa page, mais s'aperçut qu'il ne parvenait plus à écrire correctement ni la lettre *r* ni le chiffre 3. Devenue lourde comme une enclume, sa main ne traça bientôt plus que des signes indéchiffrables, tremblés, au graphisme enfantin. Une douleur aiguë lui transperça soudain l'œil droit. Mathieu Carbec voulut alors se lever, ses jambes ne le portaient plus. Il appela à l'aide, sa voix s'étrangla au fond de sa gorge. Là-haut, Clacla dormait de son premier sommeil. Devenu en quelques instants une bête qui se débat dans les mâchoires d'un piège refermé, il glissa à terre et entreprit de ramper jusqu'à l'escalier. De grosses gouttes de sueur tombèrent sur ses mains quand elles s'agrippèrent à la première marche. Il appela encore. Le balancier de l'horloge battait moins fort que son cœur. Mathieu atteignit une autre marche, encore une, manqua la quatrième et roula au bas de l'escalier. Tirée du lit par le vacarme, Clacla eut tôt fait de sortir de la chambre. A la lueur de la chandelle restée allumée, elle vit son mari étendu sur le carreau. Il soufflait avec bruit et répondit à ses questions par des grognements inarticulés. Quelque chose de doux et de craintif à la fois illuminait son regard, une tache rouge saignait dans son œil droit. Clacla comprit que Mathieu venait de prendre un coup de sang. D'abord terrifiée, elle s'appuya contre le mur pour calmer le galop de sa respiration, alluma une chandelle neuve et voulut tirer Mathieu de la boutique vers la salle. Inerte, le corps pesait lourd. Elle dut s'y reprendre plusieurs fois. Finalement, habitués à la décharge des bateaux de pêche, ses bras vigoureux y parvinrent. Les maladies, incendies, naufrages, morts, tout ce que le petit peuple appelle les malheurs, Clacla ne se courbait pas devant eux. De son père, un marin péri en mer, on savait qu'avant d'être englouti par la tempête, il avait crié : « Je te crache à la gueule, salope! » Elle étendit une couverture sur Mathieu, lui dit quelques mots : « Ce ne sera rien, ne bouge pas, attends-moi », comme une mère parle à un enfant qui s'est écorché le genou en tombant, décrocha un caban, enfila ses sabots et courut dans la nuit mouillée.

Clacla revint accompagnée du capitaine Le Coz et de M. Chiffoliau, le meilleur médecin de Saint-Malo, celui qui soignait les riches. Un mince sourire plissa les yeux de Mathieu Carbec. M. Chiffoliau s'agenouilla près du malade, l'examina avec soin, prit son pouls, demanda son âge, regarda les jeunes rondeurs de Clacla, et hocha pensivement la tête.

« Comment vous sentez-vous? »

Mathieu essaya de répondre. Son visage était devenu plus rouge. Il ne parvint qu'à émettre les mêmes sons inarticulés qui avaient tant effrayé sa femme tout à l'heure.

« Aphasie, conclut M. Chiffoliau. Apportez-moi une grande cuvette. »

Sur un signe du médecin, Yves Le Coz avait tiré les souliers de Mathieu, relevé ses bas-de-chausses et mis son pied droit nu. D'un coup de lancette, M. Chiffoliau pratiqua une abondante saignée que Clacla, raide pour ne pas défaillir, alla vider dans l'évier.

« Maintenant vous allez dormir, monsieur Carbec. Je reviendrai vous voir demain. Nous allons vous guérir. Dans deux ou trois jours, tout ira bien. Mme Carbec va vous faire du bouillon, du bon bouillon. Vous aimez le lait de poule? C'est bon, n'est-ce pas? »

Lui aussi, il parlait à Mathieu comme on parle à un enfant pour le rassurer.

« Je raccompagne M. Chiffoliau chez lui, dit le capitaine. Attends-moi, Clacla. Je t'aiderai à le monter dans la chambre. »

Quand ils furent dehors, Yves Le Coz s'inquiéta :

« Va-t-il demeurer longtemps dans cet état?

— Il est déjà à moitié paralysé, répondit le médecin. A part les saignées, notre art ne peut guère faire autre chose. Vous êtes son plus vieil ami, je crois? Alors, veillez à ce que sa femme lui fasse boire beaucoup de tisane et beaucoup de lait de poule. C'est tout. Veillez aussi à ne pas trop parler devant lui, il comprend tout ce que nous disons.

— Peut-il rester infirme?

— Sans doute. »

La gorge serrée, Yves Le Coz demanda enfin :

« Vivra-t-il longtemps? »

M. Chiffoliau fit un geste évasif :

« Six mois, un an, peut-être beaucoup moins ou davantage. Un miracle? Oui, il y en a autre part que dans l'Evangile. J'en ai vu quelques-uns. Les miracles, c'est ce que nous autres médecins ne comprenons pas encore. Cela peut nous incliner vers la foi, au moins vers l'espérance. C'est beaucoup, monsieur Le Coz. »

Le lendemain, Frédéric alla chercher Jean-Marie. A sa mine, le garçon comprit que l'oncle lui apportait une mauvaise nouvelle.

« Mon père refuse de signer l'autorisation?

– Il ne peut plus te la donner, mon gars. »

Quand ils arrivèrent rue du Tambour-Défoncé, ils croisèrent M. Chiffoliau qui leur dit :

« Il est à peu près paralysé. Méfiez-vous, il comprend tout. »

Jean-Marie entra dans la chambre, s'approcha du lit où, la tête calée par deux gros oreillers, Mathieu paraissait dormir. Son visage avait pris la teinte d'un chaudron de cuivre rouge et sa main droite était devenue énorme. Jean-Marie hésita un court instant, se pencha et baisa cette main. Mathieu leva les paupières. Alors, ils se regardèrent tous les deux comme jamais ils ne l'avaient fait encore et, au même instant, deux larmes coulèrent sur leurs joues, mais les yeux de Mathieu étaient nimbés d'un éclat enfantin alors que la jeunesse n'éclairait plus ceux de son fils. Jean-Marie resta là, longtemps, immobile, incapable de parler lui aussi, et se rappelant les visites à maman Paramé quand il était petit, les gros sourcils qui lui faisaient peur, la nuit où il s'était demandé s'il aimait son père comme l'exigeaient les commandements de Dieu, les timbales de l'oncle Frédéric, et les paroles prononcées par le capitaine Le Coz : « Si tu t'en allais sans le revoir, il en mourrait sûrement... » Non, ce n'était pas lui qui l'avait tué, c'était Clacla, il en était sûr.

Elle entrait dans la chambre, portant un pot de tisane. Leurs yeux ne se rencontrèrent pas.

« Le capitaine Le Coz t'attend chez lui, il veut te parler », dit-elle sans le regarder.

Il sembla à Jean-Marie que son père hochait la tête en signe d'approbation. Muet et aveugle, il sortit.

« C'est Clacla qui l'a mis dans cet état! dit-il au capitaine Le Coz qui lui faisait part des inquiétudes de M. Chiffoliau.

— Non, mon garçon, ce n'est pas Clacla, mais c'est peut-être elle et toi. Comprends-tu ce que je veux dire? Ne rougis pas. Il nous faut parler sérieusement, comme deux hommes. Lorsque ton père s'est remarié, tu étais alors à la morue. Nous nous sommes rendus tous les deux chez le notaire pour son testament. Il a signé une procuration en mon nom pour s'occuper de toutes ses affaires et il m'a demandé d'être ton tuteur s'il lui arrivait malheur en ton absence.

— Mon père n'est pas encore mort!

— Non, Dieu soit loué! mais il ne pourra pas, avant longtemps ou jamais, retrouver ses esprits. Ton oncle Frédéric et moi-même, nous nous étions efforcés de lui faire signer l'autorisation nécessaire à ton embarquement. Sans ce malheur, nous y serions parvenus parce que ton père était fier de voir en toi un futur capitaine de la Compagnie des Indes. Maintenant tu n'en as plus besoin. J'ai vu ce matin maître Huvard. Avec l'accord de M. Chiffoliau, il considère que ton père, comme ils disent dans leur jargon, est « empêché ». C'est donc à moi que tu dois demander cette autorisation. Je suis prêt à la signer, parce qu'un tuteur doit protéger l'avenir de son pupille et parce que mes associés, MM. Vitry la Ville et Pocquelin ont obtenu sans difficulté ta commission de deuxième enseigne à bord du *Saint-François-d'Assise* où ton oncle Frédéric embarquera lui aussi. Es-tu satisfait, mon gars? »

Un court instant, Jean-Marie avait été trempé de joie. Tous ses rêves d'enfant prenaient soudain la consistance d'une boule d'or, bien lisse, qu'il tenait enfin dans le creux de sa main, et voilà qu'elle lui écorchait déjà les doigts au point de les ensanglanter.

« Et mon père?

– Ton père, nous nous occuperons de lui. Il n'a plus besoin de toi. Sa femme le soignera et tiendra la boutique. Je surveillerai ses comptes, tu peux partir tranquille. Tu vois cette clef? C'est celle de la cave où sont rangés les piastres et les écus d'or. Je l'ai prise dans sa poche hier soir. Je te la rendrai quand tu seras majeur, tu n'as plus beaucoup à attendre. »

Jean-Marie s'étonna :

« Vous m'avez dit un jour, capitaine, que mon père avait refusé autrefois, quand j'étais petit, de partir aux Indes pour ne pas m'abandonner. Vous me l'avez dit, non?

– C'est vrai, Jean-Marie, mais ce qu'un père a fait pour son fils, il n'est pas nécessaire qu'un fils le rende à son père. Sans cela, la vie cesserait d'exister.

– Et Clacla?

– Clacla, c'est Mme Carbec. Elle fera son devoir. Tu la connais pourtant bien, Jean-Marie? »

Comme s'il eût soupçonné quelque perfidie sous l'innocence de la question, le garçon se dressa :

« Oui, je la connais. C'est pourquoi je ne partirai pas aux Indes. Je resterai à Saint-Malo. C'est moi qui soignerai mon père, ce n'est pas la Clacla! »

Le *Saint-François-d'Assise* leva l'ancre le 17 janvier 1683. Depuis plusieurs jours les marchandises appartenant à la Compagnie avaient été soigneusement réparties dans les divers compartiments de la calc. On n'attendait plus que la cargaison de la société Vitry la Ville et Pocquelin, un lot de barres et de réaux d'argent que les associés malouins étaient allés chercher à Cadix. Dans les milieux d'affaires anglais, français et hollandais, c'était là une pratique courante. En échange des toiles et du blé vendus à l'Espagne, les Magon, Le Jolif, Le Fer, Le Coulteux et autres gros marchands encaissaient des piastres que leurs correspondants se faisaient remettre directement, à l'arrivée des galions d'Amérique, par des capitaines peu scrupuleux qui ne déclaraient à la Monnaie guère plus que la moitié du métal rapporté du Mexique ou du Pérou. Sans avoir été poinçonnées, les pièces et les barres d'argent filaient vers Marseille, Nantes ou Saint-Malo où les navires attendaient leur arrivée au risque de manquer la mousson. A Londres, les Abraham Franco et les frères Gough, comme les Pieter Koen et les Moses d'Amsterdam ou les Gradis de Bordeaux réalisaient les mêmes opérations.

Plusieurs navires étaient déjà partis de Saint-Malo pour les Indes, quelques-uns y étaient revenus après avoir touché le Port-Louis. C'est la première fois qu'un bâtiment relierait directement la France à Pondichéry né miraculeusement du désastre de San-Thomé. Dans ses cales et dans ses chambres fortes, il emportait des marchandises diverses dont la valeur représentait 156 000 livres pour le compte de la Compagnie, et 107 000 livres de métal blanc pour celui des Malouins. Le jour du départ, MM. Vitry la Ville et Pocquelin, venus de Paris à cette occasion, offrirent une collation à bord du *Saint-François-d'Assise*, tant en leur nom personnel qu'en celui de la Compagnie des Indes dont ils étaient directeurs. Cette double perruque ne choquait personne, ces messieurs de Saint-Malo moins que d'autres puisque étant eux-mêmes propriétaires, bailleurs et marchands à la fois, ils ne pouvaient ignorer qu'ils seraient les premiers sinon les seuls bénéficiaires de cet armement. Vieux marin sans manières, le capitaine Hurtain était descendu une fois de plus dans les cales avec son maître d'équipage pour vérifier l'arrimage de la cargaison et procéder à une dernière inspection des différents postes. Rassurés par l'arrivée de la marchandise espagnole, les armateurs et les négociants mêlés aux commis les plus importants de l'amirauté buvaient du vin doux dans la chambre du conseil, le salon du *Saint-François-d'Assise* aux parois décorées d'acajou encadrant des râteliers d'armes, deux portraits dont la juxtaposition aurait pu faire sourire un esprit mal intentionné : le premier représentait le *poverello*, patron du navire, et l'autre M. Colbert, protecteur de la Compagnie des Indes, qui, en quelques années de dur labeur, avait entassé une fortune considérable et caparaçonné tous les membres de sa famille de titres nobiliaires. Enveloppées de lourdes capes de laine ourlées de velours et coiffées de capuches pour se protéger du vent aigre, les femmes, invitées elles aussi, s'étaient réunies dans un coin de la chambre.

« Avez-vous des nouvelles de Mathieu Carbec? demanda Mme Trouin à Emeline Le Coz.

— Ça ne va guère. Cela devait arriver! ajouta-t-elle en relevant les épaules.

— Je vais aller voir Clacla, continua Mme Trouin. Tout le monde dit qu'elle le soigne avec le plus grand dévouement.

— Il est bien temps! » soupira Emeline en croquant une pâtisserie.

Parce qu'il avait souvent commandé à la mer, le capitaine Le Coz pouvait attendre le départ du navire dans la petite chambre de dunette, la pièce réservée au chef pilote, là où sont rangés dans des tubes de plomb les cartes marines, les cahiers de notes personnelles, le routier, les instructions nautiques, et, dans les armoires, les compas, horloges, astrolabes et arbalestres.

Abrité des oreilles curieuses, Yves Le Coz fit ses dernières recommandations à Frédéric.

« Tu dois encore te demander pourquoi je t'ai engagé comme troisième subrécargue? Eh bien, c'est parce que je n'ai confiance dans aucun des commis de la Compagnie. Surveille-les de près, mon gars! »

Le moment était privé pour les invités de redescendre à terre. Comme Yves Le Coz allait quitter le navire, Frédéric lui dit tout à coup.

« Mathieu, je l'aimais bien. C'était le mari de ma sœur. Je ne pense pas le revoir un jour. S'il arrivait que Clacla se trouve seule, donnez-lui de ma part les diamants que vous trouverez dans le coffre de mon beau-frère.

— Tes diamants! Tu ne veux donc pas les laisser plutôt à ton neveu?

— Jean-Marie n'en aura pas besoin. Toute Mme Carbec qu'elle soit devenue, j'ai idée que la pauvre Clacla n'aura pas grand-chose à mettre dans la poche de son tablier. Cela me déplairait de penser qu'elle soit obligée un jour de reprendre son panier de poissons parce que cela plairait trop à certaines personnes. »

A bord du *Saint-François-d'Assise*, M. Hurtain avait commandé les manœuvres de l'appareillage. Des gabiers grimpaient dans la mâture et se distribuaient sur les vergues, d'autres viraient le cabestan en chantant pour rythmer leur effort. Lorsque la dernière ancre fut dérapée, le navire se couvrit de toiles où le vent s'engouffra. Dégringolés de la mâture ou sortis des fonds, les matelots s'étaient rassemblés sur le pont autour du chef pilote qui, devant la dunette, venait de prendre dans ses grosses mains le timon du *Saint-François* pour lui faire franchir les passes. Debout sur le gaillard d'avant, le capitaine Hurtain salua une dernière fois les Malouins massés sur les quais ou accourus sur les remparts. Perdu dans la foule, Jean-Marie n'attendit même pas que le navire ait doublé les Bés. Il rentra rue du Tambour-Défoncé où il entendait être le maître.

Ne laissant à sa belle-mère que le gouvernement de la cuisine et les plus élémentaires soins domestiques, Jean-Marie avait dû consentir à ce qu'elle s'occupât des ventes au détail dans la boutique dont le capitaine Le Coz venait vérifier les comptes avec une scrupuleuse fidélité. Il n'adressait à Clacla que de brèves paroles, jetées comme des ordres, et ne la regardait jamais. Les premiers jours, il était resté de longues heures dans la chambre de son père pour lui raconter la pêche sur les bancs, les escales du soleil à Marseille et en Italie, les travaux maritimes sur les chantiers de L'Orient. Dans les yeux de Mathieu Carbec, une petite lueur apparaissait, qui ressemblait à un vague sourire, et s'y éteignait à peine allumée. Tous les matins, après avoir aidé Clacla à l'installer dans un fauteuil près de la fenêtre où glissaient des goélands dans un petit morceau de ciel gris, il descendait avec elle dans la cuisine pour surveiller lui-même la préparation des laits de poule avec des exigences de maîtresse soupçonneuse et méprisante, et lui retirait des mains le bol qu'elle s'apprêtait à porter là-haut. Il avait bien dit au capitaine Le Coz qu'il soignerait son père lui-même.

Clacla savait pourquoi il n'était pas parti aux Indes. Elle se laissait rabrouer, frottait les meubles, lavait le sol à grands seaux d'eau, recherchait la fatigue, tenait la boutique, nettoyait les draps souillés du père et les vêtements sales du fils. Que Jean-Marie ait pris le commandement de la maison, elle l'admettait sans rechigner : commander, c'est l'affaire des hommes. Elle éprouvait même un plaisir secret à être rudoyée par ce garçon qui ne voulait plus se souvenir qu'il avait été son petit mâle.

Un matin qu'elle s'affairait autour du lit de Mathieu, Jean-Marie ouvrit la porte de la chambre :

« N'entre pas! » dit-elle.

Il entra quand même, et une odeur infecte lui sauta au nez. A moitié nu, étendu sur le lit, Mathieu Carbec gémissait doucement. Il avait fait sous lui et Clacla le lavait avec des gestes maternels et un doux sourire qui lui rappela le visage de maman Paramé! Il rougit en voyant les draps maculés d'excréments et lorsque ses yeux tombèrent enfin sur le sexe dérisoire il détourna vivement la tête sans savoir s'il venait de commettre un sacrilège ou s'il avait honte de son père.

« C'est comme cela tous les matins depuis plus d'un mois. Cette besogne-là n'est pas pour toi, seule une femme peut la faire. Sors d'ici! »

Clacla lui avait dit cela sur le ton d'un maître d'équipage qui donne un ordre à un mousse. Il s'en alla, tête basse. Ses poumons autant que son cœur avaient besoin de respirer l'air du large. Devant la tour de la Découvrance, il demeura longtemps à regarder la mer. « S'ils ont bon vent, pensa-t-il, ils doivent faire escale à San-Yago, au Cap-Vert, pour renouveler leur provision d'eau douce, acheter des légumes frais et des citrons. »

Encouragé par le capitaine Le Coz, qui prenait au sérieux son rôle de tuteur, Jean-Marie avait décidé de retourner au Collège de marine. L'établissement fondé par Colbert s'appelait maintenant l'Ecole d'hydrographie et était dirigé par M. Desaurais-Collin, homme de science et de pratique qui connaissait la géométrie et les mathématiques, la construction des navires et la navigation, le régime des vents et le mouvement des étoiles. Il était aussi capable de naviguer en serrant au plus près que de tirer le canon. Grâce à ce nouveau maître, Jean-Marie comprit tout ce qu'il lui fallait encore apprendre, la hauteur des astres, la déclinaison de l'aiguille aimantée, la carte des côtes reconnues et les atterrages possibles, s'il voulait un jour commander à la mer et montrer que les capitaines marchands étaient de meilleurs navigateurs que les officiers du roi. Il n'avait pas oublié le propos injurieux que lui avait tenu le jeune comte de Morzic avant de partir pour l'Ecole des gardes de la marine, à Brest : « Un gentilhomme ne peut pas se battre avec toi! » Ce jour-là, Jean-Marie s'était juré qu'il porterait lui aussi, un jour, une petite épée. Ce seul souvenir l'entraînait à se plonger dans les livres, interroger les anciens pilotes et comparer les leçons de leurs vieilles expériences à celles de M. Desaurais-Collin. C'était à son tour de partir tôt le matin et de rentrer tard le soir. Il mangeait la soupe de poissons préparée par Clacla et, seul, montait voir son père pour le prendre à bras-le-corps, le tirer de son fauteuil où il somnolait, et le mettre au lit. Les yeux désormais vides de tout regard, les jambes et les bras brimbalants, Mathieu Carbec se laissait faire. Il semblait avoir perdu toute conscience bien que M. Chiffoliau assurât qu'il comprenait encore beaucoup de choses qu'il ne pourrait plus jamais exprimer. Un soir que Jean-Marie était rentré plus tard que d'habitude, Mathieu n'avait-il pas poussé des cris affreux qu'on avait entendus dans la rue? La gorge nouée de pitié, de terreur, peut-être de dégoût, Clacla avait dit le lendemain au capitaine Le Coz :

« C'était pire qu'une bête! »

Après avoir couché son père, Jean-Marie rentrait dans sa chambre, déployait une carte marine et y traçait des lignes qui reliaient Saint-Malo ou le Port-Louis aux îles du Cap-Vert et aux Canaries, descendaient vers Le Cap, remontaient vers les Mascareignes et s'étoilaient en direction de la côte des Malabars ou de Coromandel, plus loin encore vers les Moluques et la Chine. Le *Saint-François-d'Assise* était parti depuis deux mois. Les jours s'allongeaient, les oiseaux blancs et gris se poursuivaient dans le ciel devenu plus clair, le printemps allait bientôt ramener les grandes marées et ouvrir les premières fleurs dans les jardins des couvents serrés autour de l'évêché.

Un soir que Jean-Marie était penché sur ses cahiers, Clacla entra dans sa chambre. Son visage était couvert de larmes. D'un bond il se leva, la prit dans ses bras et la jeta sur sa couette. Sans un mot, sans un regard, chacun s'occupant de soi-même, ils allaient au-devant des coups de boutoir qu'ils se donnaient sans tendresse, pressés d'aboutir, de se rassasier et de se reprendre. Ils entendirent soudain les cris de la bête. Mathieu avait dû se réveiller, comprendre qu'il était seul, et appelait. Une même colère flamba dans leurs yeux. Le toit pouvait s'écrouler sur eux, le *Saint-François-d'Assise* s'engloutir là-bas dans la mer africaine, le vieux beugler dans ses draps souillés, la brutalité de leur accouplement les possédait tout entiers. Cependant, les glapissements de Mathieu se firent plus forts au point d'envahir la maison. Jean-Marie s'arrêta un court instant. Clacla, craignant que le soc qui la labourait ne se brisât avant qu'elle n'ait eu son content, boucha les oreilles du garçon de ses deux mains et lui enfouit la tête entre ses seins. Il retrouva sa vigueur, elle fit durer son plaisir. Ensemble ils poussèrent un cri qui se mêla aux hurlements du paralytique. Elle sortit de la chambre en titubant.

Le lendemain, Jean-Marie voulut dire quelques

mots à son père ainsi qu'il en avait l'habitude après l'avoir mis au lit. Les yeux de Mathieu Carbec qui, la veille encore, n'étaient plus que des lampes où la lumière s'était éteinte, paraissaient avoir retrouvé l'expression désespérée et pleine d'épouvante du premier jour où il avait été foudroyé. Jean-Marie en fut si troublé qu'il ne put prononcer une seule parole.

« Je suis sûr qu'il nous a entendus! » confia-t-il à Clacla avec l'inquiétude d'un petit garçon.

Elle se contenta de hausser les épaules, mais ce soir-là elle donna à son mari une tisane qui fait dormir, avant d'aller rejoindre Jean-Marie. Huit nuits se passèrent ainsi. La violence et la honte du péché quotidien exaspéraient leur soûlerie, et le lendemain il semblait à Jean-Marie que les yeux de son père étaient envahis par l'ombre d'une tristesse farouche.

Sa fringale passée, il aborda le capitaine Le Coz.

« Vous aviez raison de me conseiller de partir avec le *Saint-François-d'Assise*. Je ne peux plus rester à la maison.

– Tu ne veux donc plus soigner ton pauvre père?

– Non, ça n'est pas cela.

– Alors, tu n'as pas fait la paix avec Clacla? Pourtant, tout le monde admire son courage. J'en connais beaucoup que son dévouement et sa fidélité ont étonnés.

– Je ne peux plus rester à la maison. Trouvez-moi un embarquement, capitaine, mais n'en dites rien à Clacla. »

Fourrageant sa barbe avec ses gros doigts, Yves Le Coz se souvenait d'avoir entendu les mêmes mots quand il avait appris au garçon le mariage de son père. Il dit, plus grave :

« Tu es si pressé?

– Oui, souffla Jean-Marie.

– Tu as peut-être raison de t'en aller. J'ai un petit brigantin, le *Postillon*, qui part la semaine prochaine pour Bordeaux et Bayonne. Dame, c'est du cabotage! Ça n'est pas les Indes, mais ça te changera d'air. Tu m'as l'air d'en avoir un sacré besoin. Quand tu es rentré de L'Orient, tu avais meilleure mine! »

Mathieu Carbec mourut trois jours après le départ de son fils. Sa veuve rendit scrupuleusement les comptes de la boutique au capitaine Le Coz et quitta aussitôt Saint-Malo sans dire où elle se retirait. On n'entendit plus jamais les petits sabots de Clacla dans la rue du Tambour-Défoncé.

M. COLBERT mourut le même mois que Mathieu Carbec : les Malouins regrettèrent davantage le petit armateur que le grand ministre. A part le roi qui avait quelques bonnes raisons d'être affligé de voir disparaître un fidèle serviteur habile à trouver l'argent nécessaire à sa magnificence, la France ne le pleura pas. Insoucieux de la renaissance de la marine, de la mise en ordre des institutions administratives, de la création de nouvelles manufactures et de l'élan donné au commerce lointain, le petit peuple le rendait responsable de sa misère et des dragonnades, les marchands lui reprochaient d'avoir étranglé la liberté du négoce par ses ordonnances tatillonnes, les nobles ne lui pardonnaient pas les grâces royales sur lesquelles il s'était précipité avec une goinfrerie de parvenu. Peu de grands commis avaient travaillé avec autant d'acharnement pour le service de l'Etat, et accumulé dans le même temps des richesses et des titres aussi considérables. Bon chef de famille, le père de la Compagnie des Indes avait partagé ceux-ci et celles-là avec ses enfants, ses frères, oncles et cousins, faisant de ses quatre garçons un ministre de la Marine, un prince de l'Eglise, un général des galères et un surintendant des bâtiments; de ses trois filles, trois duchesses; et de ses trois frères un évêque, un lieutenant

265

général des armées, et un secrétaire d'Etat aux Affaires extérieures.

Sortant de la cathédrale de Saint-Malo où une messe solennelle pour le repos éternel du contrôleur général venait d'être célébrée, M. de Couesnon n'avait pu s'empêcher de dire tout haut à son voisin que la roture s'était décidément installée à Versailles.

« Mon cher chevalier, répondit le vieux comte de Kerélen, vous paraissez ignorer que feu M. Colbert avait couvert d'or un généalogiste pour lui inventer un bel arbre dont le tronc s'orne du nom de Charlemagne! Voilà qui ne sent pas son roturier. Avez-vous un aussi beau lignage?

– Mon cher comte, avait rétorqué le chevalier de Couesnon en riant, apprenez que vos Malouins font encore mieux. La famille Magon ne prétend-elle pas descendre d'un certain Mago qui commanda jadis une des armées d'Hannibal? »

Il ajouta, redevenu sérieux :

« Ce Colbert, qui nous a joué de si vilains tours, reconnaissons-lui le mérite de nous avoir ouvert les portes du grand commerce sans que nous dérogions pour autant. J'entends bien que la plupart des nobles considèrent qu'il est humiliant de s'inscrire sur les registres consulaires et de s'affilier à un corps de marchands, mais pour ma part je suis bien décidé à entreprendre au grand jour ce que beaucoup des nôtres font honteusement. »

Homme d'âge, le comte de Kerélen s'étonna :

« Vous n'y songez pas? Qu'en aurait pensé votre frère aîné?

– Mon frère? Le comte de Morzic trafiquait sur la morue et les nègres.

– Votre frère, le comte de Morzic?

– Lui-même, et votre serviteur en fait autant. »

M. de Couesnon montra alors du doigt ses habits qui paraissaient tout neufs.

« Qui donc, poursuivit-il, m'aurait payé les chausses et le justaucorps dont vous me voyez paré aujourd'hui? La dot de ma sœur aînée a été vite dévorée, cela va sans dire, par son mari; celle de la cadette a été engloutie par un couvent; quant à l'héritage de mon frère, il est allé, ce qui est juste, à ma belle-sœur et à mes neveux qui se ruinent tristement à la Cour. Moi, j'ai touché une vieille épée, ma petite terre, et cinq actions de la Compagnie des Indes orientales que j'ai dû vendre au dixième de leur valeur nominale pour me procurer un peu d'argent. »

Le chevalier avait dit ces derniers mots d'une voix aigre. Il ajouta sur le même ton :

« L'honneur, la dérogeance, la race, je n'en méconnais point les vertus, mais lorsque j'ai appris, chez un notaire, que mon frère avait enrichi son patrimoine par les moyens que vous savez maintenant, tout en se montrant fort pointilleux sur nos principes, j'ai compris que je serais bien sot de vouloir m'échiner davantage sur les mancherons de ma charrue.

– Prenez garde, chevalier! s'inquiéta le vieil homme. Nous ne sommes point faits pour ces sortes de besognes. Vous risqueriez d'y perdre et votre argent et votre âme. Quel que soit le triste exemple donné par certains d'entre nous, l'usage veut, vous en conviendrez, que les nobles vivent de leurs revenus.

– Et s'ils n'en ont point, s'insurgea M. de Couesnon, faudra-t-il alors qu'ils vivent comme des gueux? Ne me parlez plus de dérogeance à partir du moment que n'importe quel marchand peut aujourd'hui devenir noble homme, à condition d'y mettre le prix. »

Après avoir rendu avec obligeance les saluts qu'on leur adressait sur le parvis de la cathédrale, les deux gentilshommes s'étaient dirigés vers la

Grande-Porte. Ils montèrent sur les remparts pour prendre un coup de lumière et d'air frais, sûrs d'y retrouver, faisant leur promenade rituelle, les mêmes bourgeois qui venaient de rendre, avec piété, un solennel hommage au ministre qu'ils avaient le plus détesté.

M. de Kerélen voulait en savoir davantage :

« Ainsi, Couesnon, si je vous entends bien, vous êtes devenu, vous aussi, un de ceux qui se font appeler aujourd'hui « les messieurs de Saint-Malo »? Compliments!

– Ne le prenez pas ainsi. Le vieux Malouin que vous êtes n'ignore pas que, pour être admis dans cette société, il convient d'apporter d'autres preuves que celles de son blason, et d'autres témoignages que ceux de sa bonne éducation.

– Peste! Vous n'avez pas toujours parlé ainsi!

– Je les ai longtemps méprisés, c'est vrai. Aujourd'hui, je les connais mieux. Je ne les admire pas encore, je les estime. Voyez ce qu'il en est de l'Angleterre et de la Hollande : leurs armateurs, négociants et autres gens de finance appartiennent à la classe réputée la plus riche mais aussi la plus noble.

– Vous lisez trop ce qui s'imprime à Londres et à Amsterdam!

– Sans doute, fit le chevalier en désignant un groupe d'hommes réunis sur la Découvrance. Vous qui êtes né ici, vous les connaissez mieux que moi. Il y a là Le Fer, Porée, La Chambre, Trouin, Le Coz, Danycan... Un jour ou l'autre leurs filles seront épousées par nos garçons.

– Une mésalliance? Vous y consentiriez, vous un Morzic dont les ancêtres reçurent leurs titres des mains d'un duc de Bretagne? »

M. de Couesnon sourit :

« Pour moi le temps d'un second mariage est passé. Je suis veuf depuis trop longtemps. A vrai dire, ni moi ni mon fils ne consentirions à donner notre nom à la descendance d'un de ces riches armateurs. Mais qui aurait pu imaginer, il y a seulement vingt ans, que le duc de Chevreuse, le duc de Beauvilliers et le duc de Mortemart accorderaient un jour leur main aux filles de M. Colbert? D'ici trois générations tout le monde aura oublié que le grand-père vendait du drap à Reims. Il en sera de même pour les petits-enfants de vos riches Malouines qui auront épousé nos meilleurs fils.

– Et qu'en pense le vôtre? interrogea le comte de Kerélen.

– Un fils est toujours d'accord avec son père qui lui verse une pension. La sienne est modeste mais elle lui permet de servir sur les vaisseaux du roi où il est aujourd'hui enseigne en premier. J'en suis fier et je n'ai agi que dans ce but. J'espère seulement que le fait d'être devenu un officier du Grand Cadre ne conduira jamais le comte de Morzic à mépriser les capitaines marchands.

– Où voulez-vous en venir?

– Nulle part. Je vous livre tout de go les réflexions d'un gentilhomme solitaire qui a manqué sa jeunesse, regrette de n'être pas parti aux îles, et ne s'étonne plus de voir les marchands se saisir des prestiges de la noblesse. »

Le comte de Kerélen n'avait pas été convaincu. Il hasarda :

« Que nos riches bourgeois soient anoblis, nous ne pouvons rien contre, si c'est la volonté du roi. Ils ne deviendront pas pour autant des gentilshommes!

– Vous ne pensez pas ce que vous dites? repartit vivement le chevalier. Pardonnez-moi, mais vous voulez rire? »

L'autre était devenu grave, presque sévère.

« Non, je ne ris pas. Je pense que nous valons mieux que nos préséances et nos privilèges. Je crois même à leur utilité, à leur nécessité, parce qu'en fin de compte ils assurent l'ordre de la société et

protègent le petit peuple. Nos qualités ne s'acquiè-
rent que très lentement et peuvent se résumer en
une seule qui s'appelle l'honneur. Ça n'est pas en
voulant imiter les bourgeois que nous résisterons,
mais nous disparaîtrons sûrement en ne croyant
plus à ce que nous représentons. Vous n'y croyez
donc plus, vous, Couesnon?

— Je ne sais pas, répondit le chevalier. Cela m'est
arrivé le jour où j'ai appris la mort de mon fils aîné,
noyé sur les bancs de Terre-Neuve. Ce fut comme
une tempête qui passa sur tout ce qu'on m'avait
obligé à croire et à aimer. Maintenant je ne crois
plus tout à fait aux mêmes choses. C'est peut-être
parce que je ne les aime plus. »

Les deux hommes demeurèrent silencieux un
long moment avant que le vieux comte pense tout
haut :

« Tout cela est bien étrange. Depuis les troubles
de la Fronde, le monde va trop vite. Si cela continue, nos petits-enfants devront disputer aux regrattiers leur siège aux Etats.

— J'ai pensé la même chose que vous, dit M. de
Couesnon, jusqu'au jour où j'ai compris que la
division des trois ordres, clergé, noblesse, tiers état,
ne correspondait plus à la réalité et qu'elle était
même en train de devenir une duperie.

— Encore une fois, répliqua le comte de Kerélen
en montrant de l'humeur, les libelles d'Amsterdam
vous troublent l'esprit.

— Suivez-moi plutôt, poursuivit le chevalier. Le
clergé est divisé en deux groupes bien distincts, le
haut clergé issu de la noblesse traditionnelle et le
bas clergé rural. Quoi de commun entre un évêque
et un curé de village? Ni le logis, ni le domestique,
ni la soutane, ni le pot, ni le savoir, ni même la
piété.

— Si, monsieur, le sacerdoce.

— Soit, je vous l'accorde, encore que sans être

janséniste, il y aurait beaucoup à dire. Mais que trouvez-vous de commun, à part quelques privilèges fiscaux et certaines préséances, entre un gentilhomme qui vit à Versailles ou assume de hautes charges, soit en province soit à l'armée, et un noble gueux qui laboure lui-même son champ? A coup sûr, ce gentilhomme se sent plus près d'un riche bourgeois que d'un noble gueux. Quant au tiers état, qui englobe tout ce qui n'est ni d'Eglise ni d'épée, il rassemble à la fois les mieux pourvus et les plus démunis. C'est ce que nous autres nobles appelons la roture, mais vous savez comme moi que le riche bourgeois n'a rien à voir avec le populaire, qui est à lui seul une sorte de quatrième état.

— Nous voici arrivés bien loin de M. Colbert.

— Pas tant que vous le croyez. S'il n'avait pas fait pendre tant de Bretons pour son papier timbré, je ne vous aurais sans doute pas tenu tous ces propos. Que Dieu ait son âme! Les Français n'en parleront bientôt plus!

— Savez-vous que son fils Seignelay vient d'obtenir, à trente-deux ans, la Marine, la Maison du Roi et la présidence de la Compagnie des Indes? On le dit aussi capable que débauché. »

Les derniers propos du vieux comte avaient été chuchotés sur le ton des commérages où tous ses pareils se complaisaient. Le chevalier les écarta d'un geste :

« On me l'a dit, mais je ne m'intéresse plus au sort de cette compagnie. Le commerce libre est plus rémunérateur, j'en ai fait l'expérience et je ne veux pas mourir comme un gueux devant mon arbre généalogique. Allons, c'est l'heure de dîner! »

Comme les deux amis devaient se séparer, le comte de Kerélen dit soudain :

« Encore un mot! Dites-moi, mon cher chevalier, vos nouvelles entreprises doivent nécessiter beaucoup d'avances de fonds?

– Cela est vrai, mais l'argent n'est pas si difficile à trouver. »

Plus bas, le vieux comte dit encore :

« Les fermages ne rapportent guère, le prix du blé a baissé, la propriété de la terre n'intéresse plus que les nouveaux nobles. Si j'étais assuré de votre discrétion, je serais disposé à participer à l'une de vos affaires. Un intérêt de vingt pour cent est-il raisonnable?

– Vous, monsieur? Vous y venez donc aussi! Méfiez-vous, mon cher comte, vos fleurons sentiront bientôt la cannelle, le nègre et la morue! »

M. de Couesnon ne pouvait contenir sa gaieté. Elle déborda dans le rire d'un homme qui semblait être devenu à la fois acteur et spectateur de quelque comédie italienne. Plus sérieux, il ajouta :

« J'espère que les Espagnols ne traverseront pas vos projets.

– Vous plaisantez! Ils ont déjà abandonné Dixmude et Courtrai. Cette fois, chevalier, la guerre sera très courte parce que Vienne est trop occupée avec le Turc pour venir en aide à Madrid. »

Le comte de Kerélen avait parlé avec l'autorité péremptoire d'un vieux militaire qui suit de près les relations extérieures de l'Etat. On venait d'apprendre à Saint-Malo que, l'Espagne ayant déclaré la guerre, les armées du roi avaient aussitôt franchi la frontière des Pays-Bas. Ainsi, la paix n'avait pas duré plus de cinq ans.

Dunkerque, la Franche-Comté et une moitié de la Flandre, devenues françaises en 1678, ne contentaient pas Louis XIV. A peine séchés, les textes diplomatiques signés à Nimègue avaient été sollicités par ses juristes pour lui permettre d'envahir le comté de Montbéliard, le duché du Luxembourg, Strasbourg, et quelques autres principautés situées en Sarre et en Basse-Alsace relevant du Saint-Empire ou de la couronne espagnole. Trop occupé à se battre sur le Danube, l'empereur d'Autriche n'avait pu intervenir sur le Rhin mais le roi d'Espagne avait fini par perdre patience devant les annexions prononcées par les parlements de Metz, Brisach et Besançon sous la menace des troupes de Louvois conservées sur le pied de guerre après Nimègue. Personne ne s'en était inquiété. A Saint-Malo comme ailleurs, chacun se réjouissait de voir ratifier par les armes des acquisitions jugées nécessaires à la sécurité du royaume.

Lorsque le *Postillon* rentra à Saint-Malo avec ses cales pleines de sel chargé au Brouage, Mathieu Carbec était mort depuis six mois. Son fils avait appris la nouvelle par un billet que lui avait fait tenir Yves Le Coz lors d'une escale à La Rochelle.

« Comme tous les vrais marins, tu n'es pas fait pour naviguer sur la terre, lui dit le capitaine en le félicitant de sa bonne mine. Tout s'est-il bien passé pour toi?

— On a eu du gros temps dans le golfe de Gascogne, mais la mer était moins dure que sur les bancs, répondit Jean-Marie.

— Dame, ça n'est que du cabotage! Pas de mauvaises rencontres?

— Je crois bien qu'un salétin a voulu nous barrer la route au large de Bayonne, mais le *Postillon* a été le plus vif. »

Ils échangèrent ainsi quelques propos, évitant par pudeur d'entamer le sujet qui les tourmentait. Le capitaine Le Coz l'aborda de biais :

« Ça va me faire tout drôle d'avoir maintenant un grand fils comme toi. As-tu reçu ma lettre, au moins?

— Oui, fit Jean-Marie, la tête basse. Ça m'a fait un coup. »

Il ajouta, après quelques instants d'un de ces

lourds silences dont les vivants enveloppent les défunts comme si la mort en avait fait des personnes sacrées :

« Comment cela est-il arrivé ? »

Les deux hommes remontaient côte à côte vers la ville haute. Bourru, Yves Le Coz raconta la fin de son vieux compagnon : un profond sommeil s'était abattu soudain sur lui et il avait passé. Personne ne s'en était aperçu, pas même Clacla qui ne le quittait pas. Elle n'avait pas eu le temps d'appeler le curé.

Jean-Marie s'était efforcé de prendre un visage de circonstance sans parvenir à éprouver le moindre sentiment de vrai chagrin. Son cœur ne lui avait jamais paru aussi vide. Il essaya de se faire violence et en eut honte. Le seul nom de Clacla réveilla son humeur.

« Vous ne l'avez pas renvoyée, sachant ma prochaine arrivée ?

– De quel droit ? répondit le capitaine. Calme-toi, mon garçon. Je ne l'aurais jamais renvoyée, mais je n'ai pas eu besoin d'y songer. Ta belle-mère a quitté Saint-Malo quelques jours après l'enterrement de ton père. Elle est partie de son plein gré, et elle m'a rendu des comptes scrupuleux. »

Ils étaient arrivés rue du Tambour-Défoncé et entrèrent dans la maison du regrattier. Tout y était ordonné, propre, reluisant, beurré d'odeurs fortes que Jean-Marie flaira avec plaisir.

« Te voici chez toi. Maintenant que tu es majeur, je te rends tes clefs. Voici celle de ta maison, celle de ton coffre, et celle de ta cave où tu ne trouveras pas que des barils de morue séchée. Le notaire te fera connaître le testament de ton père. Viens ce soir souper à la maison. Moi aussi, j'ai des comptes à te rendre. Je ne suis plus ton tuteur, nous causerons d'homme à homme. »

Demeuré seul, Jean-Marie se sentit mal à l'aise,

regarda les gros meubles bien cirés, passa d'une pièce à l'autre, ouvrit et referma des tiroirs, monta à l'étage pour déposer ses hardes dans sa petite chambre et demeura un long moment sur le seuil de celle où était mort son père. Il n'osa pas la franchir et redescendit dans la boutique pour y retrouver les plaisirs familiers de son enfance malouine en plongeant sa main dans les sacs d'épices et de cassonade. Il lui semblait entendre la voix paternelle, à la fois grondeuse et timide : « Si tu travailles bien à l'école, tout cela sera à toi un jour! » Rien n'avait bougé, tout était à sa place. La maison, les meubles, la vaisselle, les cuillers et les fourchettes, les gobelets, les lits, les draps, les chaises, l'horloge, tout cela lui appartenait, à lui seul, et il n'en ressentait pas plus de contentement qu'il n'avait éprouvé de tristesse tout à l'heure lorsque le capitaine Le Coz lui avait raconté les derniers moments de son père. Il finit par s'asseoir devant la table où Mathieu Carbec avait aligné tant de chiffres, au cours de sa vie, sur les gros registres rangés avec soin, année par année, au-dessus du coffre dont les ferrures protégeaient certainement des secrets que Jean-Marie avait souvent rêvé de deviner sans parvenir à les imaginer. Saisi de respect et d'une sorte de crainte naïve, il brûlait d'ouvrir ce coffre et ne l'osait pas, comme s'il avait eu peur de commettre quelque sacrilège ou même d'en voir surgir l'homme aux yeux tristes sous les énormes sourcils qui l'avaient naguère terrifié.

Décidé et maladroit, il enfonça la clef dans la serrure, tira à lui une petite porte cloutée et mit la main sur une liasse de papiers épais. C'étaient des actions de la Compagnie royale des Indes orientales. Jean-Marie en admira les dessins et le graphisme, traduisit sans difficulté la fière devise imprimée en latin, et compta qu'il y en avait là pour vingt mille livres en se basant sur leur valeur nominale.

Du fond du coffre, il sortit aussi un petit sac de toile d'où il fit glisser dans le creux de sa main une poudre d'or dont la coulée lui causa un plaisir tout neuf. Il lui restait à visiter la cave. Le capitaine Le Coz avait dit qu'il n'y trouverait sans doute pas que des barils de morue. Lui-même se rappelait maintenant les soins précautionneux pris par son père quand il y descendait, toujours seul. Allait-il découvrir un trésor ou trouver quelque monstre comme dans les contes de maman Paramé? Il alluma une chandelle et fut surpris d'accomplir lui aussi les vieux gestes observés si souvent chez son père quand il ferma à son tour, avec des regards inquiets, les verrous de la boutique avant de descendre sous la maison.

Le long des murs de la cave empuantie d'une odeur qui lui rappela sa première campagne de pêche à bord de la *Vierge-sans-Macules*, de nombreux barils étaient alignés. Jean-Marie en ouvrit plusieurs, toucha de ses doigts les poissons séchés, entassés, pressés les uns sur les autres, et pensa qu'il lui faudrait vendre toutes ces réserves : il n'avait pas l'intention de tenir boutique. C'est au moment où il allait refermer un sixième baril que, sous une couche de gros sel, sa main effleura la fraîcheur du métal. Il arracha une dizaine de morues qui, triangulaires et roides, tombèrent sur le sol, plongea ses doigts dans le baril d'où il retira une poignée d'écus d'or et de piastres d'argent.

Quand il raconta, le même soir, sa trouvaille aux deux Le Coz, le capitaine lui conseilla d'en garder jalousement le secret sous peine d'en voir une bonne partie confisquée par l'hôtel des Monnaies.

« Ton père et moi étions associés dans plusieurs affaires d'armement, à la pêche, au commerce, et aussi à la course. D'autres encore, que je t'expliquerai. Nous n'avons jamais fait de tort à personne, mais te voilà devenu assez grand pour savoir que, négociants ou armateurs, nous nous ruinerions tous si nous devions respecter à la lettre les règlements de ces maudits congres que sont les petits commis du roi. Si tu veux me faire confiance, je t'apprendrai ce que j'ai appris à ton père. D'abord, ce qui est le plus difficile et le plus important, c'est d'avoir bonne réputation.

– La vôtre est-elle bonne, capitaine? demanda Jean-Marie sur un ton si innocent qu'Yves Le Coz n'y vit pas malice et répondit en riant :

– Sans doute, mon gars, mais on ne l'a jamais assez bonne! Comme le dit souvent le père de ma femme, je donnerais volontiers mille livres pour qu'elle soit encore meilleure parce que cela me permettrait d'en gagner dix mille. »

Emeline Le Coz avait serré un sourire sur ses lèvres minces. Elle dit à son tour :

« Tu vas être bientôt bon à marier? »

Jean-Marie la regarda et s'aperçut pour la première fois qu'elle ne devait guère avoir plus de dix ans que lui, l'âge de Clacla.

« Laisse-le donc tranquille, fit le capitaine, il a bien le temps d'y penser.

– Certes, poursuivit Mme Le Coz, mais les Malouines y penseront pour lui. »

Elle dit encore :

« Tu ne vas pas garder la boutique de ton père? Avec ce qu'il t'a laissé, tu dois avoir d'autres ambitions que vendre de la cannelle ou de la morue? »

Jean-Marie hésita avant de répondre :

« Je demanderai conseil au capitaine et au notaire, mais je pense garder le magasin qui est sur le port à cause des toiles à voile, du goudron, et des apparaux, et parce qu'il est assez large pour y entreposer des marchandises.

– Bien raisonné, fils! interrompit Yves Le Coz.

– Je me demande aussi, hasarda Jean-Marie, si la boutique ne conviendrait pas à maman Paramé?

– Qui est-ce, celle-là? »

Perfide et méprisante, la question avait sifflé entre les dents d'Emeline Le Coz.

« Tu sais bien que c'est sa nourrice, s'étonna le capitaine.

– Comment s'appelle-t-elle donc?

– Rose Lemoal, dit Jean-Marie en la regardant droit dans les yeux, comme vous vous appelez Emeline Le Coz. Mais, pour moi, elle sera toujours ma maman Paramé. »

Avant le souper, le capitaine s'était longuement entretenu avec le garçon pour l'éclairer sur l'état de leurs affaires communes qui ne regardaient pas toutes le notaire. Jean-Marie n'était pas revenu dans cette maison depuis le jour du baptême de Marie-Léone. On l'avait placé alors au bout de la table, il n'y avait pas même deux ans de cela, et voilà que ce soir ils avaient soupé, lui, le capitaine et sa femme, d'égal à égal, comme trois associés. On l'avait questionné sur ses projets, on pensait même à le marier. Cette demeure où les êtres comme les choses disaient la solidité d'une famille bien assise serait désormais pour lui le port où viendrait s'abriter sa barque. Quand il était entré dans la chambre des enfants pour embrasser sa filleule, il avait lu dans les yeux du capitaine Le Coz et d'Emeline le bonheur tranquille qui avait manqué à son enfance.

Jean-Marie rentra chez lui avant le couvre-feu, monta dans sa petite chambre et se coucha aussitôt. C'est la première nuit qu'il allait passer seul dans cette maison devenue la sienne, dont il était le maître unique. Le sommeil fut long à l'envelopper. Enfoui dans sa couette, le fils de Mathieu Carbec revoyait son père venant le chercher à Paramé, l'oncle Frédéric faisant ses tours, et Cacadou battant des ailes. Il revoyait aussi la Clacla avec ses cuisses dures, larges ouvertes au milieu du lit. Jamais il ne s'était senti aussi seul, pas même lors de sa première nuit de mousse dans la cale empuantie de la *Vierge-sans-Macules*. Il écouta la maison. Elle baignait dans un profond silence que pas le moindre craquement n'égratignait. Autrefois, quand il ne dormait pas, il entendait souvent son père ronfler paisiblement de l'autre côté du palier. A ce minuscule souvenir, Jean-Marie sut qu'il avait du chagrin et sentit la coulée d'une larme sur sa joue. Appelant les Malouins à rentrer chez eux, les tintements d'une cloche le tirèrent un peu de sa tristesse, et il entendit bientôt les chiens hurleurs qui couraient sous les remparts. Quand le silence eut englouti la ville, Jean-Marie comprit pourquoi sa maison lui paraissait morte elle aussi : la grosse pendule était arrêtée. Il se leva, descendit dans la salle, remonta le mécanisme et revint se coucher. Rassurant et paisible comme le va-et-vient d'un berceau, le tic-tac l'aida à s'endormir.

Le lendemain matin, le notaire fit part à Jean-Marie des dispositions testamentaires de Mathieu Carbec. L'ancien regrattier avait fait de son fils son légataire universel, à charge pour celui-ci de prélever sur la totalité des biens meubles et immeubles dont il héritait une somme de mille livres léguée à Rose Lemoal, et un douaire de cinq mille livres au bénéfice de la veuve Carbec. Suivait la liste des biens dont Jean-Marie devenait le possesseur : la maison de la rue du Tambour-Défoncé, le magasin situé sur le quai de Mer-Bonne, un petit terrain sis à Saint-Malo, sur les remparts face aux Bés, la copropriété pour un tiers du *Renard* et de la *Vierge-sans-Macules*, plusieurs parts prises dans divers armements, quelques prêts à la grosse aventure, sans compter les meubles, objets divers et autres marchandises installés ou entreposés dans les immeubles du *de cujus*. A ces biens, Jean-Marie devait encore ajouter une petite borderie de quelques arpents, situé près de Rotheneuf, au lieu-dit La Bargelière, qui lui venait de sa mère.

Maître Huvard avait lu cette énumération d'une voix lente et monocorde, levant de temps à autre ses petits yeux rouges au-dessus de son texte pour prendre une première mesure du jeune homme dont il allait faire un nouveau client. Redevenu aimable, il susurra paternellement :

« Vous voici devenu presque riche, monsieur Carbec. Non, vous n'approchez ni d'un Magon ni d'un Danycan! Pas même de votre ancien tuteur, le capitaine Le Coz, mais considérez que vous êtes très à l'aise et que vous demeurerez dans cet état tout le restant de votre vie si vous ne commettez pas les imprudences où tombent trop souvent les jeunes gens qui deviennent soudain des héritiers.

– Tout cela représente combien d'argent, maître Huvard? demanda hardiment Jean-Marie.

– C'est là une question à laquelle je m'attendais. Il m'est difficile de vous répondre avec exactitude tant que vous ne serez pas entré définitivement en possession car nous vivons en des temps où plus rien ne demeure stable. Je dois d'autre part attendre la fin de la période pendant laquelle des créanciers éventuels de votre père pourraient se manifester. Il me faudra pratiquer des évaluations, faire des calculs, rédiger des actes, m'entretenir avec les commis fiscaux. Tout cela peut demander du temps. Toutefois, je crois pouvoir vous assurer que pour ce qui concerne le testament déposé par votre père entre mes mains, votre héritage représente environ cent cinquante mille livres. Mais, bien sûr, il y a le reste, n'est-ce pas, monsieur Carbec?

– Qu'entendez-vous par là? »

Maître Huvard adressa à Jean-Marie un sourire complice.

« Les notaires sont loin de tout connaître! On ne

leur confie guère que ce que tout le monde sait, c'est-à-dire le visible. Pour le reste, lorsque nous voulons évaluer une fortune, c'est à notre expérience que nous devons recourir pour imaginer, par exemple, le montant du numéraire resserré dans les caves. Pour ce qui vous concerne, j'avoue être quinaud. Votre père était peu porté à la confidence, et bien malin serait celui qui prétendrait savoir qui l'emportait chez lui du regrattier, de l'armateur ou de l'avitailleur, peut-être même du corsaire? Cherchez donc dans les recoins de votre maison, vous y ferez sans doute d'agréables découvertes. Toutefois, ne vous attendez point à y trouver un trésor. Mathieu Carbec était trop religieux, trop respectueux des lois, trop prudent aussi, pour n'avoir pas remis à l'hôtel des Monnaies les écus qu'il aurait pu, fort honnêtement, gagner dans ses entreprises. S'il vous arrivait, cependant, de découvrir quelques riksdals autrichiens, piastres espagnoles, ducats hollandais et autres doublons, n'en confiez le secret qu'à moi seul. Les notaires sont faits pour ces sortes d'anguilles. Monsieur Carbec, je suis votre serviteur. »

Jean-Marie s'était bien gardé de révéler à maître Huvard qu'il avait déjà exploré la cave paternelle. Il signa plusieurs feuilles de papier noircies d'encre et, pressé par une faim de jeune homme, descendit vers le port en essayant de calculer le montant du numéraire dont il pouvait disposer immédiatement. Les chiffres tintaient dans sa tête avec le souvenir du bruissement métallique que les piastres avaient laissé, la veille, au bout de ses doigts. Depuis que, jeune garçon, il avait appris que son père armait à la course, il n'avait jamais douté qu'il serait riche un jour mais il ne pouvait alors séparer l'idée de richesse de l'image d'un homme d'importance, grave, déjà vieux, peut-être avec un ventre rond, ressemblant au capitaine Le Coz et aux pères de ses compagnons d'école. Il y avait bien l'oncle Frédéric qui était revenu des Indes avec ses poches bourrées de diamants, ni grave, ni vieux, ni rond, mais l'oncle Frédéric n'était pas riche, il dépensait de l'argent. De curieuses pensées agitèrent ce jour-là Jean-Marie. Etre riche, qu'est-ce que cela voulait dire ? Dépenser ou resserrer ? Gagner ou donner ? Amasser ou dissiper ? Il ignorait qu'avant lui des générations de Malouins s'étaient posé la même question et avaient toujours été tiraillées entre leur goût de paraître et la peur de manquer qui tourmente les petites gens. Au moment où il allait franchir le seuil de La Malice, Jean-Marie hésita un instant. Sûrement, son père n'était jamais venu dans cette auberge alors que lui même, un jour s'étant à peine écoulé depuis son retour à Saint-Malo, allait s'y goberger. Il rassura ses scrupules en considérant que son deuil remontait à six mois, poussa la porte, entra dans l'odeur bruyante de la salle où il fut accueilli gaiement par des anciens condisciples des écoles chrétiennes, et comprit que la condition d'un héritier n'a rien de commun avec celle d'un orphelin.

Comme il sortait de l'auberge, éméché par un bon repas, Jean-Marie s'aperçut que la mer commençait de baisser et découvrait déjà le Sillon. Il calcula qu'il aurait tout le temps d'aller chercher Rose Lemoal pour la ramener à Saint-Malo avant la remontée du flot, et loua aussitôt une carriole.

Maman Paramé avait toujours la tête un peu perdue et le cœur plus rapide dès qu'elle le voyait arriver.

« Te voilà roulant carrosse maintenant ? »

Elle se ravisa bientôt, pinçant ses lèvres sur sa gaieté pour obéir aux convenances qui sont honnêtement dues au fils qui vient de perdre son père. Il ne lui laissa pas le temps de larmoyer.

« Es-tu prête ? »

Elle ne comprenait pas, l'étonnement et l'admiration se confondaient au fond de ses yeux marins, étoilés de rides profondes. Jean-Marie affecta de la rabrouer :

« Dépêche-toi, je viens te chercher. Il faut partir avant la marée.

– Où allons-nous? s'étonna-t-elle.

– Chez moi, pardieu! »

Il avait prononcé ces derniers mots avec une sorte de fierté qui l'épouvanta. Baissant la tête, elle dit doucement :

« Chez toi? C'est vrai que tu es le maître à présent. Mais, il y a l'autre...

– L'autre? La Clacla? Sois tranquille, elle est partie. Tu n'es pas heureuse de venir habiter chez ton fils? »

Heureuse? Elle ne savait pas ce que cela voulait dire. Rouge de plaisir, elle se jeta sur ses joues.

« Tout ça ne tiendra jamais dans ta carriole. »

De ses deux mains, elle montrait la grosse table, les bancs, le coffre à vêtements, les paillasses, le lit clos tout démantibulé, les ustensiles de cuisine pendus au mur noir de goudron, toute sa misère et tout son bien.

« Tu ne vas pas emporter tout ça?

– Pour sûr que oui! » s'exclama-t-elle, et elle dit aussi, comme un cri envieux qui remonte de temps en temps des plus vieilles profondeurs jusqu'à la gorge des pauvres : « Tu es riche, toi! »

Ils se chamaillèrent pendant plus d'une heure. A la fin ils se mirent d'accord pour faire un tri. Maman Paramé s'accrochait aux plus humbles objets, surtout aux cassés, autant pour leurs souvenirs que parce qu'ils appartenaient à elle seule, Rose Lemoal. Elle consentit à abandonner la table et les deux bancs, mais elle tint bon pour le poêlon où elle avait l'habitude de faire cuire ses crêpes de blé noir, et refusa tout net d'abandonner le vieux lit clos qu'elle avait hérité de ses parents.

« C'est là-dedans que je suis née, c'est là-dedans que je mourrai. »

Excédé, Jean-Marie haussa les épaules et entreprit avec des gestes impatients d'en déboîter les montants. Il lui faudrait attendre de longues années pour comprendre les mystères de cette religion familiale du lit dont le credo était ronchonné par la nourrice tandis qu'elle allait et venait, se cognant, gémissant un peu, Sainte Vierge! profitant de ce que son gars avait le dos tourné pour empiler dans un coffre des objets qu'elle avait décidé un instant plus tôt, la mort dans l'âme, d'abandonner et qui devenaient soudain ceux auxquels elle était le plus attachée.

Quand tout fut enfin arrimé sur la carriole, Rose Lemoal jeta un long regard sur l'espace à peu près vide où elle avait vécu pendant plus de quarante ans. Tout à coup, elle laissa tomber à terre les balluchons qu'elle tenait à bout de bras.

« Non! dit-elle alors. Tu m'as fait perdre la tête. Je ne veux plus partir. »

Jean-Marie la menaça comme aurait fait un capitaine avec un matelot rebelle.

« La mer monte. Si tu n'embarques pas tout de suite, je lève l'ancre, j'emporte ta cargaison, et tu ne me reverras plus jamais.

– Et ma maison? cria-t-elle. Elle est à moi, ma maison! »

Avec son toit déchiré, ses murs délabrés, sa porte dont les planches trouées claquaient dans le vent, sa cheminée écroulée, pouvait-elle appeler une maison cette misérable chaumière qui s'en allait par morceaux? Jean-Marie fut pris de pitié et, soudain, comme si elle eût été frappée par la baguette d'une fée, il revit la maison de sa nourrice avec les yeux de sa petite enfance : solide, gaie, entourée de genêts en fleur, pleine de chansons et de bonnes odeurs, de soleil, de brises marines, de caquet de la poule noire qui venait de pondre.

« Ne crains rien, maman Paramé, nous ne l'abandonnerons pas. Je te jure que nous la ferons radouber.

– Tu es un bon gars », dit-elle en reniflant.

Ils étaient maintenant installés tous les deux dans la carriole, et Jean-Marie avait déjà saisi les rênes.

« Attends! commanda Rose Lemoal. J'ai oublié de jeter de l'eau sur les cendres de la cheminée. »

Elle redescendit, courut vers la maison. Elle réapparut portant de la main droite un vieux seau plein de trous rouillés, et sous le bras gauche une sorte de caisse en forme de bateau.

« J'avais oublié le principal! dit-elle en riant de bon cœur et montrant à Jean-Marie son lit de nouveau-né. Quand tu auras un gars, même si tu es devenu capitaine, il n'en aura pas de plus beau!

– Pour sûr! » répondit Jean-Marie en faisant claquer son fouet!

Ils entrèrent dans Saint-Malo par la porte Saint-Vincent. Hauts sur l'eau verte, les barques de pêche et les bâtiments du commerce, serrés l'un contre l'autre, balançaient leurs grincements. Semblable à un maquignon qui, sur le foirail, reconnaît la qualité d'une bête au premier coup d'œil, Jean-Marie savait apprécier les formes et les gréements des navires. Ceux de Saint-Malo, il les connaissait tous, mieux que les commis de l'amirauté, ces officiers vêtus de blanc qui fourraient leur nez partout, noircissaient du papier, contrôlaient les rôles d'équipage, épluchaient la liste des marchandises, et dont les vrais marins disaient avec mépris qu'arrivés en fin de carrière ils demeuraient incapables de distinguer un mât de misaine d'un mât d'artimon. Il montra plusieurs navires à Rose Lemoal, les désignant par leur nom, celui de leur armateur et celui de leur patron, comme si toute la flottille malouine lui eût appartenu.

« Regarde là, à droite, le long du quai, à côté du *Saint-Joseph*, regarde le brigantin qui décharge du sel.

Tu vois, maman Paramé? C'est le *Postillon*, à bord duquel je viens de faire du cabotage jusqu'à Bayonne. »

Rose Lemoal ouvrait tout grands ses yeux. Sauf à en redouter les périls, elle ignorait à peu près tout des choses de la mer et ne se souciait guère de trouver le *Postillon* au milieu de tous ces navires. Elle se rappelait plutôt le jour où elle était venue à Saint-Malo pour assister au départ des terre-neuvas lorsque Jean-Marie était parti la première fois sur les bancs. Aujourd'hui elle y revenait, à côté de lui, avec ses meubles, quasiment dans un carrosse, pour s'y installer. Incapable d'éprouver le moindre sentiment de revanche, elle était honteuse à la pensée qu'elle allait entrer tout à l'heure dans la maison de Mathieu Carbec. Lorsque le cheval s'arrêta rue du Tambour-Défoncé, elle serra, craintive, le bras de Jean-Marie comme pour se rassurer et chercher une protection.

« Voici ta chambre, dit-il. Jusqu'à présent, c'était la mienne. Tu y coucheras. Moi, à partir de ce soir, je dormirai dans celle de mes parents. Arrange tes affaires et prépare le souper. Tu trouveras en bas, dans la souillarde, des œufs, de la farine, du lait, du beurre et du cidre que j'ai achetés ce matin. Je vais faire un tour de remparts et je te ramènerai deux beaux poissons. Demain, nous irons ensemble faire des provisions. Les assiettes, les couverts et les verres doivent être rangés dans le placard de la salle. »

Au moment de sortir, il se rappela les recommandations de son père dans une circonstance analogue, et les lui répéta mot pour mot.

« Il faut que je te dise encore quelque chose. A Paramé, tu faisais tes besoins sur la grève. A Saint-Malo, il est défendu de prendre ses aises dans la rue, tu irais en prison. Derrière la boutique, il y a une petite cour avec un tas de sable... Le cureur passe une fois par semaine, tu lui donneras un denier. »

Demeurée seule dans la chambre, Rose Lemoal contempla l'armoire robuste, le lit bien propre recouvert d'une couette rouge, la chaisse paillée, les murs où étaient encore clouées les cartes marines de Jean-Marie, une Sainte Vierge minuscule perchée sur un bénitier où se fanait un rameau de buis devant laquelle elle se signa comme si elle devait s'embarquer pour un long voyage. De son coffre, elle retira une jupe noire bordée de velours, une vieille blouse de futaine cicatrisée de reprises, la robe des dimanches faite de gros drap inusable qu'elle avait achetée avec l'argent laissé par Jean-Marie l'année précédente, trois mouchoirs et des sabots neufs. Lorsque tout fut rangé dans l'armoire, elle ouvrit la fenêtre.

De saisissement, maman Paramé demeura clouée sur le plancher. Alors qu'elle n'avait jamais connu que de grands espaces pleins de lumières, de vent et d'eau, elle comprit tout à coup qu'elle allait vivre désormais dans une geôle. Des dizaines, peut-être des centaines de toits, elle aurait été bien incapable de les dénombrer, se touchaient, s'enchevêtraient, mêlaient leurs pentes d'ardoise, de tuile ou de bardeau. Elle dut se tordre le cou pour apercevoir un coin de ciel et les oiseaux dont elle avait entendu les cris furieux. Ici la lumière était grise et le vent sentait mauvais. Baissant la tête, elle vit la petite cour avec son tas de sable. C'est-il Dieu possible! Il lui semblait toujours que c'était hier le temps où elle tenait son nourrisson au-dessus d'un trou d'eau pour le faire pisser, et voilà que ce garnement venait de lui expliquer, comme un capitaine l'aurait commandé à un mousse, comment elle devrait faire ses besoins sous peine d'aller en prison!

Le jour était tombé depuis longtemps lorsque Jean-Marie revint avec deux poissons suspendus par les ouïes à une ficelle. Il sentait l'alcool.

« Tu aimes toujours la goutte », dit-elle en souriant.

Maman Paramé avait commencé sa nouvelle vie. Après avoir préparé la pâte à crêpes et mis le couvert, elle s'était assise dans l'ombre avec ses aiguilles à tricoter.

« On n'y voit rien ici », fit Jean-Marie en allumant trois chandelles.

Il s'aperçut alors qu'elle n'avait placé sur la table qu'une seule assiette et s'en étonna.

« Tu as soupé sans m'attendre ?

– Oui, j'ai l'habitude de souper à cinq heures. Mais ça n'est pas pour cela que je ne t'ai pas attendu. Tu es le maître, Jean-Marie, et tu dois maintenant te conduire comme un vrai homme. »

Il bondit vers elle, embrassa trois fois ses vieilles joues sans grâce, parut réfléchir et finit par répondre en s'installant :

« Tu as raison. A bord des vaisseaux du roi, comme sur les navires de la Compagnie des Indes, on m'a dit que le capitaine mangeait seul, à moins qu'il n'invite à sa table un de ses officiers ou un passager de marque. »

Et, d'un ton solennel, en manière de jeu, il ajouta :

« Moi, Jean-Marie Carbec, capitaine du Tambour-Défoncé, déclare que j'inviterai à mon bord, chaque dimanche, Mme Rose Lemoal qui est ma maman Paramé ! »

Comme il l'avait dit, Jean-Marie coucha cette nuit-là, pour la première fois, dans la grande chambre. Le lit était net, avec des draps frais, bien tirés, lavés à l'eau de mer et séchés au vent des plages. C'est là qu'il était né, que ses grands-parents, sa mère et son père étaient morts. A son retour des Indes, l'oncle Frédéric y avait été recueilli. C'est là aussi que Clacla et son père... A cette idée, pensant ne jamais parvenir à chasser les images qui le menaceraient chaque nuit, il regretta d'avoir installé Rose Lemoal dans sa chambre de jeune garçon. C'est alors qu'il se rappela les paroles de sa nourrice : « Tu dois te conduire comme un vrai homme. » Brusquement il entra dans le lit, comme pour en chasser des démons et se prouver qu'il était désormais le seul maître.

Son brevet de président à peine reçu, le marquis de Seignelay s'était empressé de convoquer les directeurs de la Compagnie des Indes pour examiner les comptes. Comme en 1675, on avait commencé par surévaluer les actifs au point d'estimer à 1 500 000 livres les onze navires de la flotte qui n'en valaient pas plus de 120 000, et on avait accordé le même crédit aux effets de valeur réelle qu'aux créances les plus douteuses. Tous les fonds de tiroirs étant raclés, on s'aperçut bientôt qu'il ne restait guère qu'un million de livres pour répondre au fonds social, et que les caisses étaient vides de numéraire.

Soucieux de continuer la politique paternelle face aux autres Compagnies des Indes orientales fondées par l'Angleterre, la Hollande, l'Espagne, la Suède, le Danemark et la Prusse, le fils de Colbert n'entendait pas que la compagnie française déposât son bilan. Il avait donc imaginé de la renflouer en chassant les neuf directeurs, élus naguère au cours d'une assemblée générale, et en les remplaçant par un collège de douze gros porteurs choisis par le roi. Parallèlement, les actionnaires avaient été invités à faire un nouvel apport faute d'être déchus de leurs droits acquis après avoir été remboursés de leurs actions réduites au quart du nominal. Découragés et furieux, ne se cachant pas pour dire qu'ils avaient été friponnés, la plupart avaient refusé de verser le moindre sol, mais il s'était trouvé quelques négociants, armateurs et autres hommes d'entreprise pour apporter de l'argent frais et estimer que les difficultés subies au cours des vingt dernières années ne mettaient pas en cause le commerce lointain. En fait, la Compagnie française des Indes orientales venait de tomber entre les mains de quelques riches actionnaires qui entendaient tirer bénéfice des efforts de leurs prédécesseurs et se servir d'un instrument d'Etat pour leurs propres affaires. Parmi eux, se trouvaient deux importants marchands, Pocquelin et Vitry la Ville, ceux-là mêmes qui avaient acheté, avec le concours de quelques Malouins, le *Saint-François-d'Assise* sur lequel s'était embarqué l'oncle Frédéric.

Loin de l'inquiéter, tous ces avatars réjouissaient curieusement le capitaine Le Coz.

« Je ne m'étais pas trompé en conseillant à ton père, il y a quelques années, de racheter à bas prix quelques actions de la Compagnie des Indes, confia-t-il à Jean-Marie Carbec en rentrant de Paris où il s'était rendu pour assister à une assemblée générale convoquée par Seignelay. Ton père a acheté cent livres des actions de mille livres qui peuvent être revendues aujourd'hui deux cent cinquante livres. Leur réalisation immédiate ne serait pas négligeable mais je pense que nous avons mieux à faire. Toi et moi, nous disposons à nous deux d'une centaine d'actions. C'est trop peu pour prétendre obtenir du Conseil des dérogations au monopole, mais un des membres les plus importants de ce nouveau Conseil, Vitry la Ville, qui est intervenu personnellement pour soixante mille livres dans le nouveau capital, voudrait réunir sur son nom plus de deux cent mille livres versées par des porteurs occultes. Cette masse d'argent lui donnerait dans les décisions du Conseil un grand poids dont bénéficieraient tous ses associés. Qu'en penses-tu, mon gars? Vitry la Ville m'a proposé de participer à cette finance. J'en ai accepté le principe mais j'ai réservé ma réponse définitive jusqu'au retour de Frédéric qui nous éclairera sur les possibilités de trafiquer directement avec Pondichéry. Le *Saint-François* devrait arriver au Port-Louis en septembre. Tu n'as plus qu'un mois à attendre pour revoir ton oncle. »

Depuis qu'il avait hérité, Jean-Marie avait pris conscience de ses nouveaux devoirs et se demandait comment il parviendrait à concilier son goût pour la navigation et les exigences de l'avitaillement des navires qui supposait sa présence à terre. Comme il l'avait fait pour le père, Yves Le Coz ne ménageait pas ses conseils au fils et lui apprenait la tenue des livres de comptes sans retrouver chez Jean-Marie la même intelligence intuitive des chiffres. Un soir, ils s'étaient enfermés tous les deux dans la cave après avoir recommandé à Rose Lemoal de répondre à tout visiteur qu'ils étaient absents, et de ne les déranger sous aucun prétexte. Sur une planche, à la lueur d'une chandelle, ils avaient répété les mêmes gestes si souvent répétés par Mathieu Carbec quand il alignait naguère ses piles d'écus. Il y avait là des piastres espagnoles, des riksdales autrichiens, des ducats hollandais, des guinées anglaises, des écus de France et des pistoles romaines, dont le montant dépassait cinquante mille livres selon l'estimation d'Yves Le Coz. Jean-Marie en avait été agréablement surpris mais n'en demeurait pas moins étonné. D'où provenait le plus clair de cet argent? avait-il demandé. Du commerce de détail ou de la morue, de la course ou du resserrement?

« Le resserrement, avait répondu en souriant le capitaine Le Coz, c'était encore bon pour ton grand-père et ceux qui vinrent avant lui. En ce temps-là, il n'était pas nécessaire d'être riche pour mettre de côté. Aujourd'hui, il faut avoir beaucoup d'argent ou être bien avaricieux pour se permettre de resserrer. Pour autant qu'elle y soit jamais parvenue, l'épargne ne peut guère conduire à la richesse. A la rigueur, elle peut remplir un bas de laine, pas un baril, encore moins une cave. Ton père avait hérité un petit bien de sa famille, il en a risqué la majeure partie sur la mer au moment de la guerre de Hollande. Il l'a peut-être fait pour toi, parce que s'il n'avait pas eu cette audace il n'y aurait guère que de la morue, de la chandelle et du savon dans tes barils. Ce qui t'appartient aujourd'hui, tu le dois surtout à la course et à la grosse aventure.

— Alors mon père aurait pu tout perdre?

— Dame! C'est arrivé à d'autres. Mais il aurait pu gagner davantage s'il n'avait pas été si prudent, grogna Yves Le Coz.

— Si je comprends bien, capitaine, on ne doit pas garder longtemps trop de numéraire dans sa cave?

— Il ne faut pas mettre tous ses écus dans le même baril. En ce moment, je crois que le trafic va reprendre avec les Indes orientales. Le plus important, c'est donc d'être bien placés auprès des directeurs de la Compagnie afin d'obtenir des dérogations au monopole. Si tu le veux, nous pouvons trafiquer tous les deux en compte à demi. »

Jean-Marie ne répondit pas tout de suite. Il avait compris qu'il ne devait pas laisser dormir tout cet argent mais la seule idée de s'en séparer lui nouait la gorge.

« Cela doit coûter cher d'acheter des dérogations? interrogea-t-il.

— Toi, tu feras un bon armateur, dit le capitaine en riant dans sa barbe. Oui, cela coûte cher. Les épices que tu verses au juge, à l'agent fiscal, à n'importe quel commis ou au directeur, ne sont jamais bon marché. Ces maudits congres sont devenus de plus en plus gourmands, mais ce que tu perds d'une main tu le rattrapes de l'autre.

– Et la guerre? demanda encore Jean-Marie.

– Quand il s'agit du commerce maritime, la guerre n'est jamais bonne, encore que, là aussi, il y ait toutes sortes d'arrangements. Pour nous autres Malouins, elle ne fut pas toujours si mauvaise. J'en connais qui préfèrent courir le Hollandais que d'aller pêcher du poisson. Pour l'heure, le roi a mis les Espagnols à la raison en mettant le feu à Bruges et à Bruxelles. On m'a même dit que notre flotte du Levant a détruit à moitié la ville de Gênes pour la punir d'avoir prêté quelques galères à Madrid. Mais tout ça, mon gars, s'est passé bien loin de Saint-Malo. Ça ne nous concerne guère. »

Un autre jour, Jean-Marie posa à Yves Le Coz une question dont la réponse devait orienter une bonne partie de la vie promise à ses longues dents.

« Capitaine, j'ai compris comment on remplissait ses barils, mais dites-moi donc comment on peut les vider de leurs écus sans dévoiler du même coup qu'on n'a pas apporté ceux-ci à l'hôtel des Monnaies?

– Cela, mon gars, c'est autre chose. D'abord, il faut les faire entrer dans sa cave. Ça n'est pas toujours facile. Le meilleur moyen, c'est d'en déclarer honnêtement une partie à la douane après avoir eu soin de débarquer le plus gros, en pleine mer, dans des chaloupes avant d'entrer au port. Pour convertir à bon compte tes piastres ou tes ducats en livres tournois, tu n'as plus qu'à t'adresser à des gens d'affaires discrets. Je te donnerai des noms. Ils viennent de Lyon, de Bordeaux, de Paris. Les plus importants arrivent de Genève quand il s'agit de grosses prises. Ceux-là, les commis fiscaux les connaissent bien mais ne les inquiètent jamais parce qu'ils ont obtenu la libre circulation de leur personne et du numéraire à travers tout le royaume en échange de prêts consentis au roi.

– Il y a donc des hommes assez riches pour prêter de l'argent au roi? s'étonna Jean-Marie.

– Certes. Même en France, il n'en manque pas.

– Et le roi rend toujours l'argent? demanda encore Jean-Marie.

– Oh! le roi dispose de nombreux moyens pour payer ses dettes! Le plus rapide c'est d'envoyer aux galères un prêteur trop indiscret; le plus habile c'est d'altérer la monnaie avant de rendre l'argent; et le plus courtois c'est de tout garder mais d'envoyer en échange à l'heureux créancier une lettre de noblesse. »

Peu mécontent de donner de telles leçons au jeune homme en attendant que son propre fils ait atteint l'âge de les entendre, le capitaine Le Coz souriait d'aise. Pour faire bonne mesure il ajouta :

« Depuis que les croisades ne sont plus à la mode, comment crois-tu donc qu'on devienne comte ou marquis, gros benêt? »

Battue par les houles de la mer Indienne, la côte de Coromandel n'offre aux navires qu'un abri précaire mais où les dimensions colossales des pagodes élevées le long du rivage sont pour les marins de merveilleux points de repère. Lorsque le *Saint-François-d'Assise* avait mouillé ses ancres dans les eaux de Pondichéry, un sentiment d'inquiétude mêlé peut-être d'un peu de regret avait serré le cœur de Frédéric. Naguère, à quelques encablures de là, il s'était réembarqué au lendemain du désastre de San-Thomé, avec les débris du corps expéditionnaire du comte de La Haye. Des soixante compagnons qui avaient préféré poursuivre leur aventure que de se rendre aux Hollandais, combien en restait-il? Dans quel état allait-il retrouver les survivants, lui qui était maintenant bien vêtu, bien nourri, bien payé? Il avait pourtant juré qu'il ne reviendrait jamais dans ce pays où les hommes ont des yeux sans regard et dont les ruisseaux tachés de peaux végétales rampent dans l'herbe, serpents verts et noirs. Mais Frédéric était de la race de ceux pour qui la fièvre des départs demeure aussi indispensable que l'émotion des retours.

Devant lui, s'étirait une plage immense où se balançaient, sous le ciel brouillé, des cocotiers aux plumets ébouriffés. Entre leurs fûts inclinés par les moussons, se profilaient quelques maisons basses construites à une portée de mousquet des rouleaux qui se brisaient sur le sable gris comme la peau d'un nègre qui va mourir. Les matelots avaient à peine entrepris de ferler les voiles que le navire fut entouré de radeaux faits de deux ou trois arbres liés ensemble, les catamarans, où vibrait une voile de natte en forme de triangle. Chargés de poissons, de fruits et de légumes, ils étaient menés par de grands gaillards plus noirs que le bois d'ébène et ruisselants d'eau ensoleillée auxquels M. Hurtain fit jeter des câbles. Ils s'y accrochèrent aussitôt et, sans quitter les petites pipes qu'ils fumaient, parvinrent en un clin d'œil sur le tillac du *Saint-François-d'Assise* avec leurs corbeilles remplies de dorades, d'aubergines, d'ananas ou de piments verts et rouges sur lesquels, privés de vivres frais depuis plusieurs semaines, les marins se précipitèrent.

Quelques instants plus tard, une chaloupe se détacha du rivage, plongea dans la houle et se dirigea vers le navire. Au milieu des rameurs, un petit homme essayait de se tenir droit et agitait un grand chapeau : c'était François Martin, l'agent de la Compagnie qui, en 1674, ayant dédaigné l'offre de l'amiral Rykloff, s'était installé dans le petit village de Pondichéry, au sud de San-Thomé, avec une poignée d'aventuriers. Bourreau de travail, habile diplomate, commis scrupuleux qui n'entendait pas entreprendre sans réussir, il avait noué de si amicales relations avec le gouverneur de la région, un certain Shere Khan, que celui-ci lui avait bientôt octroyé la concession du village pour y établir, au nom de la Compagnie des Indes, une factorerie et des ateliers de tissage. La paix de Nimègue n'avait pas rempli ses caisses, mais d'une année à l'autre, la petite colonie avait prospéré grâce aux heureux rapports entretenus d'autant plus facilement avec la population indigène que les nombreuses métisses portugaises, abandonnées sur la côte de Coromandel par des occupants provisoires, n'avaient pas été insensibles au charme des soldats perdus. Trois années seulement après son arrivée, François Martin avait envoyé une première cargaison de toiles peintes à Surat où résidait l'agent principal de la Compagnie. La vie à Pondichéry n'avait pas été exempte d'inquiétudes et d'alarmes. Il avait fallu se défendre contre des bandes de pillards, tenir tête à des petits chefs locaux qui ne reconnaissaient pas l'autorité du Grand Moghol, obtenir l'autorisation d'élever deux petits bastions, et arracher la permission de convertir des tisserands en soldats. Malgré la précarité de ses ressources, protégé par le fidèle Shere Khan, François Martin avait pourvu à tout, développé le nombre de ses ateliers, emprunté sur sa bonne mine des sommes énormes à des courtiers musulmans, amorcé un petit courant commercial d'Inde en Inde, convaincu Paris qu'il était en mesure d'expédier annuellement pour un million de livres d'étoffes. Il avait même installé un comptoir au Bengale, juste à l'embouchure du Gange, à Balassore, là où l'on tissait des lamés d'or et d'argent dont on rêvait à Versailles, à Londres, à Vienne et à Amsterdam. Et voilà qu'au bout de dix ans d'efforts, la Compagnie lui envoyait, sans escale préalable à Surat, un premier navire de deux cent cinquante tonneaux aux cales pleines de réaux d'argent, reconnaissant ainsi Pondichéry comme un de ses établissements officiels aux Indes. Dressé sur sa chaloupe qui tanguait sur la houle, François Martin agita joyeusement son large chapeau. M. Hurtain fit tirer le canon pour lui rendre son salut et se dirigea vers la coupée où il l'accueillit à son bord.

Frédéric resta six mois à Pondichéry, le temps d'acheter les marchandises du retour et d'attendre la nouvelle mousson. Il avait conservé de Surat le souvenir gluant d'une énorme cité où s'écoulait une population silencieuse. Ici, il découvrait une petite bourgade de pêcheurs et d'artisans aussi habiles que bavards. Des anciens compagnons qui avaient fait le coup de feu avec lui, plus de la moitié étaient morts. Les autres, livides, décharnés, les yeux brûlés de fièvre et la moelle poivrée de vérole, usaient des souvenirs de justaucorps et de hauts-de-chausses, mais toujours l'épée au côté et les poches pleines de petits diamants. Frédéric en reconnut quelques-uns, soldats de fortune, vieux camarades de bordel, de lansquenet et de mousqueterie, que l'Inde avait lentement déglutis jour après jour avec sa douceur tragique, au point de leur faire abandonner l'espoir de retourner en France ou en Allemagne pour y jouer les nababs. Quelque capucin les ayant mariés à leurs Portugaises, ils habitaient dans des maisons de torchis, moitié cases moitié chaumières, au milieu d'innombrables enfants dont les cheveux blonds et les yeux clairs leur rappelaient leur propre jeunesse évanouie dans les brumes de la Manche et de la Baltique. Avec Frédéric, ils évoquèrent les longs mois de San-Thomé pendant lesquels ils avaient résisté à de terribles assauts, à des maladies inconnues qui vous tuaient un homme en deux jours, à la faim qui les avait réduits à manger de l'herbe. Et ils furent tous d'accord pour dire que c'était le bon temps.

Ceux-là, François Martin ne les employait guère que pour encadrer une centaine de nègres recrutés sur place et affectés à la défense des deux bastions Avec leurs Portugaises devenues leurs épouses à la face de Dieu, ils n'en constituaient pas moins la première aristocratie militaire de Pondichéry. Lui, dès que sa position s'était affermie, avait été rejoint par sa femme, une Parisienne marchande de poissons aux Halles, dont la santé, l'humeur, le courage et la simplicité avaient résisté aux tornades et aux moustiques autant qu'aux ennemis plus invisibles et plus redoutables de la vie quotidienne à Pondichéry où, à peine débarquée, la harengère avait trouvé vingt domestiques à diriger et des bijoux à faire enrager la danseuse d'un fermier général. Alors que de nombreux pièges s'étaient refermés sur les autres Européens sans même qu'ils s'en aperçussent, sa présence avait permis à François Martin de devenir le premier agent de la Compagnie des Indes sur la côte de Coromandel, et d'obtenir de Surat qu'on lui envoie trois commis pour le seconder. Elle-même s'intéressait de près aux ateliers de tissage et d'impression de toiles peintes dont le développement allait bientôt provoquer la hargne des Hollandais.

Troisième subrécargue pour le compte personnel d'Yves Le Coz, Frédéric n'avait pas qualité pour discuter avec les banians du prix des marchandises à embarquer. Il se contenta de vérifier si celui-ci correspondait bien aux sommes versées par ses collègues. En revanche, sa mission lui commandait d'observer de près les procédés mis en œuvre pour obtenir les étoffes dont la souplesse et les coloris bouleversaient les femmes d'Occident, là-bas, de l'autre côté de la terre. Il apprit d'abord que, pour obtenir des tisserands une quantité de toiles supérieures à celle de la vente locale, François Martin devait les payer d'avance en empruntant l'argent nécessaire à des courtiers indigènes, ces banians qui, semblables à ceux de Surat, impitoyables et doucereux, plaçaient leurs commandes dans les villages situés jusqu'à trente lieues à l'intérieur des terres où ils disposaient de commis pour surveiller les travaux. Les pièces étaient exécutées dans une multitude de petits ateliers dont la production correspondait à des normes compliquées se divisant et subdivisant en famille innombrables d'où surgissaient des rameaux différant eux-mêmes les uns des autres par l'élasticité ou la raideur des fils et par leur arrangement dans la chaîne et dans la trame. Tissus de soie, de coton, ou d'autres fibres végétales, chites ou lampasses, Frédéric aurait été incapable de retenir les noms étranges de leur variété infinie. Faute de pouvoir se les rappeler, il nota sur un cahier que si les étoffes très précieuses telles que le gourgouran, la monta, le montichadour, le zénana, la bétille, la malle molle, la cirsaka ou la jamava ne pouvaient convenir qu'à de riches acheteuses, en revanche le plus grand nombre de toiles de coton peintes, celles qu'on appelait communément les indiennes, basin, lampa, madapolam, mauri, orgagis, darida, guingan, parmi quelques autres, pourraient être accessibles au plus grand nombre si elles étaient commandées directement à ceux qui les tissaient et les décoraient, alors que, faute d'argent frais, on devait subir les exigences des courtiers.

Pour n'être que peu rentables – elles ne laissaient qu'un maigre bénéfice – ces opérations n'en étaient pas moins poursuivies par le tenace François Martin qui y voyait le meilleur moyen de consolider la position de la Compagnie des Indes et d'attendre des jours meilleurs. Tandis que les tisserands étaient dispersés dans les villages environnants, les teinturiers et les peintres se regroupaient plus volontiers autour de Pondichéry où, dès qu'elles sortaient des métiers, les toiles étaient entreposées pour y subir des façons longues et minutieuses dont Frédéric fut toujours déconcerté. Pour leur donner un blanc éclatant et les préparer à recevoir et à fixer les couleurs, les teinturiers les lavaient une dizaine de fois, les faisaient bouillir dans des décoctions de myrobolan, pyrite, liqueur de cocotier et bois rouge, les battaient avec un lourd pilon sur un billot, les ponçaient au charbon pilé, les relavaient et trempaient enfin dans de la fiente de chèvre délayée avant de les sécher au soleil sur l'herbe des rizières. L'heure des peintres était arrivée. Tantôt librement, tantôt avec une virtuosité appliquée, ils dessinaient des pavots, tulipes, grenades, anémones, œillets, chrysanthèmes, roses, pivoines, daturas, magnolias, toute la flore de l'Inde exubérante et vorace. Du bout de leurs doigts safranés, jaillissaient des jardins fabuleux, aux fleurs énormes, taches de couleurs étalées largement, aux tons purs, bleu indigo, rouge de sapan, jaune de cade, où la patience orientale piquetait d'imperceptibles nervures et de minuscules pistils qu'on eût dit tracés avec une plume de colibri.

Ebloui, Frédéric passa d'interminables journées à surveiller les tisserands et les peintres, jaloux des secrets qui lui échappaient, inquiet de ne pas comprendre ces travaux exécutés avec autant d'adresse que lui-même manipulait les tarots. Perché sur son épaule, Cacadou lui aussi suivait de ses petits yeux ronds tous leurs mouvements, et ne manquait jamais de battre des ailes lorsqu'un dernier coup de pinceau donnait soudain la vie à quelque fruit entrouvert dont l'humidité rougeâtre le faisait frissonner de plaisir. Depuis son retour au pays indien, il se tenait moins souvent près de son maître, sautait dans les arbres et s'y attardait pour pousser des trilles vertigineux, vocalises enfouies au fond de sa vieille mémoire de mainate et jamais modulées à Saint-Malo. Il disparaissait de plus en plus souvent, ne parlait plus que le tamil, ne répondait pas toujours aux rappels de Frédéric, et se cachait dans les vergers. Mais, chaque soir, à l'heure où son maître montait dans la chaloupe qui le ramenait à bord du *Saint-François-d'Assise*, on voyait arriver Cacadou, petite poule noire dans les crépuscules verts, gorgé de soleil, de mangues et de fourmis, fuyant les maléfices de la nuit indienne pour retrouver l'épaule protectrice de son ami.

Un soir que Frédéric avait fait patienter les matelots sur la plage jusqu'au moment où l'on ne peut plus distinguer un fil blanc d'un fil noir, Cacadou ne rentra pas.

« Ton oiseau a découché! déclara M. Hurtain.

– C'est peut-être bien qu'il est amoureux, le Cacadou », dit un autre.

Tout le monde s'esclaffa. Seul Frédéric ne riait pas. Encore qu'il n'ignorât point que les animaux apprivoisés ne résistent pas, même au bout de longues années, à l'appel de la nature, il ne parvenait pas à imaginer que son petit compagnon eût pu le quitter. Depuis plus de dix années, trop de complicités et d'abracadabras dont ils étaient seuls, tous les deux, à connaître le chiffre secret les liaient l'un à l'autre. Le Malouin redoutait surtout les périls de la nuit, lorsque la jungle engourdie de chaleur se réveille sous la lune aux cris terrifiés des petites bêtes qu'on égorge. « Malin comme il est, se dit-il pour se rassurer, il ne dormira que d'un œil et reviendra demain. » Mais les jours avaient passé et Cacadou n'était pas revenu.

Frédéric s'en voulut d'avoir accepté du capitaine Le Coz ce nouveau voyage aux Indes et décida de passer désormais ses nuits à terre où il retrouverait peut-être son mainate. Pour une roupie mensuelle il loua à son vieux père une petite négresse de douze ans, encore intacte, vêtue seulement de quelques bracelets dont le tintement l'enchanta autant que le reste. Tourmenté par une longue continence, redoutant le commerce des Portugaises, et faute d'avoir pu seulement regarder la fille d'un banian, il avait bien fallu qu'il se contentât d'une pubère née dans la classe des esclaves, appartenant donc à tout le monde, dont l'innocence fragile se révéla finalement plus plaisante que l'expérience des robustes besogneuses de la rue des Mœurs.

Plusieurs mois passèrent ainsi. Tandis que les commis de la société Pocquelin et Vitry la Ville s'acquittaient de leurs opérations commerciales, le représentant personnel du capitaine Le Coz tentait toujours de comprendre les mystères du tissage et de la peinture des toiles. L'habileté des tisserands et des peintres le confondait toujours mais ne le surprenait pas autant que les procédés utilisés pour assouplir les étoffes et fixer les couleurs. A ses questions précises, posées avec sa bonne connaissance du tamil, on répondit qu'il n'y avait rien à expliquer : il n'avait qu'à bien regarder comme ils avaient eux-mêmes regardé leurs parents. On ne lui cachait rien mais on souriait toujours. Découragé de n'avoir rien compris, doutant du rôle bénéfique de la fiente de chèvre sur des toiles de coton et refusant de croire que d'aussi belles fleurs eussent besoin d'une eau brenneuse pour bien s'y épanouir, il retrouvait chaque soir Zenana qu'il nommait ainsi à cause de sa peau soyeuse.

Il arriva à Frédéric d'être triste. Dans l'espoir que le mainate l'entendrait peut-être, il jouait alors sur son violon les airs que Cacadou préférait, ceux qu'il connaissait par cœur pour avoir souvent accompagné son invisible flûteau. Cacadou était-il parti trop loin, au-delà des montagnes Ghâtes, pour pouvoir entendre les appels de son maître ? Refusait-il d'y répondre ? Etait-il prisonnier de quelque riche banian qui le tenait dans une cage pour distraire sa femme enfermée elle aussi? Avait-il été assassiné par un chat sauvage? Le plus sûr, c'est qu'en disparaissant, il avait sûrement emporté avec lui le charme qui faisait naître au bout des doigts de son maître la bonne carte dont dépendait le sort d'une partie de lansquenet. Il ne fallut pas plus d'une semaine pour que Frédéric reperdît tout l'argent qu'il avait raflé en cinq mois aux anciens de San-Thomé et à leurs Portugaises, flambeuses encore plus enragées que leurs hommes.

D'innombrables barques indiennes, les chelingues, allaient et venaient maintenant du rivage de Pondichéry au *Saint-François-d'Assise*. Couvrant la rade, elles étaient lourdes de caisses, de ballots, de barils, de sacs, et traînaient sur la mer plate un ragoût d'odeurs fait de poivre et de café, d'encens et de camphre, de girofle et de cannelle. Les opérations commerciales des subrécargues étant terminées, M. Hurtain pressait le chargement de son navire et veillait à la bonne répartition des marchandises dans les cales, avec autant de rigueur qu'il fermait volontairement les yeux sur la pacotille embarquée en fraude par ses officiers et ses matelots. Un jour, le ciel s'obscurcit brusquement, un coup de tonnerre déchira les nuages, et la mer se couvrit de grosses rides. La mousson était arrivée. On pouvait mettre à la voile. Quand les derniers préparatifs du départ furent terminés, M. Hurtain rassembla tout son monde et, respectant le règlement de la Compagnie, dit à l'aumônier qu'ils allaient tous ensemble demander à Dieu de leur accorder bon vent et bon retour. Epaules contre épaules, tête basse, les membres de l'équipage ne cherchaient pas à cacher la crainte qui leur nouait le ventre à chaque appareillage pour une longue course pendant laquelle une dizaine des leurs seraient jetés à la mer au fond d'un sac. Comme le jour tombait, le prêtre récita gravement la prière de l'angélus : « *Angelus Domini nuntiavit Mariae...* » Avant que les matelots aient formulé le traditionnel répons, une voix aiguë tomba d'une vergue. Elle chantait gaiement un couplet qu'ils connaissaient tous mais qui s'accordait peu à la solennité du moment : « Les filles de Cancale, elles n'ont point de tétons!... »

Cacadou était miraculeusement revenu. Il n'avait pas voulu manquer l'appareillage du *Saint-François-d'Assise*. Le soir même, au large des côtes de Coromandel, Frédéric regagna sur les autres subrécargues les écus et les diamants perdus à Pondichéry.

Deux semaines plus tard, au large des îles Maldives où le *Saint-François-d'Assise* avait fait relâche pour charger des cauris, le navire fut pris dans un terrible ouragan. C'était la première grosse tempête qu'il eût jamais subie. Pendant trois jours et trois nuits, des montagnes d'eau s'écrasèrent sur le pont, noyant les cales et brisant le gouvernail. Construit sur les meilleurs chantiers de Saint-Malo, il se comporta avec vaillance, craquant de partout, faisant face aux cavales écumeuses qui se ruaient sur lui, soulevé par des murs d'eau ou précipité dans des abîmes d'où il resurgissait la proue dressée sur le ciel noir. La deuxième nuit, la masse du gouvernail, privée de son timon, s'était mise à cogner l'étambot à droite et à gauche avec une telle violence que tout l'équipage, des Bretons et des Normands, comprenant qu'ils avaient peu de chances d'en réchapper, avaient juré d'aller remercier sainte Anne d'Auray si elle les sortait de là. Mais c'est toujours la même chose : l'aumônier savait bien que si l'on s'en tirait il y aurait plus de monde au bordel qu'au pèlerinage. Les vagues étaient si hautes et le vent si violent que M. Hurtain ne pouvait ni gouverner à la voile ni mettre les chaloupes à la mer. Après avoir passé plusieurs heures dans la sainte-barbe, avec quelques garçons résolus, pour aider les trois charpentiers du bord à réparer la barre, Frédéric avait dû abandonner la partie. Seule une accalmie permettrait d'entreprendre un tel travail. Brisé de fatigue et s'en remettant au Bon Dieu du catéchisme, il se réfugia dans l'étroite chambre située sous la dunette, qu'il partageait avec les autres subrécargues. Ceux-là, qui vomissaient des flots de bile, affalés dans leurs dégueulis, avaient franchi les limites de la peur. La cage où Frédéric avait enfermé son mainate roulait entre les parois de la chambre. Il la retrouva, dans le noir, guidé par des petits cris qui l'appelaient au secours, délivra l'oiseau qu'il tint serré contre lui.

« Mon pauvre Cacadou, pourquoi donc es-tu revenu? »

Il ne parvenait pas à comprendre pourquoi et comment le mainate était revenu se percher sur la grande vergue du *Saint-François-d'Assise* juste au moment où le bâtiment allait s'engager sur la mer libre. Bien souvent, semblable à d'autres Bretons qui mélangent pêle-mêle les bienheureux et les korrigans, les fées et les saintes, les sortilèges et les bénédictions, les génies et les anges, la Fortune et la Providence, il s'était demandé si Cacadou ne serait pas quelque enchanteur qui aurait pris la forme d'un oiseau pour le protéger. Et cette nuit-là, il acquit tout à coup la certitude qu'il n'avait rien à craindre de la tempête parce qu'il tenait dans sa main un magicien emplumé.

Le lendemain matin, l'ouragan s'était enfui laissant derrière lui la mer indienne lisse comme un miroir. Il fallut treize semaines pour que le *Saint-François-d'Assise* double le cap de Bonne-Espérance, et encore un mois pour qu'il touche l'île de l'Ascension où la viande de chèvre est plus dure que les dents mais où l'on peut faire provision d'eau de pluie et se rassasier de salades de pourpier, de rougets grondins et de tortues marines. Plus tard, lorsque le navire mouilla devant Fort-Royal, à la Martinique, sept matelots avaient été jetés par-dessus bord, un boulet attaché aux pieds, et une trentaine d'autres étaient atteints de ces mystérieuses maladies de la mer que le médecin soignait en leur faisant boire de l'eau-de-vie où il avait pilé des gousses d'ail. M. Hurtain relâcha pendant près de deux mois tant pour rafraîchir ses hommes que pour réparer son bateau qui faisait eau de partout. Après la furie de la mer des Indes, c'était le paradis retrouvé aux Caraïbes. Brûlé par les fièvres, incapable de profiter des fruits, des femmes, des parfums et du rhum qui se déversaient sous ses yeux comme d'une corne d'abondance, Frédéric se promit d'y revenir quelque jour, non plus au retour d'un voyage aux Indes orientales où il ne partirait plus jamais, mais en droiture, avec Cacadou qui ne l'avait pas quitté d'une aile.

Le 20 septembre 1684, le *Saint-François-d'Assise* passa enfin par le travers de l'île de Groix, M. Hurtain poussa un soupir d'aise.

« J'ai bien cru que nous ne rentrerions jamais ici », dit-il à Frédéric. Il dit aussi, en manière de politesse : « Tu nous as donné un sacré coup de main pour réparer ce foutu gouvernail!

– Dame, c'est mon métier », répondit simplement le charpentier.

Quel que fût leur point de départ, tous les navires de la Compagnie devaient revenir au Port-Louis. Leurs marchandises y étaient déchargées, contrôlées, enregistrées et bientôt rechargées sur des caboteurs jusqu'à Rouen pour être vendues. Frédéric dut assurer la surveillance du transbordement de celles dont il assumait la responsabilité, en particulier les sacs de cauris embarqués aux îles Maldives pour le compte d'un armateur nantais, le beau-père d'Yves Le Coz, qui utilisait ces petits coquillages asiatiques pour acheter en Afrique des nègres revendus en Amérique. Il s'installa donc à l'hôtellerie du Petit Louvre où chaque soir il prit l'habitude de tailler une partie avant de se coucher. On le savait redoutable faiseur de tours mais les habitués de l'endroit avaient gardé le souvenir d'un gai compagnon qui n'utilisait ses abracadabras que pour duper les fripons.

Le transfert de la cargaison de retour des Indes dura plus de huit jours. Frédéric avait hâte de rentrer à Saint-Malo. Qu'étaient devenus Mathieu, Jean-Marie, la Clacla? Il savait que le capitaine Le Coz et ses associés auraient tout lieu de se frotter bientôt les mains. Ayant fait coup double, ils encaisseraient le prix fixé pour l'affrètement de leur navire dont le total atteignait 96 000 livres après vingt mois de navigation, et participeraient aux gros bénéfices que ne manqueraient pas de rapporter les retours puisque toutes les dépenses du voyage avaient été supportées par la seule Compagnie des Indes.

Pendant les vingt mois de l'absence de Frédéric, si Port-Louis n'avait guère changé, les installations de L'Orient s'étaient multipliées sous l'impulsion autoritaire du marquis de Seignelay. Au nom de sa double qualité de ministre de la Marine et président de la Compagnie des Indes, le fils de Colbert entendait profiter de l'arsenal de celle-ci pour y faire construire des navires de guerre. Plusieurs centaines d'ouvriers étaient revenus travailler sur les cales de L'Orient où se dressaient de nouveaux bers destinés aux futurs vaisseaux du roi. Le nombre des baraques était devenu lui-même plus important ainsi que celui des constructions en pierre.

Frédéric fut heureux de retrouver des compagnons de travail, de pharaon et de soûlerie avec lesquels il avait partagé des labeurs rudes, des joies simples, et des filles infatigables. Un soir qu'il s'était attardé, après l'heure du couvre-feu, dans la baraque des charpentiers, il décida de rentrer quand même au Port-Louis, préférant regagner sa chambre à l'hôtellerie du Petit Louvre que de dormir dans l'épaisseur des remugles fraternels. La nuit était lourde et mouillée. Il y avait peu de chance qu'il se fît surprendre par une ronde mais il pressa le pas, jugeant qu'il n'avait pas quitté ses anciens compagnons pour aller dormir dans un cachot. Trempé de crachin, Cacadou se tenait blotti contre son cou pour y chercher un peu de chaleur, et lui donnait de temps en temps des petits coups de bec sur la nuque. Ils avaient déjà parcouru plus des deux tiers du chemin et Frédéric s'apprêtait à tirer de sa bourse l'écu qui lui permettrait de graisser l'huis de la porte pour entrer dans la petite ville. C'est à ce moment qu'il fut frappé entre les deux épaules. La bouche pleine de sang, il s'écroula sur le sol sans avoir pu jeter un seul cri.

Une ronde qui passait par là découvrit quelques heures plus tard le corps de Frédéric, étendu en travers du chemin. Une large tache, rouge brun, salissait le dos de sa veste. Près de lui, un oiseau poussait des sifflements aigus et battait des ailes. Quelques plumes traînaient à terre comme si elles avaient été arrachées.

Le sergent examina plus attentivement le corps de Frédéric et jura :

« Bondieu! Il a pris un sacré coup d'épée dans le dos! »

Un peu plus loin, les deux bras tendus devant lui, un homme titubait dans la nuit. Sortis de leurs orbites, les globes de ses yeux pendaient sur ses joues ensanglantées. Lorsque le sergent l'interrogea, le malheureux raconta qu'il venait d'être attaqué par une sorte de démon emplumé dont le bec lui avait crevé les deux yeux. C'était le capitaine Hirshdorfer, recruteur à la Compagnie des Indes orientales. Sa main droite était mutilée.

2

JEAN-MARIE

AFFAIRÉE autour de ses marmites, Rose Lemoal souleva un couvercle, attisa le feu, se précipita hors de la cuisine, et entra dans la salle d'où elle ressortit aussitôt parce qu'elle avait déjà oublié ce qu'elle était venue y chercher. Lasse, la respiration plus courte, elle s'assit, porta la main sur sa poitrine, j'ai les jambes coupées, se releva et regarda l'horloge pour se rassurer. Maintenant qu'elle savait lire l'heure, elle craignait toujours d'être en retard.

Ce matin-là, avant de s'en aller, Jean-Marie avait commandé de mettre quatre assiettes pour le souper : « Tâche de nous faire quelque chose de bon, j'ai prié trois amis. » Inquiète, Rose Lemoal pensa qu'il était grand temps de préparer la table. Avant de venir habiter à Saint-Malo, elle ne savait guère que faire griller un poisson, tremper la soupe, casser un œuf sur une crêpe de blé noir. Après cinq années, elle avait appris comment on prépare un chapon au gros sel.

Qui allait-il amener ce soir, le Jean-Marie ? Elle les connaissait tous, Le Fer, Porée, Biniac, La Chambre, Kergelho, Troblet, Le Goux, Moreau, d'autres encore qu'elle avait vus courir pieds nus sur le Sillon ou pêcher dans des trous d'eau, tous fils d'armateurs, capitaines, marchands ou négociants, devenus aujourd'hui des jeunes hommes dont elle aimait la gaieté et l'odeur forte. Veillant à ne rien oublier des leçons prodiguées par Emeline Le Coz et soucieuse de ne pas déplaire à Jean-Marie qui exigeait maintenant une nappe sur la table parce qu'il avait été invité un soir chez les frères Danycan, Rose Lemoal mit en place les assiettes, les couverts, les verres, les pichets pour le cidre qu'elle tirerait du tonneau au dernier moment. Tout lui parut en ordre, il ne lui restait plus qu'à attendre. Elle avait passé toute sa vie à attendre : le retour de son mari quand elle en avait eu un autrefois, le jour de Mathieu Carbec, le renversement des marées, l'heure des tétées, les dimanches où son ancien nourrisson venait la voir. Depuis que Jean-Marie était venu la chercher à Paramé, elle n'attendait plus que lui. Il y avait de cela cinq années. Cinq années pendant lesquelles elle ne s'était préoccupée que de Jean-Marie, de ses repas, ses vêtements, ses meubles, sans écouter ce qu'on racontait à la halle aux poissons où elle se rendait tous les jours, sans même entendre les paroles échangées entre Jean-Marie et ses amis.

Des événements importants avaient cependant secoué les Malouins pendant ces cinq années-là! Signée à Nimègue, prolongée par la trêve de Ratisbonne, la paix s'était rapidement détériorée. Trop occupé à endiguer le flot turc qui déferlait sur Vienne, l'empereur Léopold avait dû se contenter de vaines protestations lorsque le roi de France s'était emparé de Strasbourg, de la Sarre et de Montbéliard, mais la révocation de l'édit de Nantes avait sorti l'Europe de sa torpeur terrifiée et provoqué la coalition du Saint-Empire, de la Hollande, l'Espagne, la Suède, l'Angleterre et des principaux princes allemands. Résolus à répondre désormais par la force aux entreprises françaises, leurs chefs s'étaient réunis à Augsbourg pour décider la mise sur pied d'une armée permanente de soixante mille hommes, et Louis XIV en avait aussitôt profité pour renforcer les garnisons et la fortification des frontières de Flandre et d'Allemagne. Chacun se sentant menacé, qui tirerait le premier coup de canon? Bientôt, les événements s'étaient précipités. Sous prétexte de défendre certains droits contestables de sa belle-sœur, la duchesse d'Orléans, sur un héritage palatin, et parce que son candidat n'avait pas été élu évêque de Cologne, Louis XIV avait lancé ses troupes au-delà du Rhin. L'Europe tenait enfin l'occasion qu'elle cherchait.

Incapable de comprendre la gravité et les conséquences de tels événements, la pauvre maman Paramé savait seulement que la guerre avait recommencé, mais la guerre, semblable à ces vieux compagnons qui ne l'avaient jamais lâchée, la misère, la tempête, les naufrages, la disette, la taille, faisait partie du tran-tran de la vie.

Quelques jours après avoir conduit Rose Lemoal à Saint-Malo, Jean-Marie était brusquement reparti.

« Prépare la chambre de mon oncle, il a reçu un mauvais coup d'épée. Je vais le chercher au Port-Louis. »

Pour lui exprimer son inquiétude, à peine avait-elle eu le temps de serrer le bras de son garçon. Déjà, derrière la porte refermée, il courait dans la rue du Tambour-Défoncé. Demeurée seule dans cette maison qu'elle connaissait à peine, sans soleil, pleine d'odeurs curieuses et de craquements qui lui faisaient peur, elle s'y était barricadée comme dans une forteresse pour que personne ne la vît tirer de l'armoire à linge des draps frais, roides, et un peu humides, qui sentaient l'eau de mer.

Au bout de deux semaines, Jean-Marie revint de Saint-Malo. Il était seul. Rose Lemoal n'en fut pas surprise. Sa vieille habitude du malheur l'avait avertie depuis longtemps. Elle s'étonna seulement de le voir arriver en portant avec précaution une cage d'osier où se tenait, immobile, un petit oiseau noir, au bec jaune et un peu déplumé. L'oncle Frédéric était mort avant l'arrivée de son neveu.

Rose Lemoal s'en souvenait comme si c'eût été hier. Elle se rappelait aussi les premiers mois de son installation rue du Tambour-Défoncé. Cela ne s'était pas passé sans larmes, colères, regrets et flambées subites de tout planter là, la rue où elle étouffait, la maison sans lumière, les escaliers qui lui coupaient les jambes, les commères qui la regardaient avec des airs de ne pas la voir, les conseils dédaigneux de Mme Le Coz, même les exigences de Jean-Marie qui jouait au capitaine. Mais Jean-Marie n'avait qu'à la prendre dans ses bras, tu ne m'aimes plus maman Paramé? pour que ses yeux pleins d'eau se mettent à rire et que son cœur retrouve la paix. Mois après mois, elle était enfin parvenue à s'installer dans la maison Carbec, s'enhardissant même à tenir tête à Mme Le Coz quand elle l'accablait de recommandations soupçonneuses, ou à Jean-Marie quand il rentrait tard, le soir tombé, et parlait fort avec une voix qui sentait la fille et la goutte. Un jour, toutes les marchandises entreposées dans la boutique ou dans la cave avaient disparu, vendues à des regrattiers ou transportées dans le magasin situé sur les quais, laissant derrière elles une odeur de savon et d'épices, de chandelle et de poisson séché qui tenait encore bon après cinq ans. Rose Lemoal avait profité de ce remue-ménage pour monter aussitôt dans sa chambre tout le bric-à-brac ramené de Paramé auquel elle n'avait jamais renoncé : son coffre, son vieux lit clos tout démantibulé, son poêlon, sa cruche à cidre, son pique-feu. Jean-Marie l'avait bien gourmandée mais elle avait parlé plus haut que lui, l'obligeant à se taire et à se contenter de hausser les épaules comme il avait dû s'incliner lorsqu'elle avait décidé que Cacadou resterait enfermé derrière ses barreaux parce qu'il caguait partout quand on ouvrait sa cage. Comme s'il avait compris d'où lui venait ce mauvais coup, le mainate tournait le dos à maman Paramé dès qu'il la voyait s'approcher, soulevait sa queue, lâchait une fiente infecte, et, la tête enfouie dans sa collerette blanche, une aile pendante où manquaient quelques plumes qui n'avaient jamais repoussé, il s'enfonçait dans un silence immobile d'où il ne ressortait que pour saluer l'arrivée de Jean-Marie d'un long coup de flutiau.

La mésentente de la vieille nourrice et de Cacadou avait duré plus d'un an. Ils avaient fini par faire la paix, lui parce qu'elle passait tous les jours quelque verdure à travers les barreaux de sa cage, elle parce que Jean-Marie disparaissait pendant de longues semaines, parfois des mois entiers, et qu'il lui restait alors quelqu'un à aimer. Cependant, elle se méfiait toujours un peu du mainate. Quel âge pouvait-il avoir cet oiseau-là depuis les temps de la guerre de Hollande que Frédéric l'avait ramené des Indes la première fois? A quoi pouvait-il bien penser? Avait-il seulement des souvenirs? Tantôt, il ressemblait à un vieux merle empaillé, poussiéreux et raide, tantôt la secousse d'un frisson dénouait sa torpeur. Alors sa petite tête brune se dressait, ses ailes battaient, et voilà qu'il poussait des cris aigus tandis que son bec frappait de coups furieux un ennemi invisible, celui qui revenait hanter ses cauchemars depuis la nuit terrible où, comprenant qu'on venait d'assassiner son ami, il s'était jeté sur le visage du capitaine Hirshdorfer et lui avait crevé les deux yeux.

Depuis la mort de Frédéric, Cacadou avait perdu sa bonne humeur, sa voix, ses chansons. Une seule fois, comme s'il avait voulu se venger d'avoir été maintenu en cage par la volonté de Rose Lemoal, il lui était arrivé de pousser son couplet favori du temps des jours disparus : « *Les filles de Cancale, elles n'ont point de tétons...* » Le reste était resté au fond de sa gorge et il n'avait plus jamais chanté.

L'horloge frappa cinq coups. Bien qu'on fût au mois de juin, l'ombre montait déjà dans la salle où s'était assise Rose Lemoal, près de la cage.

« Mon pauvre Cacadou, nous devenons vieux tous les deux. »

L'oiseau ne bougea pas.

« Tu fais semblant de dormir, menteur, parce que tu ne veux plus me parler. »

Elle glissa entre les barreaux une feuille de salade que le mainate prit délicatement dans son bec en picorant doucement les doigts de maman Paramé. Tous les deux passaient leur temps à se chamailler, se bouder, se réconcilier et attendre le retour du jeune maître. Rose Lemoal racontait les menus épisodes de sa vie sans histoires dont chaque détail prenait une importance considérable. Avec la condescendance d'un vieux sage qui s'en fout pas mal, Cacadou paraissait l'écouter. Né de l'autre côté de la terre, il gardait au fond de ses petits yeux ronds plus de mystères, de richesses et d'aventures que les Malouins n'en entasseraient jamais dans leurs caves et dans leurs vies.

Une voix cria dans la rue « Maquereau frais qui vient d'arriver! ». Rose Lemoal sut ainsi que les premières barques de pêche étaient rentrées avec la marée. Elle se leva, ouvrit la porte et se tint sur le seuil pour attendre le passage de la marchande de poissons.

« Vous m'en donnerez quatre beaux pour Jean-Marie. Il a du monde ce soir.

– Vous n'étiez donc point sur les remparts? dit la marchande. Toute la ville y était descendue.

– Pourquoi donc? s'inquiéta Rose Lemoal.

– Je sais point trop, mais on disait que deux gars s'étaient échappés des Anglais. »

Comme la femme était déjà repartie, elle la rappela :

« Donnez-m'en donc un autre pour moi, je vais le manger pour mon souper. »

Depuis qu'elle pouvait disposer de quelque argent, quand tu en as besoin pour les commissions, tu en prends dans le tiroir, elle éprouvait à le dépenser une joie enfantine mêlée à une sorte d'épouvante. De la petite pièce laissée sur le coin de la table par Mathieu, elle avait gardé le respect des écus, se tourmentait de voir Jean-Marie trop porté sur la dépense, et, toujours inquiète du lendemain, tenait cachée dans un endroit de la maison qu'elle croyait être seule à connaître, la petite somme remise par le notaire, veillant sur son trésor comme le dragon des fables, et se levant la nuit pour recompter à la chandelle le magot qu'elle n'avait pas voulu écorner. Autre dépôt sacré, elle avait toujours refusé de se séparer des vêtements de Mathieu Carbec.

« Porte tout cela à l'hôpital! avait pourtant ordonné Jean-Marie après avoir fait un ballot des habits et du linge de son père.

– Jamais! avait-elle rugi. Tu n'as pas honte! »

Et, retrouvant les vieux gestes des veuves, elle avait ramassé les hardes du mort pour les enfermer religieusement dans l'armoire de sa chambre qu'elle ouvrait parfois comme la porte du tabernacle.

Il faisait presque nuit rue du Tambour-Défoncé, lorsque le mainate s'agita dans sa cage et poussa un long sifflet pour annoncer l'arrivée de Jean-Marie et de ses trois compagnons. C'étaient Joseph Biniac, Guy Kergelho et François Troblet, beaux hommes, un peu courts de jambes, larges d'épaules et au regard clair sous un front têtu, qui avaient admiré naguère les abracadabras de l'oncle Frédéric.

« Bonjour, maman Paramé! »

Ils l'embrassèrent trois fois, traditionnellement, sur ses vieilles joues soudain colorées d'un feu de joie. Elle les avait vus grandir, partir sur les bancs, devenir à leur tour presque des capitaines.

« Maudits gars, vous sentez trop la goutte!

– Dame! c'est toi qui nous as fait boire notre premier rikiki, non? »

Rose Lemoal sourit, l'œil humide.

« C'est ma foi vrai! »

Un jour que Jean-Marie était venu la voir à Paramé, Joseph Biniac, Guy Kergelho et François Troblet l'avaient accompagné chez la nourrice. A chacun de ces garnements qui pouvaient bien avoir alors une dizaine d'années, elle avait fait boire le fond d'un petit gobelet d'alcool, une eau-de-vie de cidre raide à tuer un dragon, qui leur avait déchiré la gorge mais qu'ils avaient lampé sans sourciller. Après trois lustres, elle en riait encore. Et voilà qu'ils étaient devenus des hommes importants, des futurs messieurs de Saint-Malo, des maîtres qu'elle ne se serait plus permis de tutoyer aujourd'hui.

Vite installés autour de la table sur laquelle Rose Lemoal avait posé une tourtière fumante, les quatre garçons parlaient avec animation, frappaient du poing, mangeaient avec bruit, le menton ensaucé, sans manières, comme des hommes heureux de se retrouver et dédaignant les usages cérémonieux que les bourgeois malouins s'ingéniaient à introduire, depuis quelques années, dans tous les actes de leur vie quotidienne. La voix de Jean-Marie domina le tapage des assiettes, des verres, et des fourchettes.

« Bien qu'ils ne soient pas bretons, ces capitaines sont de sacrés marins!

– Pour sûr! dirent les autres.

– Même qu'ils mériteraient d'être malouins, ces deux-là! » affirma François Troblet.

Ces « deux-là », c'étaient les capitaines Bart et Forbin, corsaires fameux dans tous les ports de France, d'Angleterre et de Hollande. Faits prisonniers, ils avaient réussi à s'évader des pontons de Plymouth, venaient de traverser la Manche à la rame et étaient arrivés dans l'après-midi à Saint-Malo où, avertie par des marins pêcheurs, la population massée sur les quais et les remparts les avait acclamés.

Enthousiasmés par cet exploit, les quatre amis savaient en mesurer la valeur. Jeunes garçons, après avoir étudié ensemble le rudiment chez les Frères de l'Ecole chrétienne, ils avaient navigué avant même d'apprendre l'hydrographie au Collège de marine. Mousses, novices, matelots, pilotins, lieutenants brevetés, ils étaient allés plusieurs fois à Terre-Neuve et avaient caboté pour échanger leur morue contre le sel de Setubal, le savon de Marseille ou l'alun de Civitavecchia. Fils d'un négociant bien nanti, Guy Kergelho avait même passé deux années à Cadix et à Séville chez l'agent de son père, habile homme à vendre de la toile aux Espagnols et à expédier vers Saint-Malo des piastres qui passaient toujours sous le nez des commis fiscaux. Tous les quatre, ils auraient pu entrer à la Compagnie des Indes, y faire carrière, devenir capitaines ou subrécargues, mais ils avaient compris qu'il serait plus profitable de s'en servir que de la servir.

Le Ciel avait fait d'eux des héritiers à l'âge où l'on n'a pas eu le temps d'être impatient de la mort de son père et où l'on a encore des dents. Bons fils, ils avaient porté le deuil avec décence, acheté des messes avec libéralité, sans même se rendre compte que le tintement des écus s'était superposé à celui du glas dans une harmonie délectable qui les avait aidés à supporter leur chagrin ou à surmonter l'inquiétude de se trouver soudain seuls, le dos au mur. Comme Jean-Marie, les trois autres avaient trouvé dans les caves paternelles des barils pleins de piastres et de réaux dont le point de départ ne dépassait pas l'humble resserrement d'un regrattier ou la première épargne d'un patron pêcheur, découvertes point rares dans les villes maritimes mais dont les bénéficiaires demeuraient d'autant plus surpris que leurs parents avaient toujours pris le plus grand soin de dissimuler les cuillers d'argent et de ne pas faire tinter les écus alors qu'ils étaient dévorés du besoin de paraître.

Comme à Nantes, Rouen, Bordeaux ou Marseille, une génération nouvelle, bien résolue à montrer et à faire sonner son métal, avait grandi derrière les remparts de Saint-Malo. Ceux qui soupèrent ce soir-là rue du Tambour-Défoncé montaient à l'assaut d'une société dont les défenses avaient été à peine entamées par leurs pères. Ils rêvaient de grandes entreprises, de gains rapides, voulaient aller vite, et ils avaient décidé d'unir leurs efforts pour la pêche, le commerce et la course en créant eux aussi, comme tant d'autres marchands ou armateurs, une petite compagnie dont les statuts déposés le matin même arrêtaient que chaque associé garderait la liberté d'entreprendre pour son propre compte et fixaient le montant total des apports à cent mille livres divisées en quatre parts égales. Comparé à celui des sociétés fondées par les grands Malouins, les Magon ou les Danycan, et en regard des ambitions qui agitaient ces jeunes gens, le capital souscrit avait paru mince au notaire mais

Jean-Marie Carbec, retenant les premières leçons du capitaine Le Coz : « Il ne faut jamais mettre tous les écus dans le même baril », n'avait pas voulu en démordre.

Aucun d'eux n'était novice en affaires. Tous les quatre avaient participé secrètement au fonds réuni par Vitry la Ville pour s'assurer une place prépondérante au directoire de la Compagnie des Indes. C'est ainsi qu'aux profits usuraires rapportés par la location des navires malouins destinés à Surat et à Pondichéry, étaient venus s'ajouter les bénéfices commerciaux des retours obtenus par l'étrange permission accordée aux fréteurs d'utiliser gratuitement ces mêmes navires pour leur propre négoce jusqu'à concurrence du tiers de la cargaison marchande. Ces temps heureux avaient disparu avec la nouvelle guerre. Il ne fallait plus espérer de si grasses opérations depuis qu'était parvenue à Saint-Malo la nouvelle de trois désastres : partis de Pondichéry sans connaître l'ouverture des hostilités, deux navires avaient été retenus au Cap avec deux millions de livres de marchandises, et un troisième avait été coulé au large de la Martinique. Du même coup, devant la menace des coalisés d'Augsbourg, la Compagnie des Indes avait annulé tout son programme d'armement. Après la victoire, il serait toujours temps de redéployer les pavillons sur la route des mers chaudes.

Semblables aux autres Malouins, ni Jean-Marie Carbec, ni Joseph Biniac, ni Guy Kergelho, ni François Troblet n'étaient hommes à replier leurs voiles et à s'affourcher en attendant le retour de la bonace. La guerre ne ravageait que des contrées lointaines et, sans le dire tout haut, les Bretons pensaient tout bas qu'il était préférable de savoir les armées du roi occupées à incendier le Palatinat, les Flandres, ou le Milanais que d'avoir à nourrir et à loger des soldats qui, en temps de paix, buvaient leur cidre, pillaient leurs réserves de grains, égorgeaient leur cochon, lutinaient les femmes et violaient les filles avec les encouragements de M. Louvois. A tout bien considérer, la paix n'avait jamais beaucoup contribué à remplir les caves malouines.

Ce soir-là, les quatre amis discutèrent longtemps après avoir terminé leur repas, sans s'arrêter de vider des bouteilles. Lasse, maman Paramé était montée dans sa chambre, faisant craquer les marches de l'escalier sous ses pieds lourds, tandis que, dans sa cage, Cacadou avait l'air d'écouter la conversation des hommes avec ses petits yeux immobiles. Quelle première opération entreprendraient-ils en commun? Ils n'étaient pas parvenus à se mettre d'accord. Ils soupçonnaient seulement, sans en être sûrs, que la guerre n'interdit pas le commerce mais que les deux sont liés l'un à l'autre à ce point que celle-là nourrit souvent celui-ci.

Guy Kergelho étalait volontiers ce qu'il avait appris à Cadix et à Séville. Impatient, il donna du poing sur la table.

« Ecoutez, les gars, finissons-en avant le couvre-feu. Si nous ne pouvons plus trafiquer avec Surat et Pondichéry, nous pouvons toujours aller à Terre-Neuve sous la protection de quelques navires ayant du canon, et je trouverai bien un moyen de vendre encore de la toile en Espagne, mais il y a plus gros à gagner ailleurs.

– Où donc? dirent les trois autres.

– Les Caraïbes! laissa tomber Kergelho.

– C'est impossible! Tu as bu un coup de trop! » répondit avec humeur François Troblet.

Ils connaissaient tous la garde vigilante montée par la Casa de Indias pour interdire l'accès des colonies américaines aux étrangers de peur qu'ils ne jettent un seul regard sur les mines de métal dont les Espagnols avaient extrait, en moins d'un siècle, plusieurs milliers de tonnes d'or et d'argent.

« C'est interdit, mais ça n'est pas impossible, répliqua Kergelho. Il suffit de s'entendre avec un courtier espagnol.

– Comment t'y prendras-tu? L'Europe entière est contre nous. Les flottes anglaise, hollandaise et espagnole courent la mer du Sud, gardent toutes les îles et surveillent toutes les côtes. »

Kergelho sourit d'un air entendu :

« Les colonies espagnoles regorgent d'argent, mais elles sont démunies de toile à voile, de vêtements, de chapeaux, de cotonnades, de fer, de grain. Elles manquent de tout. Madrid est incapable de les ravitailler. Ça n'est pas la guerre qui empêchera les marchands de Cadix et de Séville de nous acheter à bon prix tout ce que nous pourrons leur vendre sous le manteau. »

Jean-Marie fit remarquer qu'il était devenu impossible d'utiliser la vieille ruse du pavillon neutre puisque l'Europe tout entière s'était alignée contre la France.

« Cela est vrai, admit l'autre, mais je connais quelques armateurs espagnols qui ne demanderaient qu'à nous donner rendez-vous à des endroits dont nous serions convenus, par exemple à Chausey ou aux Minquiers. Nos navires s'y rencontreraient, le transbordement des marchandises se ferait en mer, c'est pratique courante. Ne vous montrez pas plus naïfs que vous ne l'êtes. Demandez plutôt à Magon, Danycan, Legendre, Le Coulteux. Demande-le aussi au capitaine Le Coz, Jean-Marie. Tout le monde le fait. Pourquoi pas nous? »

Les autres écoutaient, avides et indécis, aussi incapables que l'avaient été leurs pères de faire pencher d'un côté ou d'un autre la défiance du risque couru ou l'espoir du profit supputé. D'une même voix, ils finirent par poser la question qui les taraudait le plus.

« Comment débarquer l'argent à Saint-Malo? Les agents du roi sont partout.

— Vous n'entendez rien aux affaires, reprit Kergelho. Dans ce genre de trafic, on n'est jamais payé comptant.

— Pas d'argent comptant pas de marchandises! trancha Joseph Biniac.

— Ecoutez-moi plutôt, vous parlez comme des regrattiers! Notre courtier de Cadix fera tenir une lettre de change à son correspondant de Genève qui nous enverra l'argent sans difficulté. Ah! ça, vous ignorez donc que les banquiers suisses, tout huguenots qu'ils soient, peuvent faire circuler librement les sommes que le roi leur emprunte pour payer la solde de ses troupes? »

Guy Kergelho jeta dans un gros rire :

« Non seulement les commis fiscaux ne les inquiètent pas, mais les dragons assurent la sûreté de leurs convois. Par la même occasion, ils protègeront notre argent. »

Ebranlés, ils réfléchirent. Sauf Jean-Marie que Mme Le Coz initiait à la comptabilité en partie double pratiquée par les Nantais depuis plusieurs années, ils réduisaient leurs opérations comptables à la simple tenue de livres de caisse que leur avaient apprise leurs pères. François Troblet demanda combien de temps il leur faudrait attendre entre le moment où les marchandises seraient livrées et celui où ils en toucheraient le prix.

« Pas moins de six mois », répondit prudemment Kergelho.

Les autres hésitèrent encore puis jugèrent que c'était trop long. Armateurs, marins et marchands, ils ne voulaient point être banquiers.

« C'est la règle, insista Kergelho. Nous n'y perdons rien, bien au contraire, en nous mettant d'accord avec les Espagnols sur le loyer de notre créance. Magon et Danycan n'agissent pas autrement.

– Sans doute, répondit Jean-Marie, mais ces messieurs de Saint-Malo sont d'abord des manieurs d'argent. Les gros sont assez riches pour attendre six mois, peut-être davantage. A nous autres, il faut du comptant.

– Oui, du comptant! affirmèrent Biniac et Troblet.

– Alors armons pour la course! » répondit Guy Kergelho.

Là, ils étaient d'accord tous les quatre. Le Malouin qui était allé à Cadix suivait son idée :

« Quand j'étais en Espagne, on racontait que, retardés par quelque avarie, les galions qui naviguaient isolés étaient parfois attaqués sur la route du retour...

– Nous ne sommes pas des flibustiers! interrompit Jean-Marie.

– Tu oublies que nous sommes en guerre. Et puis, les flibustiers ne sont pas seuls à attaquer les galions! »

Ils le savaient bien. Depuis plusieurs décennies, plus d'un honnête capitaine, qu'il fût anglais, français ou hollandais, n'avait pas hésité à se jeter sur un galion isolé de la *flotta de oro*, à s'emparer de sa cargaison et à le couler bas avec son équipage sans se soucier de connaître si l'on était en paix ou en état de guerre. Ce qu'on racontait à Cadix et à Vigo, on le colportait aussi dans tous les ports de la Manche et de la Méditerranée, partout où des armateurs se flattaient volontiers d'être corsaires mais se voilaient pudiquement la face quand ils entendaient parler de piraterie. C'était le temps où là-bas, aux Indes d'Occident, quelques centaines de terribles compagnons attaquaient, pillaient et envoyaient par le fond les bâtiments marchands, peu armés, qui leur tombaient sous la main. Comment avaient-ils fait pour échouer leur vie sur les rivages de cette petite île de la Tortue qui leur servait de repaire, au nord de Saint-Domingue? Etaient-ils déserteurs, faux saulniers, coupables de crimes plus horribles, évadés du bagne? Parmi eux, il y avait un grand nombre de « trente-six mois », appelés ainsi pour avoir signé un contrat de trois ans avec des compagnies installées dans les îles dont les noms les avaient fait rêver jusqu'au jour où ils avaient débarqué. On les disait querelleurs, violents, sans Dieu, sans maître, sans patrie, couverts de bijoux et de cicatrices, prêts à s'entr'égorger pour une part de butin, aussi habiles à lancer le couteau qu'à placer la balle d'un fusil dans une piastre placée à vingt pas, téméraires jusqu'à la folie, soûls de tafia et se moquant de terminer leur aventure au bout d'une vergue. C'étaient les flibustiers. La mer du Sud était brodée de leur légende. On disait aussi que quelques fils de grandes familles bretonnes avaient rejoint ces frères de la côte mais personne n'osait prononcer tout haut leur nom. On se contentait de citer celui du Dieppois Pierre Legrand qui après s'être emparé d'un énorme galion était revenu vivre comme un grand bourgeois dans sa ville natale, ou ceux de l'Ollonois François Nau, du chevalier de Gramont, du baron de Monbars dont les exploits à Maracaibo et à Vera-Cruz valaient bien ceux de l'« amiral » Morgan à Cuba et à Panama.

« Il n'est pas nécessaire d'être flibustier pour attaquer un navire, reprit doucement Guy Kergelho. Pourquoi pas nous? »

Jean-Marie s'était levé, menaçant :

« Armer à la course, nos pères l'ont tous fait, mais ils ne furent jamais des pirates!

– Où crois-tu donc qu'ils sont allés pêcher les piastres que nous avons trouvées dans nos caves?

ricana Kergelho. Pas à Terre-Neuve, non? Ecoutez-moi, les gars, un bon capitaine doit toujours se conduire à la mer comme s'il se trouvait en état de guerre. C'est le seul moyen de ne pas se laisser surprendre par l'ennemi. »

Peu de temps avant le couvre-feu, les quatre jeunes hommes décidèrent que leur compagnie armerait à la course sans, pour autant, aventurer un navire dans les mers du Sud. Les marchandises qu'ils ne pouvaient plus confier aux capitaines de la Compagnie des Indes en route pour Surat ou Pondichéry, la sagesse leur commandait de les prendre de force sur les *Indiamen* anglais ou les lourdes flûtes de l'Oostindische Compagnie roulant vers Amsterdam et Liverpool, leurs cales pleines d'épices, de porcelaines et de toiles peintes. A tout bien mesurer, la course n'était qu'un avatar du commerce maritime, guère plus dangereuse, plus grasse et susceptible de prodiguer ces profits immédiats qui permettent d'acquérir d'un seul coup la fortune, les titres, les terres, les honneurs. On venait d'apprendre à Saint-Malo qu'un certain M. Phipps était récemment rentré à Plymouth avec un fabuleux trésor trouvé dans les flancs d'un navire espagnol empalé depuis dix ans sur un récif ignoré, au large d'Hispanolia, qui lui avait permis de verser à ses actionnaires un dividende de dix mille pour cent, deux fois plus que l'amiral Drake n'en avait distribué, un siècle auparavant, avec sa *Golden-Hind*!

Demeuré seul, Jean-Marie vida d'un trait un dernier gobelet d'alcool, retira sa veste, alluma une petite pipe. Dans sa cage, le mainate l'observait.

« Tu es aussi triste que moi, mon pauvre Cacadou! »

Il se leva, ouvrit la prison d'osier, prit Cacadou dans ses mains et le posa sur son épaule comme il l'avait vu faire tant de fois par son oncle Frédéric. Le mainate se blottit contre son cou et fit entendre

327

une plainte à peine perceptible, moins sifflet que soupir d'oiseau. Aucun de leurs souvenirs ne s'était apaisé. Jean-Marie se revoyait arriver à l'hôpital de la Compagnie des Indes et au petit cimetière du Port-Louis où les tombes surgissent du sol comme des épaves immobiles dans les embruns. Survenue un an après celle de son père, la mort de l'oncle Frédéric le poignait encore d'un trouble mêlé de chagrin, de désarroi et d'inquiétude. Elle lui avait signifié l'adieu à son enfance. Les abracadabras, les complicités de Cacadou, les gali gala, les danses violoneuses, les histoires indiennes, le siège de San-Thomé, les diamants au creux de la main, les yeux bleus étoilés dans des poils roux, la tendresse solide, les mains adroites, la protection, bonjour fils, tout cela avait fui par le trou d'un coup d'épée dans le dos.

Les épaules lourdes, Jean-Marie était monté à bord du *Saint-François-d'Assise*.

« C'est moi qui t'ai fait prévenir, dit M. Hurtain. Tu n'as pas perdu de temps...

— Je suis arrivé trop tard, capitaine.

— Oui, je sais, gronda M. Hurtain. Tu trouveras son coffre dans ma chambre. Tu peux le prendre, voici les clefs. Il y a aussi sa pacotille, sans doute des toiles peintes. Le maître d'équipage te donnera les caisses embarquées à Pondichéry. »

M. Hurtain avait dit encore, manière d'oraison funèbre :

« Ton oncle, avec ses airs d'acrobate, c'était un homme. Pour sûr qu'il a sauvé mon bateau d'une tempête comme je n'en avais jamais vue. Mais les gars de cet acabit, ça n'est pas sur la mer qu'ils risquent le plus gros. Retiens cela, Jean-Marie.

— Et Cacadou, qu'est-il devenu?

— Son oiseau? Je l'ai ramené à bord. Il est tout déplumé et se laisse périr. Les matelots l'ont adopté mais tu peux l'emmener si cela te chante. »

Jean-Marie avait alors demandé :

« Et l'autre ? Celui qui a tué mon oncle Frédéric ? Qu'en a-t-on fait ?

– On va le pendre, mon gars ! Ça n'est pas parce qu'un assassin est aveugle que le roi lui ferait grâce, non ? »

Après cinq années, on parlait toujours dans tous les ports bretons d'un fameux merle des Indes qui, pour défendre son maître avait crevé les yeux du capitaine Hirshdorfer, et Jean-Marie entendait encore l'énorme rire qui avait secoué les épaules du bon M. Hurtain à la pensée que l'officier recruteur de la Compagnie se balancerait bientôt au bout d'une grosse corde. Les oiseaux n'en avaient pas fini avec l'Hirshdorfer, ah ! ah ! ah !

Mêlant leur fumée douceâtre à l'âcreté nuageuse du tabac, les chandelles s'étaient éteintes sans que Jean-Marie s'en aperçût. Il se revoyait devant le coffre ouvert de l'oncle Frédéric où étaient rangés avec soin les outils du charpentier, lames étincelantes emmanchées sur des fûts que le labeur et l'adresse avaient polies au cours des années, et les grigris de l'enchanteur, gobelets d'argent, foulards, cartes à jouer, et le petit violon à danser. Tout cela, il le connaissait. Mais il avait aussi découvert une bourse pleine de diamants et un cahier d'écolier dont les pages couvertes d'une minuscule écriture racontaient quelques-uns des secrets des tisserands et des teinturiers indiens. Dès le lendemain, Jean-Marie était reparti par la chaise de poste, emmenant avec lui deux caisses de toiles peintes, le coffre de l'oncle Frédéric et le mainate dans sa cage. En poussant la porte de la maison, rue du Tambour-Défoncé, il avait alors compris qu'il ne lui restait de sa jeunesse que maman Paramé et Cacadou.

« Tu t'ennuies, mon pauvre Cacadou ! Attends

voir, nous allons nous amuser tous les deux comme au temps de Frédéric. »

Jean-Marie ralluma les chandelles éteintes, se versa un autre verre d'eau-de-vie, et alla décrocher le violon suspendu à un clou enfoncé dans le buffet de l'horloge. Comme beaucoup de navigateurs, il avait appris à jouer quelques airs dont les notes hésitaient, boitaient et se bousculaient enfin sur les cordes mais qui réchauffaient les jambes et le cœur comme un coup de rhum. Ses premiers coups d'archet furent maladroits et grincèrent à ce point que Cacadou, quittant l'épaule de Jean-Marie, alla se réfugier sur le dos d'une chaise. Cependant, leur sonorité se raffermit, et le violoneux parvint à tirer de son instrument ces chansons que tout le monde connaît par cœur sans jamais les avoir apprises : *Jean-François de Nantes, Au cabestan mon gars, La Belle Anglaise, Pare à virer*... Dédaigneux, le mainate demeurait immobile. Une légère moire retroussait seulement sa petite collerette blanche tandis que Jean-Marie essayait, sans y parvenir, de retrouver sous ses doigts l'air et la cadence des *Filles de Cancale.*

« Cette fois, je les tiens, Cacadou! »

Et la musique battit des ailes. C'est alors qu'un minuscule miracle se produisit. Sortant de la torpeur qui le nouait depuis cinq ans, le mainate s'était redressé et sifflait à plein gosier la chanson dont il avait perdu la mémoire. Fluide et guilleret, son fifre remplissait la salle de gaieté, semblable à ces bouffées de vent qui en l'espace d'une nuit d'avril font frissonner le printemps sur les ruisseaux et les nuages.

Jean-Marie, dont les doigts n'étaient guère agiles, ne put bientôt plus suivre le rythme du diable que Cacadou lui imposait. Stupéfait, il posa son violon sur la table au milieu des assiettes et se mit à brailler la chanson des filles de Cancale qui n'ont point de tétons, en battant des mains et frappant le sol de ses pieds tandis que le mainate volait autour de la salle avec des cris aigus. Qui peut savoir combien de temps dura ce sabbat? Le garçon poussa tous les refrains entendus au Collège de marine, sur les bancs de pêche, dans les cales empuanties et sur les vergues ensoleillées, les cabarets de l'Orient et les bordels de Marseille, ne s'arrêtant de chanter que pour se dérouiller la gorge d'un nouveau gobelet d'alcool avant de reprendre la ronde folle où un mystérieux pouvoir le maintenait durement. L'homme et l'oiseau s'entraînaient l'un l'autre, allez, Cacadou, allez, Jean-Marie claquant des mains, battant des ailes, chantant à pleine voix, sifflant à plein gosier. Tournant, riant, dansant, ils ne virent même pas que Rose Lemoal, réveillée par le tapage qu'ils faisaient, s'était levée et descendue dans la salle, les regardait avec des yeux chargés d'épouvante et de colère. D'abord incapable et réduite à une bonne dizaine de signes de croix, elle parvint enfin à crier à son tour :

« Jésus Marie Joseph! C'est-il Dieu possible! »

Titubant sur ses jambes encore endormies, jetant ses tétasses en avant, elle agrippa la chemise de Jean-Marie.

« T'es fin soûl! Mais t'es fin soûl! T'es fin soûl! »

Il voulut l'entraîner dans la danse, allez, maman Paramé. Elle se dégagea, brutale.

« Non! Cette fois, il n'y a plus de maman Paramé! Regarde ce qu'il fait, ton oiseau. Il a cagué partout! »

En retrouvant son bonheur d'être, Cacadou avait maculé les murs de la salle, les flancs de l'horloge, la table, tout ce que Rose Lemoal s'échinait à frotter. Jean-Marie baissa la tête et s'affala sur une chaise. Il était parvenu à ce moment où l'ivresse vous avale tout à coup un homme dans le sommeil. La nourrice lui dit fièrement.

« Pour sûr que ton père ne s'est jamais mis dans un état pareil. Lui, c'était un armateur! »

Elle ajouta, sûre de frapper au bon endroit :

« Toi, tu ne seras jamais qu'un matelot! »

Jean-Marie ne l'écoutait plus. Il ronflait déjà. Alors, gros bourdon ronchonneur qui se cogne aux meubles, elle débarrassa la table et remit la salle en ordre. Prudent, le mainate était rentré dans sa cage. Avec son plumage noir redevenu luisant, sa tête perchée au-dessus d'une fraise de dentelle, relevant sa queue comme un petit baron l'aurait fait de sa cape avec son épée, Cacadou avait pris l'allure d'un minuscule gentilhomme au temps d'Henri IV. Re-mâchant sa colère de toutes ses gencives, maman Paramé ne lui accorda même pas un regard quand elle l'entendit rire à l'étouffée.

En souvenir de celui qui avait enchanté leur enfance, les quatre associés donnèrent le nom de Frédéric au navire qu'ils destinaient à la course, fin voilier de cent vingt tonneaux, capable de franchir de hauts-fonds, prendre la chasse ou s'enfuir selon les hasards des rencontres. Il fut convenu que chacun des garçons prendrait le commandement à tour de rôle.

Désigné le premier par le sort, Joseph Biniac obtint sans difficulté la commission qui lui permettrait de canonner les navires ennemis, leur courir sus, s'en emparer ou les couler bas, et de visiter aussi les bâtiments neutres pour s'assurer de l'honnêteté de leurs cargaisons. En quelques semaines, l'amirauté de Saint-Malo avait délivré plus de cinquante commissions à des capitaines qui souvent n'avaient guère plus de vingt ans, ne justifiaient d'aucun brevet, ignoraient le métier des armes autant que le pilotage hauturier. C'était la guerre, on n'avait plus le temps d'observer les règlements, et les bureaux avaient été contraints d'admettre que, si les capacités de ces jeunes gens ne valaient pas celles des officiers de la Marine royale, leur audace et leur habileté manœuvrière n'étaient pas si méprisables puisque des marchands précautionneux leur confiaient un commandement à la course sur leurs propres navires après avoir versé au roi une caution de quinze mille livres pour répondre de la conduite de ces capitaines pendant la campagne.

Profitable à quelques Malouins, la guerre de Hollande ne leur avait donné que l'occasion d'un galop d'essai. Cette fois la course prenait d'autres dimensions. Serrée dans son corset de pierres, reliée à la terre ferme par le mince ruban du Sillon, Saint-Malo ne bénéficiait pas d'un arrière-pays, comme Nantes, Rouen ou La Rochelle, avec lequel elle aurait pu facilement trafiquer et échanger les produits nécessaires à la vie quotidienne. A partir du moment que des escadres ennemies sillonnaient la Manche, interdisant le commerce lointain et menaçant même les convois qui longeaient la côte jusqu'au Brouage pour charger le sel nécessaire à la morue, il ne restait plus aux Malouins qu'à relever le défi des coalisés, les uns avec courage, les autres avec ruse, ceux-ci avec audace et ceux-là avec prudence, tantôt en exploitant leurs relations à Versailles, tantôt en utilisant les services de leurs agents demeurés à Cadix, Londres ou Amsterdam.

Jamais les chantiers des Talards, de Rocabey, du Val et de la tour Solidor sur les bords de la Rance n'avaient autant retenti du choc des maillets, des haches et des marteaux. Des carcasses de navires tout neufs prenaient forme dans la petite anse de Port-Saint-Père et jusque sur les plages de Cancale où deux aires de lancement avaient été construites. Partout, on radoubait les vieilles coques enveloppées de fumée qui sentaient l'étoupe brûlée et le goudron chaud comme aux plus beaux jours où Louis XIV s'était promis d'en finir avec les Hollandais, républicains et huguenots dont la richesse et l'intelligence industrieuse provoquaient sa jeune gloire. Jean-Marie Carbec avait alors découvert le monde des charpentiers et des calfats dont les mains façonnaient jour après jour des navires promis à l'aventure. Trop usés pour affronter une campagne de pêche à Terre-Neuve, d'anciens senaux taillés pour la vitesse, capables de porter une vingtaine de canons et dont les prises avaient payé plusieurs fois leur valeur d'achat, reprenaient la mer, assez bons pour rôder le long des côtes d'Irlande dans le canal Saint-George ou à l'entrée de la Manche, au large de Fréhel ou de Bréhat, d'Ouessant, de Jersey et Guernesey, ou s'embusquer dans les criques bretonnes en attendant le passage d'un gibier isolé. Encore vigoureux, quelques capitaines de 1674 avaient eux-mêmes repris du service, mais c'était le plus petit nombre. Les autres avaient mis de côté assez d'écus pour ne plus vouloir risquer que leur argent en achetant des petites parts d'armement sur des navires dont ils se contentaient d'attendre les retours sur la tour de la Découverte.

Parce que sa position lui paraissait peu compatible avec les exigences de la navigation, non qu'il en eût perdu le goût, le capitaine Le Coz ne commandait plus à la mer. Armateur, fréteur, négociant, voire prêteur à la grosse, promu délégué de la Compagnie des Indes orientales, propriétaire de cinq navires assurés à Londres et à Nantes, il ne dédaignait pas d'armer à la course mais s'intéressait de plus en plus au commerce triangulaire en compte à demi avec son beau-père, et dirigeait sa vie avec une constance sans défaut vers l'achat d'une charge héréditaire qui, lui conférant le titre d'écuyer, en ferait du même coup un noble homme et placerait définitivement sa femme et ses enfants au rang des grandes familles malouines. Gourmande d'argent, la guerre était aussi bonne pourvoyeuse d'offices. Il ne manquait plus à Yves Le Coz que d'être patient, le capitaine marchand ayant atteint l'âge où la vanité échauffe la bile des moins ambitieux.

Dès l'ouverture des hostilités, le capitaine Le Coz voulut offrir à Jean-Marie le commandement du *Saint-Gilles*, navire armé en guerre qui sortait du chantier de Rocabey. C'était le fils de son ami, son protégé, presque son pupille et maintenant son associé. Le souvenir de Mathieu et des années disparues l'attachait à ce garçon autant que les services qu'il lui avait rendus et les placements qu'il lui avait conseillés.

Sa femme l'en dissuada avec véhémence :

« Vous n'allez pas confier le *Saint-Gilles* à Jean-Marie, non?

– Pourquoi donc?

– Vous n'y pensez pas! Un navire tout neuf dont la mise-hors représente plus de cent mille livres! »

Ils venaient de se coucher dans le lit étroit et court hérité de leurs parents et décoré par les soins d'Emeline, quelques semaines après son mariage, de grands rideaux de toile indienne qui glissaient sur des tringles de fer. C'était l'heure des confidences conjugales lorsque la nuit tombée, les enfants endormis et les chandelles éteintes, les époux disent, tout bas dans le noir, les espoirs, les inquiétudes, les projets, parfois les aveux, qu'ils n'auraient pas osé raconter dans la lumière. Le capitaine Le Coz ne tenait pas souvent compte des avis de sa femme mais lui demandait toujours conseil. Elle tenait les livres de compte sinon la bourse et s'entendait mieux que lui au calcul des primes d'assurances, des prêts à la grosse aventure, du partage des prises entre les intéressés, ou du montant d'une mise-hors, ainsi qu'on appelait les frais engagés pour l'armement, le prix des vivres, l'avance aux équipages et la valeur de la cargaison d'un navire prêt à appareiller.

Yves Le Coz fut surpris de la brusquerie d'Emeline.

« Jean-Marie n'est plus un enfant, dit-il. C'est un bon navigateur, il connaît toutes les anses de la côte, les courants, les passes. Il sait se faire obéir.

– Il est trop jeune pour le *Saint-Gilles*, répondit la femme.

– Pas plus que les autres! rétorqua Le Coz. J'en connais même des plus jeunes qui ont tout juste vingt ans.

– Où avez-vous vu qu'on leur donne à commander des senaux ou des frégates? » demanda Emeline.

C'était vrai. Les armateurs confiaient volontiers à ces garçons le soin de leurs navires mais ceux-ci étaient toujours de petits bâtiments : Bart le Dunkerquois avait débuté sur une barque de trente-cinq tonneaux.

« La course est faite pour les jeunes capitaines, s'entêta Yves Le Coz. C'est l'âge de l'audace, après c'est trop tard.

– Ouais donc! De l'audace! Voilà qui ne sert qu'aux gueux qui n'ont rien à perdre. Votre Jean-Marie s'en ira attaquer des marchands de boulets et vous serez bien aise de voir rentrer votre *Saint-Gilles* troué et démâté. Si Dieu veut bien qu'il rentre! Ah! ça, perdez-vous la raison et la mémoire, capitaine Le Coz? Vous avez oublié que ça n'est pas avec du canon et des sabres d'abordage qu'on ramène de bonnes prises. »

Elle siffla, perfide :

« Vous le saviez pourtant mieux que personne! »

Yves Le Coz connaissait cela. Il savait que, trop pressés d'en découdre, il arrivait à de jeunes Malouins de s'en prendre à des corsaires ennemis et de leur livrer des combats meurtriers sans profits. Il savait aussi que les lourdes flûtes de l'Oostindische Compagnie, bourrées d'artillerie et commandées par des capitaines résolus, étaient capables de se défendre et de ne baisser pavillon qu'en face de navires mieux armés qu'elles-mêmes.

Les deux époux s'étaient tus, lui enfoncé dans une rancune silencieuse, elle un peu colère d'avoir tenu tête à son mari. Ils entendirent les dogues hurler comme des furieux du côté de Rocabey. Parce qu'il en avait l'habitude, le capitaine Le Coz aimait bien sa femme mais entendait rabattre de temps à autre le caquet de cette Nantaise aussi hardie que si elle avait été une vraie Malouine. Il dit, fâché :

« Vous en voulez à Jean-Marie! »

Emeline ne répondit rien. Alors, il demanda très doucement :

« C'est toujours à cause de Clacla?

– Je n'ai rien à faire avec cette traînée! grondat-elle. Je me soucie seulement de votre bien. Après tout, c'est votre affaire! Donnez-en le soin à qui vous voudrez, mais je vous jure par la Vierge qui si Jean-Marie obtient ce commandement, mon fils ne montera jamais à bord du *Saint-Gilles*. Vous irez chercher des mousses où vous voudrez, à l'hôpital où il n'en manque point! »

Yves Le Coz posa une main pacifique sur la couette. C'était donc cela. Sa femme savait que, fidèle à la tradition, il avait déjà inscrit leur garçon sur le rôle d'équipage du *Saint-Gilles*, et elle devait craindre qu'un trop jeune capitaine, un peu fou comme étaient tous ces Malouins, préfère jouer du canon et de la hache que de protéger les intérêts de son armateur. Hervé venait d'avoir douze ans, l'âge où un fils de capitaine doit embarquer sur un navire paternel pour une première campagne, sous peine d'être moqué toute sa vie et de faire perdre la face à sa famille. Yves Le Coz ne pouvait pas songer à le rayer du rôle. Lui-même avait été mousse au même âge, et lorsque Mathieu Carbec avait tremblé pour son fils, n'avait-il pas poussé Jean-Marie par les épaules sur la *Vierge-sans-Macules* qui partait pour Terre-Neuve?

Il finit par céder :

« Dormez tranquille. Notre fils ira d'abord sur les bancs. Je trouverai bien un autre capitaine pour le *Saint-Gilles*. »

Comme il énumérait quelques noms : La Chambre, Le Goux, Laurent, Grout, Troblet, Biniac, elle l'interrompit d'un ton aigre :

« Biniac et Troblet, ça m'étonnerait, ils ont déjà formé une compagnie avec Jean-Marie.

– Qui t'a encore conté ces sornettes? Je le saurais mieux que toi, non? Jean-Marie m'aurait demandé conseil. »

Quand il s'emportait, le capitaine Le Coz tutoyait volontiers sa femme, oubliant les bienséances qu'Emeline s'efforçait d'observer depuis qu'elle était devenue une bourgeoise de Saint-Malo dont les initiales étaient gravées sur son banc à l'église Notre-Dame.

« Ça n'est pas un secret, siffla-t-elle. Tout le monde le sait, sauf vous. Même qu'ils ont donné à leur bateau le nom de Frédéric. Ça va lui faire un joli patron! »

Yves Le Coz demeura muet. Il était surpris et peiné. Pourquoi Jean-Marie à qui il avait prodigué tant de conseils et qu'il avait associé à de nombreuses entreprises, lui avait-il caché cela? Etait-ce par manque de confiance ou pour prouver qu'il était capable de gérer et d'entreprendre? Perplexe, le capitaine fourragea dans sa barbe du geste qui lui était familier et finit par dire à mi-voix en s'endormant :

« Sacré Jean-Marie! Il a grandi, ce bougre, et il veut voler de ses propres mains! »

Immobile, tournant le dos à Yves Le Coz dont la lourdeur rassurante écrasait le lit, Emeline se demandait pourquoi son mari lui avait demandé tout à l'heure si c'était à cause de Clacla qu'elle en voulait à Jean-Marie. Elle revivait les après-midi passés auprès du jeune homme pour lui enseigner les premières notions de la comptabilité. Jean-Marie avait la tête dure, ne comprenait pas vite, pensait à tout autre chose. Un jour qu'Emeline lui expliquait comment se négocient les lettres de change et les billets, elle s'était aperçue qu'il la regardait fixement, droit dans les yeux, sans l'écouter ni même l'entendre, et d'une manière qui avait offensé son honnêteté tout en l'échauffant d'un plaisir inconnu. Ce souvenir qu'elle avait tenté de fuir plusieurs fois revenait comme un rôdeur de la nuit. Elle tenta de se réfugier dans la prière. Les dogues aboyaient maintenant du côté de la Bidouane. Ça n'est pas leurs hurlements qui tinrent ce soir-là Mme Le Coz longtemps éveillée tandis que son homme parlait encore avec la voix détimbrée des dormeurs ensuqués dans des rêves innocents.

Au printemps de l'année 1690, la guerre que le roi avait espéré circonscrire en brûlant le Palatinat devint générale. Enfermée dans un cercle d'ennemis, la France ne disposait plus que d'une seule frontière libre, la Suisse, mais possédait des ressources militaires et financières suffisantes, pour tenir tête à la coalition d'Augsbourg. On se battit en Irlande, dans les Flandres, en Savoie, et sur la mer. La bataille gagnée par le maréchal de Luxembourg, qui avait arrêté les troupes alliés descendant vers la Champagne, émut moins les Malouins que les succès remportés par l'amiral de Tourville dans la Manche où dix-sept vaisseaux ennemis avaient été détruits. Fleurus, c'était bien loin, un nom inconnu, là-bas, dans les terres, aux Pays-Bas espagnols, alors que Pevensey, qu'ils appelaient Bévéziers, plus d'un corsaire avait croisé dans ces parages entre Boulogne et Eastbourne.

« Je suis fier de vous! Racontez-moi maintenant comment cette affaire de Bévéziers s'est passée? » dit le chevalier de Couesnon en regardant son fils.

Aux officiers de la flotte du Ponant les mieux notés, l'amiral de Tourville avait accordé quelques jours de congé dès que ses escadres étaient rentrées à Brest. Le fils du chevalier n'était pas revenu à la Couesnière depuis trois ans. Personne ne l'y attendant, il n'avait trouvé pour l'accueillir que deux valets de ferme qu'il ne connaissait pas, occupés à botteler de la paille, et une femme sans âge, au visage usé mais à la tournure encore avenante qui jetait du grain à la volée car c'était une fin d'après-midi, l'heure où les volailles avaient coutume de se rassembler derrière la maison. La femme regarda longtemps l'officier au justaucorps bleu à parements rouges galonnés d'or et d'argent apparu dans le soleil du mois d'août qui lui brouillait les yeux.

« Sais-tu où est le chevalier de Couesnon? »

Elle le reconnut à sa voix :

« Sainte Vierge! Vous êtes donc revenu! »

Et, avec cette familiarité paysanne qui choquait tant les gens des villes, elle dit, d'un trait, riant et se frappant les mains :

« Depuis les temps! On croyait que vous ne reviendriez plus jamais. Vous étiez donc parti aux Iles? Ou marié? Peut-être bien mort? Allez savoir! »

Il la reconnut, lui aussi. C'était une paysanne qui faisait naguère le ménage et la cuisine, donnait à manger aux poules et menait la vache à l'herbe. Il l'avait culbutée bien des fois, il s'en souvenait à présent. Comment avait-il pu toucher cette souillon qui sentait mauvais? Ce souvenir durcit son regard. Il ne se rappelait même pas son nom.

« Va préparer ma chambre, dit-il. Comment t'appelles-tu donc?

— Ben, c'est moi, Léontine. »

Un air malicieux éclaira son visage quand elle répéta « Léontine, comme avant... » et, lui tournant le dos, elle entra dans la maison en courant.

Romain de Morzic regarda la vieille demeure où il était né et fut surpris de voir que sa toiture venait d'être réparée. Des débris d'ardoises neuves traînaient encore sur le sol. Les murs eux aussi portaient les traces de travaux récents, et les menuiseries avaient été fraîchement repeintes. Rien n'avait changé, ni l'épaisseur des blocs de granit, ni la pente du toit où s'accrochait la fierté des cheminées, ni les longues fenêtres, et cependant il n'avait plus devant lui la façade lézardée dont il avait gardé la triste silhouette, mais un manoir solide, presque une gentilhommière correspondant bien à sa condition et où il aurait pu inviter sans rougir un de ses compagnons du Grand Corps. Hier écroulées, les clôtures avaient été relevées, l'herbe folle qui poussait naguère entre les dalles, devant la remise, avait disparu. Tout le surprenait. A la crotte au milieu de laquelle il avait vécu, lui-même paysan et poussant la charrue, et dont il ne s'était rendu compte qu'à l'Ecole des gardes marines, se superposaient des images d'ordre et de prospérité, presque de gaieté de vivre, M. de Couesnon aurait-il fait un héritage qu'il se serait gardé de révéler à son fils?

Romain poussa la grosse porte de chêne qui s'ouvrait de plain-pied sur la salle de la maison. Là, rien n'avait bougé. Il revit avec plaisir les poutres et la cheminée noircies de fumée, les murs sombres où étaient accrochés deux grands portraits cernés de cadres aux ors écaillés dont les fastueuses moulures soulignaient davantage la sévérité des meubles bruns, la table massive, les chaises dures, la petite bibliothèque d'où le chevalier de Couesnon tirait le soir quelque ouvrage d'économie rurale ou de récits de voyages dont il lisait à voix haute deux ou trois feuillets avant de s'assoupir, le livre lui tombant des mains tandis que ses deux garçons se poussaient du coude sans oser rire. C'est là qu'ils avaient grandi, appris à lire, écrire, compter, même à tirer l'épée dans une grange transformée en académie, au fond de la cour, jusqu'au jour où le gentilhomme craignant de ne plus pouvoir nourrir ses deux fils leur avait trouvé un embarquement pour Terre-Neuve grâce au capitaine Le Coz. A partir de ce moment, la vie avait changé de couleur. Sans doute Jacques, l'aîné, avait-il péri en mer, mais Romain, le cadet, avait trouvé sur les bancs sa vocation de marin et, à son retour, prenant la place du noyé, il avait hérité d'un oncle jamais vu le titre de comte de Morzic. Etait-ce cela la Providence ?

Un livre avait été abandonné sur un fauteuil au dossier roide. Romain de Morzic le remarqua, l'ouvrit et en lut le titre sur la page de garde : *Les Caractères de Théophraste, traduits du grec, avec les Caractères ou les Mœurs de ce siècle.* L'ouvrage, édité à Paris, était divisé en seize chapitres qui traitaient du Cœur, du Souverain, des Biens de la fortune, de la Mode, de la Chaire, des Esprits forts, et autres discours de morale qui laissaient indifférent le jeune officier. Il allait refermer le livre quand celui-ci s'ouvrit tout seul sur une page ainsi qu'il arrive à celles qui sont souvent lues. Un paragraphe était marqué d'une petite croix. Romain hésita avant de le lire parce que, ce signe ayant été certainement tracé par son père, il lui sembla qu'il commettrait une indiscrétion en voulant connaître ce qui avait retenu l'attention du chevalier. Ses scrupules s'apaisèrent bientôt. Après trois ans d'absence, pensa-t-il, il n'est pas inconvenant pour un fils qui revient au logis familial de s'intéresser aux lectures de son père. Il lut le paragraphe dont la petite marque l'avait intrigué et fut assez stupéfait pour reprendre sa lecture à mi-voix : « Le noble de province, inutile à sa patrie, à sa famille, à lui-même, souvent sans toit, sans habits et sans mérites, répète dix fois par jour qu'il est gentilhomme. » Telles étaient donc les lectures dont le chevalier de Couesnon se rassasiait! Le rouge au front, le comte de Morzic revint à la page de garde pour savoir qui avait pu écrire de telles insolences, et il constata que ces *Caractères* avaient été publiés sans nom d'auteur. Les épaules secouées de mépris, il jeta le livre sur la table car il venait d'entendre le trot d'un cheval attelé.

M. de Couesnon rentrait de Saint-Malo où il se rendait souvent pour traiter sur place ses affaires, quitte à passer la nuit chez le vieux comte de Kerélen devenu son associé clandestin. Il venait d'avoir soixante ans, gardait toujours bon pied, bon œil, bonne mémoire, bon reste. En lui faisant découvrir le goût du profit et celui du risque inséparable, la pratique marchande avait du même coup apaisé les ressentiments du vieux cadet oublié. Elle avait aiguillonné aussi sa résolution de rattraper le temps perdu. La vue de son fils dont la jeunesse en uniforme flamboyait dans le soleil couchant le précipita dans un tel trouble qu'il poussa un cri de surprise, rendit les rênes, oh là Pompon! descendit vivement de la carriole et ouvrit tout grands ses bras. A six pas, le lieutenant de Morzic s'était immobilisé dans un salut cérémonieux comme on lui avait appris à rendre les honneurs devant un chef d'escadre. Tout prêteur à la grosse sur navires morutiers ou petit négrier qu'il était devenu, M. de Couesnon ne fut pas insensible à la perfection de cette figure de ballet militaire. Il l'interrompit toutefois avec autant de bonne grâce que d'émotion.

« Embrassez-moi plutôt, mon fils! »

Ce soir-là, Romain raconta tout ce qu'il avait fait depuis sa sortie de la frégate-école avec sa commission d'enseigne en second. La vie quotidienne à Brest n'était pas drôle pour un jeune officier qui, faute de la protection nécessaire pour obtenir une affectation sur un vaisseau de ligne, devait se perfectionner sans cesse s'il voulait prétendre par ses seuls mérites au brevet de lieutenant. En attendant cette promotion, le jeune homme avait multiplié pendant deux années tous les exercices pratiques dont il avait appris la théorie à l'Ecole : calcul de la hauteur des astres, lecture de la table des marées ou des cartes marines, appareillages et atterrages, envoi de signaux, tirs au canon et à la mousqueterie, manœuvres d'attaque, branle-bas de combat. Il avait dû aussi se contenter de naviguer, tantôt dans la rade ou le long des côtes sur une petite frégate commandée par un vieux capitaine, tantôt en mer libre sous la surveillance d'un pilote hauturier. A tour de rôle, chaque enseigne assurait soit le quart, soit le soin du navire, pour s'habituer au vent, au roulis, au brouillard, à la tempête et plus encore au commandement, grave responsabilité qui devient merveilleuse, vous comprenez, mon père, le jour où le capitaine sent que le navire qu'il dirige se confond avec lui-même, comme le cavalier s'identifie à son cheval ou comme le fleuret prolonge le bras de l'escrimeur.

« Sauf votre respect, mon père, vous devez bien avoir quelques os qui craquent un peu? Eh bien, quand j'entends gémir le gréement d'un navire que je commande, j'ai mal à mes os. »

M. de Couesnon écoutait, ravi. De sa famille disparue, il ne lui restait que ce fils. En l'envoyant à la mer, il s'était séparé de son dernier enfant mais il ne le regrettait plus puisqu'il en avait fait ce qu'il avait tant rêvé d'être lui-même. Romain parlait avec animation, répondait aux questions de son père ou les provoquait, donnait des détails sur la difficulté des manœuvres, par exemple celle d'un simple virement de bord qui se décompose en vingt-deux commandements.

Quand le moment de son affectation à la mer était arrivé, le lieutenant avait été désigné pour le *Florissant*, un vaisseau de quarante-quatre canons qui devait rejoindre au Port-Louis une petite escadre destinée aux Indes orientales et au Siam.

« J'ai pu heureusement permuter avec un ami qui brûlait d'aller à Pondichéry tandis que je rechignais à partir dans de telles conditions!

— Dans quelles conditions, mon fils?

— Mon père, il ne s'agissait pas d'une escadre comme les autres, mais d'une division navale composée de six navires dont trois seulement appartiennent au roi et les autres à la Compagnie des Indes. Plus que la guerre, on me demandait de faire du trafic, ce qui est, dit-on, devenu honorable. Pour ma part, j'y répugnais. Cependant, il me fallait obéir aux ordres de l'amirauté. De vous à moi, ce qui m'embarrassait le plus, c'était de devoir naviguer sur ce *Florissant* qui relève de la Compagnie des Indes, et de partager pendant plus d'un an, ma chambre, mes repas, mon service, ma vie quotidienne avec un officier du commerce. Cela, un officier du Grand Corps peut difficilement l'admettre, et un comte de Morzic encore moins qu'un autre, n'est-ce pas, monsieur le chevalier? »

M. de Couesnon fut plus attristé que surpris d'entendre ces propos. Il n'ignorait pas que ceux du Grand Corps, qu'on appelait les officiers rouges à cause des parements écarlates de leur habit, méprisaient les marins du commerce quel que fût leur commandement. Il savait aussi que leur vanité de caste et d'école masquait une sorte de raidissement qui leur permettait de tirer honneur d'être les sujets les plus mal payés du royaume, mais cet honneur était lui-même un autre masque posé sur la jalousie qu'ils éprouvaient à l'égard des officiers des compagnies marchandes, parce que ceux-ci doublaient au moins leur paie avec la pacotille clandestine dont ils bourraient les cales de leurs navires. Face aux soldes dérisoires et aux lenteurs de l'avancement, ils se corsetaient dans leur misère en sécrétant l'espoir impatient de parvenir un jour aux grades élevés qui permettent de vivre avec faste et donnent l'illusion d'être devenu soi-même un grand seigneur.

Si le chevalier de Couesnon savait tout cela, il connaissait aussi le montant des sommes qu'il envoyait au comte de Morzic pour lui permettre de tenir son rang. Troublé, il y songea.

« N'est-ce pas, mon père? » insista Romain.

M. de Couesnon évita de répondre, se contenta d'un geste indifférent et regarda attentivement son fils : élégant, bien pris dans son uniforme, frotté de bonnes manières, insoucieux et insouciant, dédaigneux et sans doute brave. Quelques années passées à l'Ecole des gardes marines avaient suffi pour faire de ce petit paysan au sang bleu un véritable gentilhomme puisqu'il ne s'inquiétait même pas de connaître la couleur et l'odeur de la pension mensuelle qui lui permettait d'appartenir au Grand Corps des officiers des vaisseaux du roi.

« Ainsi, monsieur de Morzic, vous étiez en désaccord avec les vues de Sa Majesté sur l'utilité d'une escadre aux Indes, mi-commerciale, mi-militaire. Dites-moi donc comment vous êtes parvenu à vous dégager du *Florissant*, sans qu'on vous en tînt rigueur? »

Ayant perçu l'ironie paternelle, Romain répondit d'un ton plus vif :

« Je vous l'ai déjà dit, mon père. Comme mon ami était tenté par l'escadre des Indes confiée à M. Duquesne-Guitton, et moi par la flotte du Ponant,

l'amirauté nous a donné l'autorisation de permuter.

— Ces pratiques sont-elles courantes?

— Non, mais mon ami a la chance, lui, d'être
protégé. Il appartient aux Duquesne qui se sont
convertis. J'espère que vous ne m'en voudrez pas
d'avoir préféré me battre contre les ennemis du roi,
en me plaçant sous les ordres de M. de Tourville,
plutôt que de trafiquer pour le compte de la Compagnie des Indes? »

Ils achevèrent leur souper, l'un assis en face de
l'autre, en bout de table.

« Racontez-moi maintenant comment cette affaire de Bévéziers s'est passée. »

Romain ne se fit pas prier. Affectant un détachement d'homme bien élevé que démentirent bientôt
le feu de son regard et le ton de sa voix, il dit qu'il
avait embarqué sur le *Conquérant,* quatre-vingt-six
canons, sous les ordres du marquis de Villette-
Marsay qui commandait l'avant-garde des trois
escadres de M. de Tourville. La flotte avait appa-
reillé de Brest, le 21 juin, au petit matin.

« Ah! monsieur, lorsque après avoir franchi le
goulet et découvert la mer libre, si vous aviez vu
nos soixante-dix vaisseaux bleu et or sur une seule
ligne, comme tirée au cordeau, se suivant beaupré
sur poupe, toutes voiles dehors dans le soleil levant,
c'était un carrousel magnifique!

— Où étiez-vous posté?

— Sur la hune, pour les signaux. Je voyais toute la
parade. C'était si beau que mon cœur bondissait
dans ma poitrine! »

Ils avaient cherché la flotte anglo-hollandaise
pendant trois semaines avant de la rencontrer en
face de Bévéziers quand l'aube blanchissait les
falaises du cap Beachy-Head. Aussitôt, les deux

vaisseaux amiraux s'étaient couverts de petits pavillons multicolores qui correspondaient chacun à un ordre pour commander la formation en ligne de bataille. Devenues deux murailles mobiles, longues de deux lignes et hérissées de canons, les deux flottes s'avançaient l'une vers l'autre.

« Songez, mon père, que nous avions quatre mille huit cents pièces d'artillerie et que le *Soleil-Royal* de M. de Tourville pouvait envoyer mille trois cents livres en une seule bordée!

– Et l'ennemi? questionna le chevalier.

– J'ai dénombré cinquante-sept vaisseaux de ligne dont trente-cinq anglais, mais ce sont les Hollandais qui ont eu le plus de mordant, encore qu'ils aient commis une lourde faute. »

M. de Couesnon souriait d'entendre son fils discourir avec la sûreté d'un chef d'escadre.

« Expliquez-moi donc la manœuvre.

– Mon père, je vous dois trop de respect pour vous dire que vous n'y comprendriez pas grandchose.

– Allez toujours! »

Le comte de Morzic se leva et disposa sur la table devenue champ de bataille, des verres, couteaux, fourchettes, cuillers et bouteilles représentant les deux flottes prêtes à engager le combat.

« Cette bouteille, c'est M. de Tourville au milieu de son escadre blanche; cette autre, à droite, c'est M. d'Estrée avec son escadre bleu et blanc; et cette troisième bouteille, c'est M. de Château-Renault avec son escadre bleue dont fait partie le *Conquérant* où se trouve votre fils. En face, l'escadre hollandaise et, derrière elle, l'escadre anglaise. Les Hollandais qui s'avancent parallèlement à notre ligne ouvrent le feu les premiers mais ils ont commencé trop tôt sans avoir avancé assez loin, de sorte que nos huit navires de tête, là, vous voyez ces cuillers, continuent leur marche en avant, virent de bord et prennent l'ennemi à revers. Vous comprenez?

— Faites comme si je comprenais et poursuivez.

— Alors, nous avons ouvert le feu nous aussi, et comme tous les autres j'ai demandé pardon à Dieu de mes péchés.

— Mon fils, ce sont là vos propres affaires. Mais, la bataille?

— Mon père, dès que le carrousel est terminé, la bataille commence. Sauf la fumée et les flammes, on ne voit plus rien. On entend. On entend le tonnerre des canons, le bruit des boulets qui arrivent de plein fouet, le fracas des mâts brisés, et aussi des roulements de tambour, des jurons, des hurlements, des plaintes. Pour s'y reconnaître dans tout ce désordre, il faut être un sacré marin!

— Et vous-même, où étiez-vous?

— Je suis resté à mon poste, sur la hune, tant qu'on pouvait encore voir les signaux du *Soleil-Royal*. Après cela, M. de Villette-Marsay m'a envoyé en chaloupe chercher les ordres de l'amiral. C'est le rôle des enseignes. »

Les deux hommes causèrent jusqu'à une heure avancée de la nuit. Par pudeur, peut-être pour ne pas provoquer les génies mystérieux du malheur, M. de Couesnon n'osa pas s'inquiéter du nombre des morts et des blessés. Comme ils allaient monter dans leur chambre, Romain désigna du doigt le livre qu'il avait feuilleté tout à l'heure.

« Je vois que vous avez toujours le goût de la lecture. Mais pourquoi vous intéresser autant à des libelles anonymes?

— Détrompez-vous, ça n'est pas un libelle mais l'ouvrage d'un moraliste dont on parle déjà pour l'Académie française. On le nomme M. de La Bruyère.

— Un gentilhomme?

– Le prince de Condé fut son protecteur et l'évêque de Meaux son ami.

– Comment donc a-t-il pu traiter ainsi les nobles de nos provinces? Nous en faisons partie, mon père.

– C'est vrai, convint le chevalier, nous en faisons partie tous les deux, mais Dieu merci ni vous ni moi ne sommes des nobles de ce genre-là. Vous n'êtes pas inutile à votre patrie, vous venez de le prouver. Quant à moi, ajouta-t-il en regardant Romain droit dans les yeux, je ne pense pas l'être à ma famille. Il se fait tard. Si vous le voulez bien, nous poursuivrons demain cette conversation. »

M. de Couesnon posa la main sur l'épaule du comte de Morzic et dit gravement :

« Je suis fier de vous, mon fils! »

Il monta l'escalier d'un pas pesant. Derrière lui, des couteaux, des verres, des bouteilles, des cuillers et des fourchettes, rangés en lignes parallèles sur la longue table de chêne évoquaient la victoire de Bévéziers, images dérisoires des batailles navales dont sa jeunesse avait inutilement rêvé.

Romain passa une longue semaine à la Couesnière. A son père qui lui avait demandé plusieurs fois de l'accompagner à Saint-Malo, il avait toujours opposé un refus respectueux. Lui non plus n'avait pas voulu parler des morts et des blessés de Bévéziers. Pris en enfilade, le *Conquérant* avait été dévasté. L'enseigne en premier de Couesnon de Morzic avait vu des têtes arrachées, des matelots coupés en deux, le pont ensanglanté et couvert de choses gluantes, innommables, sur lesquelles, tremblant de peur, il avait vomi un flot de bile. Il avait besoin de se ressaisir, se promener dans les champs, au milieu des arbres, loin de la mer, surtout loin d'une ville qui aurait pu lui rappeler Brest où tant d'enseignes, de lieutenants et de capitaines du Grand Corps avaient à peine de quoi payer une chambre en ville avec leur solde à laquelle s'ajoutait parfois une rente familiale encore plus mince. Garde marine, il avait connu des jours maigres jusqu'au moment où la pension paternelle s'était faite moins rare, bientôt plus généreuse sans même qu'il y prît garde, et avait fait de lui l'égal des rares officiers subalternes qui pouvaient se permettre de boire du vin d'Espagne à la santé du roi dans les cabarets de la Grand-Rue où des filles effrontées faisaient sonner le carillon.

L'argent qui lui permettait de tenir son rang, Romain en connut l'orgine dès le lendemain de son arrivée à la Couesnière. Avec modestie, craignant d'être fâcheux, le jeune homme n'avait pu s'empêcher de complimenter son père sur le bon état du domaine et de la maison, les toits réparés, les murs relevés, la présence de deux valets de ferme. Prenant les mêmes précautions, M. de Couesnon avait d'abord dit à son fils qu'il avait vendu à bon prix quelques actions de la Compagnie des Indes reçues en héritage. Puis, franchissant les barrières dressées, par lui-même, enhardi par la confiance qu'il avait besoin de témoigner à son grand garçon, il avait fini par tout raconter : le premier prêt à la grosse aventure, ses premières prises de bénéfices replacées immédiatement sur les conseils du notaire, ses premières parts dans un armement à la pêche, et maintenant sa présence dans une compagnie malouine qui réunissait les Magon, les Danycan, les Porée, les Trouin, les Le Coz, mon vieil ami, le comte de Kerélen, et votre ancien compagnon, Jean-Marie Carbec.

C'était un dimanche de septembre, doré et doux, le long de la grande allée bordée de chênes déjà touchés par le proche automne. Ils marchaient tous les deux côte à côte, revenant de la messe où le chevalier de Couesnon avait été fier des regards que la présence de son fils avait allumés, surtout lorsque le curé avait balancé son encensoir sous le nez de l'officier des vaisseaux du roi. C'était la première fois que cet hommage était rendu au comte de Morzic qui n'y avait pas été insensible. Romain avait écouté son père sans l'interrompre. Toutes ces questions de parts d'armement, de prêts à la grosse, d'actes notariés et de prises de bénéfices lui paraissaient si lointaines! L'argent, il n'est pas convenable à un fils d'en parler, c'est l'affaire des pères d'en donner ou de le retenir. A la fin, il dit seulement :

« Tout cela me remplit de confusion. L'état de guerre où nous nous trouvons placés doit causer de singuliers embarras à votre nouvelle position?

— Mon fils, il faut considérer les choses. La guerre peut ruiner certaines entreprises et en favoriser d'autres. Ainsi, nous ne pouvons plus aller à Terre-Neuve sans protection militaire, et vous m'avez dit vous-même que les navires de la Compagnie des Indes partant pour Surat ou Pondichéry étaient encadrés par des vaisseaux de ligne. Ça n'est pas la première fois que cela arrive. En revanche, le commerce avec nos îles d'Amérique se développe, et le trafic espagnol est toujours possible. Il y a surtout la course qui concilie le service du roi et l'intérêt des armateurs. Qu'en dites-vous, monsieur l'enseigne en premier?

— Mon père, les corsaires malouins ne sont pas au service du roi, mais au service de leurs propres intérêts. Quant à leurs barques, je ne crois pas qu'elles puissent jamais mettre à mal les flottes des ennemis de la France. »

Le chevalier redoutait cette discussion qu'il savait inévitable. Il calma son impatience dans le sourire de sa réponse.

« Mon fils, vous devez ignorer que le roi a récemment accordé un brevet de capitaine de frégate à M. Bart et au chevalier de Forbin. Qu'en pensez-vous ? Et que pensez-vous aussi de M. Vauban qui manifeste tant de goût pour les corsaires ?

– Bart et le chevalier de Forbin sont des exceptions fort honorables, j'en conviens. Mais laissez donc M. Vauban à ses fortifications, il n'entend rien à la mer. Quant à vous, mon père, j'espère que vous n'allez pas donner dans la câprerie. J'en rougirais pour notre maison.

– Vous avez raison d'être fier de votre famille, de votre nom et de votre titre, mon fils, dit gravement le chevalier. Je ne vous demande pas de l'être de moi. Je voudrais cependant que vous compreniez mieux votre père afin de n'en point rougir. »

Romain esquissa un geste de protestation : il n'avait pas voulu dire cela. N'y prenant pas garde, le chevalier dit ce qu'il s'était pourtant promis de ne jamais confier à qui que ce soit. Il raconta sa jeunesse, ses rêves de revêtir un jour l'habit rouge et gris des chevaliers de Malte pour courir la mer du Levant sur les galères du roi, la dispersion du patrimoine familial et l'égoïsme d'un frère aîné qui, au nom de principes sacrés, l'avait réduit à la condition d'un misérable cadet contraint de choisir entre l'état de prêtre ou celui de bouseux, son arrivée dans ce manoir lézardé, son mariage, votre mère était une sainte, mon fils, la naissance des enfants, les deuils et les chagrins, le travail des champs, la noblesse en sabots, la solitude avec les deux fils qui avaient été épargnés, la mort de l'aîné sur les bancs de Terre-Neuve, le désespoir et le ventre creux jusqu'au jour où, comprenant que son blason, non il ne le reniait pas, lui avait rapporté plus de railleries que de soutien, il s'était révolté et avait juré de faire de son dernier garçon un gentil-homme capable de porter avec dignité, sinon avec éclat, son titre et son épée.

« Vous connaissez le reste. Sans doute, comprendrez-vous mieux pourquoi j'ai apprécié l'opinion de M. de La Bruyère qui vous faisait enrager tantôt. »

Rouge de confusion, Romain baissait le front. Il bredouilla :

« Je vous demande pardon, monsieur. »

Le chevalier de Couesnon se contenta de serrer fortement le bras de son fils. Ils avaient parcouru plusieurs fois la grande allée et ils entraient maintenant dans la cour.

« Regardez notre demeure. N'a-t-elle pas belle allure avec ses grands toits d'ardoise et ses gros murs de granit? Pour la rendre plus agréable à habiter, il nous faudrait acheter quelques-uns de ces meubles inutiles comme j'en ai vu chez Noël Danycan. Ne croyez-vous pas que la Couesnière pourrait accueillir un jour un chef d'escadre venant y passer ses congés au milieu de sa femme et de ses enfants? Oh! ne craignez rien! A ce moment, je serai mort depuis longtemps et les murs de la Couesnière ne sentiront plus ni la morue, ni la cannelle, ni les nègres.

– Mon père, ne m'accablez pas!

– Je n'en ai point l'intention. Sentez plutôt cette bonne odeur de chapon rôti qui nous convie à table. Notre Léontine sait que vous aimez la volaille, elle en aura mis une à la broche. »

Le chevalier de Couesnon souriait d'un air entendu. La veille, entrant dans sa chambre pour y prendre un mouchoir, Romain avait surpris la Léontine occupée à faire son lit. C'est vrai que sa tournure était encore avenante. Il avait relevé son cotillon, courbé la femme contre le mur et hop là! Pourquoi donc les filles de la campagne pouffaient-elles ainsi, avec un rire bête, quand on les prenait à l'abordage?

M. de Couesnon rencontra Jean-Marie Carbec sur le quai de Mer-Bonne où le *Frédéric* était amarré. Le jeune homme, dont le tour de commandement était arrivé, surveillait le chargement des munitions de guerre accordées par le commissaire de l'amirauté en même temps que sa lettre de marque. Conduite par Joseph Biniac, la première campagne de course des quatre associés n'avait guère remboursé que la part de leur mise de fonds. Lui, Jean-Marie, espérait faire mieux en tombant sur un *Indiamen* gorgé de marchandises rares. Pendant toute cette année où il était resté à terre, il ne s'était pas contenté d'apporter ses soins aux autres entreprises partagées en compte à demi avec le capitaine Le Coz qui ne lui en avait pas voulu longtemps de lui avoir caché l'affaire du *Frédéric*. Peut-être avait-il suivi avec moins d'ardeur les leçons comptables d'Emeline Le Coz mais il n'avait manqué ni un seul exercice de tir au canon ni une seule des leçons d'escrime prodiguées par un vieux prévôt d'armes de la Compagnie des Indes, le signor Chiantini dont le nom n'était jamais prononcé convenablement par les jeunes Malouins.

« Faut-il t'appeler capitaine ou Jean-Marie? » demanda M. de Couesnon sur un ton aimable.

Jean-Marie ôta son bonnet pour saluer. Avec un peu plus d'assurance dans le regard et le maintien, il était redevenu le jeune mousse de la *Vierge-sans-Macules*. Craignant de commettre quelque bévue, il répondit :

« Comme vous l'entendrez, monsieur le chevalier. »

M. de Couesnon prit le parti de rire.

« Sais-tu que le comte de Morzic est à la Couesnière depuis dix jours? Pourquoi n'es-tu pas venu? »

Jean-Marie s'étonna.

« Je ne le savais point. »

Le chevalier raconta que son fils avait participé à la grande victoire de Bévéziers, à bord du *Conquérant* où il s'était si bien conduit que M. de Tourville lui avait accordé un congé.

« Vous faisiez une paire d'amis, autrefois, tous les deux? Viens donc avec moi à la Couesnière. Un valet te raccompagnera. »

Parce qu'il voulait montrer son fils, M. de Couesnon disait la même chose à tous les Malouins qu'il rencontrait. Aucun d'eux ne s'était encore soucié de se rendre à Dol pour saluer le héros de Bévéziers qui lui-même n'avait pas daigné se rendre à Saint-Malo. Jean-Marie hésitait. Il avait passé une année entière avec Romain de Couesnon, rue du Tambour-Défoncé, l'année du Collège de marine, l'année de Clacla... L'amitié admirative spontanément vouée à son compagnon avait connu plus d'une rebuffade, s'était heurtée à plus d'un geste dédaigneux, mais qu'il le veuille ou s'en défende, Jean-Marie n'avait pu échapper au pouvoir tantôt cajoleur, tantôt destructeur, toujours dominateur exercé par le gentilhomme sur tous les autres.

« Tu ferais tant plaisir à mon fils! Je lui ai promis de t'amener. Il repart demain pour Brest. »

La détresse qui voila un instant le regard du chevalier décida Jean-Marie.

« Moi aussi, je serais heureux de le revoir. Accordez-moi seulement, monsieur le chevalier, le temps d'enlever cet habit de travail pour revêtir mon uniforme.

– Ton uniforme?

– Monsieur le chevalier, vous savez que j'ai obtenu mon brevet de capitaine marchand mais vous ignorez encore que l'amirauté m'a fait tenir une lettre de marque pour le commandement de ce navire armé à la course. Puisque nous sommes en état de guerre, je ne veux pas me présenter devant un officier de M. de Tourville sans être moi-même en uniforme. »

Romain se promenait dans la cour de la Couesnière lorsque le chevalier et Jean-Marie descendirent de la carriole. Les deux jeunes hommes se dévisagèrent un bref instant, l'officier rouge surpris de se trouver en face d'un officier bleu, et celui-ci ne sachant pas quelle attitude il convenait de prendre devant son ancien ami devenu officier du Grand Corps.

« Eh bien, vous ne vous reconnaissez pas? » demanda le chevalier.

Un peu raide, l'officier rouge dit :

« Bonjour, Carbec, tu es ici le bienvenu. Je suis heureux de te revoir. »

Naguère, les deux garçons s'appelaient toujours par leur prénom, mais Jean-Marie, fils de regrattier, ne se serait plus permis de répondre au tutoiement familier du gentilhomme. L'étroit sillon qui les séparait hier semblait s'être brusquement ouvert comme un infranchissable fossé. Connaissant les usages pratiqués dans la Marine, Jean-Marie répondit :

« Monsieur de Morzic, je vous présente mes compliments. »

L'un devant l'autre, ils s'inclinèrent avec beaucoup de cérémonie et, tout à coup, au même instant, tous les deux éclatèrent de rire comme si les farces de leur enfance leur avaient subitement sauté au nez comme un pétard.

« Je vous laisse tous les deux. Allez donc vous promener tandis que je demande à Léontine de vous préparer une collation. Vous devez avoir beaucoup de choses à vous raconter! » dit M. de Couesnon.

Epaule contre épaule, les deux jeunes gens s'en allèrent. Ils avaient tous les deux la même taille, mon fils est peut-être un peu plus grand, beaux hommes larges d'épaules et minces de hanches dont la voix sonore et les rires frappaient les fûts des vieux arbres. Les regardant, le chevalier revoyait les deux mousses à leur retour de Terre-Neuve, accompagnés du capitaine Le Coz et du patron du *Renard* venus à la Couesnière pour lui apprendre que son fils aîné s'était perdu, là-bas, dans les brumes.

Quand ils eurent épuisé leurs souvenirs communs, la verrue qui bourgeonnait sur le nez du professeur d'hydrographie, les noms des camarades, la rue des Mœurs, les parties de pêche au bas de l'eau, les premiers tirs au canon sur la Conchée..., Romain de Couesnon dit soudain en s'esclaffant :

« Et Clacla? Tu ne m'en parles pas? C'était pourtant une foutue baiseuse! »

Jean-Marie, blême, recula de quelques pas.

« Vous oubliez que mon père l'avait épousée et qu'elle est aujourd'hui sa veuve. Elle porte mon nom. Je vous interdis d'en parler en ces termes! »

Trop bien éduqué pour ne pas comprendre qu'il venait de commettre une inconvenance, le comte de Morzic ne pouvait pas davantage admettre une telle réplique.

« Pardonne-moi, dit-il, j'avais oublié la mort de ton père. Mais ne t'avise plus jamais de me parler sur ce ton. Tu me connais assez pour savoir qu'il t'en cuirait.

– Moi aussi, j'ai une épée maintenant! » répondit Jean-Marie.

Face à face, hérissés comme deux coqs, un rouge et un bleu, ils étaient prêts à se jeter l'un sur l'autre. Romain retrouva son calme le premier pour dire avec une condescendance pleine de grâce :

« C'est vrai, mon petit capitaine marchand, tu as maintenant une épée. Laisse-la donc au fourreau. Etant mon hôte, tu es placé sous ma protection, et je suis vraiment trop heureux de t'avoir revu après tant d'années pour vouloir te tuer aujourd'hui. »

Secouées de colère, les épaules de Jean-Marie étaient retombées. Ainsi, l'insolence de son ami d'autrefois n'avait pas changé. Romain était demeuré de ces hommes violents et querelleurs, doucereux et toujours prêts à vous égorger, aussi prompts à vous nuire qu'à vous pardonner le mal qu'ils vous ont fait, et dont on dit qu'ils sont des charmeurs.

« Racontez-moi plutôt Bévéziers », dit Jean-Marie.

Le comte de Morzic ne se fit pas prier deux fois. Bévéziers, c'était sa bataille. Enseigne, il n'avait pas vu grand-chose, mais de retour à Brest il avait écouté les grands chefs se lancer dans d'interminables, parfois orageuses, discussions. Encore qu'il n'accordât qu'un mince crédit aux connaissances nautiques des capitaines marchands, il pouvait parler à Jean-Marie en homme du métier sans avoir à disposer sur une table des verres, des flacons et des couteaux pour représenter les escadres en présence. « Tu comprends, les deux flottes se présentèrent tribord amures par vent de noroît... » Il dit aussi ce qu'il n'avait pas jugé utile de raconter à son père mais que tous les officiers des vaisseaux du roi savaient. Le soir de Bévéziers, lorsque Tourville s'apprêtait à détruire ce qui restait de la flotte ennemie, la chute soudaine du vent avait immobilisé tous les navires au moment même du reflux. « Ecoute-moi, Jean-Marie, toi, tu vas comprendre la manœuvre. Quand la marée s'est renversée, ces maudits Anglais ont mouillé leurs ancres en conservant leurs voiles déployées pour cacher leur ruse, de sorte que leurs vaisseaux sont demeurés sur place tandis que les nôtres étaient entraînés vers le large, hors de portée. Nos canons ont dû se taire.

— Et le lendemain matin, conclut Jean-Marie, il n'y avait plus personne. Bernique!

— Nous en avions quand même coulé dix-sept à

Bévéziers! Ça, c'est une vraie bataille comme vous n'en verrez jamais, vous autres.

– Sans doute, mais nous autres les corsaires, avec nos navires plus rapides que vos lourds vaisseaux de ligne, nous n'aurions peut-être pas laissé échapper les godons? »

Romain haussa les épaules.

« Tais-toi, tu ne sais pas ce que tu dis. T'es-tu seulement battu une fois?

– Cela peut m'arriver d'un jour à l'autre, pas au milieu d'une escadre mais tout seul avec le *Frédéric* que je commande. Si un retour des Indes me tombe sous la main, j'espère bien lui régler son affaire. »

Railleur comme il savait l'être, l'autre l'interrompit.

« Ainsi, monsieur Carbec a été promu capitaine avant même d'avoir entendu ronfler un boulet, et il se prendra bientôt pour un chef d'escadre alors qu'il n'est qu'un bon marchand de morues! Sais-tu que, si tu croises la moindre frégate anglaise ou hollandaise, elle t'enverra par le fond avant que tu aies eu le temps de faire un signe de croix? »

Prévenant la riposte que son expérience de la querelle devinait, il ajouta, méprisant :

« Oui, je sais, tu n'as rien à craindre. Vous autres les corsaires, vous ne vous frottez guère qu'aux navires désarmés. »

Le feu était monté aux joues de Jean-Marie. Partout où ils les rencontraient, à Brest, L'Orient, La Rochelle ou Marseille, ceux du Grand Corps n'avaient de cesse de chercher noise à ceux du commerce, la moindre parole jugée déplaisante leur étant prétexte à dégainer. Jean-Marie ne l'ignorait pas. Il n'avait pas oublié non plus que Romain de Couesnon lui avait dit un jour, il y avait dix ans de cela, qu'il ne se battrait jamais qu'avec un gentilhomme. Ravalant le fiel qui lui encombrait la gorge, il se contenta de répondre :

« Tous les navires sont aujourd'hui armés en guerre. Ceux que nous attaquons ont toujours du canon.

– Ils ont surtout plus de marchandises, n'est-ce pas, mon petit capitaine pirate ? »

Le comte de Morzic avait prononcé ces mots avec une grâce si charmante que Jean-Marie y retrouva les meilleurs souvenirs de la rue du Tambour-Défoncé et adressa à son compagnon un sourire enfantin. L'échange d'un regard clair avait suffi pour apaiser deux jeunes hommes qui tentaient de retenir entre leurs doigts une amitié de jeunesse à laquelle ils avaient cru tous les deux parce que l'un donnait et l'autre exigeait, le regrattier y trouvant son bonheur et le gentilhomme son compte, sans savoir encore que le feu brûle, que l'eau mouille, et que ces deux éléments ne se réconcilieront jamais.

Ils avaient parcouru plusieurs fois la grande allée, tourné et retourné autour de la maison et de la cour, et longeaient maintenant les communs. Romain posa une main fraternelle sur son ami.

« Jean-Marie, je vais quitter demain la Couesnière pour rejoindre Brest où je dois reprendre mon service à bord d'un autre vaisseau. Nous refranchirons bientôt le goulet car il nous faut détruire cette flotte ennemie qui nous a échappé. Toi aussi, tu vas prendre la mer. Dieu sait quand nous nous reverrons, et si nous nous reverrons un jour. »

Il avait dit ces derniers mots sur un ton très grave, quasi religieux.

« Toi, poursuivit-il, tu navigueras seul, moi en escadre. Chacun se bat comme il l'entend, l'ennemi demeure le même. Il n'en reste pas moins que nous, gentilshommes, nous faisons la guerre pour l'honneur, et vous autres pour l'argent. Comment expliques-tu cela ? »

La réponse partit comme une flèche.

« C'est peut-être parce que chacun fait la guerre pour obtenir ce qui lui manque ? »

Romain ne releva pas l'offense. Une lumière très douce baignait son visage et sa voix avait perdu le ton de la raillerie.

« Voici la grange où mon père nous donnait autrefois des leçons d'escrime. Bien qu'il n'ait pas l'air d'un spadassin, mon père était un bon ferrailleur. Il nous a même appris quelques jolis coups. Nous autres, nobles d'épée, nous devons toujours être prêts à envoyer ou à recevoir un cartel. Toi, ça n'est pas la même chose, mais lorsque tu monteras à l'abordage, il faudra bien que tu te serves de ton épée, ou d'un sabre. Veux-tu que je te montre deux ou trois bottes ? Cela te sera peut-être utile et cela me dérouillera les jambes. Entre donc. Non, passe devant, tu es mon hôte. »

Personne n'avait dû entrer depuis de nombreuses années dans ce vieux bâtiment. Loques poudreuses, des toiles d'araignées voilaient les fenêtres et pendaient de la charpente où des hirondelles avaient maçonné leurs nids. Passant par le toit troué, quelques taches de soleil frappaient le sol plein de chiures d'oiseaux et de crottes de loirs. Sur un mur de maçonnerie aux briques disjointes, six épées étaient entrecroisées. Les deux garçons furent saisis par une odeur de champignons, de bois qui commence à pourrir, mélangée à celle du blé qui avait été décortiqué sur l'aire à battre d'où s'envolèrent des poussières de paille. Depuis le jour où ses deux fils étaient partis pour Terre-Neuve, le chevalier de Couesnon n'avait pas poussé la porte de cette grange.

« Mon pauvre Jean-Marie, je n'ai pas à t'offrir une bien jolie salle d'armes, mais si tu viens me voir à Brest je te montrerai l'Académie de l'amirauté. Pour ce que nous devons faire aujourd'hui, cette grange est bien suffisante. Mettons-nous à l'aise. »

Que le comte de Morzic lui fît l'honneur d'un assaut flattait Jean-Marie Carbec. Il n'en voulait plus à son ancien compagnon, il était fier de lui montrer que lui aussi savait tenir une arme. Les deux garçons ôtèrent chapeau, baudrier, justaucorps, et sortirent l'épée du fourreau.

« Peste! s'exclama Romain en voyant celle de Jean-Marie. Montre-moi cela, c'est une très belle lame, dure et souple, brunie comme du Tolède. Et quel tranchant! Tu ne l'as pas trouvée à Saint-Malo?

— Le capitaine Le Coz m'en fit cadeau le jour où j'ai reçu ma commission de l'amirauté. Je pense qu'il l'aura trouvée sur un navire espagnol.

— Trouvée? La belle trouvaille en effet! C'est l'épée de quelque gentilhomme mais c'est d'abord une arme de combat. Remets-la donc au fourreau. Pour mon congé, je n'ai pris qu'une épée de parade. Nous ne sommes pas égaux. Avec ta rapière et ton poignet de forgeron, tu pourrais bien briser ma lame. Prenons plutôt ces épées d'exercice qui sont au mur, elles sont un peu rouillées mais elles seront moins dangereuses que la tienne. »

Il avait déjà décroché deux épées, en jetant une à Jean-Marie qui l'attrapa au vol.

« Commençons!

— Nous ne mettons pas de boutons? s'inquiéta Jean-Marie.

— Peuh! tu n'en auras pas lorsque tu te battras pour de bon. En garde, monsieur! »

Aussitôt, le ballet des armes commença. Sûr de lui, sans même prendre le temps d'étudier son adversaire, le comte de Morzic porta un terrible coup droit que Jean-Marie évita de justesse. Surpris par une telle violence à laquelle le vieux maître Chiantini ne l'avait guère familiarisé, Jean-Marie hésitait à attaquer, demeurait sur la défensive, tenait sa garde serrée, rompait, multipliait les parades et les esquives. L'autre fonçait toujours avec la même furie, en prime, en seconde, en tierce, en quarte, attaquant au corps et à la face, sans même esquisser la moindre feinte, sûr de lui comme les dogues qui cherchent d'instinct la carotide. A un moment, Jean-Marie trouva enfin l'occasion de rompre d'un pas, rassembler et riposter par un coup d'arrêt. Il n'osa pas, Romain serait venu s'embrocher sur son épée qui pour n'être pas une lame de combat n'en était pas moins redoutable quand on la maniait avec brutalité.

« Pousse donc, poltron! » hurla Morzic en se fendant pour la dixième fois.

La poitrine bien effacée, prévenant la riposte possible par retrait du corps, il avait attaqué à la face. Jean-Marie acquit alors la certitude que Romain ne lui avait pas proposé un assaut d'escrime mais un véritable combat. Il comprit que, s'il continuait à se défendre sans riposter, il risquait de recevoir au moins une blessure qui l'empêcherait d'embarquer sur le *Frédéric*. S'il se décidait à croiser le fer avec la même rage que son adversaire, il pouvait tuer le comte de Morzic et serait certainement pendu. C'est à ce moment qu'il vit s'allumer dans les yeux de Romain une flamme meurtrière qui lui fit peur. Pour sauver sa peau, il s'élança à son tour.

Une voix rude domina le froissement des lames et le choc des coquilles :

« Arrêtez, malheureux! »

Le chevalier de Couesnon se tenait sur le pas de la porte depuis quelques instants. Lui aussi avait compris. Droit, sévère, plus corseté que jamais, il entra dans la grange et se dirigea vers son fils.

« Donnez-moi votre épée, monsieur. Toi aussi, Jean-Marie. Maintenant, remettez-vous tous les deux. Je ne pense pas qu'il soit convenable que vous vous touchiez la main. Ce soir, comte de Morzic, je ne souperai pas avec vous. »

Les épaules un peu voûtées, tenant les deux épées rouillées sous son bras maigre, il s'en alla. C'était l'heure où les poules se rassemblaient autour de la maison. La Léontine leur jetait le grain du soir. Quand elle vit passer son maître, elle s'inquiéta de son visage.

« Pauvre monsieur le chevalier! pensa-t-elle. Il est triste parce que son fils repart demain pour la guerre. »

BIEN qu'on tapissât à Paris les murs de Notre-Dame avec les étendards pris à l'ennemi, la France s'enlisait dans une longue guerre. Les batailles gagnées dans les Flandres, en Alsace ou en Espagne avaient permis à Louis XIV de tenir tête aux coalisés d'Augsbourg, ni le maréchal de Luxembourg, ni Catinat, ni Boufflers ne lui avaient apporté ces victoires décisives qui forcent l'ennemi à signer la paix. Sur mer, les chefs d'escadre avaient été moins heureux. Deux ans après Bévéziers, alors que Tourville s'apprêtait à opérer un débarquement en Angleterre avec trois cents transports protégés par quarante-quatre vaisseaux, il avait rencontré au large de Barfleur une flotte de cent navires ennemis sur lesquels il s'était aussitôt précipité. La nui tombée, après dix heures d'une bataille très dure au cours de laquelle elles avaient réussi à couler un Anglais et un Hollandais, les escadres françaises au grand complet mais endommagées et à court de munitions, incapables de continuer un combat trop inégal, s'étaient effacées dans le brouillard. Une trentaine de vaisseaux étaient parvenus à rejoindre tant bien que mal Saint-Malo, quinze autres, conduits par Tourville vers Cherbourg et y manquant la marée, s'étaient échoués à La Hougue où les Anglais les avaient écrasés et incendiés. C'était le 3 juin 1692.

L'année suivante, presque jour pour jour, l'amiral avait pris sa revanche en coulant, en face de Lagos, quatre-vingts navires de la grande caravane envoyée au Levant par les Anglo-Hollandais. Pour les gens de Londres et d'Amsterdam, la perte était grave : quarante millions de livres englouties dans la mer portugaise. Pour ceux de Versailles, ce succès n'effaçait pas l'affaire de La Hougue considérée comme un désastre bien qu'elle n'eût pas plus affecté la puissance maritime de la France que celle de Bévéziers n'avait diminué celle de l'Angleterre et de la Hollande. Le roi, qui s'était toujours plus intéressé aux guerres de siège qu'aux batailles navales, écouta d'une oreille de plus en plus complaisante les avis de Vauban et de Pontchartrain, convaincus que la seule guerre de course conduirait à la victoire finale par la ruine du commerce ennemi. Ceux-ci proposaient de désarmer plusieurs vaisseaux de ligne, affirmaient que le temps des grandes escadres était révolu, et conseillaient de favoriser la câprerie par tous les moyens.

En coulant un nombre considérable de navires marchands, les corsaires envenimaient la guerre et lui donnaient un nouveau visage. Trois ans après Bévéziers, même les armements mixtes destinés aux Indes orientales devenaient aussi dangereux qu'inutiles. L'océan Indien était infesté de vaisseaux ennemis, vingt Hollandais se préparaient à débarquer un corps expéditionnaire à Pondichéry pour y dévaster les comptoirs établis par François Martin, et six autres interdisaient l'embouchure du Gange au commerce français d'Inde en Inde. La guerre disait enfin son nom tout haut : on se battait pour le négoce.

A Saint-Malo, Dieppe, Dunkerque, Honfleur, Rouen, Nantes, La Rochelle, les armateurs ne s'en plaignaient pas. Que le gros de la flotte royale et les derniers navires de la Compagnie des Indes soient immobilisés ou désarmés, cela favorisait même leurs affaires en leur permettant de recruter plus rapidement les gabiers nécessaires à leurs entreprises. A l'époque où les corsaires étaient peu nombreux, il n'était pas difficile de trouver des hommes dans sa propre famille et de compléter l'équipage avec des mauvais garçons ramassés dans la rue ou au bordel, voire loin dans les terres, là où on avait le plus faim. Maintenant, tout le long du littoral, de Dunkerque à Bayonne, tout le monde voulait armer à la course ou acheter des parts.

Un jour de juillet, Jean-Marie Carbec se rendit à l'amirauté de Saint-Malo pour y réclamer une dotation de boulets, de poudre et d'armes légères destinée au *Frédéric* passé sous le commandement de Guy Kergelho. On venait d'y apprendre que, naviguant sous pavillon anglais, M. de Tourville avait coulé devant les côtes du Portugal la moitié du grand convoi des marchands de la City. Le premier commis ne put s'empêcher de goguenarder son visiteur :

« Maintenant que les vaisseaux du roi emploient les mêmes ruses que vous et traversent vos affaires, vous n'aurez bientôt plus qu'à fermer boutique, capitaine! »

Il s'empressa toutefois de le satisfaire et de lui donner bonne mesure : si les commissaires de la marine n'appréciaient guère la revanche des officiers bleus, ils n'en devaient pas moins obéir aux ordres de leur ministre. Après trois ans, Jean-Marie se rappelait encore les tourments que lui avait causés son premier combat. Lancé à la poursuite d'une lourde flûte de l'Oostindische, il lui avait envoyé plusieurs bordées, toujours trop courtes, alors qu'une seule riposte du Hollandais avait suffi pour le démâter et lui tuer trois hommes. Contraint

369

d'abandonner et de rentrer à Saint-Malo, il s'était plaint à l'amirauté de la mauvaise qualité de la poudre :

« Elle ne pousse pas assez le boulet! »

Faisant le faraud dans son uniforme blanc à galons d'or, l'officier d'administration avait répondu à la limite de l'insolence :

« Si vous trouvez que la poudre du roi ne porte pas assez loin, eh bien, il faut vous approcher plus près de l'ennemi! Vous êtes corsaire, non? »

Les temps avaient bien changé, le roi donnait maintenant aux corsaires de la bonne poudre, des boulets, du bois, du fer, autant qu'ils en voulaient, remboursait aux armateurs leur mise-hors et prêtait souvent ses navires. De l'année de son premier combat, Jean-Marie avait conservé un autre souvenir, celui de son affrontement avec le comte de Morzic. Souvent rencontré, M. de Couesnon n'avait jamais donné des nouvelles de son fils et Jean-Marie n'avait rien osé demander. Aujourd'hui encore, il ne parvenait pas encore à démêler les raisons pour lesquelles Romain s'était rué sur lui avec tant de rage au risque de le tuer ou de se faire embrocher soi-même. Au moins Joseph Biniac, Guy Kergelho et François Troblet, ne lui causaient pas de soucis. Gais compagnons, rusés sans déloyauté, honnêtes sans scrupules, braves non téméraires, les quatre associés, à la fin de chaque campagne, dressaient un inventaire rigoureux des prises selon le code établi : deux tiers pour leur compagnie et un tiers pour l'équipage réparti en douze parts pour le capitaine désigné, huit pour ses officiers, six pour le chirurgien, trois pour les maîtres, une pour chaque matelot et les restes pour les mousses. La part réservée aux veuves des hommes tués au combat n'était jamais oubliée, pas plus que celle de l'Eglise afin que le Ciel demeure de leur côté, car une foi sans faille les assurait que le succès dans leurs affaires était un signe évident de la bénédiction divine. Ni le jeu, ni les femmes, ni l'ambition de parvenir, encore moins la gloire pour laquelle ils ne se battaient pas, ne les avaient séparés. L'argent leur glissait des doigts, ils en resserraient davantage, prodigues au-dehors, un peu avaricieux au-dedans, sachant qu'ils pouvaient tout perdre sur quelques coups de pas-de-chance, et déjà menacés par l'âge où il convient de n'avoir pas les mains vides pour s'établir à moins d'être gentilhomme et de monnayer ses fleurons.

C'était l'heure de la marée. En sortant de l'amirauté, Jean-Marie se mêla à la foule qu'aucun événement n'aurait empêchée de venir attendre le poisson frais. Lui-même n'y manquait pas. Tout le monde le connaissait, bonjour cousin, et chacun s'imaginait que son père Mathieu avait amassé une petite fortune grâce à la Compagnie des Indes, à la morue et au *Renard*. Parce qu'ils en profitaient tous, bourgeois, prêtres, artisans, orfèvres, boutiquiers ou simples regrattiers, matelots, aubergistes et putains, les Malouins admiraient leurs corsaires. Ils redoutaient aussi d'être eux-mêmes attaqués par une flotte ennemie dont l'assaut ne pourrait être contenu par les légers navires de leurs jeunes capitaines. Déjà, sur plusieurs points de la côte, les Anglais avaient tenté, parfois réussi, quelques coups de main, et le bruit courait qu'ils se préparaient à incendier Calais, Dunkerque, Fécamp, plus encore Saint-Malo que les marchands de Londres appelaient le « nid de guêpes ». Pour rassurer les guêpes, Vauban avait chargé son premier ingénieur, le chevalier de Garangeau, de multiplier les bastions sur la Conchée, Cézembre, l'Islet, Harbour, les Bés, et de couler du mortier au Fort-Royal et au Fort de la Reine. Les garnisons de Dol et de Dinan avaient été renforcées, la milice bourgeoise comptait à présent quatorze compagnies et, pour assurer la défense mobile, deux galères, la *Sublime* et la *Constance*, avaient été détachées de Marseille avec leur chiourme où voisinaient d'horribles assassins, des voleurs de sel, des déserteurs, quelques nègres aux yeux terrifiés, et un plus grand nombre de rameurs qui n'avaient commis d'autre crime que de demeurer fidèles à leur foi huguenote.

Jean-Marie fit quelques pas sur les remparts où de nouvelles pièces d'artillerie venaient d'être fixées. Il se revoyait jeune garçon s'attardant à la sortie de l'école pour donner un coup de main aux maçons occupés à sceller des canons sur le bastion de Hollande. Timbrées aux armes du roi, ces grosses machines qui grondaient comme le tonnerre et s'enveloppaient de fumée l'ensorcelaient toujours. De tous les exercices du Collège de marine, celui du tir au canon exécuté le dimanche matin sur des bouées mouillées en rade lui avait laissé le meilleur souvenir. Aujourd'hui, bien qu'il eût vu des hommes tomber devant lui, la poitrine arrachée par un boulet, il ne pouvait s'empêcher d'apprécier la valeur d'un coup au but et éprouvait encore du plaisir à caresser de sa grosse main la tiédeur du bronze. Il regarda les Bés hérissés de canons et estima que les récifs entourbillonnés d'écume protégeaient encore mieux Saint-Malo. Quel chef d'escadre se hasarderait au milieu de tous ces crocs et de ces courants? Comme tant d'autres fois, il s'attarda sur les remparts, il ne parvenait pas à s'en arracher. Un jour d'équinoxe, quand il était enfant, Yves Le Coz l'avait longtemps observé, tout droit, immobile comme un pieu amarré au paysage, les yeux fixés sur la mer où galopaient les crinières blanches des chevaux fous. Le capitaine lui avait demandé :

« Que regardes-tu, fils?

— Rien.

— A quoi penses-tu alors?

372

– A rien.

– Tu es un vrai Malouin », avait conclu le capitaine.

A ce souvenir, Jean-Marie se rappela qu'il était attendu chez Yves Le Coz de retour de Paris où les directeurs de la Compagnie des Indes avaient convié tous leurs délégués des villes maritimes. Il hâta le pas, arriva en retard et trouva, réunis autour de leur hôte, le père d'Emeline, le chevalier de Couesnon et un vieux gentilhomme dont il connaissait un peu le visage et ignorait le nom, le comte de Kerélen.

Avant de faire connaître à l'assemblée des armateurs malouins les nouvelles qu'il rapportait de Paris, le capitaine Le Coz voulait en réserver la primeur à quelques-uns de ses associés, non qu'ils fussent porteurs des plus grosses parts mais parce qu'une fidélité familiale et affectueuse l'attachait à son beau-père, M. Lajaille, et à Jean-Marie. Un intérêt plus secret le liait aux deux gentilshommes parce qu'il les croyait susceptibles de témoigner en sa faveur devant le parlement de Rennes le jour où l'occasion se présenterait d'acheter une charge de secrétaire du roi. Bon époux autant que bon père, bientôt soixante ans, il cultivait toujours avec soin une rude bonhomie à laquelle il eût été imprudent de se laisser prendre, n'ouvrait sa bourse qu'à demi mais faisait volontiers l'aumône pour faire enrager Mme Le Coz qui n'aimait pas les pauvres. Avec les années, bien que ses vêtements fussent devenus plus amples et ses bras plus courts, il ressemblait encore à lui-même. Seule sa barbe marinière avait disparu. Elle ne convenait plus à sa position ni à celle qu'il convoitait.

Le capitaine Le Coz était déjà allé à Paris, c'est la première fois qu'il avait assisté à une réunion des directeurs. Il raconta tout ce qu'il avait vu et entendu : la magnificence de l'hôtel de la Compagnie des Indes, les marbres et les torchères du grand escalier, les énormes fauteuils, la livrée des valets plus galonnée qu'un habit de lieutenant général, la présence de M. de Pontchartrain, et l'empressement des commis, voilà un décor qui rallume la confiance que chacun doit placer dans la volonté du roi de demeurer, quoi qu'il arrive, le protecteur de cet établissement. Le capitaine Le Coz dit aussi que, née de la guerre, la situation présente inquiétait toutefois les directeurs qui ne pouvaient plus trafiquer avec les Indes sans la protection d'une escadre dont la Compagnie assumait tous les frais de mise-hors, plus la solde des états-majors et des équipages. La vente des retours de l'armement confiée aux soins de M. Duquesne-Guitton n'avait pas couvert, de fort loin, les sommes engagées. Pris à partie par de nombreux actionnaires, le Conseil avait été contraint de leur donner satisfaction : désormais la Compagnie ne participerait plus aux dépenses militaires de telles expéditions dont le plus clair résultat demeurait d'avoir décuplé la solde des officiers rouges embarqués. Ceux-là, non contents d'avoir pris la place des officiers de la Compagnie, étaient devenus du même coup des trafiquants de pacotille.

Muets, les autres écoutaient, plus impatients d'entendre la suite du discours que de connaître les embarras financiers d'une compagnie dont les directeurs étaient tenus par la main du roi et sur laquelle leurs illusions avaient disparu.

« Si je vous entends bien, mon gendre, dit M. Lajaille, nous ne disposerons désormais d'autres marchandises en provenance des Indes que celles prises de force aux Anglais et aux Hollandais par nos soins?

— N'est-ce pas ce qui se passe, en fait, depuis trois ans? questionna M. de Couesnon.

— Aujourd'hui, reprit le capitaine, la situation est

plus grave. Hier, les directeurs fermaient plus ou moins les yeux sur le trafic interlope, surtout depuis que le roi protège la course. Maintenant, ils veulent que chacun observe avec la plus grande rigueur le privilège qui accorde à la seule Compagnie le monopole du commerce de tous les produits venant des Indes, que ce soit sur leurs navires ou sur ceux de n'importe quel autre armateur. La Compagnie des Indes va donc acquérir nos prises et les revendra au plus offrant. Si nous la laissions faire, ce serait bientôt la ruine du commerce.

— Pourquoi donc? s'étonna le comte de Kerélen. Au lieu de nous échiner à chercher et à attendre des chalands, nous aurons désormais une pratique toute trouvée.

— Sans doute, mais à quel prix? » fit le beau-père nantais en souriant.

Le chevalier de Couesnon intervint à son tour :

« Mon cher comte, vous me permettrez de vous faire observer que vous êtes encore novice dans ce genre d'affaires. Seule adjudicatrice, la Compagnie devient aussi seule adjudicataire. Elle sera donc tentée, pour le moins, de fixer son prix d'achat au plus bas pour augmenter son bénéfice à la vente. »

Jean-Marie n'avait pas ouvert la bouche. En face de ces hommes d'âge, il mesurait tout ce qui le séparait encore des messieurs de Saint-Malo qui l'avaient connu petit garçon. La démonstration lumineuse du chevalier de Couesnon le fit bondir.

« S'il en est ainsi, c'est la fin de la course, dit-il. Pour moi, je préfère abandonner le *Saint-Gilles* et retourner à la morue! Ce que je pêcherai sera à moi seul! »

Le capitaine Le Coz savourait le plaisir d'un homme qui, croyant connaître le secret des bureaux, en fait la confidence à quelques-uns. Depuis près de trente ans qu'il pratiquait la Compagnie des

Indes, il connaissait ses avatars, surveillait ses embarras, partageait ses inquiétudes, ses espoirs, ses déceptions. Il avait surtout appris que ces sortes de sociétés d'Etat n'engraissent guère que leurs commis, et que les règlements, raides et compliqués d'apparence, peuvent toujours être heureusement tournés au profit de quelques initiés. Il jugea inutile de révéler que si, pour préserver sa façade, la Compagnie empruntait à des taux usuraires de quoi calmer quelques créanciers trop impatients, ses directeurs avaient touché, après un service de dix ans, cent dix pour cent de leur capital, sans compter les trois mille livres de leur traitement annuel. A la sortie de Jean-Marie, il se contenta de répondre en riant.

« Rien n'est perdu, mon gars! Révérence parler, il n'y a guère qu'avec le Ciel qu'on ne transige pas. M. de Pontchartrain est un homme d'esprit et de finance qui connaît bien nos habitudes. Je ne vous apprendrai rien en vous disant qu'il est en affaires avec les Magon et les Danycan. Il ne voudra ruiner ni la course ni la Compagnie des Indes. Lorsque nous jugerons les prix trop bas, nous lui demanderons une permission de libre négoce.

– Combien cela nous coûtera-t-il? s'inquiéta M. Lajaille.

– Quelques épingles pour madame, répondit finement Yves Le Coz. N'oublions pas qu'avant d'être ministre de la Marine, M. de Pontchartrain présida le parlement de Bretagne! »

Les autres n'avaient pas fini de sourire que le capitaine poursuivit :

« De vous à moi, qui pourrait nous contraindre à déclarer la totalité de nos prises? Et même nous empêcher d'en vendre une partie à l'étranger où nous avons tous quelque correspondant à Cadix ou à Séville par exemple?

« – Ce serait trahir le roi! Nous sommes en état de guerre, capitaine Le Coz! »

Le comte de Kerélen avait dit ces mots d'une voix forte et s'était levé. L'année précédente, soucieux d'encadrer les trois cent mille hommes de ses armées dispersées dans les Flandres et les Allemagnes, en Savoie ou en Espagne, Louis XIV avait appelé le ban et l'arrière-ban de la noblesse à prendre du service. On avait vu alors s'acheminer par toutes les routes menant vers Namur, Strasbourg, Barcelone ou Chambéry, de longues files de roussins et de carrosses bringuebalants. Presque tous les gentilshommes avaient répondu, les plus démunis et les vieillards avant les autres. Gérontes perclus, trop pitoyables pour aller à la Cour, ils allaient à la guerre, émerveillés de traîner une dernière fois des colichemardes qui n'avaient pas servi depuis Rocroi. Inutiles et grondeurs, à la fois ridicules et émouvants, pressés d'en découdre, n'ayant trouvé ni abri pour dormir ni subsistance pour se nourrir et encore moins de troupes à commander, ils avaient été renvoyés chez eux après quelques semaines, déçus mais superbes d'avoir retrouvé la justification de leur état. Parti pour Namur, le comte de Kerélen en était bientôt revenu. Volontiers raisonneur, M. de Couesnon s'était contenté de prendre son tour de service dans les milices provinciales chargées de surveiller les côtes.

Lorsque le capitaine Le Coz avait dit tout à l'heure : « Nous avons tous quelque correspondant à Séville ou à Cadix », Jean-Marie avait senti une sorte de feu lui brûler les oreilles. Après s'être rebellé lui aussi contre les projets de son associé Guy Kergelho, il y a longtemps qu'il vendait de la toile à voiles aux Espagnols sans se poser la question de savoir si elle n'aboutissait pas finalement aux arsenaux de Liverpool ou de Flessingue. Il lui sembla que tout le monde le regardait avec réprobation.

« Monsieur le comte, s'empressa de répondre Yves Le Coz, la personne du roi est sacrée à chacun de nous, et notre vie répond de notre fidélité. S'il s'agissait de faire passer en Espagne du fer, du bois, du salpêtre, ou toute autre marchandise utilisée pour la guerre, je ne vous aurais jamais tenu pareil langage. Apaisez vos scrupules. Notre trafic n'intéresserait que les étoffes. Au reste, n'est-ce pas ce que nous faisons tous depuis que l'importation des toiles peintes a été interdite il y aura bientôt sept ans? En toute franchise, penseriez-vous faillir à l'honneur en vendant des cirsakas, des gourgourans, des madapolans et autres mousselines à des marchands espagnols qui s'empresseraient de les revendre dans leurs colonies d'Amérique après avoir retenu les meilleures pièces pour parer leurs propres femmes et décorer leurs maisons? Où voyez-vous de la trahison là-dedans?

– De la trahison, peut-être pas, mais il y aurait fraude », s'entêta le vieux gentilhomme.

En introduisant en France des quantités de plus en plus grandes de tissus de coton et de soie, la Compagnie des Indes était devenue une redoutable concurrente pour les manufactures établies en Normandie, en Picardie et en Champagne. Menacées d'être ruinées par ces innombrables étoffes asiatiques dont les femmes raffolaient, elles en avaient obtenu la prohibition. Personne n'en avait tenu compte. Tout le monde fraudait, à Versailles plus qu'ailleurs, si bien que Seignelay venait, sans illusion, de prendre un nouvel arrêt qui exigeait cette fois qu'on brûlât toutes les toiles peintes saisies sur les navires retour des Indes.

Benoîtement, le capitaine Le Coz avait croisé les mains sur ses rondeurs.

« Si je vous ai offensé, je vous en demande

humblement pardon, reprit-il d'une voix très douce. Demain, je ferai part de toutes ces dispositions nouvelles à l'assemblée des armateurs et des marchands. Il faudra bien qu'ils s'en accommodent. Aujourd'hui, j'avais voulu seulement renseigner ceux qui me font l'honneur de leur confiance afin qu'ils soient les premiers à se prémunir des dangers qui nous menacent tous. Dans ces sortes d'affaires, croyez-moi, plus il y a gros à gagner, plus il y a risque de perdre. »

Ils s'étaient tus tous les cinq, hésitants, réunis par le goût du profit, mais séparés par des frontières infranchissables dont les bastions commençaient à se fissurer sous la pression du grand commerce bourgeois. Seul le chevalier de Couesnon pouvait tenter de faire disparaître le léger malaise qui rôdait entre eux, brouillard invisible.

« Mon cher comte, dit-il dans un sourire qu'on lui connaissait peu, nous savons tous qu'il n'est pas de gentilhomme en Bretagne qui respecte plus que vous les arrêts du roi. Ne portez-vous point, cependant, au saut du lit, de ces robes de chambre que nous appelons « indiennes », et autour de la tête, pour vous protéger du serein, un bonnet de coton dont l'étoffe arrive tout droit de Madras?

– C'est ma foi vrai! répondit Kerélen en riant. Eh bien, vous l'emportez! Arrangez-vous comme vous l'entendrez, mais ne me brouillez pas avec ma conscience. »

Depuis que, à l'exemple du chevalier de Couesnon, le comte de Kerélen avait engagé quelques milliers de livres dans le commerce lointain, il découvrait un monde nouveau, inimaginable encore que soupçonné, dont les finasseries ne laissaient pas de l'étonner, l'inquiéter peut-être. Tous ces armateurs marchands dont quelques-uns risquaient des sommes considérables sur des navires menacés de n'arriver jamais à bon port, il les comparait volontiers à des flambeurs d'étranges parties de pharaon qui n'auraient même pas eu besoin de tricher pour rafler les mises parce qu'ils s'arrangeaient toujours pour connaître le dessous des cartes avant même qu'elles soient distribuées. Le comte de Kerélen voulait bien être leur associé, non leur compère. Plus protecteur que complice, il s'adressa à son voisin.

« Qu'en pensez-vous, le Nantais? Au lieu de nous entêter sur ces indiennes, n'y aurait-il pas plus d'honnêteté à faire le commerce des nègres? Il m'est revenu que la traite plaît autant au cœur du roi que la course.

– Il n'y a point contradiction. Une grande disposition de fonds est seulement nécessaire pour entreprendre l'une et l'autre. Comme aime à le répéter mon gendre, il est dangereux de mettre tous ses écus dans le même baril. »

Moins pour traiter des affaires que pour voir sa fille et cajoler ses petits-enfants, M. Lajaille prenait souvent la poste qui reliait Nantes à Saint-Malo en deux jours. Vieux bourgeois installé solidement dans le quartier de la Fosse, il avait toujours tourné le dos à la mer, mais descendait volontiers la Loire en gabare jusqu'à Paimbœuf quand on lui signalait l'arrivée d'un de ses navires, et ne montait à bord que pour y saluer le capitaine, lire les papiers et inspecter la cargaison. Naguère, il avait souscrit autant de parts à la Compagnie des Indes occidentales qu'à la Compagnie des Indes orientales. Dès que le privilège de la première avait été révoqué, il s'était empressé de poser des pions sur les îles d'Amérique ouvertes au commerce libre, surtout à Saint-Domingue où un millier de Français, souvent déserteurs, parfois honnêtes aventuriers, s'étaient installés sur la côte orientale de l'île pour y planter du tabac. L'un d'eux, exilé aux Caraïbes par sa famille pour une peccadille de jeunesse, était revenu à Nantes et avait proposé à M. Lajaille une association : le colon expédierait en France de la cassonade, de l'indigo, du tabac et du coton, tandis que l'armateur enverrait à Léogane du bœuf et de la morue salée, des meules, de la poudre à fusil, du vin et des eaux-de-vie, de la farine et des toiles. Il y dirigerait surtout une nombreuse main-d'œuvre nécessaire à ce genre de cultures. Le père d'Emeline était ainsi devenu entrepreneur de recrutement avec l'aide de commis qui lui rabattaient, en Guyenne et en Saintonge, des hommes courageux, sans ressources et sans crédit, et autres claquedents qui désiraient trouver du travail aux îles avec l'espoir de s'y établir planteurs. Droit en affaires, M. Lajaille entendait que tout fût traité dans les règles. Avant leur départ, les hommes s'obligeaient par contrat devant notaire à servir pendant trois ans le colon qui lui-même s'engageait à donner pour salaire deux caleçons, une paire de souliers neufs, un chapeau, un gobelet et un couteau au moment de quitter Nantes, plus cent cinquante livres de tabac par an. Sur les bases de ce même contrat, des charpentiers, tonneliers, maçons, menuisiers, charrons et tailleurs de pierre étaient ainsi partis pour les Antilles. Quelques femmes aussi, moins de cent pour huit mille hommes.

De semblables associations liaient de nombreux colons établis aux Antilles depuis plusieurs décennies à quelques négociants et armateurs nantais qui s'étaient toujours plus intéressés à la Martinique, Saint-Christophe, la Guadeloupe ou Sainte-Lucie qu'on atteignait après huit semaines de navigation, qu'aux lointains comptoirs des Mascareignes, des Malabars, de Coromandel ou du Bengale situés de l'autre côté de la terre. Ainsi étaient nées les futures grandes plantations dont les propriétaires ornaient déjà leur patronyme d'un nom de terre. Bientôt, le commerce du sucre et de l'indigo avait pris en

Europe de telles proportions que, les « trente-six mois » n'y suffisant plus, il avait fallu chercher une autre main-d'œuvre en Afrique.

M. Lajaille n'avait pas tergiversé. Comprenant qu'il pouvait devenir riche ou tout perdre si les journaliers faisaient défaut, il avait aussitôt souscrit des parts importantes dans la Compagnie de Guinée dont les établissements de Saint-Louis et de Gorée fournissaient des esclaves aux Antilles en même temps que des rameurs aux galères du roi. Les premiers partaient directement pour les îles, mais les autres étaient d'abord livrés à Rouen puis à Versailles, où on les présentait pour un premier tri avant qu'on les dirige sur Marseille où les gentils-hommes des galères monnayaient à petit prix ceux qu'ils jugeaient inaptes à la chiourme. C'est ainsi que, recruteur d'hommes blancs, le beau-père du capitaine Le Coz était devenu marchand d'hommes noirs, d'abord pour son propre état, bientôt pour le compte de nombreux colons. Respectueux des commandements qui prescrivaient de traiter humainement les Africains, et des recommandations de l'Eglise qui s'inquiétait de leur âme, M. Lajaille avait choisi de donner à ses deux navires négriers des noms qu'aucun marchand honnête et chrétien n'eût désavoué. Le premier s'appelait *Bon-Pasteur*, le second *Bonne-Mère-du-Ciel*.

« Non, répéta M. Lajaille, il n'y a point contradiction. Avec les cauris des îles Maldives et les coton-nades de Pondichéry, vous achetez en Afrique des nègres que vous nourrissez avec la morue de Terre-Neuve. Vous échangez aux Antilles vos nègres contre de la cassonade que vous raffinez en France dans vos propres manufactures pour en faire du sucre que vous revendez enfin à des marchands de gros qui eux-mêmes pourront acheter des cauris et des indiennes. Considérez que tout cela se tient et ressemble à ces sortes de chapelets hydrauliques dont les paysans andaloux se servent pour irriguer leurs jardins et qu'ils appellent norias. »

Ravi d'avoir entendu cette explication, le capitaine Le Coz admira son beau-père venu à sa rescousse, et il frotta son ventre du geste circulaire qui lui était coutumier quand il jubilait. Les autres prirent bientôt congé, convaincus par la lumineuse démonstration du commerce triangulaire.

« Reste souper avec nous, dit Yves Le Coz à Jean-Marie, il y a longtemps qu'on ne t'a vu. »

Le chevalier de Couesnon raccompagna son vieil ami jusqu'à sa demeure.

« Je pense que nos affaires sont placées en de bonnes mains. C'est à cause de vous et je vous en rends grâces, encore que je ne sois guère habitué à ces méthodes, remercia le comte de Kerélen. A propos, rappelez-moi donc le nom de ce personnage de l'Antiquité romaine qui disait « l'argent n'a pas d'odeur »?

– C'était l'empereur Vespasien.

– Eh bien, mon cher chevalier, votre empereur était une niquedouille. L'argent sent bon, ce sont les hommes qui puent. »

Le souper s'achevait. D'un regard satisfait, le grand-père contempla sa famille attablée autour de lui. Bien que son gendre fût le véritable maître de la maison et n'entendît pas abdiquer, M. Lajaille savourait le privilège d'en être le patriarche. Il était venu ici pour fêter son soixante-dixième anniversaire au milieu des siens. Peu d'hommes parvenaient à cet âge, sinon podagres ou imbéciles. Lui pouvait encore diriger ses commis, aller tous les jours à la Bourse, et prendre le coche de Saint-Malo lorsque l'envie le prenait d'aller embrasser ses enfants.

Héritier d'une petite bourgeoisie marchande,

M. Lajaille avait fait ses premiers pas sur le quai de la Fosse et habitait toujours dans la maison familiale face à la Loire coulant autour des grandes prairies couvertes de peupliers. Ses parents n'avaient jamais tenu boutique, mais un cabinet qui aurait pu être celui d'un notaire, avec ses armoires où s'alignaient de gros livres de comptes, s'il n'avait communiqué avec des magasins remplis de ballots et de futailles. Nantes ne s'intéressait encore qu'au commerce du sel, du blé, du vin, des eaux-de-vie et des grains, s'en tenait au petit cabotage et ne lançait que de rares navires sur la mer libre, préférant confier le transport de ses marchandises à des armateurs étrangers dont les agents s'étaient installés avec leur famille dans la place pour y faire souche.

Que des Anglais, Hollandais, Espagnols, surtout des Irlandais, fussent ainsi devenus les maîtres de leur trafic, tandis que, partis d'une île minuscule, les gens de Saint-Malo se lançaient à la conquête du monde, n'avait pas été supporté par les jeunes Nantais de la génération de Léon Lajaille et ses compagnons de collège, les Brian, les Grout, les Chastain ou les Montaudouin. A leur tour, ils avaient créé des petites compagnies de commerce et de navigation, bien résolus à disputer leur part de piastres à tous les autres. C'était le temps où, après avoir acheté Saint-Christophe, la Martinique, la Guadeloupe et autres îles du Vent à ceux qui les tenaient du droit du premier occupant, Louis XIV avait concédé les Antilles à la Compagnie des Indes occidentales. Il avait fallu cinquante ans pour que Nantes rattrape l'avance prise par Saint-Malo.

Le grand-père regarda sa petite-fille, assise à côté de lui, qui mangeait gravement un énorme morceau de tarte aux pommes. Marie-Léone avait maintenant onze ans. Maigre, un peu noiraude, deux grands yeux d'un bleu profond éclairaient son visage aigu. Elle tient de sa grand-mère, pensa-t-il. Manuella devait lui ressembler à cet âge.

Manuella, c'était la fille d'un courtier maritime de Cadix établi sur la Loire au moment où les Nantais ne disposaient pas encore de nombreux navires. Léon Lajaille n'avait guère eu le temps d'être heureux avec sa femme, à peine deux ans. Trois mois après des couches difficiles dont elle ne s'était pas remise, elle était morte, brûlante et dorée comme un fétu de paille après la moisson. Oui, sa petite-fille avait les mêmes yeux qu'elle, bleus, presque noirs et semblables à la couleur que prend parfois la mer au moment où la nuit tombe sur un long crépuscule d'été.

Bien qu'elle fût occupée à sa tarte aux pommes, Marie-Léone, avec un sûr instinct de femme, sentit que son grand-père la regardait. Elle tourna la tête vers lui, étoila ses yeux d'un sourire cajoleur et embrassa la main du vieil homme posée sur la nappe blanche.

« Tenez-vous donc droite, gronda Emeline Le Coz, sans cela vous ne souperez plus avec les grandes personnes!

— Moi, j'aime bien mon grand-père, répondit Marie-Léone avec une petite voix où sa mère, qui la connaissait bien, crut entendre une sorte de bravade.

— Taisez-vous! Les enfants ne parlent pas à table. »

Le capitaine Le Coz et M. Lajaille voulurent intervenir.

« Voyons, Emeline... »

Elle leur coupa la parole :

« Tous les deux, vous la soutenez toujours contre moi. Il est grand temps de l'envoyer au couvent. »

« Emeline est irritée, songea le Nantais, qu'est-ce qui ne va pas? » Comme tous les hommes, il se rassura en pensant que sa fille avait toutes les raisons d'être heureuse. Un bon mari, deux beaux enfants, une belle maison, une situation assise, qu'aurait-elle pu désirer encore? Cependant, il demeurait inquiet. Avant de se mettre à table, comme Marie-Léone taquinait Jean-Marie Carbec et jouait à grimper sur ses genoux, Emeline l'avait tancée d'une voix qu'il ne lui connaissait pas.

« Ne tourmentez donc pas toujours votre parrain, vous êtes trop grande pour vous tenir ainsi! »

Tout à l'heure, lorsque le capitaine Le Coz avait raconté pour la quatrième fois que M. de Pontchartrain lui avait adressé la parole – « Dites à ces messieurs de Saint-Malo que le roi pense souvent à eux » – Marie-Léone avait interrompu son père pour lui demander s'il y avait plus de bateaux à Paris qu'à Saint-Malo. Les hommes avaient ri de bon cœur, sauf Emeline :

« Vous êtes une petite sotte! N'en profitez pas parce que votre grand-père et votre parrain sont là. »

M. Lajaille demeura pensif. Il regarda sa main étalée sur la table, une vieille main encore solide mais qui tremble un peu, parcourue de grosses veines et semée de taches brunes parmi lesquelles brille la trace humide du baiser de sa petite-fille. Il ne parvient pas à comprendre l'humeur d'Emeline. Sans doute l'âge est-il responsable de ces sortes de misères qui frappent les femmes comme de brusques sautes de vent en rivière. Mais Emeline n'a pas encore quarante ans! Elle est toujours belle, ma fille. Avec sa peau claire, ses yeux pâles et ses cheveux blonds, elle tient plutôt de mon côté et sa taille est demeurée celle d'une jeune fille. Une jeune fille un peu sèche, peut-être? Elle n'a pas l'air épanoui des femmes de son âge et de sa condition, elle manque de rondeurs, elle ressemble un peu à ces sarments des vignes du bord de Loire qui prennent si vite le feu. M. Lajaille hausse un peu les épaules. Il ne connaît rien des femmes, et en aurait-il acquis quelque intelligence qu'elle ne lui servirait de rien pour connaître sa propre fille. A-t-il été un bon père? Il s'est beaucoup occupé d'elle, lui a appris lui-même à lire, écrire, compter avant de la conduire au meilleur couvent de la ville d'où elle est sortie cinq ans plus tard avec les manières et l'instruction d'une jeune fille accomplie. Emeline est alors devenue une sorte d'associée, aussi entendue aux devoirs ménagers qu'aux disciplines commerciales, relevant dans les livres la moindre erreur de calcul, gourmandant les servantes et surveillant elle-même la cuisine pendant le temps de carême. Lui, emporté par l'élan que la pratique du négoce lointain a donné à Nantes, il a décuplé le fonds familial, entretenu à son tour des agents à Bordeaux et à Cadix, s'est intéressé l'un des premiers à Saint-Domingue, a créé des compagnies avec les négociants étrangers devenus plus nombreux, les Welch, les Vanberchem, et autres Hollandais de la religion réformée que le roi n'a jamais osé faire dragonner au moment de la Révocation et qu'il a même protégés avec autant de sollicitude qu'il en mit à veiller sur ses banquiers protestants.

Deux ou trois fois, M. Lajaille a songé à se remarier sans s'y résoudre. A partir du moment qu'Emeline avait pris la direction de sa maison, aurait-elle jamais accepté la présence d'une autre maîtresse dans le même logis? Il n'a pas manqué de femmes, de toutes conditions, épouses ou veuves, bourgeoises ou galantes, dames de qualité ou roturières, paysannes ou putains. Au lit, c'est du pareil au même, sauf que les unes sentent plus fort que les autres. Ni celles-ci ni celles-là n'ont été insensibles à sa réussite et ses libéralités de négociant aisé, aussi généreux en amour qu'avisé en affaires. Un jour, il a marié Emeline à un bon Malouin, cet Yves Le Coz qui n'a démenti ni son jugement ni ses espérances, dont les caves sont pleines de piastres, à qui le ministre de la Marine adresse la parole, c'est à ne pas croire, et qui brûle sans doute d'acheter une lettre de noblesse. Comme les années ont été longues et comme le temps a vite passé! Tout cela pour aboutir à cette vieille main d'homme tachée de brun, et à ces points d'interrogation qu'il se pose aujourd'hui sur le caractère, peut-être sur le bonheur de sa fille? Pour sûr qu'il ne comprend rien aux femmes. Il lui en est passé trop entre les jambes. Est-ce que le meilleur moyen de les connaître ne serait pas de partager longtemps la vie quotidienne d'une seule? Trop tard, Léon Lajaille. Il avait beaucoup culbuté, beaucoup travaillé, beaucoup risqué, beaucoup gagné. S'il travaillait encore, c'était par jeu, par habitude. Il n'avait plus besoin d'imaginer pour entreprendre, l'argent courait tout seul derrière lui à ce point qu'on disait, quand on le voyait passer sur le quai de la Fosse, qu'on entendait tinter les écus dans son ventre. Eh bien oui, il était riche! Est-ce un crime? Ne pratiquait-il pas la charité? Lorsque les femmes de Dieu venaient le quêter, il leur disait toujours : « Que celle qui a les plus larges mains les ouvre! », et il les remplissait d'or. Dans les couvents nantais, les mères supérieures passaient la revue des pognes avant d'envoyer leurs visiteuses chez un aussi bon chrétien.

Absorbé dans ses pensées, M. Lajaille n'en entendait pas moins son gendre raconter son séjour à Paris. Il l'écoutait peu. En revanche, Emeline, Jean-Marie et Marie-Léone paraissaient s'émerveiller des bavardages du voyageur. « Alors, M. de Pontchartrain s'est tourné vers moi... » Seul, Hervé Le Coz fixait obstinément son assiette sans même toucher la part de gâteau que sa mère y avait posée. Le grand-père regarda plus attentivement son petit-fils. Avec sa tignasse blonde d'où surgissait un épi rebelle, sa figure ronde, son gros nez d'adolescent, ses yeux clairs et ses lèvres tordues, non, celui-ci n'était pas du côté de la grand-mère espagnole mais du côté malouin. Bientôt quinze ans et déjà deux campagnes à Terre-Neuve, sûr qu'on allait l'embarquer sur un navire corsaire avant la fin de l'année. Pourquoi donc Hervé d'habitude si bavard est-il aujourd'hui silencieux? Sa figure est toute rouge comme s'il avait pris un sacré coup de soleil.

« Ça va-t-il comme tu veux, mon gars? »

Renfrogné, le garçon répondit qu'il avait mal à la tête.

Les autres ne l'entendirent même pas parce qu'au même moment le capitaine Le Coz déclarait, solennel :

« Monsieur Lajaille, je veux vous apprendre une nouvelle que personne ne connaît encore, ni à Saint-Malo, ni à Nantes, pas même à Rennes et qu'on m'a confiée à Paris. C'est encore un secret. M. de Pontchartrain a obtenu pour son fils Jérôme la survivance de ses fonctions de ministre de la Marine et de président perpétuel de la Compagnie des Indes. Qu'en pensez-vous?

– Quel âge a donc ce jeune homme?

– Dix-neuf ans.

– Nous savons qu'à la Cour les jeunes gens vont vite, aujourd'hui.

– Sans doute, mais celui-ci est à plaindre. Savez-vous que la petite vérole l'a rendu borgne?

– Eh bien, fit le grand-père, espérons qu'une semblable fortune ne le rendra pas aveugle! »

Satisfait de son bon mot, M. Lajaille reprit le cours de ses réflexions. Lui souhaiterait-on un autre anniversaire? Avant de mourir, j'aurais pourtant voulu voir établis mes petits-enfants. Mais je serai mort depuis longtemps. Les hommes devraient se marier très jeunes. Pour Hervé, son affaire est déjà tracée, c'est un Le Coz, fait pour la mer et le commerce. Son père en fera un capitaine de la

Compagnie des Indes et le mariera à la fille d'un armateur. Mais Marie-Léone ? Que vont-ils faire de ma petite-fille ? Que deviendront son petit visage de chat et ses yeux bleu-noir quand elle sera une femme ? Va-t-on lui faire épouser un marchand à l'exemple de sa mère, l'enfoncer dans des mémoires d'avitaillement, de mise-hors et de prêts à la grosse ? Les comptes de toile, de cauris, de morue, d'indienne et de nègres, c'est bon pour les hommes. A quoi pourront jamais prétendre Yves Le Coz, Hervé ou ce Jean-Marie Carbec qui arme déjà à la pêche et à la course ? Amasser assez d'argent pour acheter un jour un office ou même une charge de secrétaire du roi, voire une lettre de noblesse ? La belle affaire ! Ils n'entreront pas pour autant dans la société où leur titre d'écuyer sera toujours considéré comme une savonnette à vilain, et où leurs mérites demeureront méconnus. Les familles ne peuvent bien se décrasser que par les femmes. Avec un ventre plus une dot, on fait tout de suite la mère d'un duc. Dès mon retour à Nantes, il me faudra retoucher mon testament et prévoir un préciput en faveur de ma petite-fille. Cela coûtera bien deux cent mille livres, mais pour ce prix-là, Marie-Léone pourra trouver autant de vrais marquis qu'il y en a en France.

Le capitaine Le Coz discourait toujours. Impatient de s'en aller, Jean-Marie fixait les yeux sur l'horloge. La marchande de toiles indiennes dont il était l'amant depuis quelques mois devait l'attendre. Pour peu que le monologue du capitaine prolonge le repas où il était tombé comme dans une trappe, on sonnerait le couvre-feu et il lui faudrait rentrer bredouille rue du Tambour-Défoncé sans avoir vu sa belle.

« Pourquoi regardes-tu ainsi l'horloge ? demanda Emeline. Tu es pressé ? On t'attend peut-être ? »

Dans sa voix brève, l'angoisse le disputait à la

violence. Jean-Marie n'eut pas le temps de répondre parce que Hervé venait de s'écrouler sur son assiette, pris d'un terrible vomissement.

« Sainte Vierge! »

Emeline s'était levée et caressait le visage de son fils avec des gestes redevenus soudain maternels, tandis que, furieux, Yves Le Coz essuyait sa veste.

« Il aura bu un coup de trop avant le souper. Va te coucher, sac à vin, dit-il, et demande pardon à ton grand-père. »

Sur un ton rude tout enveloppé de bonhomie, il ajouta :

« A cet âge-là, ça ne tient pas le rikiki!

– Ne dites donc pas de sottises, protesta Mme Le Coz, il est brûlant et il perd connaissance. »

Le grand-père s'était levé à son tour et regardait attentivement son petit-fils.

« Non, cet enfant n'est pas ivre. On dirait qu'il a la fièvre pourpre, il faut aller chercher un médecin. »

Emeline jeta à Jean-Marie un regard qui lui rappela d'un coup le tableau de la Vierge aux Sept Douleurs entrevu dans une petite église italienne la première fois qu'il était allé à Civitavecchia pour y échanger de la morue contre de l'alun.

« M. Chiffoliau?

– Oui », souffla-t-elle.

Il partit en courant. Muette, Marie-Léone s'était réfugiée dans un coin d'ombre, ses grands yeux soudain ombrés d'un cerne qui lui mangeait le visage.

« Il faut le mettre au lit, dit le capitaine Le Coz.

– Vous voyez bien qu'il est trop faible pour marcher!

– Eh bien, je vais le porter.

– A votre âge? Vous tomberiez tous les deux. Attendez plutôt le retour de Jean-Marie. Il est fort, lui!

– C'est mon gars, non? »

Le gros homme prit le garçon dans ses bras courts, le renversa sur son épaule droite, comme un sac, et entreprit de monter à l'étage. Il dut s'arrêter au milieu de l'escalier, oscilla, crut qu'il allait rouler sur les marches avec son fardeau. Son cœur cognait trop fort dans sa poitrine. A votre âge, avait dit la Nantaise? Vous allez voir ça! Il se redressa et repartit, montant cette fois les marches plus lentement, avec précaution, et mesurant son souffle. Le bois craquait sous ses pas, et il lui semblait que toute la maison tremblait comme un navire dans la tempête. Arrivé près du lit, il y fit glisser doucement son fils. Alors, le capitaine Le Coz s'adossa au mur, n'en finit pas de respirer bruyamment et regarda enfin sa femme avec un air de triomphe comme s'il avait relevé un défi.

M. Chiffoliau prit le pouls d'Hervé et hocha pensivement la tête.

« Il a la fièvre, n'est-ce pas? interrogea Emeline.

– Sans doute, madame Le Coz, mais faut-il encore en connaître la raison. Il y a tant de sortes de fièvres! Voulez-vous me laisser un moment seul avec le capitaine? Nous allons regarder ce gars-là d'un peu plus près. Entre hommes. »

Entre hommes? Elle sentit une chaleur lui monter au front et sortit de la chambre à regret. Le médecin se pencha aussitôt sur le visage d'Hervé et affecta un ton rieur comme s'il eût voulu le rassurer.

« Tu ressembles à un homard cuit au court-bouillon, mon garçon.

– Ça serait peut-être bien la rougeole? demanda le capitaine.

392

« – Espérons-le, grommela M. Chiffoliau. On n'y voit goutte. Allumez donc une chandelle. »

Le médecin avait déjà soulevé la chemise, tâté le ventre, l'aine et les cuisses, se contentant de dire « Bon! Bon! » à chaque toucher. Il sortit une grosse loupe de sa trousse et examina longuement le front, les yeux, les joues, disant toujours « Bon! Bon! ».

« Ouvre la bouche, mon garçon. »

M. Chiffoliau se redressa, prit tout son temps pour ranger la loupe dans sa trousse et ses lunettes dans leur étui. Il déclara enfin :

« Capitaine Le Coz, votre garçon va nous faire une bonne petite vérole confluente. Demain, vous verrez apparaître les premières pustules sur sa figure. Allons, ne prenez pas cette face de carême! A son âge, vigoureux comme il est, c'est une affaire de dix à quinze jours. Depuis quarante ans que j'exerce l'art de la médecine, il ne s'est guère passé de semaines que je n'en soigne. Bien sûr, il y a des cas graves. A quinze ans, ils sont rares. Capitaine, redressez-vous donc! Je ne pense pas qu'il y ait complication. Votre fils est un rude gaillard, comme son père, n'est-ce pas? Surveillez-le cependant avec attention. Si un seul petit bouton charbonneux apparaissait sur sa poitrine, son ventre ou ses cuisses, il faudrait venir me chercher sans tarder. »

Yves Le Coz demanda timidement :

« Vous ne lui faites rien d'autre?

– Non. L'éruption va se déclarer d'un moment à l'autre, on la voit déjà à la loupe, il est trop tard pour pratiquer une saignée. Aidons seulement la nature par quelques soins que je vais indiquer à Mme Le Coz. »

Avant de redescendre le médecin dit au malade :

« Tu as très mal à la tête, n'est-ce pas? Tu as la bouche pleine de salive? Bon! Bon! Nous allons te tirer de là. Aie un peu de patience, et si tu gardes quelques petites traces sur ton visage, la belle affaire! Tu seras toujours un beau gars.

– C'est la petite vérole? » questionna Emeline.

Il y avait dans sa voix autant d'inquiétude que de détermination.

« Oui, madame Le Coz, mais je ne pense pas que ce soit une forme maligne. A l'âge de ce garçon on attrape des maladies autrement dangereuses. Dès demain, l'apothicaire viendra lui administrer trois lavements par jour. Quant à vous, vous lui laverez matin et soir les yeux, les oreilles et la bouche avec de l'eau de laitue en prenant grand soin de faire la même chose pour vous-même. Vous lui ferez boire le plus de tisane possible, des juleps, pour le faire dormir. Sans doute, votre Hervé ne sera pas beau à regarder pendant quelques jours. Lorsque vous verrez des croûtes se former, ne vous inquiétez surtout pas, c'est que la maladie va vers sa guérison. Si elles ne se formaient pas, le liquide des pustules passerait dans le sang. »

M. Chiffoliau parlait avec une autorité rassurante, sans élever la voix, sans faire trop de gestes, sans même se faire d'illusions quant aux limites de son art. Il savait seulement que le pouvoir d'un médecin sur les malades dépassant toujours celui qu'il tente d'exercer sur les maladies, les bonnes paroles font partie des prescriptions essentielles. Son regard tomba sur Marie-Léone, blottie dans les jupes de sa mère.

« Il ne faut pas que cette enfant reste ici, dit-il d'un ton plus sévère.

– Bien, dit Emeline, dès demain matin...

– Non, madame Le Coz, coupa le médecin, pas demain, ce soir, tout de suite. C'est peut-être trop tard déjà. La petite vérole est très contagieuse, surtout les premiers jours. »

Il dit aussi, avec une caresse sur la joue de Marie-Léone :

« Ça serait dommage! Préparez tout de suite ses affaires.

– Le couvre-feu va sonner, dit Emeline. Je ne peux pas l'emmener, sans prévenir, chez n'importe quel voisin. Il y a les convenances.

– Le diable emporte vos convenances! Je l'emmène avec moi sur-le-champ et je viendrai demain prendre ses affaires. »

Jean-Marie avait dit tout cela sur un ton de capitaine. Emeline se redressa, serrant Marie-Léone contre elle, comme si elle avait voulu la protéger.

« Non! cria-t-elle. Pas lui! »

Jusque-là muet, le grand-père prit la parole à son tour.

« Merci, Jean-Marie, tu as raison. A qui pourrait-on plus confier Marie-Léone qu'à son parrain lorsque sa vie risque d'être en danger? Dieu lui a donné des droits et des devoirs le jour du baptême de sa filleule.

– Ta nourrice est-elle encore assez vaillante pour s'occuper d'elle? demanda Yves Le Coz. Et y a-t-il au moins une chambre pour elle?

– Soyez en paix, nous veillerons sur tout.

– Non, ça n'est pas possible! » dit encore Emeline.

Ce fut au tour de M. Lajaille d'élever le ton.

« Préféreriez-vous courir le risque de voir le visage de votre fille tout grêlé? C'est dit. Je vais moi-même l'accompagner chez son parrain pour l'y installer et je reviendrai près de vous où je resterai jusqu'à la guérison complète de mon petit-fils. »

Devenue le centre d'un débat dont elle ne soupçonnait aucun mystère, Marie-Léone n'était pas fâchée de se savoir disputée. La pensée de quitter ses parents et son frère malade la tourmentait autant que la ravissait celle d'aller habiter la maison de son parrain où sa mère l'avait conduite quelquefois. Elle regarda son grand-père avec des yeux pleins de complicité tendre et, comme si la chose était déjà entendue, mit sa petite main dans la grosse pogne de Jean-Marie.

Les deux semaines passées rue du Tambour-Défoncé, Marie-Léone devait se les rappeler toute sa longue vie. Jusqu'à présent elle n'était guère sortie que pour accompagner sa mère à la messe ou au marché aux herbes, quelquefois son père pour un tour de remparts, toujours avant le coucher du soleil. Surprise par la nuit tombée tout d'un coup des toits, elle se rassura en serrant très fort les mains de son grand-père et de son parrain mais son cœur battait de peur à la pensée qu'une cloche pourrait sonner le couvre-feu avant qu'ils n'arrivent.

Réveillée au creux de son premier sommeil, sors de tes toiles, je t'amène de la compagnie, Rose Lemoal avait mis longtemps à comprendre une telle aventure et s'était d'abord lamentée, mon Dieu, il y a trop de misère sur le monde!

« Où vas-tu la coucher, cette pauvre petite ange?

— Ce soir, elle dormira dans mon lit, et moi j'irai coucher chez Troblet. Demain matin, tu prépareras un lit avec des draps frais dans la chambre de Frédéric. »

Jean-Marie avait raccompagné M. Lajaille jusqu'au seuil de la maison Le Coz, et couru chez sa maîtresse où il avait passé la nuit.

Marie-Léone découvrit un monde enchanté. Alors que sa mère la gouvernait à chaque instant, baissez les yeux, regardez-moi en face, conduite par le souci d'en faire une demoiselle, ici on n'avait pas d'autre inquiétude que de la voir manger, rire, dormir, faire tout ce qui lui plaisait. Il y avait maintenant deux oiseaux dans la maison, Cacadou et Marie-Léone, dont personne n'aurait pu dire lequel était le plus bavard, le plus chantant, le plus gai. Rose Lemoal elle-même avait rajeuni. Après avoir gémi, s'être cognée à tous les meubles et déclaré que tous ces arias allaient déranger ses habitudes, elle avait fondu comme une motte de beurre lorsque, le lendemain de son arrivée, Marie-Léone l'avait appelée « maman Paramé ». Dans les temps, elle aussi avait eu une petite fille, mon Dieu quel âge aurait-elle donc aujourd'hui? Elle savait seulement qu'elle était morte, quelques jours après sa naissance, à peine baptisée, tout juste pour monter au ciel. Quand elle avait ouvert le coffre de la filleule de Jean-Marie pour ranger dans l'armoire les petites robes, les jupons et les bonnets de dentelle, cela lui avait fait tout drôle de tenir dans ses mains ces étoffes légères qu'elle caressait avec de vieux doigts usés par les lessives. Elle n'avait jamais rangé et lavé que des culottes de garçons. Pour sûr, c'était une bénédiction que cette petite fille arrivée dans la nuit.

Le temps passa trop vite. Marie-Léone aidait Rose Lemoal à faire le ménage, à éplucher les légumes et apprenait à écumer le pot. Elles allaient toutes les deux à la halle aux poissons où les commères avaient fini par adopter maman Paramé, et elles descendaient même jusque sur le quai de Mer-Bonne, au milieu de la foule, quand le bruit courait qu'un corsaire malouin allait rentrer avec une prise. L'après-midi, elles faisaient toutes les deux des crêpes, mettaient la table et elles n'avaient plus qu'à attendre l'heure du souper qui ramènerait Jean-Marie parti le matin de bonne heure. Avant même qu'il eût touché la porte, son retour était salué par un long sifflet de Cacadou, Marie-Léone se précipi-

tait vers son parrain et un sourire paisible illuminait le visage de Rose Lemoal.

Servis par maman Paramé, ils soupaient tous les
deux face à face. Marie-Léone n'oubliait jamais de
demander des nouvelles de son frère, de sa mère,
de son père et de son grand-père mais elle attendait, avec une impatience qui la ravissait, la fin du
repas. Le temps qui la séparait alors du moment où
elle irait se coucher serait le meilleur de la journée.
Déjà, Cacadou s'agitait dans sa cage, le plumage et
l'œil plus brillants que jamais, comédien sûr de son
rôle et de son succès au moment d'entrer en
scène.

« Mon parrain, faites-moi des tours avec Cacadou! »

Ce que l'oncle disparu avait fait pour son neveu,
Jean-Marie tentait de le faire pour sa filleule. Il
retirait du coffre de Frédéric les gobelets d'argent,
le foulard, l'écu d'or et essayait à son tour les
abracadabras qui avaient enchanté son enfance.
L'oncle lui avait bien transmis quelques-uns de ses
secrets ramenés des Indes, non son adresse ni ses
doigts fuselés. Avec maman Paramé dont les yeux
émerveillés ne voyaient rien, il s'en tirait toujours,
tandis que la curiosité attentive de Marie-Léone qui
épiait ses moindres gestes rendait plus difficile la
tâche du magicien. Heureusement, le mainate
venait à son secours avec quelque roulade imprévue qui, détournant l'attention de la futée, permettait à Jean-Marie de renouveler chaque soir ses
passe-passe. C'était alors au tour de Cacadou de
briller. Bien planté sur ses deux petites pattes,
l'oiseau levait la tête, gonflait sa gorge et modulait
des sons dont la pureté égalait l'étrangeté. Cela ne
ressemblait à aucune romance, aucun cantique,
aucun air à danser. On ne savait s'il chantait où s'il
sifflait. Il dessinait de la musique dans l'espace
comme les ornemanistes gravent dans la pierre des

arabesques, des entrelacs et des guirlandes. Un pilote de la Compagnie avait dit à Jean-Marie : « Là-bas, aux Indes, j'ai vu des vieux hommes qui font tenir debout des serpents en leur jouant sur une flûte de roseau des airs comme celui-ci. » Certains soirs, Cacadou refusait de chanter autre chose que ces airs inspirés et tout à coup il s'arrêtait, et n'ouvrait plus le bec, même pas pour dire bonsoir. La tête enfouie dans sa collerette blanche, il n'entendait plus rien, demeurait immobile, presque raide, son plumage devenu terne et poussiéreux à ce point qu'on l'eût pris volontiers pour un oiseau empaillé. Peut-être que son esprit s'était évadé pour aller passer la nuit dans quelque jardin fabuleux sur la côte de Coromandel ? Une lumière bleue s'allumait dans les yeux de Marie-Léone qui consentait à monter se coucher. Jean-Marie attendait qu'elle se fût endormie, et il allait vite passer une heure ou deux chez la marchande de gourgourans.

M. Chiffoliau ne s'était pas trompé. La maladie d'Hervé suivait son cours sans autres complications, et les croûtes apparues le sixième jour commençaient à tomber. Un dimanche matin, Yves Le Coz et M. Lajaille vinrent chercher Marie-Léone pour la conduire à la messe. Comme il ne convenait pas qu'une aussi jeune demoiselle s'installât seule à l'église, du côté des femmes, le capitaine avait demandé à Rose Lemoal de chaperonner sa fille. C'était la première fois que maman Paramé allait à la grand-messe de la cathédrale. Prête depuis l'aube, mal à l'aise dans sa robe de gros drap noir bordée d'une large bande de velours, offerte par Jean-Marie et jamais portée, elle entra la tête haute dans l'église déjà pleine et tenant par la main Marie-Léone. Elle crut que tout le monde la regardait. La peur écrasant soudain sa fierté, elle s'arrêta au milieu de la nef et fit mine de s'en retourner lorsque la petite fille l'entraîna jusqu'au banc réservé à la famille Le Coz où elle dut la pousser un peu. Rose Lemoal n'osait plus regarder devant elle, encore moins à droite ou à gauche tant elle avait été saisie par la splendeur de ces lieux qui ressemblaient si peu aux humbles chapelles où elle avait coutume de s'agenouiller pour ses dévotions. Ici, elle apercevait de nombreux prêtres revêtus de chasubles brodées de fils d'or, d'immenses chandeliers d'argent, des centaines et des centaines de cierges, les uns minces comme des doigts, les autres gros comme le bras, et tout là-bas, au fond du chœur, le bloc d'or du tabernacle avec sa petite lumière rouge. Lorsque les grandes orgues se déchaînèrent, elle se rappela que le curé de son enfance cancalaise avait dit que les morts ressusciteraient un jour pour entendre Dieu prononcer le jugement qui séparerait les boucs des brebis. Saisie de frayeur, elle ne savait plus quelle contenance prendre. Autour d'elle, la tête plongée dans d'énormes missels, tout le monde chantait. Rose Lemoal ne savait ni chanter ni lire. Elle savait seulement que les malheurs et les bonheurs, le Ciel vous les envoyait bien les uns autant que les autres, mais qu'il était défendu de le maudire pour les premiers tandis qu'il fallait le remercier pour les seconds. Alors, soûlée d'encens, terrassée par le grondement de la musique sacrée où Dieu manifestait sa terrible présence, prête à pleurer parce que la main d'une petite fille tirait doucement sa jupe comme pour lui dire ne crains rien je suis à côté de toi, maman Paramé acquit la certitude dans son cœur innocent que la Providence avait frappé Hervé Le Coz de la petite vérole pour permettre à sa jeune sœur de venir près d'elle, rue du Tambour-Défoncé.

Rassurée par les dernières nouvelles apportées

par son père, Marie-Léone avait déjà rendu grâces au Seigneur :

« Merci, ô mon Dieu, d'avoir sauvé mon frère. Guérissez-le maintenant tout à fait! »

Elle avait ajouté tout bas, si bas que Dieu seul pouvait l'entendre :

« Mais pas trop vite. »

QUAND il était rentré de Paris – c'était pourtant dans l'éclat du mois de juillet – le capitaine Le Coz avait été surpris par la misère des villages échelonnés le long de la route, même en Beauce et dans le Perche. Semblables aux autres citadins des provinces maritimes, il mesurait mal le poids des embarras qui pesaient sur tout le pays. Sans doute subissaient-ils la multiplication des impôts et la cherté, mais le chômage et le manque de numéraire demeuraient inconnus aux Malouins. Charpentiers ou menuisiers, maçons, cloutiers, calfats, simples manœuvriers, il suffisait d'avoir deux bras solides et de tracer une croix au bas d'un contrat pour être engagé sur un chantier ou sur un navire. Quant aux cabarets, ils regorgeaient de volontaires qui à peine inscrits sur un rôle d'équipage venaient y vendre, en échange d'une grande soûlerie, leur part de butin avant même de monter à bord, comme ils avaient vendu leur part de morue avant de partir pour Terre-Neuve.

Parce qu'elle plaisait au cœur du roi, la course avait fait la conquête de Versailles où de grands personnages se piquaient d'honneur d'accorder leur nom à des barques de cent tonneaux commandées par les nouveaux héros qui enrageaient davantage les marchands de Londres et d'Amsterdam que n'avaient pu le faire les officiers de la marine royale. Devenue une mode, elle avait gagné les nobles autant que les bourgeois. Petits ou grands, ils se disputaient les parts d'armement comme s'ils eussent flairé les liens secrets qui attachaient M. de Pontchartrain au commerce malouin depuis le temps qu'il présidait le parlement de Rennes avant de devenir ministre de la Marine et contrôleur général des finances. Comme l'avait prévu le capitaine Le Coz, la Compagnie des Indes ne parvenait pas à faire observer strictement son privilège, chacun ayant trouvé une parade à sa prétention d'acheter la totalité des marchandises capturées par les corsaires. L'exemple venait de haut : le ministre avait vendu au banquier Samuel Bernard l'autorisation de se rendre directement acquéreur d'une prise considérable évaluée à trois millions de livres et ramenée par des Malouins associés au marquis de Nesmond, un ancien chef d'escadre qui laissait dévorer ses scrupules par le goût du profit.

Curieusement tourmentées quant à l'honnêteté des entreprises menées par leurs hommes, les dames de Saint-Malo avaient dû attendre, pour faire taire leurs inquiétudes, le résultat d'une consultation de droit canonique demandée en Sorbonne. Parce qu'il avait d'excellentes raisons de s'y intéresser, le bon chanoine Porée avait trouvé dans saint Thomas une merveilleuse réponse à la question posée sur la légitimité de la course : tout ce qui est pris pour le service de l'Etat est licite. Dès lors, les Malouines pouvaient demeurer en paix avec leur conscience puisque les corsaires n'agissaient qu'en vertu des lettres de marque délivrées par le roi.

Quelques femmes demeuraient toutefois réticentes, voire inquiètes. Emeline en faisait partie. Si son fils avait été atteint de la petite vérole, c'est que Dieu la punissait d'avoir été troublée par Jean-Marie et d'y avoir pris le plaisir qui fait les pécheresses. Loin de la contredire, son confesseur, prêtre rigoriste tenté par Jansénius, avait admis que les châtiments célestes risquent d'être terribles lorsque le repentir n'est pas parfait. Sans doute, ma sœur, vous n'avez pas commis le péché de luxure, mais êtes-vous si sûre de n'avoir point péché dans votre chair, autant que dans votre âme, en vous complaisant dans le trouble comme vous vous complaisez aujourd'hui dans le remords? Un corps est plus facile à laver qu'une âme, c'est pourquoi les péchés de l'esprit sont encore plus graves que tous les autres. Il n'y a pas de fautes vénielles, ma sœur. Pour plaire à Dieu, une âme doit être aussi blanche que la nappe du maître-autel où s'accomplit le sacrifice de la sainte messe. La moindre tache ne fait pas que l'offenser, chacun de nos péchés crucifie le Christ rédempteur une nouvelle fois. Pensez-y tous les jours comme si le moment était venu de comparaître devant Lui. Faisant les gestes rituels, le prêtre avait dit encore : « Ma sœur, allez en paix, mais je vous conseille de demeurer éloignée de la Table sainte tant que vous ne vous en jugerez pas digne. »

De l'ombre chuchoteuse, Emeline était sortie en titubant. Pendant deux semaines, elle ne s'était arrêtée de prier que pour soigner, veillant jour et nuit, penchée sur le visage croûteux, horrible à voir, miroir diabolique qui lui renvoyait l'image de son âme telle que Dieu devait la voir, tandis que son mari la regardait avec admiration et son père avec compassion sans soupçonner ni l'un ni l'autre les pointes qui la crochaient comme une fourche. Tremblant de peur, craignant pour la vie de son enfant autant que pour son propre salut, Emeline promit que, si Hervé était sauvé, elle multiplierait ses offrandes, distribuerait elle-même l'aumône aux pauvres et offrirait le pain bénit jusqu'à sa mort. Elle en était arrivée à faire le vœu de parer la statue de la Vierge de tous ses bijoux, comme une Espagnole l'aurait fait, et de s'habiller désormais d'étoffes noires. Donnant donnant, la vie de mon fils contre mon argent, mes perles, mes robes, troc misérable auquel l'Eglise pouvait consentir mais que Dieu rejetterait, elle en était sûre parce qu'elle savait maintenant pourquoi elle n'était pas toujours d'accord avec le capitaine Le Coz et pourquoi elle gourmandait si souvent Marie-Léone. Une mère pouvait donc être jalouse d'une petite fille de onze ans? L'horreur la submergeait. Cela, elle ne le dirait jamais à son confesseur. Elle aimait cependant sa fille autant que son garçon, autant que son mari, elle en était aussi convaincue que de la présence réelle du Christ dans l'hostie. Comment avait-elle pu se poser une telle question?

Survenue dans les délais prévus par M. Chiffoliau, la guérison d'Hervé loin d'avoir dénoué Emeline Le Coz resserra ses lèvres et durcit son regard. Elle était devenue de ces êtres qui, après avoir été honnêtes sans le savoir, découvrent soudain ce qu'il est convenu d'appeler la vertu et décident d'en faire profession comme d'autres arborent une cuirasse de principes religieux derrière laquelle ils se consument. Depuis qu'elle savait que la droite de Dieu peut être terrible, la rigueur était devenue sa loi, le scrupule sa règle, l'examen de conscience sa discipline. Fidèle à son engagement, elle avait rangé dans un coffre le gros diamant offert par son mari le jour où le *Renard* avait ramené dans le port de Saint-Malo une flûte hollandaise, retour des Indes. Elle ne portait plus que du drap de Morlaix, cherchait toutes les occasions de se mortifier et feignait de s'endormir sitôt au lit pour décourager le capitaine de la mignoter. Un soir, alors qu'elle cherchait le sommeil, elle lui demanda :

« Pensez-vous qu'on puisse sauver son âme sans respecter la parole de l'Evangile? »

Méfiant, Yves Le Coz interrogea à son tour :

« Donnez-moi quelque exemple.

– En voici un qui me tient à cœur. Etes-vous en paix avec votre conscience lorsque vous armez à la course et que vos capitaines attaquent et pillent de paisibles navires marchands, quand bien même ils seraient nos ennemis? »

Les paupières déjà lourdes, le capitaine répondit :

« Vous vous tracassez donc toujours avec ces histoires qu'on vous aura mises dans la tête? Le chanoine Porée ne vous a-t-il pas rassurée?

– A vous autres, Malouins, la conscience se contente de peu!

– Comment cela? se piqua le capitaine.

– Vous oubliez, mon ami, que le chanoine Porée est le frère d'un de nos plus riches corsaires dont vous êtes l'associé? »

La pratique religieuse ne conduit pas toujours à la bonté. Un rire perfide avait fêlé la gorge d'Emeline Le Coz.

De mémoire de Malouins, personne ne se rappelait avoir connu un hiver aussi précoce et aussi rude que celui de cette année 1693 où, du côté de Dinan, on put traverser la Rance à pied sec. Dès la mi-novembre, la neige avait recouvert et glacé tous les chemins au point de rendre impossibles les gros charrois. Circulant peu, on consommait d'autant moins que la récolte avait laissé les greniers vides. Dans les campagnes et sur les champs de bataille, on mourut beaucoup cette année. La faim et le froid tuaient encore mieux que la guerre.

A Saint-Malo, les magasins et les caves étaient assez remplis de grain et de vivres pour attendre l'arrivée des convois de blé partis de Palerme, de Tunis ou de Dantzig sous la protection des vaisseaux de ligne condamnés à des rôles mineurs depuis le désastre de La Hougue. Commandés par la mousson, les départs pour les Indes se situant entre le mois de janvier et le mois de mars et les retours entre le mois de mars et le mois de juillet, les capitaines employaient les dernières semaines de l'année à radouber, calfater, racler en attendant les prochaines campagnes. Pour combattre ceux de Jersey ou de Flessingue qui croisaient dans la Manche, quelques corsaires avaient cependant pris la mer, mais pourquoi s'entêter à attaquer des navires sans cargaisons, à moins d'être un de ces jeunes fous qui se battaient pour la gloire et le plaisir? Il y avait mieux à faire sur les chantiers et sur les bastions. La nuit y tombait vite. A cinq heures, tapie derrière ses murs, la ville s'immobilisait dans le froid noir. Tout le monde rentrait chez soi pour s'y calfeutrer. Eux-mêmes, les canonniers chargés d'assurer la veille dans les forts n'y manquaient pas, les uns pour réchauffer leurs yeux gelés, la plupart parce qu'ils accordaient plus de confiance aux rochers qui affleuraient à marée haute qu'aux batteries toutes neuves de M. Vauban. Qui oserait se frotter au nid de guêpes? Même les Anglais, au lendemain de La Hougue, y avaient renoncé.

Ce jour-là, les guetteurs de la tour Notre-Dame, dont l'heure de relève allait bientôt sonner avec l'angélus de midi, signalèrent avant de quitter leur poste qu'une flotte d'une vingtaine de voiles venait de doubler la pointe de Rothéneuf. L'état-major de l'amirauté confirma aussitôt que venant du Havre la flotte des gabelles entrerait en rade vers quatre heures. Aucune escadre française n'ayant mouillé devant Saint-Malo depuis le désastre, la nouvelle fut apprise avec joie par les habitants qui, malgré le froid, eurent tôt fait de courir vers les remparts pour assister à la manœuvre des navires et saluer leur arrivée. L'amicale fierté qu'ils témoignaient à leurs corsaires ne leur interdisait pas d'éprouver quelque orgueil d'être visités par les officiers rouges. Seul Jean-Marie Carbec s'en inquiétait peut-être à la pensée que Romain de Couesnon pût se trouver à bord d'un de ces navires.

« S'ils mouillent à quatre heures, nous avons tout le temps d'aller dîner », dit-il à ses trois amis qu'il régalait à La Malice.

Une foule d'hommes, de femmes et d'enfants se pressaient sur les remparts, du bastion de Hollande à la tour des Dames, quand ils y arrivèrent à leur tour. Les porteurs de longue-vue venaient d'apercevoir dans leurs lunettes les grands pavillons blancs timbrés d'or de la marine royale et dénombraient les navires : douze vaisseaux de ligne, cinq galiotes, deux corvettes, quatre brigantins, trois brûlots. Pour sûr, celui qui les commandait ne voulait pas se laisser surprendre par une escadre ennemie. Vers quatre heures de l'après-midi, ainsi que l'avaient prévu les messieurs de l'amirauté, la flotte s'immobilisa devant la Conchée, et les galiotes s'en détachèrent pour se diriger vers les Bés. Déclinant sur l'horizon, le soleil d'hiver enluminait les voiles autour desquelles des vols de mouettes tournaient dans l'air glacé. Perdue au milieu de la foule, plus d'une commère espérait :

« Il y a peut-être bien un gars à nous dans une de ces barques ? »

Emeline Le Coz était trop consciente du rang qu'elle occupait dans la bourgeoisie malouine pour aller se commettre avec la multitude. Alors que les badauds attendaient que les premières chaloupes fussent mises à l'eau, elle se rendit dans les boutiques qu'elle avait coutume de fréquenter pour le gouvernement de sa maison et, ses emplettes terminées, se dirigea vers la cathédrale où elle venait s'agenouiller tous les jours. Enveloppée dans une lourde cape de laine noire, elle entra dans l'église, gagna directement la chapelle de la Vierge où elle alluma un cierge et s'abîma sur un prie-Dieu, Sainte Mère protégez mon fils! Dès qu'il avait été guéri, Hervé s'était en effet embarqué sur un navire de son père. « Le grand air lui fera du bien », avait dit M. Chiffoliau. Il y avait maintenant deux mois que le *Saint-Gilles* était parti alors que les corsaires ne s'absentaient guère plus de quatre à cinq semaines.

« Seigneur, protégez mon fils! Que votre volonté soit faite mais vous ne pouvez me le reprendre après l'avoir sauvé... »

Elle dit dans un murmure honteux :

« Pardonnez-moi, mon Dieu, pour la nuit dernière. Je n'étais pas consentante, j'ai été surprise. »

La nuit dernière, le capitaine Le Coz avait fait l'amour à sa femme. Cela ne lui était pas arrivé depuis longtemps. Naguère, Emeline ne boudait pas la besogne conjugale. Cette fois elle s'était rebellée. Le mari avait pris le parti d'en rire et retrouvant pendant quelques instants une verdeur disparue qu'il ne voulait pas laisser perdre, il était parvenu à ses fins. Inerte, soumise au devoir d'obéissance, elle s'était contentée d'entendre, non d'écouter, son homme ahaner dans le noir, quand tout à coup, sans qu'elle s'y attende, le plaisir l'avait secouée, ni houle ni bourrasque comme autrefois, simple coup de vent dans les membrures. Elle en rougissait encore. Avant de s'en confesser, il lui fallait se baigner dans le murmure des oraisons et l'or tremblant des cierges. Autour d'Emeline, vêtues de noir comme elle, des femmes agenouillées susurraient des mots inintelligibles qui remplissaient la nef comme des bruissements d'insectes qui font croire, certains jours d'été flamboyants, que Dieu est partout et que tout est Dieu. Mais Emeline ne pensait à rien, elle flottait dans la paix contemplative, le corps aussi léger que l'âme.

C'est à ce moment qu'une boule de feu éclata avec un bruit de tonnerre derrière un vitrail dont les morceaux pulvérisés tombèrent dans la nef. Saisies de frayeur, les femmes s'interrogèrent. La foudre est-elle tombée sur le clocher? Mais non, il n'y a pas d'orage, l'hiver, par un temps clair et glacé. Deux, trois, quatre détonations se suivirent, moins violentes ou moins proches. Une vieille se mit à glapir « Sauvons-nous! » quand un prêtre surgit dans le chœur, essoufflé, rouge, les deux bras larges ouverts et clamant d'une voix forte :

« Ne sortez pas! Les Anglais bombardent la ville! Nous allons réciter le rosaire. »

Sauf quelques religieuses demeurées fidèles à leur prie-Dieu, toutes les femmes s'étaient ruées vers la porte de l'église, chacune d'elles voulant retrouver sa maison, ses enfants, son homme, et dévalant bientôt les rues étroites dans une grêle de sabots. La nuit était tombée. Aux éclatements des bombes anglaises, répondait maintenant le feu roulant des batteries malouines.

« Ce sont les canons de la Hollande », pensa Emeline Le Coz.

Elle avait couru trop vite, et s'arrêta pour apaiser sa respiration. Mon Dieu, faites qu'il ne soit rien arrivé à Marie-Léone que j'ai laissée seule à la maison! Et le capitaine Le Coz, où est-il à cette heure? Elle entendit des tambours qui battaient la générale au coin des rues et il lui sembla que son cœur faisait autant de bruit que les caisses de la milice. A leur appel, des hommes couraient rejoindre leur poste sans prendre garde à elle, la bousculant, la bouche pleine de jurons. Rue du Tambour-Défoncé, elle aperçut Rose Lemoal qui regardait en l'air comme pour interroger le ciel de ses yeux innocents :

« En voilà une aria, madame Le Coz!

– Ce sont les Anglais! Rentrez donc chez vous et mettez-vous dans la cave, vieille bête, au lieu de rester plantée dans la rue! »

La main droite posée sur sa poitrine comme si elle eût voulu empêcher son cœur de battre trop fort, Emeline repartit en courant vers sa maison où elle retrouva Marie-Léone qui, sur le pas de la porte, battait des mains à chaque explosion.

« Maudits Anglais, ils ne l'emporteront pas au paradis! dit Jean-Marie.

– Pour sûr! fit Joseph Biniac, mais c'est de bonne guerre. Nous leur avons fait assez souvent le coup du faux pavillon. »

Tout capitaines qu'ils fussent tous les deux, ils aidaient les canonniers du bastion de la Hollande à charger et à pointer leurs pièces, tandis que leurs deux autres associés, Kergelho et Troblet, s'étaient joints au détachement de la milice embarqué sur des chaloupes pour renforcer la petite garnison du Fort-Royal.

Lorsque les cinq galiotes venues pacifiquement mouiller dans la Fosse aux Normands, sous le Grand-Bé, avaient soudain ouvert le feu, une immense clameur avait jailli de la foule massée sur les remparts et refluant déjà vers l'intérieur en criant : « Ils vont débarquer! » La première stupeur passée, les Malouins s'étaient ressaisis et organisés, chacun ayant à cœur de participer à la défense de la ville dont le connétable faisait rouler le tambour pour rassembler les quatorze compagnies de la milice, et dépêchait des courriers à Rennes, auprès du duc de Chaulnes, à Dol et à Dinan pour demander des renforts. Aux Bés, à la

Hollande, au Fort-Royal, à l'île Harbour et à tous les autres postes de combat, les canonniers disposèrent vite de plus de volontaires qu'il n'était nécessaire. Bourrés d'artillerie, les forts de M. Vauban étaient devenus de véritables machines à boulets, mais peu efficaces. Autant tirer contre le ciel! Effacés par la nuit, les vaisseaux ennemis n'étaient visibles qu'aux seuls moments où ils allumaient eux-mêmes leurs batteries, si bien que, protégé par l'obscurité, l'amiral Benbow avait beau jeu de bombarder Saint-Malo sans s'aventurer dans les passes où son escadre se fût éventrée.

La brume engloutit bientôt la ville. Ralenti, le feu anglais portait mal, trop loin ou trop court, alors que derrière leurs bastions les canonniers malouins précipitaient la cadence de leur tir comme s'ils eussent voulu tendre un rideau de feu entre les remparts et la flotte ennemie. A la Hollande, après avoir pointé lui-même plusieurs pièces, Jean-Marie s'était mêlé à ceux qui faisaient la chaîne pour passer des boulets aux artilleurs. On n'y voyait goutte, mais les mains se touchaient et se reconnaissaient, rapides et fraternelles. Comme il recevait dans ses paumes une gargousse tendue par sa voisine, il entendit qu'on lui disait :

« Tiens, mon gars, porte donc ça aux Anglais! »

Stupéfait, il interrompit le mouvement de la chaîne.

« Bon dieu! Que fais-tu ici, maman Paramé? »

Elle répondit, tout à trac :

« La même chose que toi, mon gars! »

Affectant d'être fâché pour mieux cacher son envie de rire, il la rudoya :

« Ça n'est pas ta place! Tout à l'heure une pièce a éclaté et a tué un homme. Rentre tout de suite à la maison ou bien dépêche-toi d'aller à l'église où l'évêque attend tous ceux qui n'ont rien à faire aux bastions. Dépêche-toi! »

Entre les coups de canon, on entendait des cloches sonner à toute volée. Rose Lemoal partit en bougonnant, il lui faudrait traverser la moitié de la ville. Les rues étaient pleines de Malouins qui, répondant à l'appel de Mgr de Guémadeuc, s'en allaient prier autour de leur évêque pour soutenir ceux qui passeraient la nuit derrière les murs. Lasse, les jambes alourdies, elle arriva devant l'église au moment où la procession en sortait. Par le grand portail ouvert il lui sembla voir des milliers de flambeaux.

Précédés d'une immense croix d'or que portait un prêtre en surplis blanc entouré de religieux, les membres de la Communauté de ville apparurent les premiers, suivis, un peu en retrait, d'un groupe d'hommes où se détachaient le connétable, le maire, le syndic et le procureur devant les magistrats, les baillifs des eaux, les greffiers et les notaires royaux. Muets, graves, conscients que cette fois la guerre était là, chez eux, ils portaient tous un cierge allumé. Venaient ensuite les Messieurs de Saint-Malo, les nobles précédant les bourgeois, parmi lesquels Rose Lemoal reconnut le vieux Noël Danycan, le comte de Kerélen et le capitaine Le Coz. Il n'y avait là que des hommes d'âge, tous les jeunes étaient sur les murs. Les femmes et les enfants sortirent à leur tour, chantant d'une voix grêle des psaumes languissants auxquels ils ne parvenaient pas à donner des ailes. Massée en désordre sur le parvis de la cathédrale, la foule n'eut alors plus d'yeux que pour l'Insigne Chapitre apparu au milieu d'une garde de marguilliers armés de luminaires qui clignotaient au bout d'un bâton. Dans des nefs d'argent ciselé et des châsses d'or, les chanoines portaient les reliques des protecteurs de la cité, saint Malo, saint Gurval, saint Vincent et saint Aaron. Enfin l'évêque apparut, mitre en tête, crosse en main, lui-même encadré de flambeaux et d'encensoirs. A ce moment, ceux qui marchaient devant étaient déjà parvenus à la porte Saint-Thomas, à côté de Quic-en-Grogne, face au Fort-Royal et s'engageaient sur les remparts pour en faire le tour.

Devenu plus épais, le brouillard amortissait le vacarme des canons et adoucissait l'éclat rouge des flammes. Le cortège s'étira vers la Bidouane et la tour Notre-Dame. A chaque bastion, M. de Guémadeuc s'arrêtait pour bénir les défenseurs. Brandissant sa crosse d'un geste menaçant dirigé vers la flotte ennemie, il s'écriait d'une voix forte, faite pour le commandement : « *A furore Anglorum, libera nos, Domine.* » En écho, plusieurs fois répété, la foule répondait : « *Libera nos, Domine... Libera nos, Domine...* » et la procession repartait pour s'immobiliser au prochain poste comme si tous ces blocs de granit figuraient les stations d'un étrange chemin de croix le long duquel plus de mille cierges allumés s'étoilaient dans la brume, minuscules halos.

Lorsque la cloche sonna le couvre-feu, le cortège s'était dispersé depuis longtemps et tout le monde avait regagné son logis, M. de Guémadeuc son évêché, les religieuses leurs couvents, les chanoines leur chapitre. Seuls les volontaires et les canonniers assuraient la veille. On ne dormit pas beaucoup cette nuit-là à Saint-Malo. Vers minuit le bombardement avait cessé tout à fait. On en conclut que les galiotes avaient rejoint le gros de la flotte mais chacun savait que les Anglais tenteraient d'opérer un débarquement avant l'arrivée des renforts. Malgré son âge, Yves Le Coz partit rejoindre les jeunes capitaines.

« Vous verrez sûrement mon parrain, dites-lui de tuer beaucoup d'Anglais! » lui avait dit Marie-Léone.

L'une et l'autre voulant se rassurer, la mère et la

fille s'étaient couchées dans le lit conjugal. Fatiguée par la longue marche autour des remparts, la petite fille s'endormit bientôt, et Emeline se sentit tout à coup seule. Elle regrettait la présence protectrice et ronflante de son homme. Tout à l'heure, perdue pour la première fois dans un troupeau de femmes malouines de toutes conditions, nobles ou bourgeoises, boutiquières ou servantes, elle avait eu conscience d'appartenir à une communauté unie par la rage et la haine autant que par la crainte et la prière. Un peu moins nantaise que la veille, elle se demandait comment elle avait pu se torturer l'âme en se posant des questions aussi sottes sur la légitimité ou la morale de la course alors que ces maudits chiens s'apprêtaient sûrement à écraser Saint-Malo. La bombe incendiaire qui avait éclaté contre les vitraux de la cathédrale avait mieux réussi que la consultation canonique du chanoine Porée à apaiser les alarmes de sa conscience. Du même coup, ses inquiétudes religieuses disparaissaient. Dans quel livre avait-elle donc lu que le scrupule est indigne d'un grand homme? Dans un même élan de fierté malouine, elle réunit tous les hommes qu'elle connaissait et qui se battaient, son fils, son mari, ses amis. Elle venait de s'endormir, quand le canon la réveilla.

Aux premières lueurs du jour, les Anglais avaient déjà pris pied sur la Conchée et Cézembre. Il ne faisait plus de doute qu'ils profiteraient de la marée, vers midi, pour tenter d'occuper les Bés et le Fort-Royal d'où ils pourraient aisément brûler la ville. De Dol et de Dinan, les premiers renforts arrivèrent dans la matinée pour doubler les hommes de la milice et réapprovisionner en munitions les soutes épuisées. Deux compagnies de dragons, quatre cents hommes d'infanterie et cinquante bombardiers étaient déjà à pied d'œuvre et l'on attendait encore d'autres troupes parties de Lamballe. Parmi les nouveaux venus, se trouvaient un petit nombre d'officiers de la marine royale affectés à la défense des côtes depuis le désarmement de leurs vaisseaux. Demeuré au bastion de la Hollande, Jean-Marie entendit qu'on disait derrière lui :

« Les fameux corsaires de Saint-Malo ont donc besoin qu'on vienne les tirer d'affaire ? »

Il avait reconnu l'ironie hautaine de Romain de Couesnon qui s'avançait vers lui en souriant. Deux groupes se faisaient face. D'un côté quelques jeunes capitaines malouins, lourdauds et bas sur cul, de l'autre quelques élégants officiers du Grand Corps. Ils se dévisagèrent sans courtoisie. Le premier, Romain prit la parole.

« Le comte de Saint-Laure, auquel le duc de Chaulnes a confié la défense générale de vos forts, m'a donné le commandement de ce bastion. A partir de ce moment, vous vous conformerez donc à mes ordres pour tous les besoins et le bien du service. Carbec, peux-tu nous faire un commentaire de la situation ? »

Il parlait calmement, plus impérieux qu'autoritaire, et toujours son léger sourire. Jean-Marie fit mine de n'avoir rien entendu. Haussant les épaules, le comte de Morzic s'adressa à un autre capitaine.

« C'est bien toi, Biniac ? Je te reconnais. Nous avons été naguère condisciples au Collège de marine. Où en êtes-vous, ici ? »

Imitant Jean-Marie, gardant le même silence, Joseph Biniac avait les yeux perdus sur l'horizon. Malgré l'affront reçu en présence de ses compagnons, le comte de Morzic souriait.

« Fort bien ! dit-il. Je vois que nos Malouins ont toujours la tête aussi dure. Gardez-vous toutefois de vous mettre en état de désobéissance en face de l'ennemi. Savez-vous que cela pourrait vous envoyer aux galères ? »

Les yeux fixés au loin, Jean-Marie aperçut à ce

moment des files de femmes et d'enfants qui quittaient la ville pour aller se réfugier dans les terres, du côté de Saint-Servan ou de Paramé. Des dragons les escortaient. C'est ce qui le décida à dénouer la situation.

« Monsieur de Morzic, dans les affaires difficiles, un coup de main ne se refuse pas, surtout quand il s'agit de protéger des femmes et des enfants innocents. Nous sommes devant vous six hommes à détenir un brevet de capitaine et une lettre de marque signée par le roi. Nous sommes prêts à vous les montrer, mais montrez-nous aussi votre lettre de commandement. Alors nous serons bien aises d'obéir aux ordres et aux officiers de M. de Saint-Laure pour tenter de sauver tous ensemble Saint-Malo.

– Vous ne me croyez donc pas d'honneur?

– Si fait, mais ce sont les usages dans la Marine.

– Soyez donc satisfaits. »

Le lieutenant de vaisseau Romain de Couesnon, comte de Morzic, montra aux six capitaines l'ordre qui lui conférait la responsabilité du bastion de la Hollande, et dit en manière de plaisanterie :

« Pour ce qui est de vos brevets, gardez-les donc en poche. Vous me les montrerez aux enfers car je doute que nous sortions vivants de cette aventure. »

Il changea brutalement de ton.

« Nous avons perdu trop de temps. Dites-moi pourquoi vous n'avez pas tenté une sortie? Où sont donc vos vaisseaux? Ça n'est jamais à l'abri des forteresses qu'on remporte les victoires. »

Sa voix était redevenue brève. Il fallut lui expliquer que, sauf une dizaine de navires qui opéraient du côté de Jersey, tous les autres étaient au radoub en attendant la saison des départs ou les retours des *Indiamen.*

« Messieurs les capitaines corsaires, j'avais oublié que vous ne vous attaquiez qu'aux marchandises.

– Si vous commandiez une barque de cent tonneaux, je voudrais vous voir engager le combat contre un vaisseau de soixante canons! répliqua Joseph Biniac.

– Pour faire votre devoir, lança Romain de Couesnon, vous n'aviez besoin ni d'un senau ni d'un brigantin. Faites amener une chaloupe à dix armes, je vais vous montrer comment les officiers rouges font la guerre.

– Vous n'allez pas...?

– Si. Je vais aller. Le meilleur moyen de connaître les dispositions de l'ennemi, c'est de s'en rendre compte par soi-même. Sans doute les Anglais vont-ils me tirer dessus. Eh bien, je ne serai pas seul. Dix braves matelots vont m'accompagner et l'un de vous aura à cœur de prendre la barre. Vous savez que je connais un peu ces endroits mais j'ai besoin d'un pilote qui connaisse les passes, crocs par crocs, les yeux fermés. Messieurs, lequel de vous? Auriez-vous peur? Vous ne vous décidez pas? Toi?

– Oui, moi.

– Je savais bien que je pouvais compter qur mon vieil ami », fit Romain, en donnant une tape amicale sur l'épaule de Jean-Marie.

Sous la poussière et la fumée qui lui salissaient le visage, le Malouin était devenu blême. Il savait que pour satisfaire le caprice d'un dément qui devait le haïr au point de vouloir sa mort, il fallait se faire tuer avec tout l'équipage, mais pouvait-il refuser de participer à une périlleuse mission, même folle, dont un lieutenant de vaisseau prenait lui-même le commandement? Il dit tout bas à Joseph Biniac, avant de sauter dans la chaloupe :

« Je compte sur toi, sur Kergelho et Troblet pour s'occuper de maman Paramé et de Cacadou. »

Déjà, Romain de Couesnon se tenait debout au milieu des rameurs.

« Mets le cap sur les galiotes, dit-il à Jean-Marie. Quand je te le dirai, tu feras un large arc de cercle pour arriver sur leur arrière. Ces navires-là n'ont pas d'artillerie en poupe. »

Tournant le dos au but vers lequel on les dirigeait, les dix matelots, courbés sur leurs rames, nageaient sous le vent. Depuis qu'il était petit garçon, Jean-Marie connaissait toutes les passes avec leurs brisants invisibles, tous leurs chicots, tous leurs pièges. La difficulté de la manœuvre exigeait du barreur une telle attention, des gestes à la fois si précis et si rapides qu'il retrouva bientôt son calme et même un plaisir secret à éviter les traîtrises cachées sous les imperceptibles remous. Si les matelots ne voyaient pas le but vers lequel on les conduisait, lui il voyait leurs visages, des gueules de pêcheurs de morue, sans âge, usées de froid, cuites de soleil, raclées de vent jusqu'à l'os, avec des yeux d'aigue-marine perdus dans un fouillis de rides et de crevasses. Jean-Marie en connaissait quelques-uns : ces deux-là avaient embarqué autrefois sur la *Vierge-sans-Macules*, celui-ci était parti pour les Indes avec l'oncle Frédéric, cet autre ne dessoûlait pas de huit jours à chaque baptême de ses enfants. Et voilà qu'ils allaient tous mourir, dans quelques instants. A quoi donc pouvaient-ils bien penser derrière leurs fronts têtus? Pour éviter un chicot dangereux que cachait un mince filet d'eau, Jean-Marie fut tenté de donner un brusque coup de barre qui eût pu précipiter Romain de Couesnon à la baille. Au dernier moment, il hésita, y renonça, redressa quand même brutalement la chaloupe. Imperturbable, l'autre ne broncha pas. La vieille admiration dont il ne pouvait se délivrer remonta au cœur de Jean-Marie. Ce bougre-là est plus amariné que moi!

Les premiers boulets tirés par les galiotes furent trop longs, les autres trop courts. Il aurait fallu de fameux canonniers pour atteindre cette petite barque qui se cabrait sur les rouleaux et disparaissait dans les creux où elle embarquait d'énormes paquets d'eau. Elle fut cependant encadrée par une volée de ricochets qui la firent tournoyer sur elle-même comme une toupie avant que les rameurs puissent rétablir leur nage. Demeuré debout, durement giflé par la mer, Romain de Couesnon donnait des ordres précis que Jean-Marie exécutait avec précision.

« Change de cap. Là! Encore un peu. Comme ça! »

Il s'adressa familièrement aux matelots.

« Souquez fort, les gars! Ces barques-là n'ont pas de mortiers mobiles. Sortez vite de leur angle de tir, vous ne craindrez plus rien! »

Quand la chaloupe se présenta derrière les galiotes, les matelots ne redoutaient plus les boulets mais risquaient d'être pris sous un feu de mousqueterie.

« N'ayez pas peur, les gars! leur cria Romain de Couesnon. On n'attrape pas un bouchon qui danse sur la mer. »

Penché sur la barre, attentif à ses difficiles manœuvres, ce n'était pas la première fois que Jean-Marie s'interrogeait sur le personnage dont le comportement avait à la fois séduit et épouvanté sa jeunesse. C'était sûrement la dernière. Il posa sa main gauche sur le scapulaire remis par maman Paramé le jour de son premier départ pour Terre-Neuve et qu'il n'avait jamais quitté : un étroit sachet qui contenait une croix minuscule, des morceaux de goémon séché, une petite perle trouvée au fond d'une moule et le coquillage placé au fond de son berceau. Autour d'eux, les balles frappaient l'eau comme un orage de grêle.

La chaloupe avançait toujours, poussée maintenant par le vent hurleur, droit devant elle. Elle parvint à se loger contre les flancs de la première galiote. Alors Romain saisit dans le fond de la barque une hache et d'un seul coup, avec l'adresse puissante d'un bûcheron, trancha les amarres de l'Anglais qui dériva aussitôt dans le jusant.

« A un autre! » ordonna-t-il.

Enhardis, convaincus d'être protégés par quelque génie, les matelots nagèrent avec plus de vigueur encore vers la deuxième galiote. Au moment où Romain allait donner son coup de hache, il entendit la voix angoissée de Jean-Marie « Prenez garde à vous! » et au même moment un coup de feu à ses oreilles. Un marin anglais qui l'ajustait tomba dans la mer, la tête fracassée par le pistolet de Jean-Marie. Sans y prendre garde, Romain poursuivit ses observations avec la même précision et commanda enfin qu'on fît demi-tour.

« Cela suffit. Je sais ce que je voulais savoir. Cap sur Saint-Malo. »

Quand la chaloupe fut parvenue hors de portée des armes ennemies, l'officier rouge vint s'asseoir à côté de l'officier bleu. Il avait retrouvé le charme inquiétant de son sourire.

« Tu tires mieux au pistolet qu'à l'épée. Ne crois pas cependant que tu m'aies rendu service en tuant cet Anglais. Il ne faudrait pas que les Carbec s'imaginent qu'ils sont devenus les protecteurs des Couesnon de Morzic. Non? Qu'en penses-tu? Je te conseille de ne plus jamais recommencer parce que je n'aime pas qu'on joue à me sauver la vie.

– C'est vous qui jouez! répliqua Jean-Marie. Avec moi, cela me regarde, et vous savez à présent que je peux me défendre au pistolet comme à l'épée. Avec ces matelots, j'en juge autrement. Nous aurions dû être tous tués. Pour rien, sauf pour la gloire de

votre nom. Pensez-vous que quelqu'un s'en soucie?

– Tais-toi, petit sot, tu n'as donc rien vu, rien
compris? »

La voix plus basse, il confia :

« Ecoute-moi. Nous avons été avertis par nos
espions que les Anglais venaient d'achever de
construire à Londres une machine destinée à
détruire Saint-Malo. Désigné pour reconnaître si
elle ne faisait pas partie de cette escadre, il fallait
bien y aller voir. Tu crois sans doute que je t'ai
emmené pour te faire tuer, histoire de rire, alors
que je t'ai accordé l'honneur de participer à une
mission qui te vaudra sans doute la faveur du roi.
J'ai eu tort. Je suis sûr que tu n'as pas même
remarqué qu'une de ces galiotes n'était pas gréée
comme les autres et qu'elle était peinte tout en
noir.

– Non...

– C'est celle-là, la machine. Il paraît qu'elle est
farcie de bombes de trois cents livres, de grenades,
de barils de poudre, bourrée de camphre, d'ammo-
niaque, de soufre, de nitre, d'alcool, que sais-je
encore? N'en parle à personne. Il est inutile de
tourmenter davantage les Malouins. Moi, je vais
faire mon rapport à M. de Saint-Laure qui prendra
les dispositions nécessaires. C'est probablement
pour cette nuit, au moment de la pleine eau. Il
faudra que tu ouvres les yeux et les oreilles plus
qu'hier. Si les Malouins ne tirent pas au moindre
bruit et ne parviennent pas à détruire cette
machine avant qu'elle ne touche les remparts, toute
la ville sautera. »

Stupéfait, Jean-Marie demanda :

« C'est donc pour mieux observer les galiotes
que, tantôt, vous demeuriez debout sous la mitraille?

– Oui, monsieur le capitaine corsaire, ça n'était pas pour piller un bateau marchand. »

Au cours de l'après-midi, aucune bombe ne tomba sur Saint-Malo. La flotte anglaise s'était même un peu retirée au-delà de Cézembre. Jean-Marie se demandait si son ancien compagnon lui avait dit la vérité ou s'il l'avait joué une fois de plus pour mieux le ridiculiser après avoir risqué de le faire tuer pour rire. Ce Romain de Couesnon lui faisait peur et l'attirait davantage. Etait-il de ces militaires inconscients qu'on fête comme des héros et dont on admire l'intuition quand une chance fabuleuse leur a permis de gagner le gros lot à la loterie de la guerre? Avait-il seulement l'étoffe d'un bon officier ou bien son esprit était-il déréglé? N'était-il pas plus simplement un méchant homme? Pour qu'ils fussent tous sortis indemnes d'une telle aventure, surtout lorsque la chaloupe avait été encagée dans un tir de mousqueterie, il fallait que ce Couesnon-là fût une sorte de démon, peut-être le diable lui-même, allez savoir! Mais, si cette histoire de machine infernale était vraie? N'en parlait-on pas à Saint-Malo depuis quelques mois? Jean-Marie se rappelait maintenant qu'une des cinq galiotes était toute noire, sans la moindre touche d'écarlate ou d'or. Même la mâture était noire, et les voiles avaient une couleur sombre. N'était-ce pas là autant d'artifices destinés à la rendre quasi invisible dans la nuit d'hiver?

Au soir tombant, de sévères dispositions furent prises par M. de Saint-Laure. Grâce aux troupes arrivées de Dol, de Dinan, puis de Lamballe, la garnison des forts et des bastions avait été doublée, les postes de garde renforcés, les remparts pourvus de longues rangées de soldats mêlés à des marins pêcheurs dont les yeux avaient l'habitude de la mer. Plus déterminés que jamais à défendre leur cité et leur vie, les Malouins avaient reçu du duc de

Chaulnes des armes légères pour se battre s'il le fallait, sur les grèves, sur les murs et dans les rues. Jusqu'à présent, les bombes de l'amiral Benbow n'avaient détruit que des toits et allumé quelques incendies sans tuer personne, mais qu'arriverait-il cette nuit si la machine du diable éclatait contre les remparts? Le duc de Chaulnes avait jugé prudent de ne rien révéler, se contentant d'interdire aux habitants d'allumer la moindre chandelle et de sortir de leurs maisons. A part les officiers de son état-major, personne ne soupçonnait la vérité. Tous les Malouins pensaient que les Anglais allaient profiter de la grande marée pour amener leurs navires au plus près de la côte et opérer la tentative de débarquement à laquelle personne n'avait voulu croire.

Encore qu'ils n'en fussent pas certains, quatre hommes connaissaient aussi le secret de cette affaire. Bien que Romain lui eût demandé de ne rien révéler, Jean-Marie n'avait pu s'interdire de se confier à Joseph Biniac, Guy Kergelho, François Troblet. Tiraillés entre l'incrédulité et l'inquiétude, ils ne savaient que penser. L'équipée de la matinée les tourmentait. Pouvaient-ils accorder le moindre crédit à un gentilhomme dont ils savaient qu'il était parfois victime de fureurs désordonnées? Sans y parvenir ils avaient essayé d'observer à la lunette la fameuse galiote, elle se trouvait toujours masquée par un autre navire.

Les quatre capitaines s'étaient installés à côté des canonniers de la porte Saint-Thomas.

« Il est six heures et demie, dit Jean-Marie. La marée sera haute dans une heure. S'ils tentent quelque chose ce sera au moment de la pleine eau. Après, ils n'en auraient pas assez pour passer. »

Par bravade, Guy Kergelho frotta ses battoirs :

« Il va y avoir chauffée, les gars! »

Mais le cœur n'y était pas. Personne ne rit. Ils ne

parlèrent bientôt plus. Le vent du matin s'était apaisé et, semblable à celle de la veille, une brume glacée épaississait la nuit. Si habitués fussent-ils à l'obscurité et au crachin, les yeux des guetteurs étaient devenus aveugles. Le bras tendu, personne n'aurait vu sa main. Tous ses efforts de vigilance, il valait mieux les rassembler sur ses oreilles, les tendre vers la respiration imperceptible et régulière de la mer qui se gonflait lentement à chaque minute, et essayer d'y déceler le moindre bruit insolite.

« Sept heures », souffla Jean-Marie.

Côte à côte, épaule contre épaule, attentifs à la plus légère vibration, courbatus à force d'être tendus, les yeux brûlés de froid et de fatigue, les quatre capitaines en étaient arrivés à croire que Romain avait dit la vérité et que, dans quelques instants, leur ville allait être ravagée. Ils n'avaient pas tort. A ce moment, la galiote noire avait déjà doublé le Grand-Bé et se dirigeait doucement vers les récifs du Grand-Malo, portant dans ses flancs des explosifs destinés à souffler les murs et incendier les maisons, mais aussi quantité de sabres, baïonnettes, clous, crochets et autres lames qui s'abattraient, dans un deuxième temps, sur la ville comme un orage de fonte et d'acier. Son pilote devait connaître les passes malouines pour les avoir pratiquées souvent. Avant de le laisser partir, l'amiral Benbow avait donné au capitaine du bateau noir ses dernières instructions :

« Dès que vous aurez dépassé le Grand-Bé, laissez-vous porter. Toutes les chances sont ce soir avec nous, une grande marée, le brouillard et un léger vent du nord. Surtout, pas un mot, pas un bruit. Le moindre crissement de poulie peut tout faire manquer. Vous devez arriver tout droit contre la muraille au moment de l'étalement et allumer aussitôt votre volcan. Lorsque vous aurez terminé votre tâche, nous ferons le reste. Rappelez-vous que le roi et les messieurs de la Cité veulent en finir une bonne fois avec ces maudits pirates qui ruinent le commerce anglais. Il n'y a pas de place pour deux Compagnies des Indes. Allez, monsieur, et bonne chance. »

« Sept heures et demie », murmura François Troblet.

Jamais la nuit n'avait été aussi silencieuse, aussi épaisse, c'était à croire que les deux mille hommes qui veillaient derrière les murs s'étaient arrêtés de respirer. « Dans quelques instants, la mer va commencer à perdre et nous serons tranquilles jusqu'à demain matin », pensa Jean-Marie.

C'est à ce moment que les quatre capitaines entendirent, amorti par la brume, un bruit qu'ils reconnurent sans hésiter pour être celui d'un navire talonnant sur un récif.

« Là ! à gauche ! Feu ! »

La batterie de Saint-Thomas tira la première, au jugé droit devant elle, sans que les canonniers prennent le temps de pointer. De la Bidouane et du Fort-Royal, tous les canons tirèrent à leur tour, et il se produisit aussitôt quelque chose de terrifiant. Soit qu'un coup au but ait frappé la galiote qui venait de s'éventrer sur un énorme chicot, soit que le capitaine ait allumé trop tôt les mèches de sa machine infernale, un formidable volcan de fin du monde jaillit vers le ciel.

Privés de lumière, enfermés chez eux, les Malouins s'étaient couchés de bonne heure cette nuit-là. Revenue dans le lit familial, Marie-Léone dormait déjà quand elle fut réveillée par le bruit de l'explosion. Elle se jeta en hurlant sur sa mère, vit une grande lumière rouge éclairer la chambre, et entendit tomber sur les toits comme une averse de grêlons qui faisaient un bruit de ferraille. Epouvantée, Emeline Le Coz serra sa fille dans ses bras. Frappez-moi, Seigneur, pas elle! Les détonations se précipitaient, les unes sourdes, les plus nombreuses avec le déchirement de la foudre. Comme un vaisseau surpris par un typhon de la mer indienne, Saint-Malo oscillait dans la nuit pleine de feu et de mitraille où les ardoises et les tuiles étaient pulvérisées, les charpentes défoncées, les vitres brisées, les portes et les fenêtres arrachées.

Sur les remparts, les hommes s'étaient jetés au sol ou cherchaient à se réfugier dans les bastions. Parmi eux, plus d'un avait vu, lors de quelque combat naval, sauter en l'air un vaisseau de ligne dont la sainte-barbe venait d'être atteinte par un boulet rouge, aucun d'eux ne s'était trouvé sous un tel déluge de mitraille. Soulevées par les explosions qui se succédaient, des vagues énormes se ruaient sur les murs et retombaient dans les rues avec les crochets, les couteaux, les grappins, les sabres, tout ce que vomissaient les entrailles de l'énorme brûlot.

Jean-Marie entendit une voix très douce qui disait :

« C'est un beau feu d'artifice, n'est-ce pas? Quel admirable spectacle! »

Il n'avait pas besoin de se retourner pour savoir que Romain de Couesnon était venu à la porte Saint-Thomas. Pourtant il se retourna et le regarda fixement. La lueur de l'incendie illuminait le charmant sourire du gentilhomme. Une lame d'acier passa en sifflant entre leurs deux visages. L'officier rouge ne broncha pas. Seul Jean-Marie se jeta vivement en arrière, juste pour s'entendre dire sur un ton compatissant, avant que l'autre eût disparu dans l'ombre :

« Décidément, mon pauvre Jean-Marie, tu n'es pas courageux. »

Le silence qui retomba sur la mer et sur la ville parut encore plus profond que celui qui avait précédé immédiatement l'explosion. Toute la nuit, les hommes demeurèrent sur le qui-vive, inquiets du sort de leurs familles et contraints de rester à leur poste de combat jusqu'à l'aube. Le retour du jour leur fit comprendre ce qui s'était passé. Arrivée dix minutes trop tard, une galiote bourrée d'explosifs s'était échouée sur le Grand-Malo, faute du peu d'eau qui lui aurait permis d'atteindre les remparts quelques instants plus tôt. A quarante toises du but, elle s'était par miracle renversée du côté de la mer et avait soufflé vers le large ses flammes les plus dangereuses. Sur la grève, on découvrit, à marée basse, une quarantaine de cadavres déchiquetés qui gisaient au milieu des goémons près des débris du navire. Tous les Malouins défilèrent devant eux. Mme Le Coz n'y manqua pas.

« Foutus chiens d'Anglais! » dit-elle en leur montrant le poing, comme le faisaient les marchandes de poisson.

A midi, les dernières voiles de l'amiral Benbow avaient disparu. Chacun vit dans ce prodige la miraculeuse intervention des saints protecteurs de la ville. Le capitaine et Emeline Le Coz jugèrent cependant qu'il était plus prudent d'envoyer Marie-Léone en dehors de Saint-Malo. La filleule de Jean-Marie partit pour le couvent des ursulines à Dinan.

Lorsque les Malouins apprirent que la paix était signée[1], ils pensèrent que leurs corsaires avaient hâté la conclusion de cette guerre interminable dont tout le monde était las. Autant parce que son association avec le capitaine Le Coz lui avait rapporté de généreux bénéfices que parce qu'il gardait sur le cœur le souvenir des façons discourtoises avec lesquelles on l'avait reçu aux armées, le vieux comte de Kerélen en était persuadé.

« Ce sont les clameurs des marchands de Londres et d'Amsterdam qui auront décidé le roi d'Angleterre à traiter. Nos corsaires les ont ruinés, mon cher chevalier. Sans eux, cette guerre se traînerait encore. Depuis la mort de Luxembourg, nous n'avons pas eu un seul bon général!

— Vous croyez donc au génie militaire? interrogea M. de Couesnon.

— Sans doute! Pas vous?

— Franchement, non, je n'y crois pas.

— Holà, monsieur! Vous n'avez connu ni Condé ni Turenne!

— C'était certainement un honneur, et comme une gloire, de servir sous leurs ordres. Je n'ai eu ni l'un ni l'autre, mais j'ai beaucoup réfléchi à la

1. Ryswick, septembre 1697. (N.d.E.)

condition militaire, surtout à celle des grands chefs, et j'ai lu de nombreux récits de batailles écrits par les anciens ou les modernes. Ils se ressemblent tous, à ce point que j'en arrive à penser qu'il n'y a guère de différence entre un général vainqueur et un général vaincu si ça n'est la chance qui peut pencher aussi bien d'un côté que de l'autre.

– Vous admettrez qu'il y a un art de la guerre, que cet art a ses règles et ses grands capitaines?

– Un art? C'est beaucoup dire. Quant à ses grands hommes, les militaires sont seuls à y croire : il y a plus de courtisans aux armées qu'à la Cour. Considérez ce qui s'est passé pendant cette dernière guerre. Chaque année, l'un des adversaires a dessiné une offensive, pris une ville ou deux, a été arrêté par l'autre qui l'a refoulé sur son point de départ sans pouvoir le poursuivre ou le détruire. Le mauvais temps est arrivé, on a cessé fort courtoisement de se battre jusqu'au printemps, et cela a duré neuf années, neuf années d'aller et retour, sanglants et inutiles, dans la Flandre et en Espagne, au Piémont et en Catalogne. Si c'est cela l'art de la guerre, c'est que le meilleur général ne vaut pas un maçon ou un menuisier qui, eux, connaissent leur métier alors que l'incompétence est la chose la mieux partagée du monde militaire.

– Cependant, nous avons été vainqueurs! grommela le comte de Kerélen.

– Mais le roi a dû renoncer à toutes ses prétentions, territoriales et autres. Voilà bien de grandes misères pour rien!

– Que faites-vous de Strasbourg qui reste français?

– C'est vrai. Je n'en mésestime pas l'importance. Cela valait-il tant de massacres? »

Les deux gentilshommes sortaient de la Maison de Ville où le connétable avait réuni les notables de

Saint-Malo pour leur faire part des dispositions prises à Ryswick.

« Et tant de deuils! » poursuivit le chevalier en désignant du doigt à son compagnon une longue liste de matelots péris en mer dans les combats.

Le comte de Kerélen le prit par le bras.

« Couesnon, ne vous affligez pas comme une demoiselle sur les morts de cette guerre. Le mauvais esprit et les bons sentiments ne font pas bon ménage. Choisissez le parti que vous voulez, mais pas les deux, ils vous perdraient. N'avez-vous point entendu tout à l'heure que les Hollandais nous rendaient Pondichéry et que nous obtenions le ponant de Saint-Domingue? Voilà qui est considérable pour nos affaires. Ne faites pas grise mine et réjouissons-nous plutôt de cette paix négociée avec sagesse. De vous à moi, ces neuf années de guerre ont-elles été perdues pour tout le monde? Si le trésor du roi est vide, les caves de nos Malouins ne furent jamais aussi pleines. Savez-vous que Noël Danycan donne cent quatre-vingt mille livres de dot à sa fille aînée? »

Ils étaient arrivés devant Mer-Bonne et se mêlèrent à la foule. Coque contre coque, mâts tout nus et câbles geignards autour desquels tournait le cri rouillé des goélands, plus de cent navires étaient rassemblés dans le port. C'étaient les corsaires désarmés déjà promis à la morue comme un cheval de cornette réformé qu'on destine aux labours.

« Que vont faire toutes ces barques? s'inquiéta le comte de Kerélen.

– Ne vous faites pas de soucis pour nos Malouins, les idées ne leur manquent pas. Dans trois mois, plus de la moitié de ces navires seront repartis sur les bancs de pêche.

– Sans doute, mais pas les frégates! »

Les dernières années de la guerre avaient été plus difficiles et moins profitables que les premières pour les Malouins. Exaspérés de voir disparaître leur flotte commerciale sous les coups de navires plus petits que leurs lourds marchands, les Anglais et les Hollandais s'étaient résolus à armer en guerre tous leurs bâtiments et à lancer à leur tour dans la Manche des corsaires basés à Jersey et à Flessingue. N'osant plus s'attaquer aux *Indiamen* avec leurs petits senaux, ceux de Saint-Malo, de Morlaix ou de Dunkerque avaient été contraints de faire construire à la hâte des frégates de deux cents tonneaux aussi rapides que bourrées d'artillerie, et si nombreuses que les chantiers de Rocabey, Saint-Servan ou Cancale n'y suffisant plus, les armateurs s'étaient adressés à l'arsenal de L'Orient.

« Les frégates, dit le chevalier, il faudra les envoyer aux Antilles, en Afrique, à Pondichéry, ou même à la Chine. Ça n'est pas le trafic qui va manquer.

– Vous avez raison, soupira le comte de Kerélen. Les navires sont comme nos Malouins, ils pourrissent quand ils ne naviguent pas. Regardez! »

Sur le quai de Mer-Bonne, sans prendre garde aux deux gentilshommes et manquant de les bousculer, des matelots ivres morts s'étaient divisés en deux camps et se battaient comme des dogues.

Si les armateurs disposaient maintenant de navires assez solides, de capitaines expérimentés et d'équipages nombreux pour prétendre trafiquer au loin, les Indes orientales demeuraient encore le privilège de la Compagnie présidée par M. de Pontchartrain, et Madrid interdisait toujours aux marchands étrangers l'accès des Indes d'Amérique. La plupart avaient dû se contenter soit de reprendre le chemin de Terre-Neuve et de Civitavecchia, soit de renouer avec leurs agents espagnols et hollandais. Semblables à d'autres jeunes gens que la course avait enrichis et fatigués, Joseph Biniac et François Troblet s'étaient mariés au lendemain de Ryswick sans vouloir rompre pour autant leur association avec Jean-Marie Carbec et Guy Kergelho : ils entendaient seulement mignoter leurs femmes avant de connaître la nouvelle direction qu'ils donneraient à leurs écus. Les deux autres avaient hésité, le premier à repartir sur les bancs avec le *Frédéric*, le second à s'installer à Cadix. Ils y avaient renoncé, ni la morue ni le commerce de la toile de Bretagne ne pouvaient les contenter désormais.

Une affaire d'importance les préoccupait. Tandis qu'ils attendaient avec impatience que les chantiers de L'Orient leur livrent une frégate commandée depuis dix-huit mois, la paix avait soudain bouleversé tous leurs projets. Tentés d'en arrêter la construction ou de la revendre, en l'état, à la Compagnie des Indes qui s'apprêtait à reprendre possession de Pondichéry, ils en avaient été dissuadés par le capitaine Le Coz :

« Aujourd'hui plus qu'hier, il est important de posséder un navire neuf, rapide, capable d'aller loin. Ne pensez pas que la Compagnie abandonne son privilège avant son terme, c'est le meilleur sinon le seul élément de son crédit, mais avec une frégate de deux cent cinquante tonneaux et quelques épingles distribuées aux bons endroits vous obtiendrez des directeurs toutes les dérogations que vous souhaiterez. Dépêchez-vous, garçons, vous ne serez pas seuls à prendre la mer... »

Les guerres pouvaient ruiner le royaume, la confiance placée une fois pour toutes par le capitaine Le Coz dans l'avenir ne faiblissait jamais. Comme les conseils du vieil armateur avaient été toujours judicieux et que ses prévisions s'étaient souvent vérifiées, Jean-Marie, qui en souriait parfois, était parti pour L'Orient afin de hâter la livraison de la frégate sans même savoir comment elle serait utilisée.

Le gros œuvre du navire était terminé depuis plusieurs semaines et les charpentiers n'attendaient plus que l'ordre des propriétaires pour la mise à flot. Jean-Marie contempla son navire avec les yeux d'un enfant devenu capitaine : une coque aux lignes sobres, faite pour tenir la mer par vent fort sans trop prendre de gîte et dont la légèreté était encore accentuée par la simplicité du château arrière.

« Avec toutes les toiles qu'on fait porter aujourd'hui, ça va faire un fameux coureur! »

Derrière Jean-Marie, un gros homme admirait lui aussi la frégate avec un œil connaisseur. Vieux capitaine de la Compagnie des Indes, il s'était retiré à Hennebont et flânait le reste de sa vie autour des cales où l'on radoubait maintenant plus de vaisseaux de guerre qu'on ne construisait de navires marchands. Il engagea la conversation.

« Vous vous intéressez à cette barque?

– Dame! Elle est à moi pour un quart.

– Mes compliments. On m'a dit qu'elle avait été commandée par ceux de Saint-Malo?

– Oui, dit Jean-Marie, c'était pour la course.

– Dommage que ce soit trop tard! Avec un oiseau pareil vous auriez écumé la mer. Le bon temps est fini. Qu'allez-vous en faire?

– La mer est redevenue libre, le commerce va reprendre avec les Indes et les îles. »

Le vieil homme regarda Jean-Marie avec plus d'attention comme si son visage lui rappelait quelque souvenir enfoui sous les années disparues.

« Oui, répondit-il, le commerce va reprendre. On dit toujours cela à la fin d'une guerre, mais il faut se dépêcher avant qu'une autre recommence. Tenez, moi qui vous parle, je suis allé deux fois à Surat, capitaine d'une flûte de trois cents tonneaux. Pour sûr qu'elle n'était pas taillée pour la course comme votre frégate! Malgré son gros ventre, avec ses formes rondes, elle tenait mieux la mer qu'un vaisseau de premier rang, et on pouvait y bourrer de la marchandise jusqu'aux écoutilles. Je n'ai jamais vu une barque avoir autant de logement! Au retour de mon deuxième voyage, il a fallu quand même la mettre sur cale pour réparer de graves avaries. Bon. Quand les travaux ont été terminés, voilà que la Compagnie n'avait plus assez d'argent pour réarmer! Plus tard, elle en a trouvé et mon *Heureuse* est enfin repartie par les Indes, mais avec un autre capitaine protégé par les directeurs. Ah, malheur! Ça m'a fait mal quand je l'ai vue s'en aller sans moi. Après, c'était trop tard. Une autre foutue guerre a commencé et ils m'ont mis en congé. Hier, j'étais le capitaine d'une flûte de trois cents tonneaux, oui, monsieur, aujourd'hui je suis un retraité, autant dire rien.

— Alors vous êtes le capitaine Locdu? dit Jean-Marie. Moi non plus je ne suis pas parti avec l'*Heureuse*! Rappelez-vous, capitaine, vous aviez promis de m'embarquer comme enseigne en second si mon oncle acceptait de partir avec vous comme maître charpentier.

— Bon Dieu! fit le capitaine en frappant un grand coup de son poing droit dans la paume de sa main gauche. Je me disais que je t'avais vu quelque part, dans les temps, ici ou ailleurs! Tu es donc le neveu de ce pauvre gars qui s'est fait assassiner par ici?

— C'était mon oncle Frédéric.

— Ton oncle, c'était un homme! On en parle encore à L'Orient, au Port-Louis, même à Hennebont. Son oiseau, ses tours, son violon, et son affaire avec le tricheur... oui, on en parle encore. Je n'ai jamais rencontré un maître charpentier comme lui. Ah! malheur! »

Ils demeurèrent tous les deux silencieux, et Jean-Marie comprit que, pour le vieil homme, le bon temps s'était éteint le jour où, reprenant la route des Indes, l'*Heureuse* avait disparu à l'horizon.

« Si j'ai bien compris, dit le capitaine Locdu, te voilà armateur? As-tu seulement navigué? »

Le Malouin raconta Terre-Neuve, le cabotage, la Méditerranée, la course sur l'Océan, la Manche et la mer du Nord. Bourru malgré lui, l'autre ne put s'empêcher de l'interrompre :

« Quoi! tu n'as jamais quitté bien longtemps la terre de vue! »

Il se reprit aussitôt :

« Tu as eu raison. Pourquoi aller chercher au loin ce qu'on vous apporte à la maison? La course, cela doit rapporter plus gros que le long cours, non? »

Dans sa voix tremblait, à peine perceptible, la rancœur d'un vieil homme écarté du commandement et mis soudain en présence d'un jeune capitaine caressé par la fortune. Il finit par hausser les épaules, le regarda même avec amitié et l'entraîna vers une des nombreuses auberges installées autour des chantiers où il acheva de digérer sa bile avec une lampée de rikiki. Plus qu'une génération, la chance les séparait. Le souvenir de Frédéric les rapprocha autour d'un repas que Jean-Marie eut la délicatesse de se laisser offrir par un homme presque pauvre.

Les agents de la Compagnie des Indes n'étaient plus chez eux à L'Orient. Peu à peu, la guerre les avait dépossédés de leurs chantiers, leurs cales de lancement et de radoub, leurs magasins, même leurs demeures. Faute de place à Brest, les intendants maritimes avaient transformé les bâtiments et les bassins en un vaste arsenal où les premières places revenaient aux vaisseaux du roi et à leurs officiers.

« Il n'y en a plus que pour eux! grogna le vieux. La semaine dernière, les trois navires que la Compagnie a envoyés pour réoccuper Pondichéry étaient bourrés de soldats, d'ingénieurs et de canons. Tu crois encore au commerce avec les Indes orientales? Tu crois toujours dans l'avenir de la Compagnie, toi?

— J'ai mon idée, dit Jean-Marie. Nous ne savons pas encore ce que nous ferons de cette frégate, nous savons seulement qu'il faut rapidement la mettre en état de naviguer. Puisque vous avez gardé un bon souvenir de mon oncle Frédéric, je vais vous faire une proposition. Il nous faut ici un homme pour surveiller et diriger tous les travaux qui suivront la mise à flot : gréement, voilure, apparaux... Voulez-vous être notre capitaine d'armement?

— Tu es un bon gars, comme ton oncle », répondit seulement le capitaine Locdu.

Par manière de politesse, il n'avait pas dit tout de suite qu'il acceptait. C'était tout comme, car il commanda un autre flacon de vin et remplit le verre de Jean-Marie avec une main maladroite, baissant les paupières sur ses yeux mouillés. Autour d'eux, des officiers du Grand Corps attendaient avec impatience que des tables soient libres pour y prendre place à leur tour et menaient le tapage de la jeunesse en uniforme. Sans y prendre garde, les deux capitaines marchands parlèrent longtemps comme deux hommes qui savent leur affaire.

« Connaissez-vous un honnête marchand d'apparaux? demanda Jean-Marie.

— Il n'en manque point par ici, affirma l'autre. Tu penses bien qu'avec la course, plus d'une barque est venue se faire raccommoder ici. Tu n'auras pas d'embarras à en trouver. Ils ont tous gagné des écus. C'est toi l'armateur, c'est toi qui paies, je n'ai point à te conseiller, tu feras comme tu voudras. Il faut tout de même que je te dise une chose : le plus honnête de tous, le plus sérieux, c'est une femme, oui, mon gars, c'est une femme! Avec les temps d'aujourd'hui, on ne sait plus qui va, qui vient, qui commande! »

Frappant du poing sur la table, il dit tout à coup :

« Qu'est-ce que je te raconte là? Tu dois la connaître. Elle a le même nom que toi, Carbec. On dit qu'elle est de Saint-Malo. Carbec, oui, Carbec! Mais ici tout le monde l'appelle Mme Justine, ou la Justine si tu veux. »

Jean-Marie demeura interdit. Il ne savait pas quoi répondre. Où donc voulait en venir ce vieux capitaine auquel il s'était confié comme un enfant? Puisque de nombreux Malouins étaient venus ici, pendant la guerre, s'y faire radouber, pourquoi personne ne lui avait-il dit que la veuve de son père, sa belle-mère, se trouvait à L'Orient? Prudent, il se contenta de répondre qu'il y avait beaucoup de Carbec à Saint-Malo et qu'ils ne se connaissaient pas tous. Un peu congestionné par l'alcool, le visage paisible et les yeux francs, le capitaine admit que c'était comme pour les Locdu. Par chez nous on en trouve partout.

« Indiquez-moi plutôt un homme, dit Jean-Marie. Une femme, ça ne fait pas sérieux dans les affaires, et ça ne tient pas les secrets.

— Ça, mon gars, répliqua le vieux capitaine, tu te trompes! Pour les affaires, quand elles s'y mettent, elles sont plus dures qu'un caillou, les femmes. Et pour ce qui est de parler, il n'y a pas plus bavard qu'un homme qui fait le faraud! Il y a bien une autre femme au Port-Louis, Mme Pérènes, la Jacquette qu'on l'appelle, mais elle est moins capable que la Justine. Crois-moi, va d'abord la voir. Elle habite dans la rue de la Brèche. Tu ne perdras pas ton temps, dis-lui que tu viens de ma part. La Justine, c'est même elle qui a avitaillé un des trois navires de la Compagnie qui viennent de partir aux Indes. Cela prouve qu'elle a du répondant, non? »

Le capitaine Locdu dit aussi avec un rire d'homme :

« Dans les temps, j'ai idée qu'elle a dû faire sonner le carillon plus souvent qu'à son tour. »

Il s'empressa d'ajouter :

« Aujourd'hui, il n'y a pas plus honnête. Elle paie le pain bénit deux fois par mois, c'est dire. Si tu ne la trouves pas rue de la Brèche, cherche-la à l'église. »

Jean-Marie savait qu'il finirait par aller rue de la Brèche. La curiosité de connaître la maison où habitait Clacla, peut-être de l'apercevoir elle-même, l'avait mordu toute la journée. Depuis le jour où le capitaine Le Coz lui avait appris son départ de Saint-Malo, après la mort de son père, il lui était arrivé de penser à elle, se demandant ce qu'elle avait pu devenir, mais n'en avait jamais plus entendu parler. Tout à l'heure, il était passé plusieurs fois dans la rue de la Brèche, regardant droit devant lui sans oser tourner la tête, comme s'il avait eu peur, ou honte. A présent que la nuit était tombée, il y revenait encore. Quel âge pouvait-elle avoir, la Clacla? Un peu plus de quarante ans peut-être. Cette fois, il s'arrêta devant la petite fenêtre basse derrière laquelle une grosse chandelle était allumée. Courbée sur un registre, Clacla alignait des chiffres. La chandelle éclairait son visage, sa main et le livre. L'ombre noyait le reste de la salle au fond de laquelle un feu de bois rougeoyait. Ni troublé ni même ému, simplement curieux, Jean-Marie éprouva du plaisir à regarder ce visage et cette main. Elle n'avait pas beaucoup changé, la Clacla, pendant ces douze années, toujours les mêmes pommettes hautes, les cheveux noirs tirés sur le front blanc, le menton solide. Un moment elle leva les yeux, paraissant réfléchir. Elle ne pouvait pas voir Jean-Marie, à peine aurait-elle pu distinguer derrière la vitre une silhouette. Lui, il reconnut mieux le visage étroit demeuré lisse et redécouvrit la hardiesse bleue du regard. Immobile dans la brume qui le gelait, fixé au sol, il ne parvenait pas à se déhaler pour regagner l'hôtellerie du Saint-Yves où il était descendu, et il redoutait de se trouver, le lendemain, nez à nez avec la Clacla dans une rue du Port-Louis. Quand il la vit refermer son livre de comptes, se lever et disparaître dans l'ombre, vers la cheminée où elle ranimerait sans doute le feu, il lui sembla que des cordes se dénouaient. Délivré, il se décida à partir. C'est à ce moment que Clacla ouvrit la porte de sa maison et sortit dans la rue.

« Entre donc, Jean-Marie, au lieu de rester dehors, tu vas attraper mal. »

Elle avait gardé sa voix grondeuse et gaie d'autrefois quand elle le surprenait à traîner dans les rues au lieu de rentrer chez son père. Ne sachant quelle contenance adopter, il prit son air de capitaine et entra.

« Laisse-moi allumer une autre chandelle que je te regarde un peu, dit-elle. Assieds-toi et réchauffe-toi. Aimes-tu toujours la goutte ? »

Elle ouvrit un placard, en sortit un cruchon et deux gobelets qu'elle remplit à ras bord, aussi à l'aise que si rien ne s'était passé entre eux. Avec sa grande cheminée de pierre, ses poutres noircies, sa longue table où s'alignaient des livres de comptes et où brillaient les coupelles d'une petite balance, la salle, où Jean-Marie voyait maintenant plus clair, ressemblait à celle de la rue du Tambour-Défoncé. Il y avait même dans un coin une grande horloge. En devenant à son tour marchande d'apparaux et de toile à voiles comme son vieux mari l'avait été lui-même, Clacla avait reconstitué le décor de Mme Carbec.

440

« Tu as forci, tu es devenu un vrai homme, dit-elle.

– Dame! ça fait des années », fit-il avec un rire bête.

Semblables à tous ceux qui n'ont plus rien à se dire pour s'être tus trop longtemps, ils échangèrent quelques propos insignifiants, riant pour des niaiseries mais s'observant à travers tout un monde secret de gestes, de sons et d'odeurs qu'ils croyaient disparus et qui leur sautaient soudain au nez. Il remarqua sa robe noire ornée d'un liséré blanc, simple, non austère, taillée dans une étoffe souple comme celle des grandes bourgeoises malouines, plus décolletée peut-être. Elle n'avait pas l'air d'une nonne, comme l'avait laissé entendre le capitaine Locdu. Qu'avait-elle pu devenir pendant tous ces temps? Si l'âge avait un peu épaissi sa taille, son visage était devenu plus mince, presque aigu, comme frotté par le vent. Ce fut elle qui, la première, engagea le fer :

« De quoi as-tu besoin pour ta frégate? »

Se dérobant, Jean-Marie posa lui-même une question naïve :

« Comment le sais-tu?

– Dame! fit-elle en riant, ça n'est pas pour me faire visite que tu es venu à L'Orient!

– Jamais je n'aurais pu penser que tu deviendrais une marchande d'apparaux. Il paraît même que tu avitailles les navires de la Compagnie des Indes! C'est vrai?

– Tu croyais que j'allais retourner aux poissons, peut-être? Tu veux savoir comment je m'y suis prise? »

Sa voix avait conservé son éclat et ses intonations chantantes. Ce qu'elle avait fait avant de s'installer à L'Orient, quand la dernière guerre avait commencé, ne regardait personne. Elle ne devait rien aux autres. Si elle avait quitté Saint-Malo avant le retour de Jean-Marie, c'est parce qu'elle avait eu peur d'être chassée de la maison. C'est surtout parce qu'elle ne pouvait plus supporter les femmes dédaigneuses et les méchantes bigotes qui ne lui avaient pas pardonné d'avoir épousé un veuf bon à prendre. Jamais elle ne retournerait là où on l'avait humiliée, moquée, bafouée.

Jean-Marie l'écouta sans l'interrompre. Elle avait toujours eu la langue pointue, la Clacla, c'était une sacrée pétasse, mais où donc avait-elle appris à parler comme un procureur? Elle dit encore :

« Ce que je dis de ton Saint-Malo, c'est surtout pour les femmes. Celles-là, dès que leurs maris sont capitaines, ça leur fait monter la tête de six pieds et elles deviennent plus mauvaises qu'une équille. Les hommes, il y en a qui m'ont aidée. Le premier, c'est ton oncle Frédéric. Quand j'ai quitté la rue du Tambour-Défoncé, le capitaine Le Coz m'a remis de sa part un sac de petits diamants qu'il avait laissé avant de partir aux Indes. Je les ai pris. Il n'y a point d'offense parce que, ton oncle, il ne ressemblait pas aux autres. L'argent, il s'en moquait autant que tout ce qu'on pouvait penser de lui. D'abord à Nantes, si tu veux tout savoir, d'autres hommes m'ont aidée, c'est vrai. J'aurais préféré faire la putain que de retourner à Saint-Malo. Aujourd'hui, j'ai des associés. Quand je suis arrivée ici, la Jacquette était déjà établie. Nous nous sommes d'abord regardées de travers, maintenant nous nous entendons bien. Ce sont les autres marchands, les hommes, qui nous jalousent. La Jacquette, elle ne me fait pas peur parce qu'elle restera toujours un peu regrattière, comme ton père qui aimait tellement l'argent qu'il avait peur de dépenser un écu pour en gagner quatre. C'est quand même lui qui m'a appris le commerce. La comptabilité en partie double? Oui, j'apprends à la tenir. Tu sais, je ne suis pas encore très habile pour écrire. Mathieu Carbec disait que, les chiffres, c'est plus important que les lettres. Maintenant, j'ai engagé un commis, mais les prix, les commissions, les tarifs douaniers, les assurances, les provisions en magasin, j'ai tout ça dans la tête... Et toi, Jean-Marie? Parle-moi un peu de toi. Quel âge as-tu à présent?

– Trente-trois ans.

– C'est pas Dieu possible? Tu as toujours ton gros nez. »

Elle avait dit ces derniers mots avec ce rire rauque qui lui montait du ventre au temps où ils faisaient le sabbat tous les deux. A son tour, Jean-Marie raconta. Il n'avait pas grand-chose à dire et s'exprimait avec maladresse. La morue, la course, les prises, les comptes avec ses associés, tout cela ne faisait pas un long discours, et c'était toujours la même chose. Il n'allait tout de même pas lui rapporter qu'après s'être lassé d'une vendeuse de toiles peintes, il couchait maintenant avec la jeune veuve d'un capitaine marchand péri en mer. Parler de Romain de Couesnon le tenta un instant. Il y renonça. Cela l'aurait entraîné à remuer des souvenirs dont il rougissait encore et que ni lui ni elle ne voulaient rallumer.

« Tu n'as jamais été bavard, finit-elle par dire. J'espère que tu vas bientôt te marier. Il y a plus de filles que d'hommes chez nous. »

D'un air satisfait, il répondit :

« Les filles, ça n'est point ce qui me manque!

– Même qu'il y en a plus qu'une, poursuivit-elle sur le même ton, qui serait heureuse d'épouser un riche et beau capitaine auquel le roi a envoyé une épée d'honneur!

– Comment sais-tu cela?

– Dame! ton affaire de Saint-Malo, lorsque les Anglais sont venus avec leur machine du diable, on en a causé par ici. Cela ne m'a pas étonné de toi ni de Romain, mais j'étais quand même fière de vous deux. »

Penchée devant la cheminée, elle soufflait sur les braises d'où fusaient des gerbes d'étincelles. Elle entendit qu'il se levait, venait vers elle et se tenait derrière sa croupe tout près, trop près. Elle se redressa aussitôt et lui fit face, le visage enflammé et creusé soudain de deux rides que Jean-Marie reconnut, celles qui lui tordaient la figure quand elle prenait son plaisir comme une possédée. Il recula d'un pas et, mal à l'aise, bredouilla :

« J'ai été content de te voir, Clacla. »

Personne ne l'avait plus appelée Clacla depuis qu'elle avait quitté Saint-Malo. Il se produisit comme une sorte de charme : la violence qui venait de l'empourprer s'effaça et un sourire de jeune fille ourla ses joues, le même sourire d'autrefois lorsqu'elle était apaisée après la tempête.

« Il faut que je m'en aille, dit-il vivement. Nous avons parlé trop longtemps, l'heure du souper sera passée.

– Ne t'en va pas. Ma servante va nous donner à souper. Tu pourrais même coucher ici, la maison est grande. »

Elle s'empressa d'ajouter :

« Non, Jean-Marie, ça n'est pas ce que tu penses. Je suis vieille à présent. Tout cela est bien fini. Au Port-Louis, lorsque la nuit est tombée, il vaut mieux ne pas se promener seul dans la rue. Pense à ton pauvre oncle Frédéric, même si tu portes une épée. »

Il se sauva dans la nuit mouillée, parvint sans encombre à l'hôtellerie, et regretta de ne pas avoir accepté l'offre de coucher rue de la Brèche. Après tant d'années, tout cela était bien fini. Il ne lui en voulait même plus, à la vieille Clacla.

Jean-Marie resta plusieurs jours à L'Orient, assista à la mise à flot de sa frégate et se mit d'accord avec le père Locdu sans oser lui révéler les liens de parenté qui l'attachaient à Mme Justine, quelque cousinage comme il y en avait tant en Bretagne. Sans qu'ils aient eu besoin de se concerter, elle était tout de suite entrée dans le jeu de leur secret pour mieux demeurer aux yeux du vieux capitaine la femme d'ordre, compétente et sévère, conforme à son personnage inventé avec une volonté de revanche, peut-être de vengeance, et qui s'était peu à peu substitué à la Clacla d'autrefois. En lui rappelant des complicités jamais oubliées, l'arrivée de Jean-Marie avait réveillé son appétit d'ogresse qu'elle avait eu tant de mal à maîtriser et dont elle n'était venue à bout qu'en acquérant la certitude que tout lui serait permis le jour où elle serait devenue riche. Ce jour-là, elle serait considérée comme une dame et elle oublierait elle-même l'odeur des maquereaux frais qui viennent d'arriver. Jusque-là, il lui faudrait se tenir roide, étouffer son goût de vivre, ne pas regarder les beaux hommes, prendre l'aspect cagot qui fait accroire qu'on est honnête, retenir ses rires au fond de sa gorge, faire moins de bruit avec ses sabots, ne jamais manquer ni la messe ni les vêpres, ne pas risquer la moindre des plaisanteries qui dans sa jeunesse avaient tant amusé les hommes et irrité les femmes. Elle n'ignorait pas la fragilité de ses défenses, et savait que la moindre erreur d'estime eût démoli son armure, elle-même broyée par tous ceux qui admettaient sa réussite à condition qu'elle fût vertueuse.

Avec Jean-Marie, encore qu'elle se tînt sur ses gardes, il lui arrivait de relâcher quelques liens de sa cuirasse quitte à les resserrer encore plus fort quand il était parti. Tout ce qu'elle s'interdisait avec les autres, elle se le permit en sa présence : des regards, des rires, une chanson, les souvenirs de la rue du Tambour-Défoncé. Par un accord muet, qui les rapprochait l'un de l'autre sans qu'ils s'en doutent, ils s'étaient interdit de parler des jours disparus mais n'avaient pas résisté longtemps au plaisir de se rappeler le violon de Frédéric, les insolences et le flutiau de Cacadou, toute leur jeunese. Tu te rappelles le jour où j'ai dansé la dérobée avec ton père? Et toi, tu te rappelles le jour où tu nous as ramenés de la rue des Mœurs? Ils ne parlaient jamais du reste et veillaient à se tenir toujours éloignés l'un de l'autre. Un soir, alors qu'elle mettait une bûche au feu, il fut tenté par sa rondeur et s'approcha d'elle comme il l'avait fait le premier soir qu'il était venu rue de la Brèche, mais encore plus près, jusqu'à la toucher, et dit tout bas « Clacla! ». Elle se retourna et s'abattit sur lui en gémissant. Naguère, c'était elle la plus vigoureuse qui menait la bataille avec ses cuisses dures, aujourd'hui il était le plus fort avec ses deux grands bras qui la serraient et ses jambes qui fouaillaient sa robe. Elle vit dans les yeux de Jean-Marie qu'il allait la renverser et la prendre là, devant le feu, par terre, tout de suite.

« Non! supplia-t-elle. Non, Jean-Marie, ça n'est plus possible. J'en ai plus envie que toi. N'en profite pas, nous serions bien avancés. Il y aurait toujours, entre nous deux, au bon moment, tu sais, quelque chose dont nous n'avons jamais osé parler. Tu te rappelles la nuit où ton père hurlait pendant que...

– Tais-toi! » gronda Jean-Marie en desserrant son étreinte.

Elle avait retrouvé la dignité de Mme Justine.

« Ne prends pas cette tête de chien enragé après avoir fait le beau, dit-elle. J'ai quelque chose à te proposer de beaucoup plus intéressant, et que nous pouvons faire tous les deux. »

Jean-Marie ne l'écoutait pas. Buté, les yeux fixés sur la cheminée, il dit d'une voix sourde :

« C'est bon, je m'en vais. Dis-moi où est le bordel. Tu dois connaître l'adresse, toi? »

Il n'eut pas le temps de savourer le plaisir de son insulte. Du revers d'une main dure que les chiffres n'avaient pas amollie, elle lui avait donné sur la figure. Entre le moment où ils avaient été prêts à se soûler l'un de l'autre et celui où ils se dressaient face à face pour se déchirer comme autrefois, il ne s'était passé que quelques instants, une éternité où se confondaient la complicité des heures heureuses et les horribles souvenirs. Rageur, Jean-Marie eut envie de rosser Clacla. C'était davantage pour la déception que pour la gifle parce qu'un homme peut toujours rire du soufflet d'une femme mais lui pardonne plus difficilement de devoir remettre au fourreau une épée déjà dégainée.

« Eh bien, nous sommes quittes! » dit-elle sans le quitter des yeux.

Puis, haussant le ton, retrouvant sa voix de luronne comme au temps du maquereau frais qui vient d'arriver :

« Ça n'est pas pour t'avoir retiré des mains des putains de Saint-Malo, quand tu avais quatorze ans, que je vais t'envoyer aujourd'hui choper la vérole dans un bordel de L'Orient, non, mon gars! Tout capitaine que t'es, c'est moi qui commande ici. Maintenant, si tu veux t'en aller, emporte ta gifle avec toi et mets ton mouchoir par-dessus! »

Jean-Marie avait déjà ouvert la porte.

« C'est dommage pour toi et pour tes associés, dit-elle encore, parce que la Justine avait une proposition à te faire pour votre frégate. »

Aussi rusé qu'elle était maligne, il aperçut la sortie honorable que Clacla entrouvrait.

« Si c'est la Justine, on peut peut-être causer.

— C'est la Justine. Assieds-toi. Tu m'as bien dit que vous ne saviez pas quoi entreprendre avec votre barque? »

Elle avait posé cette question avec la voix posée, le maintien et l'autorité des veuves d'armateurs malouins qui débrouillaient les comptes compliqués, laissés par leurs défunts, avec une aisance que ceux-ci n'avaient jamais connue, et qui savaient calculer une mise-hors avec plus de sûreté qu'un premier commis de la Compagnie. Jean-Marie connaissait bien les dames Lesquelon, Béart, Onfroy, Beauséjour, considérées et rapaces qui ajoutaient à leurs bonnes œuvres confessionnelles la générosité d'aider les capitaines démunis pour leur permettre d'acheter de la pacotille contre trente pour cent d'intérêt. Devant lui, il revoyait leur visage hautain et méfiant, celui qu'elles prenaient chez le notaire quand elles multipliaient leurs questions soupçonneuses avant d'apposer leur paraphe appliqué au bas d'un contrat dont elles n'étaient jamais satisfaites.

« Tu veux acheter la frégate? On peut s'entendre si tu proposes un gros prix. Nous préférerions obtenir une permission de la Compagnie et faire du commerce pour notre compte avec Pondichéry, Surat et le Bengale.

– Non, Jean-Marie, je n'ai pas l'idée d'acheter ton navire. A chacun son métier. Je connais ici un Nantais qui était parti dans les temps à Saint-Domingue. Un jour, il est revenu au pays. C'est à moi qu'il a vendu sa pacotille.

– Tu ne fais donc pas que le commerce des apparaux? »

Elle entendit une légère raillerie dans cette question et retrouva, d'un coup, son air insolent.

« Vous autres de Saint-Malo, vous vous croyez toujours plus malins, mais c'est ici que les bateaux arrivent en premier! La meilleure pacotille, elle est toujours pour la Jacquette ou la Justine, nous vous laissons le reste. Il y a d'autres moyens de devenir riche, ça n'est pas de vendre la pacotille. Ecoute-moi bien. Pendant les dix années qu'il est resté là-bas, mon Nantais est allé au Pérou et au Chili. Ce qu'il m'a raconté efface tout ce que ton oncle Frédéric a vu. Avec un bon navire, des hommes décidés et sûrs, et un bon pilote, il n'est pas difficile de faire fortune dans la mer du Sud. Nous avons un plan, mon Nantais et moi. Si cela t'intéresse nous te le communiquons et nous te donnons le pilote. Toi tu apportes le reste : navire, armement, cargaison, toute la mise-hors. Notre apport vaudra vingt pour cent du capital nécessaire, et les bénéfices seront répartis de la même façon.

– C'est à voir. Dis-moi pourquoi ton Nantais n'a pas proposé son plan aux armateurs qui s'intéressent aux Indes d'Occident? Il n'en manque point à Nantes!

– A Nantes? Tu n'as donc pas compris, pauvre innocent, qu'il ne peut pas y retourner? Vous ne savez rien à Saint-Malo! Quand il a signé un contrat pour Saint-Domingue, c'était un « trente-six mois ». Au bout de six mois, il a rejoint les boucaniers de la Tortue. A Nantes, il risquerait d'être pendu pour rupture de contrat. As-tu compris, mon gars? »

Jean-Marie avait compris. L'homme dont parlait Clacla avait dû faire partie de ces bandes de pirates, flibustiers, frères de la côte et autres écumeurs de la mer des Antilles qui étaient même parvenus à traverser l'isthme qui sépare les deux Océans. Incendiant Panama, ils étaient redescendus par la mer du Sud, que d'autres appelaient Pacifique, sur les côtes du Pérou dont ils n'avaient épargné aucune ville avec la bonne conscience de participer à une guerre aussi glorieuse que profitable. Certains d'entre eux avaient en effet obtenu du roi de France des lettres de marque qui, faits prisonniers, leur eussent évité d'être pendus.

Comme tous ses semblables, Jean-Marie veillait à

ce qu'un corsaire ne fût pas confondu avec un pirate. Il le dit tout net à Clacla.

« Ouais donc! répliqua-t-elle, les Malouins font bien la fine bouche aujourd'hui! Ça n'est point à moi qu'il faut chanter ces cantiques. A part la lettre de marque que vous achetez dix mille livres, où est la différence entre un corsaire et un pirate?

– Les corsaires n'attaquent les navires qu'en temps de guerre, Clacla! Aujourd'hui que la paix est signée avec les Espagnols, ne compte pas sur moi pour aller brûler leurs villes de la mer du Sud.

– Qui t'a dit de brûler leurs villes? Il s'agit d'un commerce aussi honnête que celui que tu faisais avant la guerre. »

Avant la guerre, bien que le roi d'Espagne défendît avec un soin jaloux l'accès du négoce européen sur le territoire de son immense empire des Indes occidentales, ni les Anglais, ni les Français, ni les Hollandais ne s'en étaient privés. Ils n'avaient eu qu'à utiliser les services de quelques correspondants installés à Cadix ou à Séville. Chaque année, des balles de toiles, draps, soieries, dentelles, souliers et chapeaux, parties de Londres, Amsterdam, Nantes, Saint-Malo ou Bordeaux, arrivaient à Cadix où elles étaient réembarquées sur des galions à destination de Porto-Bello, Vera-Cruz et Carthagène qui les redistribuaient à travers les deux viceroyautés du Mexique et du Pérou. A chaque départ de marchandises correspondait un retour en barres d'argent ou en piastres. C'était contrevenir aux lois de Madrid, mais tous les commis du roi d'Espagne, ministres ou gardes-magasins, y trouvaient leur compte autant que les marchands, encore que ceux-ci répugnent à verser d'importantes commissions aux intermédiaires de plus en plus nombreux qui leur favorisaient, à l'aller comme au retour, ce trafic de contrebande.

« Quel serait notre intérêt à te réserver une part

de vingt pour cent sur les bénéfices d'une entre-prise que nous menons tout seuls? demanda Jean-Marie. Nous distribuons déjà trop d'épices. Dis-moi d'abord ton plan. »

Elle fut tentée de lui répondre tout de go qu'il ressemblait à son père, méfiant, regrattier et grippe-sou, mais se ravisa :

« Notre plan, c'est le Nantais, Pierre Bulot, qui te le dira si tu me donnes ton accord pour les vingt pour cent. Tu ne risques rien. Si l'affaire ne te convient pas, nous n'allons pas chez le notaire et rien n'est dit. Je m'adresserai ailleurs. Tout ce que je puis te dire, c'est qu'avec notre plan tu n'aurais plus de commissions à payer en Espagne parce que tu trafiquerais directement avec le Pérou. »

L'éclair qui s'alluma dans ses yeux, Jean-Marie ne l'éteignit pas assez vite pour que Clacla ne le vît pas briller. Elle dit, plus bas :

« Pour les souvenirs que nous sommes seuls à nous rappeler, toi et moi, cela me ferait plaisir si nous devenions riches tous les deux. »

Le trafic direct avec les Indes, occidentales ou orientales, ils étaient des centaines d'armateurs et de négociants à y rêver depuis des années.

« C'est à voir! dit-il pensivement. Toi, tu ne ris-querais rien. »

Elle s'était déjà reprise :

« En te dévoilant notre plan, je risque de le ruiner parce que je l'aurai confié à des incapa-bles. »

Devant Jean-Marie se dressait un comptable dont il n'avait plus envie de trousser les cotillons. Il finit par admettre qu'il donnerait son accord si le plan lui agréait.

« Quand pourrai-je rencontrer ton Nantais?

– Demain après-midi, ici. »

Quand Jean-Marie fut parti, Clacla regretta de ne

pas l'avoir retenu. Avait-il seulement compris tout à l'heure qu'elle en avait eu plus envie que lui?

Parce qu'elle admirait les beaux hommes, maman Paramé avait accepté sans grogner de préparer un lit pour Pierre Bulot lorsqu'il était arrivé rue du Tambour-Défoncé avec Jean-Marie. Du premier coup d'œil, elle qui n'avait connu d'autre éblouissement que la rapide secousse d'un regrattier cagot qui lui faisait l'amour en cachette une fois par mois, elle avait flairé un de ces compagnons qui disparaissent un jour de leur pays et y reviennent, des années et encore des années plus tard, avec de la poudre d'or dans la ceinture et des étoiles au fond des yeux. Ceux-là qui n'ont pas fait profession d'obéir, de calculer ou d'admettre, personne ne les reconnaît, pas même le chien d'Ulysse, mais il y a toujours une vieille Rose Lemoal pour les deviner. A cinquante ans, Pierre Bulot était rentré des Iles avec un visage boucané, des muscles durs, des mains agiles et cet air de s'en foutre qui exaspère les imbéciles. Cacadou, lui non plus, n'avait pas été insensible à ces aspects de l'aventurier conventionnel dont il acceptait de bonne grâce la présence parce qu'elle lui rappelait son ancien maître assassiné.

Dès le lendemain de son retour à Saint-Malo, Jean-Marie convia à souper Joseph Biniac, Guy Kergelho et François Troblet pour leur faire connaître l'homme qu'il avait ramené du Port-Louis. Bien que son souffle fût de plus en plus court et qu'elle vacillât sur ses jambes enflées, maman Paramé n'aurait jamais consenti à se faire aider pour servir le repas de ces cinq hommes : c'était son privilège, et il y allait autant de sa fierté que de son plaisir d'entendre les garçons faire des discours qu'elle ne comprenait pas davantage que le prône du curé mais où elle saisissait au vol des mots miraculeux. Ce soir-là, Pierre Bulot raconta comment il était parti pour les îles d'Amérique après la dissolution de la Compagnie des Indes occidentales, il y avait plus de vingt ans de cela. A Saint-Domingue, il avait défriché, sarclé, planté de l'indigo pour le compte d'un colon qui le payait avec du tabac et de la morue salée. Un jour, il s'était enfui jusqu'à Léogane où des gens de la flibuste viennent souvent mouiller pour prendre leur tour devant les auberges à filles ou pour recruter des hommes courageux au retour de malheureuses expéditions.

« J'ai eu de la chance, dit-il. Je n'étais pas très robuste, je ne savais pas naviguer, je n'avais jamais donné un coup d'épée ni tiré un coup de pistolet. Ils m'ont pris quand même parce qu'ils avaient besoin de monde. A partir de ce moment-là, la vie fut belle!

— Tu touchais une grosse solde? demanda François Troblet.

— Non, jamais de solde. Les prises étaient partagées en parts égales. Ça n'est pas comme chez vous où l'armateur prend tout. »

Les fourchettes et les couteaux s'étaient tout à coup arrêtés. Maman Paramé écouta ce bref silence, n'y comprit rien, s'en inquiéta et entendit Cacadou rire dans sa cage comme il faisait naguère lorsqu'il voulait se moquer de quelqu'un.

« Tais-toi, vilain diable! lui lança-t-elle au bec.

— As-tu gagné beaucoup d'argent? » insista François Troblet.

L'autre haussa les épaules et regarda les quatre capitaines avec une sorte de dédain.

« Qu'est-ce que cela veut dire gagner beaucoup d'argent? Ce qui est important, ça n'est pas d'amasser, c'est de dépenser. Nous autres, on jetait tout en l'air. »

Une question que Jean-Marie avait déjà posée à

Pierre Bulot leur brûlait les lèvres. Guy Kergelho la posa à son tour.

« Tout ce qu'on raconte sur Morgan, l'Ollonois et sur tous les autres, les incendies, les viols, les affaires de la Jamaïque, c'est vrai? Et comment t'es-tu comporté, toi qui n'avais jamais donné un coup d'épée? »

L'ancien flibustier les dévisagea lentement l'un après l'autre.

« La première fois, dit-il, c'est très dur, la deuxième c'est déjà plus facile, la troisième on y prend brusquement goût. Vous savez bien ce que c'est, vous autres, nous faisons le même métier, non? Quant à savoir si c'est la vérité qu'on raconte sur la flibuste, j'ai idée qu'on raconte aussi beaucoup de fables sur la course. Ce que je puis dire, c'est que le roi des Anglais est plus reconnaissant que le nôtre : le capitaine Morgan est devenu comte mais le roi de France ne m'a pas fait marquis. Allez, riez tout votre soûl! Vous avez un peu plus rempli vos caves et nous avons un peu plus risqué la corde. Ça en valait la peine parce que, vous autres, vous n'êtes jamais entrés dans la mer du Sud. »

Les Malouins allaient enfin entendre ce qu'ils attendaient. Rose Lemoal, le souper achevé, enleva les assiettes, laissa les verres, apporta deux flacons de vin, pendant que Jean-Marie étalait sur la table une carte marine des Indes occidentales qu'il avait retirée d'un long tube de métal. C'était un document inestimable, dessiné et colorié avec art qui indiquait tous les atterrages connus des colonies espagnoles d'Amérique et où étaient notés la direction, la période des vents et des courants, ainsi que d'autres chiffres mystérieux correspondant aux observations personnelles d'un pilote. Jamais ils n'avaient vu une carte aussi bien renseignée parce que les capitaines espagnols prenaient toujours soin de détruire leurs cartes avant de se rendre à l'ennemi si la fortune leur était contraire. Sous leurs yeux, tracées par la pointe d'un compas, s'élançaient les grandes routes du commerce reliant Cadix à La Havane, Vera-Cruz, Porto-Bello, Carthagène, d'où partaient d'autres chemins vers Manille et Callao. Un trait rouge, plus assuré, reliait Saint-Domingue à la côte brésilienne qu'il contournait pour plonger jusqu'au détroit de Magellan et remonter le long du Chili et du Pérou.

« Cette carte vous étonne, n'est-ce pas? dit Pierre Bulot. Rien que pour vous avoir permis de la regarder je devrais vous demander un sac d'écus. Lorsque j'étais plus jeune, c'est vrai, nous avons attaqué des galions isolés de la flotte dans la mer des Caraïbes ou le golfe du Mexique. On dit que nous avons opéré quelques descentes dans les îles? Cela se pourrait bien, c'était de la broutille. La Martinique, la Guadeloupe, Cayenne, Saint-Domingue, même la Jamaïque : foutaise! C'est bon pour les riches, ceux qui font travailler les nègres ou les blancs pour le sucre, l'indigo ou le tabac. Foutaise, rien que foutaise! L'or et l'argent ne sont pas aux Antilles, ils sont de l'autre côté des Indes, sur la côte occidentale de l'Amérique. »

Il posa un doigt sur la carte et dit : « Là! » Penchés sur la nappe, les Malouins lirent les noms fabuleux : Guayaquil, Payta, Trujillo, Callao, Lima, Pisco, Arica.

« Un jour, avec quelques compagnons, nous avons décidé d'y aller voir. Il nous a fallu traverser l'isthme en remontant une petite rivière jusqu'à Panama. Nous étions six, et autant d'Indiens. J'étais le seul Français. Là-bas, ce qui compte, c'est d'être un homme. »

Pierre Bulot ferma les yeux pour mieux revoir leurs trois canots taillés dans un tronc d'arbre. Ils étaient entrés dans la forêt aussitôt refermée sur eux avec sa chaleur poisseuse et la puanteur douceâtre des marécages où bâillaient des crocodiles ensommeillés. A travers les lianes, des singes et des oiseaux éclatants se poursuivaient, formes et cris étranges que rythmait le bruit mouillé des pagaies repoussant des fleurs pourries dans l'eau noire. Une fois, il leur était arrivé de découvrir une hutte indienne dressée au milieu d'un minuscule champ de manioc : la prison végétale s'était déjà refermée sur eux. Une autre fois, ils avaient entendu un long bruit de sonnailles comme si toutes les feuilles de la forêt, saisies par un enchanteur, s'étaient mises à tinter. Les flibustiers avaient alors caché leurs canots derrière un rideau de lianes pour ne pas être aperçus par les conducteurs de la caravane mule-tière qui traversait l'isthme en sens inverse avec la cargaison du métal péruvien destiné aux galions. Le lendemain, après avoir pagayé pendant quatre jours, ils avaient enfin découvert la baie de Panama étalée à leurs pieds. Depuis que la ville avait été pillée par une bande organisée qui, elle aussi, avait traversé la forêt entre les deux océans, les Espa-gnols y montaient une garde sévère. Jamais ils n'avaient pu parvenir à s'emparer d'un navire pour reprendre la mer libre vers les ports de l'El-Dorado.

« D'autres que nous avaient réussi, dit Pierre Bulot. Nous avons échoué. Il nous a fallu retraver-ser l'isthme et rentrer quinauds à Saint-Domingue. Là, nous avons appris que la France et l'Espagne se faisaient la guerre. J'étais peut-être un peu pirate, je suis devenu corsaire comme vous autres. J'ai même obtenu, sans rien payer, une lettre de marque avec un brigantin. Vous ne voulez pas me croire? La voici. »

Il montra la lettre officielle qui lui confiait le commandement de l'*Oiseau-Rouge*. Elle portait la signature du lieutenant général gouverneur des Antilles. Jean-Marie déboucha aussitôt un troisième flacon et le porta à la santé de Pierre Bulot tandis que les autres regardaient le capitaine des Caraïbes avec une curiosité mêlée d'admiration et de scepticisme. Comment le représentant du roi avait-il pu signer une telle lettre de commandement au bénéfice d'un flibustier qui avait sans doute mérité dix fois d'être pendu? Pierre Bulot devina leur pensée.

« Les guerres, on les fait avec ce qu'on a, dit-il en souriant. Là-bas, il y avait un millier de gars à qui la flibuste ne rapportait plus rien. Le bon temps, c'était fini. Par-ci par-là une petite prise. Rien d'autre. Autant valait devenir colon, acheter des nègres et planter de la canne! C'est Ducasse qui a eu l'idée de nous engager. Dame, il ne nous a point demandé nos actes de baptême ni même nos noms. Il y avait de tout parmi nous, des Anglais, des Irlandais, des Français, des Hollandais, des Suédois, des Allemands, ignorants ou savants, gueux le plus souvent, nobles quelquefois, même des prêtres. Il y avait aussi quelques Malouins, des gars de par chez vous, partis depuis longtemps, que vous croyez perdus en mer et qui se donnent du bon temps. Ils reviendront peut-être un jour, allez savoir! »

Il parlait lentement et regardait son auditoire avec d'indulgents sourires comme s'il avait voulu leur faire comprendre, presque paternel, que malgré leur air de fiers-à-bras, ils n'avaient ni fait ni vu grand-chose.

« Pendant que vous attendiez, sur la Manche, les *Indiamen* qui rentraient de Surat ou de Sumatra, moi j'ai fait la guerre aux Anglais à la Jamaïque, et aux Espagnols à Carthagène. Ça n'a pas rapporté gros. Un jour, un homme m'a proposé d'essayer de retourner au Pérou, non plus en traversant l'isthme de Porto-Bello à Panama, mais par la route de Magellan. Cet homme dont je vous parle, c'était un ancien maître pilote, un Portugais lui aussi. Seul, le diable devait savoir pourquoi il était entré en flibuste. Il disait qu'avec un brigantin de cent vingt tonneaux comme l'*Oiseau-Rouge* et soixante hommes, on devait réussir à passer si on se présentait dans le détroit avec les bons vents. Regardez cette grosse ligne rouge sur la carte. C'est lui qui l'avait tracée. Moi, j'ai été tenté tout de suite parce que mon échec de Panama m'était resté par le travers. Plus long à se décider, l'équipage a fini par être d'accord. Tout le monde en avait assez de se faire tuer pour quelques doublons parce que la guerre, vous savez ce que c'est, vous autres, il faut que ça rapporte des grades et de l'argent, sinon, va te faire foutre!

– Et ton navire? Qu'en as-tu fait? » demanda naïvement François Troblet.

Pierre Bulot éclata de rire.

« Dame! Je n'ai pas demandé à l'amiral la permission d'appareiller! Le Ducasse, il doit croire qu'on est tous noyés. »

Les voyages lointains, les pays fabuleux, les naufrages, les marins qui disparaissaient pendant de longues années et qui reviennent au logis quand on les croyait morts, il en fallait davantage pour étonner les quatre Malouins. Ils ne pouvaient cependant se défendre de soupçonner l'aventurier d'être un de ces flagorneurs toujours prêts à flouer les crédules trop avides en leur faisant miroiter des trésors. Pierre Bulot n'en fut pas dupe.

« Pauvres gars! dit-il en haussant les épaules. Vous ne croyez pas que j'ai pu conduire l'*Oiseau-Rouge* dans la mer du Sud en passant par le détroit de Magellan parce que M. de Gennes a dû faire demi-tour avec ses sept vaisseaux et ses marquis de la mer. Moi, j'avais à mon bord un maître pilote qui connaissait la route, et des matelots qui n'avaient pas appris à naviguer à l'Ecole des gardes-marine. Ce que je vous propose, je l'ai dit au capitaine

Carbec : c'est de mener moi-même jusqu'à Callao un navire dont vous serez les armateurs et qui sera commandé par un capitaine désigné par vous. Le navire et toute sa cargaison vous appartiendront. Je ne vous demande pas d'avances, mais vous nous donnez vingt pour cent sur les bénéfices retirés de la vente des marchandises de retour.

– Donc, précisa Guy Kergelho, s'il n'y a pas de bénéfices nous ne vous devrons rien?

– Ce jeu-là, vous pouvez le pratiquer avec d'autres, répliqua Pierre Bulot, pas avec moi. Des bénéfices, il y en aura parce que nous ferons les comptes ensemble. Mme Justine s'y entend pour calculer les retours aussi bien que pour les mises-hors. »

Il dit encore :

« Si nous avions, Mme Justine et moi, autant d'argent que vous quatre, nous aurions armé un navire depuis longtemps. Moi, je suis rentré au pays les mains vides mais cette carte marine est à moi seul. Et ça aussi! »

Il avait déboutonné sa veste et en sortit un petit cahier recouvert de grosse toile qu'il jeta sur la table. C'était le carnet où le pilote avait consigné ses observations le long de la côte américaine en rectifiant les erreurs que les Espagnols introduisaient volontairement dans les cartes pour mettre à l'abri leurs richesses. Les Malouins n'ignoraient pas que ces sortes de documents s'achetaient à prix d'or.

Joseph Biniac demanda à son tour :

« Qu'est donc devenu celui qui a écrit ces notes? »

Une fois de plus, l'ancien flibustier haussa les épaules.

« S'il était vivant, ni ce carnet ni cette carte ne se trouveraient ce soir sur cette table. Nous l'avons enterré là-bas, à Chiloé, cette île que vous voyez au bas de l'Amérique, à l'ouest. Il nous avait conduits jusque-là. Nous n'étions pas les premiers. Avant nous des Anglais et des Hollandais y étaient arrivés les uns par la même route, les autres en doublant le cap Horn avec des barques de quatre-vingts tonneaux. Il y a des hommes qui vivent là-bas depuis vingt ans. De Chiloé, ils vont en face, sur la côte chilienne, à Concepción ou à Valparaiso où il paraît qu'on trouve des émeraudes grosses comme ça! C'est surtout des femmes qu'ils vont chercher. Ça n'est pas comme à Terre-Neuve, eux ils n'ont pas de mousses. Nous autres, ce qui nous intéressait, c'était le Pérou. Alors l'*Oiseau-Rouge* est reparti vers le nord en serrant la côte. Lorsque nous nous approchions trop près, les Espagnols nous tiraient dessus. Ils ont des forts et de mauvais canons. On mouillait parfois devant une plantation la nuit. Avec un canot, on y débarquait quelques matelots et on réglait son compte au colon. Dame! c'était la guerre! Cela nous permettait d'avoir des vivres frais, de la viande, des oranges, de l'eau, quelques barres d'argent, des bijoux. Non, pas grand-chose, une misère. Nous n'étions pas venus d'aussi loin pour un butin aussi maigre. Moi, je voulais aller jusqu'à Lima, je voulais voir, je voulais savoir si tout ce qu'on racontait était vrai. J'ai réussi à y pénétrer avec un Indien qui faisait partie de l'équipage. Mêlés à la foule, nous y sommes restés deux jours. J'ai vu des églises en or, des rues pavées avec des plaques d'argent, des femmes qui portaient quarante mille écus de perles sur les épaules, des carrosses en or... »

La voix du flibustier s'était un peu altérée et son regard s'illumina. D'un geste de la main, il effaça les songes qui dansaient au fond de ses yeux.

« Là-bas, reprit-il, tout est en or ou en argent. Des milliers d'Indiens travaillent dans les mines mais le pays ne produit que du métal. Toutes les marchandises venaient de Cadix et étaient transportées par les galions. La guerre a détruit la moitié de la flotte espagnole, si bien qu'à Lima on a davantage de bijoux que de chemises à se mettre sur le dos. Ecoutez-moi bien. Aujourd'hui que la route de la mer du Sud par le détroit de Magellan est connue de quelques pilotes, le marché du Pérou appartiendra à ceux qui arriveront les premiers. Si nous nous mettons d'accord, je suis votre homme pour vous conduire là-bas. Décidez-vous vite, nous ne serons pas seuls. Salut, je vais dormir! »

Il s'était levé, ramassa sa carte marine et son carnet de toile, et sans plus de façons monta l'escalier qui conduisait à sa chambre. Guy Kergelho l'interpella :

« Dites-nous donc pourquoi vous voulez retourner là-bas? »

L'homme se retourna, les considéra du haut des quatre degrés déjà franchis et laissa tomber :

« A votre âge, l'argent c'est pour dépenser. Au mien, c'est pour garder. »

Il redescendit dans la salle.

« Je vais encore vous dire une bonne chose. Quand je suis parti pour les îles, comme « trente-six mois », j'étais commis chez un notaire de Nantes. L'argent, j'en entendais parler du matin au soir, je ne le voyais jamais. C'est pourquoi je suis parti pour Saint-Domingue. C'est aussi pourquoi j'ai déserté : je n'avais pas vu davantage les écus de mon acheteur d'hommes. Des piastres? Plus tard j'en ai fait frire plus que vous n'en resserrerez jamais. Maintenant, je voudrais bien en avoir quelques barils, moi aussi, dans ma cave. Il est temps. C'est ma dernière chance. Quand on n'a plus de dents, on peut encore aimer les noix, non? »

Leur tournant le dos, Pierre Bulot reprit l'escalier avec la même aisance que s'il eût été chez lui.

Le couvre-feu avait sonné depuis plus d'une heure. Aucun des quatre capitaines ne l'avait entendu. Ils ne se séparèrent qu'au retour du petit matin après avoir étudié les différents aspects de l'expédition qu'on leur proposait. L'affaire les séduisait. Ils savaient que, si les vaisseaux espagnols montaient encore une garde vigilante le long des côtes orientales des Indes américaines, les ports du Chili et du Pérou n'étaient plus défendus que par des rafiots délabrés. Ils pesèrent les dangers de l'entreprise. Les périls de la mer, aucun d'eux ne les redoutait au point de refuser un embarquement. Le risque de se voir interdire l'accès des ports péruviens, Guy Kergelho se faisait fort d'obtenir les permissions nécessaires par le jeu de ses relations sévillanes. La perte de leur navire et sa cargaison, ils la couvriraient par une assurance à Londres.

« Non, refusa Jean-Marie. Pas d'assurances, ni à Londres ni à Nantes. Nous devons agir dans le plus grand secret car nous allons opérer en interlopes dans une région réservée au privilège de la Compagnie des Indes.

– Et l'équipage? Tu espères confier un secret à quatre-vingts hommes? fit observer Joseph Biniac.

– Nous choisirons des matelots sûrs. A nous quatre, nous en trouverons qui ne se soûleront pas la gueule avant le départ! »

Les trois autres s'esclaffèrent. Il leur était plus facile de croire à l'El-Dorado que d'imaginer le départ d'un navire sans que son maître d'équipage ne fît au dernier moment la tournée des cabarets et des bordels pour y ramasser les manquants et les ramener à bord fin soûls, à coups de botte.

« Nous leur dirons que nous allons à Saint-Domingue, conclut Jean-Marie. Il sera toujours temps de leur apprendre la vérité. »

Lorsque l'aube réveilla les premiers cris des goélands, les quatre Malouins avaient tenté d'évaluer le coût d'une telle affaire. A la valeur de la frégate estimée cinquante mille livres, ils avaient ajouté

462

une somme de quatre-vingt-cinq mille autres livres représentant les dépenses diverses d'armement pour un voyage de dix-huit mois. Guy Kergelho qui connaissait les habitudes et les besoins des Espagnols serait chargé de dresser la liste des marchandises destinées à être vendues et d'en fixer les prix.

Au moment de se séparer, François Troblet s'inquiéta du commandement de l'expédition.

« Il nous faudra un bon capitaine. Avec la cargaison nous allons lui confier plus de deux cent mille livres.

– J'en connais un! dit aussitôt Jean-Marie.

– Qui donc? demandèrent les autres.

– Moi. »

Il avait dit cela sans élever la voix, avec une assurance tranquille et une autorité qui ne souffraient pas d'objection. Ses amis n'en furent pas surpris, tous le savaient bon marin, ne plaisantant pas avec la discipline, audacieux et capable de témérité dans les situations périlleuses.

« Le maître pilote, nous l'avons déjà : ce sera notre ancien flibustier avec ses cartes marines et ses cahiers d'observations. Pour ce qui est du second capitaine et d'un lieutenant, j'en fais mon affaire. Il ne manque donc plus que le subrécargue qui dirigera là-bas les ventes.

– Je partirai avec toi », dit simplement Guy Kergelho.

Au moment de se séparer, ils demandèrent encore :

« Cette Mme Justine, tu es sûr que nous pouvons lui faire confiance? Tu la connais donc bien?

– Oui, fit Jean-Marie. Vous aussi vous l'avez connue autrefois. C'est Clacla.

– Clacla? La femme de ton père? »

Leur stupéfaction piqua Jean-Marie comme l'aurait fait une guêpe.

« Oui, Clacla! C'est le meilleur avitailleur de L'Orient. Nous pouvons lui faire confiance.

– Clacla? Maquereau frais qui vient d'arriver? demanda, stupéfait, François Troblet.

– Oui! se rebiffa Jean-Marie. C'est ma belle-mère! Même qu'elle a avitaillé le dernier navire de la Compagnie des Indes. »

Interdits, ils craignaient de heurter leur ami. L'un d'eux hasarda :

« Peut-être pourrais-tu demander conseil au capitaine Le Coz? Lui, il garderait le secret. »

Avant de se décider, Jean-Marie attendit une semaine. Il n'osait pas se confier à Yves Le Coz, non qu'il craignît une indiscrétion de sa part mais il avait honte de lui dire qu'il avait revu Clacla et tenait d'elle le projet d'aller trafiquer dans la mer du Sud. Reclus rue du Tambour-Défoncé, le flibustier se levait tard, faisait grand tapage, vidait les bouteilles, tapait dans la motte de beurre, et ouvrait la cage de Cacadou qui en profitait pour aller se percher en haut de l'horloge et y caguer à l'aise. Le premier jour, Rose Lemoal avait fait semblant d'en rire, le deuxième ses lèvres s'étaient resserrées sur un sourire mince, le troisième elle l'avait gourmandé, le quatrième elle avait brandi un pique-feu. La colère de maman Paramé décida Jean-Marie.

Il exposa son affaire sur un ton mystérieux, peu fâché de faire l'important et de confier un secret au vieux capitaine malouin qui n'avait jamais dédaigné de prodiguer ses conseils.

« Où as-tu trouvé ton flibustier? Dans un mauvais lieu sans doute? »

Jean-Marie rougit en racontant les circonstances de sa rencontre avec Pierre Bulot. Yves Le Coz le regardait avec l'air qui lui était habituel quand il traitait une affaire, mi-bienveillant mi-rusé.

« J'ai toujours cru que Clacla valait beaucoup mieux que ce que tu en pensais, dit-il. Moi, je savais qu'elle s'était installée à L'Orient. Quand elle a quitté Saint-Malo, elle est partie pour Nantes. C'est moi qui l'ai recommandée au père d'Emeline, M. Lajaille. Ne raconte cela à personne, surtout pas à ma femme. Nous parlons entre hommes, n'est-ce pas ? »

Le capitaine Le Coz paraissait satisfait de la révélation qu'il venait de faire à Jean-Marie, il le fut davantage de cette autre confidence.

« Ta belle-mère, tu peux lui faire confiance. Hier, elle comptait des sous, aujourd'hui des livres. C'est une femme de tête que ton père avait épousée. Le gars qu'elle t'a fait connaître, elle doit savoir qu'il est solide parce que, la Clacla, elle ne s'embarque jamais sans vérifier sa voilure. A présent, écoute-moi bien, confidence pour confidence, c'est à mon tour de t'en faire une. Des flibustiers comme ton Bulot, il y en a beaucoup qui sont revenus en Bretagne après la paix. J'en connais même quelques-uns. Ils disent tous la même chose, les mines d'or et d'argent, les émeraudes, les perles... Moi, je suis trop vieux, ça ne m'intéresse plus. J'ai décliné les propositions qu'on est venu me faire mais le Noël Danycan et le Nicolas Magon ont ouvert leurs oreilles, même qu'ils viennent de créer une Compagnie de la mer du Sud avec des gens de Paris et de Rouen pour acheter à la Compagnie des Indes cette partie de son privilège. C'est même un Malouin, le capitaine Gouin de Beauchêne, tu dois le connaître, qui conduira deux de leurs navires sur les côtes du Chili en passant par le détroit de Magellan. Des maîtres pilotes ? Ça, mon gars, tu en trouves toujours si tu les paies bien. Je ne t'ai rien dit, n'est-ce pas ? Garde tout cela pour toi seul. Si j'avais ton âge, je crois que je me dépêcherais de partir avant les autres. Il y a certainement très gros à gagner. Au fait, quel âge as-tu donc ?

– Bientôt trente-quatre ans.

– C'est bien ce que je pensais, tu es né l'année de la Compagnie des Indes. Pourrez-vous réunir assez d'argent à vous quatre? Je te demande cela parce que, si tu en avais besoin, je suis toujours prêteur à la grosse aventure. Figure-toi que j'ai pris une petite participation dans une nouvelle société qui va faire du commerce à la Chine : son premier navire, l'*Amphitrite*, quittera La Rochelle dans quelques semaines. Ecoute. Il est midi, reste donc dîner avec nous, nous sommes toujours contents de te voir à la maison. Sais-tu qu'Hervé vient d'obtenir son brevet d'enseigne? Il embarque la semaine prochaine à bord de la *Toison-d'Or* pour Pondichéry. J'en connais une qui va être heureuse, tu ne devines pas qui? »

Jean-Marie n'avait pas oublié les brusqueries d'Emeline Le Coz. Gêné, il fit le geste évasif de quelqu'un qui ne comprend pas.

« Tu n'as pas deviné? C'est ta filleule, Marie-Léone, qui nous est arrivée de Dinan pour les fêtes de Pâques. »

Plus bas, il dit en mettant un doigt sur ses lèvres :

« Il est inutile que tu racontes à Mme Le Coz que tu as rencontré Clacla à L'Orient. Tu m'as compris? »

Et le capitaine Le Coz donna à Jean-Marie une bourrade complice.

Comme tant d'autres fois, Jean-Marie s'assit à la table familiale des Le Coz. Seize années s'étaient écoulées depuis qu'il était venu, pour la première fois dans cette maison, à l'occasion du baptême de Marie-Léone. Il se revoyait, tenant son cierge bien droit au-dessus du petit visage de sa filleule où le prêtre traçait un signe de croix avec son pouce. Dès ce moment, il avait pris son rôle au sérieux, s'était intéressé aux premiers sourires, aux premiers mots de la petite fille, et Marie-Léone, avec cette sûreté que partagent les enfants et les chiens pour reconnaître ceux qui les aiment, avait vite reconnu en lui un ami. Entre l'austérité agressive de sa mère et la tendresse maladroite de son père elle avait situé son parrain dans un espace enchanté où maman Paramé tenait le rôle d'une vieille fée et Cacadou celui d'un oiseau magique. Quant à Jean-Marie, ses longues absences, ses retours imprévus, ses poches toujours pleines de brimborions, et sa gorge de chansons nouvelles, ses récits de corsaire et ses abracadabras hérités de l'oncle Frédéric, en avaient fait une sorte de héros à la fois familier et admirable, à ce point qu'Emeline Le Coz en avait pris ombrage avant même de s'avouer le trouble qui la saisissait en présence du jeune homme.

« Te voilà devenue une véritable demoiselle!

– Pas tout à fait, mon parrain, je dois rester encore deux ans au couvent. »

Elle avait dit ces mots avec une spontanéité charmante où Jean-Marie retrouvait la petite fille d'autrefois qui grimpait sur ses genoux. Quatre années passées sous le commandement débonnaire de religieuses préoccupées de bonnes manières avaient donné à ses gestes et au son de sa voix une modération sans raideur et une aisance sans désinvolture. Son parrain la regarda avec amitié, soudain avec respect. Jusqu'alors, il n'avait jamais regardé que des femmes sans même jeter un coup d'œil sur les filles de Saint-Malo lorsque, roides et paupières baissées, elles accompagnaient leurs mères à l'église ou au marché. Pour la première fois, il se trouvait en présence d'un de ces êtres inachevés, audacieux et fragiles qu'on appelle les jeunes filles, où la gravité de l'enfance s'attarde sur le modelé des joues pendant que les premiers rêves s'allument au fond des yeux. Quels nuages peuvent bien glisser dans le regard d'une jeune fille? Pour Jean-Marie, c'étaient là des sortes de mystères sacrés qui lui rappelaient autant d'images pieuses vues dans les missels, anges combattants ourlés d'or et robes drapant des corps immatériels. Hier encore, une pucelle n'était pour lui qu'un prétexte à plaisanteries, toujours les mêmes, et voilà qu'il découvrait un monde inconnu, île mystérieuse à laquelle il était interdit d'aborder. C'était comme si, tout à coup, sa filleule était redevenue le petit être qu'il avait tenu sur les fonts baptismaux, léger comme l'âme d'un oiseau.

Ruisselant de sourires, le capitaine Le Coz contemplait sa tribu rassemblée autour de la table. Il ne doutait pas qu'il devait rendre grâces à Dieu de lui avoir permis d'épouser une femme fidèle, devenue mère de deux beaux enfants, et de lui avoir donné l'occasion d'amasser dans ses caves assez d'argent pour se permettre d'accoler bientôt à son nom celui d'une petite terre à blé noir sise du côté de La Gouesnière. Son bonheur domestique, la réussite de ses entreprises commerciales, la bonne fin de ses prêts usuraires, il était convaincu de les devoir à la volonté sinon à la protection divine, au même titre que les jolis yeux de Marie-Léone ou la guérison d'Hervé qui s'était tiré de la petite vérole avec un visage peu grêlé. Sa charge de secrétaire du roi, il venait d'en payer la plus grosse partie, quatre mille livres, mais la signature du président du Parlement tardait encore, si bien qu'il n'osait confier à personne, pas même à sa femme, qu'il était sur le point d'atteindre le but suprême vers lequel Dieu l'avait dirigé à travers de minuscules friponneries. « Vous l'aurez pour Pâques! » lui avait promis le comte de Kerélen. Rien n'était fait encore, et le capitaine Le Coz enrageait à la pensée qu'il ne pourrait annoncer, ni à son fils partant pour Pondichéry, ni à sa fille regagnant le couvent, ni même à Jean-Marie qui naviguerait vers les terres australes la bonne nouvelle qui ferait de lui un noble homme à l'égal de Noël Danycan de l'Epine, de Magon de la Chipaudière et de cinq cents autres croquants qui avaient acheté l'an dernier des lettres de noblesse pour participer aux dépenses de la guerre. Il ne put s'interdire d'interpeller les deux garçons :

« Vous autres, les gars, quand vous serez de retour, toi de Pondichéry et toi de la mer du Sud, il y aura eu ici du nouveau! »

Ils le regardèrent tous pour en savoir davantage.

« Peut-être bien que ma sœur aura épousé un duc ou un marquis! s'écria Hervé Le Coz en riant bruyamment.

– Pourquoi pas? » dit Emeline.

Elle avait prononcé ces deux mots d'une voix calme, trop calme, sans parvenir à maîtriser la curiosité qui grondait dans son cœur et l'inquiétude qui la submergeait à la pensée que Jean-Marie allait s'en aller de l'autre côté des Indes occidentales.

« La mer du Sud? souffla-t-elle d'une voix enrouée.

– Ça n'est pas tout à fait cela que je voulais dire, poursuivit le capitaine Le Coz, soudain gêné comme un jeune garçon qui a commis une bévue. Mais Mme Le Coz a raison. En effet, pourquoi pas? N'est-ce pas, ma fille? »

Enseignée au couvent de Dinan avec le plus grand soin par des mères bien nées, l'honnêteté de bonne compagnie eût sans doute exigé que Marie-Léone baissât la tête en rougissant. Elle ne cilla pas. Un léger feu alluma seulement son regard quand elle répondit à son frère sur le ton soudain retrouvé qu'elle employait naguère pour gourmander ses poupées.

« Ne vous mêlez en rien de mes affaires! C'est là un sujet qui n'intéresse personne dans notre couvent. »

Elle mentait. Toutes les filles, les plus jeunes et

les plus âgées, ne pensaient qu'à cela, au mariage, aux rencontres ménagées par quelque servante complice, aux doux billets échangés avec des cavaliers à belle tournure. Aucune n'échappait au besoin d'aimer et d'être aimée, même les élues de Dieu qui avaient cru voir le signe invisible qui en ferait des épouses mystiques. Le visage d'une nouvelle venue, la protection accordée par une grande, les hymnes religieux plus passionnés que Racine n'en eût jamais osé écrire, l'ombre du confessionnal où les plus audacieuses serraient leurs petits dents sur des péchés adorables avant de les murmurer à un vieux prêtre sans illusions et dur d'oreille : chaque circonstance était une occasion de s'émouvoir parce que l'amour était d'abord un songe où les hommes ressemblaient aux héros décrits dans les livres choisis par une mère supérieure qui y avait pensé toute sa vie sans jamais les connaître.

Jean-Marie n'avait pas osé regarder Marie-Léone. Ce fut lui qui rougit. Que sa filleule se marie un jour, il n'y avait jamais pensé. Il ne lui était même pas venu à l'esprit qu'elle puisse devenir une femme, mais la simple réflexion d'un frère aîné avait suffi pour qu'il l'imagine nue, tournée et retournée dans le lit d'un homme, comme toutes les autres. Voyant les yeux d'Emeline Le Coz fixés sur lui, il baissa la tête sur son assiette et entendit gronder dans son cœur la honte d'avoir assisté, sans lui porter secours, au viol d'une petite fille.

Marie-Léone avait ce visage lisse des très jeunes filles qui n'ont connu que les caresses maternelles. Se tenant bien droite sur sa chaise, moins guindée que les années précédentes, elle distribua des sourires bleus autour de la table et, comme si elle fût déjà maîtresse du logis, tint le dé de la conversation avec une aisance qui n'enchanta que le capitaine Le Coz.

« Ainsi, mon parrain, vous allez partir pour la

mer du Sud? C'est bien celle qu'on appelle aussi la mer Pacifique? Passerez-vous par le détroit de Magellan ou doublerez-vous le cap Horn? »

Elle posa cent questions, les unes à son frère, les autres à Jean-Marie, s'informant de la longueur de leur absence, des pays nouveaux qu'ils allaient connaître, vous me raconterez à quoi ressemblent les Patagons, du genre, du tonnage et du nom de leurs navires.

« Comment s'appelle votre bateau, Hervé?

— La *Toison-d'Or.*

— Et le vôtre, mon parrain?

— Ma foi, notre frégate n'a pas encore de nom. Nous n'y avons même pas songé, dit Jean-Marie en riant. J'ai rendez-vous tout à l'heure avec mes associés, il nous faudra résoudre ce grave problème.

— Donnez-moi donc des nouvelles de maman Paramé et de Cacadou. »

Plus tard, comme elle raccompagnait son parrain à la porte de la maison, elle lui dit tout à trac :

« J'ai trouvé un joli nom pour votre frégate.

— Lequel? »

Sûre d'elle, elle répondit :

« *Marie-Léone,* dame! »

La *Marie-Léone* leva l'ancre le 15 mai 1698. La mise-hors de la frégate n'avait pas demandé plus de trois mois, tout le monde s'étant mis au travail sans rechigner. Pour s'occuper de la mâture, des voiles, des cordages, des armes et des munitions, le capitaine Locdu avait retrouvé sa vieille pratique des voyages lointains du temps qu'il conduisait l'*Heureuse* vers les mers chaudes. Pierre Bulot, promu maître pilote par contrat, avait été chargé d'acheter tous les instruments de navigation et d'astronomie nautique qu'il jugerait nécessaires : astrolabe, arbalète, quartier de Davis, longues-vues, aiguilles aimantées, lignes de loch, sondes et cartes marines. A son offre de recruter lui-même les quatre-vingts matelots nécessaires à la bonne marche de la frégate, Jean-Marie avait opposé un refus sans réplique, préférant confier ce coin au maître d'équipage du *Frédéric* dont il avait éprouvé la fidélité et le courage pendant la guerre de course. Soixante hommes avaient été rigoureusement triés par François Troblet et Joseph Biniac, le complément devant être enrôlé, cette fois par Pierre Bulot, à Saint-Domingue où l'on trouverait quelques vieux rouliers du détroit de Magellan et où l'on se ravitaillerait en eau et en vivres frais avant de piquer vers le Sud. Le secret de la destination finale avait été sauvegardé.

Aucun matelot, pas même le bosco, ne savait que la frégate était destinée aux côtes du Chili et du Pérou. On leur avait dit seulement qu'on partait pour les Caraïbes. C'était pratique courante. Quel capitaine d'aventure aurait agi autrement?

Entré en relations discrètes avec ses correspondants de Séville pour s'enquérir des besoins les plus urgents des colons espagnols, Guy Kergelho avait fait diriger sur le Port-Louis vêtements, chapeaux, souliers, tables et fauteuils, ustensiles de cuisine, miroirs, plats et assiettes, écritoires, tandis que Clacla achetait par centaines aux lingères de Paris et de Rennes des paires de bas, jupes, robes, coiffes, gorgerettes, mouchoirs et manchettes, manteaux à la vénitienne, chemises garnies de dentelles et culottes enrubannées, fards et parfums, et d'autres centaines de ces trois sortes de jupons qu'aucune honnête femme n'aurait manqué de superposer, la modeste, la friponne et la secrète, fragiles remparts promis au saccage. Pour sa part, Jean-Marie, reconnu par ses trois associés chef de l'expédition, courait de Saint-Malo à L'Orient. On le voyait partout, chez le notaire, les courtiers, les maîtres voiliers et les maîtres charpentiers, passant en coup de vent dans la maison Le Coz, dites à ma filleule que nous avons donné son nom à notre frégate, prenant des airs mystérieux avec tous, visitant à la mousquetaire la veuve du capitaine péri en mer, et prenant l'air offensé pour mentir à ceux qui avaient eu vent de ses préparatifs.

Par discrétion, Rose Lemoal n'écoutait jamais les propos échangés entre son maître et ses hôtes quand elle les servait. L'eût-elle voulu, elle aurait été le plus souvent incapable de les comprendre, mais dès qu'il s'agissait de Jean-Marie elle devinait les paroles les plus obscures avec un flair de chienne qui vient de mettre bas. L'arrivée de Pierre Bulot rue du Tambour-Défoncé l'avait avertie qu'un danger la menaçait. Comprenant qu'on la tenait à l'écart d'un secret partagé avec le nouveau venu, elle s'en était courroucée sans rien faire apparaître. Lui-même, Jean-Marie, redoutait d'apprendre à maman Paramé qu'il serait absent pendant de longs mois, peut-être deux ans. Moins discret, Cacadou écoutait les conversations des quatre associés et parvenait à saisir quelques mots d'un vocabulaire mystérieux, Panama, Callao, Lima, Pérou, Chili, Magellan... qu'il répétait du matin au soir en renversant la tête comme il avait vu faire à son maître pour ses gargarismes matinaux. Il disait aussi un autre mot jamais prononcé jusqu'alors, Clacla, si bien que dans sa jugeote sans détours Rose Lemoal pensa que les quatre garçons devaient parler de la veuve Carbec en son absence. Après en avoir été toute retournée, elle voulut, le balai haut, menacer le mainate, tais-toi, vilain diable, mais une vieille prudence lui conseilla de n'en rien faire : Cacadou profiterait de son trouble pour l'enrager en peuplant toute la maison de claclas ricaneurs. Ravalant sa colère inquiète, elle avait à son tour ouvert les oreilles et enfin compris que Jean-Marie rencontrait sa belle-mère toutes les fois qu'il allait à L'Orient. C'était donc cela le secret qu'on lui cachait? Maman Paramé avait perdu l'habitude du malheur. Elle laissa courir ses imaginations qui, faute de pouvoir s'en aller bien loin, tournèrent en rond dans son cœur anxieux au point de la persuader que Clacla allait bientôt revenir rue du Tambour-Défoncé pour y reprendre sa place. Sûre de sa clairvoyance, elle s'était juré de ne jamais assister à un tel spectacle, et était même montée dans sa chambre pour entasser ses hardes dans son vieux coffre afin d'être prête à s'en aller dès que l'autre serait près d'arriver.

Un soir, elle ne put garder le silence. Jean-Marie, absorbé par ses soucis de mise-hors, achevait son souper sans avoir dit un mot quand, levant la tête et regardant Rose Lemoal, il lui vit une figure sombre et dure qu'il ne lui connaissait pas. Avant qu'il s'en fût inquiété, elle disait déjà, bravement :

« Alors, derrière mon dos, vous parlez tous les quatre de la Clacla ? »

Interdit, Jean-Marie ne savait quoi répondre et sentait une rougeur chaude lui monter aux joues. Pour gagner du temps, il prit le parti de répondre :

« Qu'est-ce que tu dis ?

– Je dis ce que je sais, monsieur Carbec. »

Jean-Marie savait que, lorsque sa nourrice l'appelait monsieur Carbec, c'est que sa dignité se trouvait être gravement offensée pour une raison futile et destinée à bientôt disparaître dans le bruit de quatre baisers sonores. Cette fois, il comprenait que l'objet risquait d'être plus sérieux. Il demanda :

« Qui t'a parlé d'elle ? »

D'un menton dédaigneux, Rose Lemoal se contenta de désigner la cage du mainate.

« Cacadou ? Que vient faire Cacadou dans cette affaire ?

– Oui, Cacadou, monsieur ! Même que depuis plus d'un mois, il l'appelle du matin au soir, Clacla par-ci, Clacla par-là, et encore Clacla ! C'est qu'il vous aura entendus, non ? Si tu crois que je ne vois pas toutes vos manigances ! Lui, le Cacadou, il est plus malin que vous quatre avec votre flibustier. Il y a longtemps qu'il a tout compris, et moi aussi j'ai tout compris. Tu veux la faire revenir, la Clacla ? Eh bien, fais-la revenir, mon gars. J'ai déjà préparé mon coffre. »

Elle ne put en dire davantage. Aucun son ne passait plus à travers sa gorge nouée et, à force d'être écarquillés, ses yeux se remplissaient de larmes. Comme tant d'autres fois, Jean-Marie l'avait déjà prise dans ses bras, moitié riant moitié pleurant lui aussi pour lui révéler la vérité sur les préparatifs du grand voyage dont il serait le chef. Non, jamais la Clacla ne reviendrait à Saint-Malo, sa maman Paramé pouvait en être sûre, il le jurait sur la Sainte Vierge.

« Assieds-toi, dit-il, et ne crains rien. Ce soir, c'est moi qui te sers la goutte. »

Elle en but deux verres, essuya son nez qui coulait, écouta Jean-Marie lui parler des trésors de la mer du Sud et le regarda avec les mêmes yeux émerveillés qu'elle avait, une fois par an, quand elle regardait la crèche de Noël. A un moment, elle renifla un bon coup pour se donner du courage avant de demander :

« Pourquoi ne te maries-tu pas, Jean-Marie?

— Trouve-moi une femme! répondit-il en riant.

— Les filles, poursuivit Rose Lemoal d'un air entendu, ça n'est pas ce qui manque à Saint-Malo. J'en connais plus d'une qui ne demanderait pas mieux. Tu es un beau gars, tu sais. Il n'y a qu'à voir comment elles te regardent. Tu ne vas pas faire comme ton oncle Frédéric?

— Je te promets d'y penser à mon retour si d'ici là toutes les femmes que je connais ne sont pas mariées ou remariées. »

Maman Paramé osa dire :

« Les femmes? Tu parles toujours des femmes. Moi, je serais plus tranquille si tu te maries avec une jeune fille, tu comprends? »

D'un seul coup elle avait retrouvé l'aspect paisible et lunaire des religieuses qui ont franchi sans naufrage le cap des tempêtes.

La paix de Ryswick avait provoqué une grande agitation dans tous les milieux du négoce, de l'armement et de la finance. Anglaises, françaises ou hollandaises, les compagnies de commerce avaient aussitôt repris les grandes routes de la mer, vers Surat et Calcutta, Java et Macassar, la Chine et le Japon, ou vers l'Afrique et les Antilles, la Nouvelle-Angleterre et le Canada. Les plus riches opéraient avec leurs propres navires, aucune ne refusant de céder à prix d'or une fraction de ses privilèges à des particuliers pour leur permettre de trafiquer sur ses territoires réservés. Seules les colonies américaines de l'Espagne demeuraient interdites au négoce étranger, mais tous les armateurs connaissaient maintenant la possibilité de les tourner par le sud et d'atteindre la plus riche d'entre elles, le Pérou, en remontant le long des côtes du Chili. Il faudrait seulement aller vite, sans se soucier de la marine espagnole, pour parvenir les premiers sur un marché bon à prendre avant la ruée des autres navires interlopes.

En quittant le Port-Louis dès le mois de mai, la *Marie-Léone* avait gagné huit mois d'avance sur les bâtiments malouins armés à La Rochelle par Magon et Danycan. Six semaines suffirent à Pierre Bulot pour la conduire en droiture à Saint-Domingue où l'équipage devait être complété. C'était le premier grand commandement à la mer assumé par Jean-Marie, ce fut sa première découverte des immenses plages de sable blanc, de l'eau bleue transparente où glissent des poissons inconnus, des îles suspendues entre le ciel et l'eau comme des couronnes de verdure et de fleurs, des longs cocotiers épanouis comme des éventails, des orages sulfureux et des pluies tièdes. Le jour où la frégate avait mouillé dans la baie de Léogane, la mer était huileuse, presque immobile, semblable à une grande glace dorée où se mirait le soleil perpendiculaire. Quelques navires de plus petit tonnage qui semblaient n'être là que pour souhaiter la bienvenue à la *Marie-Léone* se balançaient imperceptiblement et se soulevaient à peine de l'avant à l'arrière lorsqu'une ride d'eau molle passait sous leur coque, léger tangage qui faisait battre les voiles hautes sur les mâts. Groupés sur le pont, tous les matelots de la frégate regardaient ce spectacle tranquille et doux. Beaucoup d'entre eux étaient déjà venus aux îles, les autres les connaissaient à travers les récits de quelque vieux gabier qui n'avait jamais mis pied à terre que pour lamper du tafia à la dame-jeanne, sauter une négresse à la sauvette, rentrer à bord fin soûl, vérolé et transformant aussitôt cette mince débauche en souvenirs fabuleux. Lui-même, Jean-Marie, avait souvent entendu son oncle parler de la Martinique avec des accents nostalgiques alors que tout le monde, à Saint-Malo, savait que Frédéric brûlé par les fièvres était resté cloué sur sa paillasse lorsque, retour des Indes, le *Saint-François-d'Assise* avait fait escale à Fort-Royal. Sa voix n'en prenait pas moins comme une odeur de rhum.

Quatre jours après que la *Marie-Léone* eut mouillé devant Léogane, Pierre Bulot avait déjà fait inscrire sur le rôle d'équipage les vingt hommes nécessaires aux manœuvres qu'exigeraient le passage du détroit de Magellan et la navigation dans la mer du Sud. Au moment de les embarquer, Jean-Marie prit peur : il ne connaissait rien de ces forbans qui avaient oublié eux-mêmes leur nom et leur pays d'origine, et dont les défroques et la trogne les projetaient au-delà de leur légende. Encore que les soixante matelots recrutés à Saint-Malo ne fussent pas des agneaux, n'était-ce pas enfermer dans une bergerie vingt loups fort capables de s'emparer de la frégate avec la complicité, allez savoir, du Bulot? Le maître pilote le rassura durement.

« Pensez-vous vraiment que la Justine aurait voulu vous attirer dans un guet-apens? C'est bien elle qui a été la cheville de nos accords, non? Ne craignez pas. La flibuste a ses règles d'honneur et d'honnêteté. Elles en valent bien d'autres. A partir du moment que ces hommes vous ont donné leur parole, ils ne trichent jamais, M. Ducasse qui les commanda à Carthagène en sait quelque chose. Si l'un d'eux devait y faillir, c'est à moi qu'il aurait affaire, et vous verriez comment cela se passe chez nous. En revanche, si vous ne teniez pas vos engagements, je prendrais la tête de leur révolte. Moi, je me suis engagé à vous apporter vingt matelots, les voici, et à vous conduire jusqu'à Callao, je suis prêt à partir. Quand hissons-nous les voiles? Etes-vous sûr que vos Malouins vous suivront lorsque vous leur direz qu'on appareille pour le détroit de Magellan? »

L'honneur et l'honnêteté de la flibusterie, Jean-Marie n'y croyait pas. Seul le rappel du rôle joué par Clacla dans l'aventure qui le poussait aujourd'hui vers la mer du Sud le conforta assez pour persuader ses matelots que, s'ils restaient à bord de la *Marie-Léone* jusqu'au Pérou où il voulait les mener, ils reviendraient cousus d'or à Saint-Malo.

Par un clair matin du mois d'août, ses cartes et son cahier ayant été consultés, Pierre Bulot demanda au maître d'équipage de moduler quelques coups de sifflet pour faire lever le vent. Tous les gabiers étaient aux postes. Comme si elles obéissaient à quelque génie invisible, les voiles se gonflèrent bientôt et le maître pilote prit lui-même le timon en mains qu'il garda jusqu'au soir, au moment où, parvenue au cap occidental de Saint-Domingue, la frégate vira de bord et mit cap au sud dans la brume du crépuscule.

Six mois plus tard, la *Marie-Léone* entra dans le détroit de Magellan. Pendant cent quatre-vingts jours, elle avait parcouru près de trois mille lieues, descendant, comme d'une échelle de corde, le long des Indes américaines, mouillant devant Tobago, Pernambouc, Bahia, Rio de Janeiro, et enfin à

Buenos Aires pour réparer ses avaries ou charger des vivres frais avant d'atteindre le cap des Vierges où se ruait la mer grise avec des bruits de canonnade. Deux ans auparavant, six vaisseaux du roi étaient parvenus jusque-là, dans le dessein de tourner les colonies espagnoles : ils avaient dû rebrousser chemin sans pouvoir forcer le terrible passage. Là où le marquis de Gennes avait échoué, Jean-Marie Carbec était bien décidé à réussir et à devancer du même coup les navires que d'autres Malouins armaient avec l'accord de la Compagnie des Indes.

Pierre Bulot avait sorti d'un long étui de cuivre une carte marine où était dessiné le long couloir rocheux suivi naguère par Magellan et son pilote Pigafetta. Depuis le départ de L'Orient, il se montrait aussi discret et courtois, voire taciturne, qu'il avait été beau parleur et brutal rue du Tambour-Défoncé. Maintenant que le cap des Vierges était doublé, il était devenu le véritable maître de la navigation mais il demeurait attentif à ne donner lui-même des ordres qu'aux seuls timoniers, afin de ne jamais priver Jean-Marie des prérogatives inaliénables du commandement à la mer.

Comme cela était écrit dans le cahier du pilote, le vent, après avoir tournoyé pendant deux jours, souffla régulièrement de la partie Est. Placés aux postes de sondeurs, les hommes de Saint-Domingue devaient se relayer toutes les heures tant ils s'épuisaient à se faire entendre dans le vent hurleur qui leur enfonçait dans la gueule le nombre de brasses relevées et transmis à leurs voisins. Terrifiés, ceux de Saint-Malo se taisaient. C'était pire qu'à Terre-Neuve. Ici ils se trouvaient pris dans les pièges d'un corridor d'eau remuée de courants contraires où se dressaient soudain des blocs de glace entourbillonnés d'une neige lourde qui tombait des falaises effacées par le brouillard. Trois semaines plus tard, la mer libre s'ouvrit enfin devant la frégate, c'était la mer du Sud, celle que Magellan avait appelée El Pacifico lorsque sa *Trinidad* était sortie du détroit tumultueux.

Au terme d'un long voyage commencé au Port-Louis dix mois auparavant, la *Marie-Léone* parvint devant Callao à la fin du mois de mars de l'année 1699. Il lui avait fallu trois mois pour remonter le long du littoral chilien, étroite bande de sable écrasée de soleil, dominée par l'immense Cordillère. A Concepción, Valparaiso, Coquimbo, minuscules cités à peine sorties de terre et souvent incendiées, la frégate reçue à coups de canon n'avait pas même pu se ravitailler en eau douce et en vivres frais. Pris pour de dangereux frères de la côte, les Malouins étaient alors repartis vers le nord avec leur cargaison intacte et de nombreux malades.

Prudent, Jean-Marie avait mouillé au large de Callao. Il commanda aussitôt le grand pavois, envoya les flammes qui disaient les intentions pacifiques et commerciales de la *Marie-Léone*, et fit tirer en l'honneur du vice-roi une triple salve à laquelle les batteries du Castillo ne daignèrent pas répondre. C'était l'heure du couchant. Le soleil avait déjà disparu de l'autre côté de la mer immobile et bleue. Les matelots demeurés valides agitèrent leurs bonnets et regardèrent les maisons blanches alignées au fond de la rade, plus loin les cinquante clochers de Lima et, là-bas, barrant l'horizon enflammé, la masse de la Cordillère qu'ils avaient longée depuis le bout du monde.

« Maintenant, c'est à ton tour de travailler! » dit Jean-Marie à Guy Kergelho.

Les relations entretenues par le subrécargue avec les marchands de Séville et de Cadix lui permettaient de tirer parti mieux que ses associés des singulières contradictions du système espagnol où les plus lâches tolérances faisaient bon ménage avec la plus implacable autorité. Il savait que si la Couronne se réservait âprement le droit de communiquer seule avec ses colonies, elle était incapable ni de soutenir cette prétention par la force ni de fournir aux quatre millions d'Espagnols, disséminés à travers les Indes américaines, les objets les plus indispensables qu'il leur était cependant interdit d'acheter à l'étranger ou de produire eux-mêmes. Pris entre l'obéissance et la nécessité, comment les agents du vice-roi auraient-ils pu résister à la corruption dans un pays où l'or et l'argent demeuraient la seule raison de vivre, et à une époque où, dans le monde entier, il était plus facile de faire du commerce de contrebande que de respecter les lois publiées à Madrid, Versailles, Londres, ou Amsterdam ?

« Il est trop tard pour débarquer, fit observer Guy Kergelho. Après le coucher du soleil, les règlements l'interdisent. Demain matin j'irai à terre et j'emmènerai avec moi l'aumônier : dans ces pays, une soutane est un bon bouclier. Mais il se pourrait que nous recevions de la visite. »

Cette nuit-là, en effet, sous le ciel austral pointillé d'étoiles inconnues, les hommes de veille aperçurent une chaloupe qui se dirigeait vers la *Marie-Léone*. Alertés, Jean-Marie et Guy Kergelho firent monter sur le pont quelques Malouins en état de porter des armes.

« *¿Quien va ahi*[1] *?* interrogea Kergelho lorsque la barque fut parvenue à portée de fusil.

— *¡Amigos! Bienvenida a los marineros franceses. Nosotros traemos agua fresca y naranjas*[2]. »

Deux hommes se tenaient debout dans la chaloupe et montraient du doigt des corbeilles de fruits

---

1. Qui va là ?
2. Amis ! Bienvenue aux marins français. Nous vous apportons de l'eau fraîche et des oranges.

qui brillaient sous la lune comme des boules de métal.

« Je pense que nous pouvons les faire monter à bord, dit Guy Kergelho. Ils vont certainement nous faire des propositions d'achat.

– Fais-les passer par un sabord, ordonna Jean-Marie au maître d'équipage. Vous autres, dit-il aux matelots, vous porterez tout de suite les barils d'eau et les oranges aux malades. »

Parvenus sur le tillac, les deux Espagnols se présentèrent. L'un, tout rond, vêtu d'un justaucorps de coupe sévère, sans doute noir et orné d'un reste de dentelle, était marchand de son état. L'autre, long et mince comme un cigare, enveloppé d'une cape bleue comme la nuit et coiffé d'un vaste chapeau de feutre, portait l'épée : il était capitaine à l'amirauté. Côte à côte, on aurait dit un jeu de bilboquet. Le premier traduisait les paroles de l'officier qui se voulaient véhémentes :

« Le capitaine exige la présentation de tous les documents de votre navire. Il dit que le roi d'Espagne interdit aux étrangers de venir trafiquer aux Indes sous peine d'être mis en prison.

– Nous ne l'ignorons pas, répondit Guy Kergelho en souriant. Aussi, nous vous remercions d'avoir porté des oranges à nos malades, atteints du scorbut, avant de les envoyer au cachot.

– Par générosité chrétienne et par courtoisie, pas davantage! affirma le marchand.

– Une courtoisie en appelle une autre, fit le Malouin. Nous ferez-vous l'honneur d'accepter pendant quelques instants l'hospitalité de la *Marie-Léone*? »

Les quatre hommes s'étaient installés dans la chambre du conseil où Jean-Marie déboucha lui-même quelques flacons de vin dont la pourpre fruitée tira vite des larmes aux yeux du capitan :

« *¡Madre de Dios! Hace más de un año que no he bebido una sola gota*[1].

– Plus d'un an? s'étonna Guy Kergelho. En France, malgré la guerre, les honnêtes gens ont toujours été pourvus. Vin, nourriture, vêtements, nous ne manquons de rien. Buvez donc largement de ce vin, il vient d'Espagne, il vous rappellera votre pays.

– Heureux Français! s'exclama le marchand d'une voix sourde. Ici, nous sommes démunis de tout. Regardez de plus près l'habit du capitan et le mien, ils sont râpés, usés, raccommodés. Nous ne portons plus de chemises depuis longtemps, et nos femmes ne s'habillent qu'avec de vieilles loques. »

En ouvrant largement les bras tels deux acolytes qui implorent Dieu de ne pas leur refuser plus longtemps sa miséricorde, les deux Espagnols montraient aussi leurs mains chargées de bagues.

« Nous n'avons même plus de fil et d'aiguilles! se désespéra le capitan.

– Comment pouvez-vous expliquer cela? » demanda hypocritement Kergelho.

Le marchand arracha de son ventre un soupir.

« Ce serait trop long à vous dire! Le roi, le vice-roi, la Casa de Contractación, le Consulado de Indias, tous nous interdisent d'acheter quoi que ce soit aux étrangers, ni chemises, ni marmites, ni souliers, alors que l'Espagne n'est plus capable de nous envoyer des navires! »

Comme s'il avait compris ce que son compère venait d'expliquer en français, le capitan intervint sur un ton sans réplique pour dire que les ordres du roi demeuraient sacrés.

« Sans doute, messieurs, répondit Guy Kergelho. Nous sommes nous-mêmes soucieux des ordres du roi de France et nous comprenons que vous deviez

1. Mère de Dieu! Il y a plus d'un an que je n'en ai bu une seule goutte!

484

vous plier à ceux du roi votre maître. Mais si le roi d'Espagne vous interdit d'acheter, je ne pense pas, sur mon âme et sur mon honneur qu'il puisse vous empêcher de recevoir quelque cadeau que seraient prêts à vous offrir deux humbles sujets du roi de France? »

Prenant la balle au bond, le représentant de l'amirauté la renvoya aussitôt de la façon la plus courtoise :

« Notre roi ne nous interdit pas non plus de donner! Souffrez donc, messieurs les Français, que nous soyons les premiers à vous offrir un modeste présent. »

Il avait déjà tiré de son index droit une bague où s'enchâssait un rubis serti de petits diamants et l'avait tendue à Jean-Marie, tandis que le marchand donnait au subrécargue un anneau d'or plus modeste encore que lourd. Refuser ces cadeaux, quel qu'en fût le prix, c'eût été fait injure aux Espagnols et leur signifier qu'on ne voulait pas avoir affaire avec eux. Jean-Marie fit apporter de nouveaux flacons, encore un peu de vin amigo, et jugeant que le moment était venu pour son subrécargue d'engager avec les deux autres une conversation utile, il prétexta quelques devoirs pour les laisser face à face.

A l'immobilité silencieuse de la nuit, succédaient maintenant les vols aigus des hirondelles de mer à plastron rouge qui tournoyaient dans l'aube autour de la *Marie-Léone*. Les trois hommes s'étaient mesurés jusqu'au petit matin avant de se mettre d'accord sur les clauses d'un marché que le Français n'aurait jamais osé imaginer. Tout avait commencé très vite. Une première lecture du gros registre où s'alignaient, par nature et par quantité, les noms des marchandises embarquées, avait suffi au marchand espagnol pour qu'il déclarât son intention d'acheter la cargaison tout entière. Il voulait tout emporter pour être sûr de pouvoir tout revendre, sans concurrence possible, sur le marché de Lima. Le prix lui importait peu.

Inquiet de minimiser la valeur de sa cargaison, le subrécargue pensa qu'il en tirerait un meilleur profit en la vendant au détail, article par article, mais l'autre, pressé de conclure, ne voulait rien entendre. D'un œil connaisseur, le marchand feuilleta une deuxième fois les papiers de Guy Kergelho, parut réfléchir longuement et, sans avoir noté le moindre chiffre, fixa son prix :

« Je paie le tout quatre cent mille piastres. »

Aussi bon financier que l'Espagnol, le Breton se livra à son tour à une lente réflexion. Un calcul rapide lui avait fait évaluer le bénéfice de l'opération : 400 000 piastres représentaient 1 200 000 livres alors que la mise-hors de la frégate ne devait pas dépasser 250 000 livres. Pour être fort appréciable, le gain ne dépasserait guère de six fois le capital risqué dans une longue et hasardeuse entreprise qui durerait au moins deux ans. On était loin des 4 700 pour 100 des dividendes distribués par l'amiral Drake à ses actionnaires au retour de la *Golden-Hind* : sans nul doute, la course était-elle plus profitable, à peine moins dangereuse. Devant cette évidence Guy Kergelho prenait aussi conscience que la *Marie-Léone* venait d'ouvrir la porte à un nouveau négoce dont les possibilités lui apparaissaient plus considérables que toutes les espérances de l'ancien flibustier qui l'avait conduit devant Callao. Allait-il compromettre l'avenir des autres expéditions déjà entrevues? Il lui fallait aligner des chiffres et concilier dans le même temps la ruse et l'honnêteté, la prudence et l'audace, la rigueur et l'imagination, autant de qualités malouines d'apparence contradictoires, sans doute inchiffrables et qui finissent toujours par s'additionner.

« Nous sommes bien d'accord, s'irrita le marchand. Pourquoi refaites-vous ainsi vos comptes? »

Son impatience le perdait. Il avait baissé sa garde trop tôt. Guy Kergelho sut que le moment était arrivé de le ferrer.

« Nous le serons bientôt. Entre marchands, il n'est guère de négociations qui n'aboutissent à un arrangement. Refaisant en effet mes comptes, je m'aperçois qu'en vendant notre cargaison, article par article, soit à vous seul soit à plusieurs marchands, j'obtiendrais le double du prix que vous me proposez, soit 800 000 piastres. Cependant, une galanterie en appelant une autre je serais prêt à accepter 750 000 piastres.

– *¡Usted quiere ahogarme* [1] *!* » rugit l'Espagnol en croisant ses deux mains sur son cou.

Jusque-là, le capitaine avait dédaigné de prendre part à une discussion aussi sordide. Abandonné sur un fauteuil, jambes allongées et yeux mi-clos, il fumait, les allumant l'un à l'autre, de longs cigares, tout noirs, qui empestaient la chambre et le faisaient cracher par terre avec la désinvolture des gens bien nés. D'un signe impérieux, il fit taire son compagnon.

« L'important dans cette affaire, dit-il, ça n'est pas l'argent. Nous avons besoin de votre cargaison, mais il nous faut sauver les apparences afin de ne pas compromettre le vice-roi en le plaçant dans une situation qui le mettrait en désaccord avec le Grand Conseil des Indes. Non, l'argent ne compte pas. Malheureusement cela n'empêche pas que l'interdiction du trafic demeure formelle. »

Le capitaine expliqua au subrécargue que si la

1. Vous voulez donc m'étrangler!

487

Marie-Léone avait jeté l'ancre dans un estuaire isolé, il n'aurait pas été difficile de la délester de sa cargaison. Quelques nuits et quelques chaloupes y eussent suffi sans que les autorités fussent alertées. Ici, à Callao, à une lieue de Lima, aucun commissaire du port, aucun officier de l'amirauté ne pouvait se prêter à un tel manège. Il faudrait s'y prendre autrement. Comment? En se mettant sous la protection de la loi pour violer la loi.

« Ecoutez-moi, amigo. A la fin d'un si long voyage, votre navire doit souffrir de quelque avarie?

– Nous avons brisé un mât, et nous avons à bord vingt matelots atteints du scorbut.

– Parfait. Pour faire bonne mesure, vous demanderez à votre maître charpentier d'ouvrir une large voie d'eau dans une chaloupe. Maintenant, nous allons regagner Callao de la même façon que nous sommes arrivés ici. Dans une heure, vous ferez hisser votre pavillon de détresse pour demander la libre pratique. L'amirauté vous l'accordera, j'en aurai fait mon affaire. Lorsque votre *Marie-Léone* sera amarrée au quai, toute sa cargaison sera débarquée et enfermée dans un magasin dont la porte sera scellée. Cela, pour que personne ne puisse vous soupçonner de trafiquer. Pendant que les charpentiers répareront votre navire, nous ferons sortir vos marchandises par une autre porte, celle-là non scellée, et nous les remplacerons par autant de caisses d'argent, en barres ou en piastres, jusqu'à concurrence de 700 000 piastres...

– Pardon! 750 000... interrompit Guy Kergelho.

– Point. Soyez raisonnable. J'ai fixé cette somme de 700 000 piastres parce que nous aurons à verser ici et là quelques petits cadeaux à certains commis du Conseil des Indes qui ont besoin d'alourdir leurs traitements avant d'être rappelés à Madrid. Dans quinze jours, votre navire sera en état de reprendre la mer. D'ici là, j'espère que votre capitaine et vous-même me ferez l'amitié d'être mes hôtes, ma maison et mon domestique sont à vous. »

N'en croyant pas ses oreilles, le subrécargue demeurait méfiant. Il osa demander :

« Qui nous assure que nos marchandises ne seront pas confisquées avant d'être payées, et mes matelots emprisonnés? »

L'officier s'était levé. Il dit simplement :

« Moi, monsieur. Ne plaçons pas les affaires sur le terrain de l'honneur. Le Pérou a besoin de cent cargaisons semblables à la vôtre et est prêt à les payer un bon prix. Pensez-vous que le meilleur moyen d'attirer d'autres navires étrangers vers notre pays serait de vous tendre un piège? »

Il dit encore, tout souriant :

« Je ne suis ici que pour faciliter votre tâche, ainsi que le font les jeunes gens de Cadix avec les armateurs. Je suppose que vous connaissez les services qu'ils rendent et ce qu'ils en réclament? »

Guy Kergelho savait, d'expérience, que les cadets des meilleures familles de Cadix aidaient les armateurs à dissimuler aux agents de la douane le métal déchargé des galions retour des Indes, et se faisaient ainsi deux mille à trois mille piastres chaque fois qu'une *flotta de oro* entrait au port. Il n'ignorait pas non plus que si les bourgeois ne parviennent jamais à se décrasser d'une certaine révérence pour l'argent gagné ou hérité, les gentilshommes enveloppent le plus souvent leur rapacité de manières élégantes et traitent les affaires d'écus avec la plus grande simplicité. Croyant avoir compris l'allusion du capitan, il lui demanda tout de go :

« A combien estimez-vous vos services? »

Désignant le marchand, le capitan répondit sans la moindre gêne :

« Celui-ci me donnera ma part. »

Il ajouta :

« Mais je connais quelques jolies jambes qui seraient fort aises de porter des bas de soie. Pouvez-vous m'en accorder cinq douzaines? »

Les accords conclus à bord de la *Marie-Léone* furent rigoureusement respectés par les parties. Retenu à Callao pendant la journée par ses fonctions de subrécargue, Guy Kergelho rejoignait chaque soir Jean-Marie à Lima dans la maison du capitan qui leur offrait le logis et la table pendant la durée de leur séjour. Pour le reste, les deux Malouins n'avaient pas eu à attendre longtemps. Maisons blanches, patios où coulent les fontaines, rues où tintent les sonnailles des mules attelées à quelque *calesa*, stores bariolés des balcons, crépis bleus ou roses, fenêtres grillagées, églises surdorées, jardins éclatants de cédrats et de grenadiers, murmure de l'eau vive courant autour de la Plaza Mayor ou de los Mercaderes, groupes de jeunes filles se tenant par le bras *ique ojos tan preciosos!* toutes ces images rappelaient à Guy Kergelho les années passées à Séville, jusqu'au cri du vendeur de jasmin ou celui du *sereno* veillant sur le sommeil des citadins. Les Espagnols avaient transporté l'Andalousie sur le flanc occidental des Indes américaines, sauf qu'à Séville il était de bon ton d'être toujours vêtu de noir, indice de la bonne renommée et des vertus qu'on dit religieuses. A Lima au contraire, les couleurs les plus vives, les garnitures, les galons, les broderies, même usés, frottés, rapiécés, ravaudés, enluminaient les têtes, les épaules et les corps, au milieu des diamants, perles, rubis, topazes et émeraudes. Non, le maître pilote, tout flibustier avait-il pu être, ne mentait pas. A peine avait-il exagéré en prétendant que les rues étaient pavées de plaques d'argent.

Surveillés de près par Pierre Bulot auquel les liait

un engagement d'honneur, les gens de Saint-Domingue demeuraient le plus souvent à bord de la *Marie-Léone*. Certains refusèrent même de mettre pied à terre comme s'ils eussent craint d'être pendus pour quelque ancien méfait. Ils aidaient les charpentiers à remettre la frégate en état ou à soigner les malades en leur distribuant les légumes et les fruits que, chaque matin, des filles noires achetées en Afrique et revendues au Pérou par la Compagnie de l'Assienta portaient dans des corbeilles posées sur leur tête haute et fardée de soleil. Pour ceux de Saint-Malo c'était fête tous les jours. On les voyait déambuler dans les rues de Callao et de Lima, tenant le milieu de la chaussée, le nez en l'air, sans rien voir, bousculés par les calesas, les troupeaux de vigognes aux longues soies brunes, les lamas blancs mouchetés d'or, et les *borricas* ployant sous des sacs de plâtre. Ils découvraient la *chicha*[1], ne se méfiaient pas des suaves mélanges d'alcool blanc et de jus d'ananas qui les changeaient du vulgaire rikiki, mangeaient des poissons crus macérés dans du citron, et s'offraient pour quelques maravédis des ventrées de *puchero*, pot-pourri de viandes, choux, patates, maïs, bananes, boudin, pois chiches et piments-oiseaux. Une prodigieuse fermentation humaine bouillonnait autour d'eux, Espagnols aux épaules étriquées qui se prétendaient descendants des compagnons de Pizarre, créoles péruviens dorés de lumière, Indiens cuivrés aux pommettes saillantes, petits métis verdâtres et nègres robustes comme des forgerons. Semblables à tous les marins du monde, les pêcheurs de morue ne s'étonnaient de rien. De ce fabuleux voyage, ils ne retiendraient jamais que deux souvenirs : les combats de coq, et les femmes qui se parfumaient les hauts de cuisses à la fleur d'oranger.

1. Alcool de maïs.

La *Marie-Léone* resta près de deux mois à Callao. Autant l'échange des lots de marchandises contre les barils de piastres avait été rapide, autant les formalités tatillonnes de l'amirauté, soucieuse de respecter les règlements du vice-roi, avaient été interminables. En se transportant sur les rivages de la mer du Sud, l'administration espagnole avait emmené avec elle ses tracasseries, ses fraudes et ses faux-nez. Quand la frégate prit le chemin de son long retour, elle était bourrée de métal. Aucun membre de son équipage n'éprouva le moindre regret à quitter ces lieux qui les avaient enchantés mais demeuraient semblables à quelque autre escale.

D'autres sentiments troublaient Jean-Marie Carbec et Guy Kergelho. En tentant une pareille aventure, ils avaient donné aux songes de leur enfance une forme concrète, des couleurs et des sons qu'ils ne seraient jamais parvenus à imaginer, tout bretons qu'ils fussent. Ils ramenaient une fortune dans leurs cales et ils connaissaient maintenant le moyen de retourner, avec ou sans pilote, dans la mer du Sud. Un soir qu'ils se tenaient tous les deux sur la dunette, Guy Kergelho dit à Jean-Marie :

« Maintenant, nous n'aurons plus rien à rêver! »

Une sorte de regret inhabituel avait assombri la voix de cet homme intrépide.

« Pourquoi? s'inquiéta Jean-Marie.

– Parce que nous savons que le pays de l'Eldorado n'est pas une légende, et parce que nous y sommes allés sans trop de difficultés. »

L'or du Pacifique, c'est la première fois que des marins non espagnols étaient parvenus à le prendre à sa source, les mains nues. Mieux que le canon, le fusil ou le poignard, une cargaison d'étoffes, de bas de soie, de vêtements, de chapeaux, d'ustensiles ménagers et de cartes à jouer, avait suffi pour que le Pérou entrouvrît ses portes à deux armateurs malouins. Ceux-là demeuraient aussi étonnés de leur audace que du succès de leur entreprise et n'en finissaient pas d'évoquer leurs plus récents souvenirs. Ils se revoyaient à Lima, dans le patio d'une demeure meringuée et rose, buvant des verres de *chicha* tandis que, entre deux bouffées de son cigare puant, leur hôte racontait que d'innombrables filons d'or et d'argent avaient été découverts dans la Cordillère, près des neiges éternelles. Lui-même, comme beaucoup d'autres, possédait une petite mine à Potosi où quelques centaines d'Indiens travaillaient pour son compte, six cents pieds sous terre, au fond d'étroits boyaux, à la lueur d'une chandelle. Comprenez-vous pourquoi, señores, l'argent nous intéresse moins que la marchandise ? Le premier jour de leur installation, le capitan avait offert aux deux Malouins la traditionnelle collation de minuit, crevettes au riz, brochettes de porc grillées et une grande variété de confitures, servies dans de la vaisselle plate par deux jeunes filles nées du commerce amoureux de quelque Castillan et d'une Indienne de la montagne. Minces et dorées, le nez étroit, l'ovale aigu, les yeux obliques plus caresseurs que provocants, elle portaient avec insolence un foulard rouge sur la tête et étaient vêtues d'une blouse blanche étoilée de minuscules reprises, serrée aux poignets, où ruisselait une cascade de colliers multicolores, et d'une jupe ronde, bariolée de couleurs vives qui découvrait des jambes nues et un peu lourdes. Parce que le capitan entendait les lois de l'hospitalité, ces deux fleurs coupées avaient orné les nuits de Jean-Marie et de Guy Kergelho, passant d'un lit à l'autre avec la même grâce souriante qu'en tournant autour des convives pour assurer le service de table.

Moins regrattier que son père, Jean-Marie en avait hérité toutefois un certain goût du profit qui s'était précisé au fur et à mesure que sa position s'affermissait dans la société malouine. A ses premiers appétits de risques et de jeux, avaient insensiblement succédé un désir d'entreprendre et une volonté de réussir qui aboutissaient au goût d'amasser de l'argent, inséparable de la crainte de le perdre. Pour plus de sûreté, il avait décidé de loger les piastres et les barres de métal embarquées à Callao sous le gaillard d'arrière, près de l'endroit où il couchait et de la chambre du conseil où une veille permanente serait assurée. Il lui arrivait souvent de se réveiller au milieu de son sommeil, trempé de sueur, alerté par une inquiétude qui lui tordait le ventre et l'obligeait à se lever pour s'assurer de la présence de l'homme de garde. Soucieux d'arriver au Port-Louis avec une cargaison de métal intacte, Guy Kergelho agissait de la même façon, si bien que les deux amis se retrouvaient parfois nez à nez devant la porte du trésor, éclataient de rire et achevaient la nuit autour d'une bouteille en attendant de monter sur la dunette pour voir le soleil jaillir dans l'air glacé, sur leur gauche, au-dessus des Andes, tandis que la *Marie-Léone* piquait droit sur Valparaiso.

Rapprochés les uns des autres par une longue navigation, les matelots bretons et les hommes embarqués aux Caraïbes formaient maintenant un véritable équipage, mais le maître pilote n'en surveillait pas moins avec une grande vigilance ses flibustiers parce qu'il savait que les mutineries peuvent toujours exploser au cours d'un interminable voyage en mer, à propos du plus léger incident.

Au lieu de s'engager dans le labyrinthe du détroit de Magellan, Pierre Bulot avait préféré, cette fois, doubler le cap Horn pour profiter des vents dominants. Maintenant, les matelots avaient retrouvé l'Océan, ils en reconnaissaient la couleur, l'odeur, les bourrasques, la houle. Dix-sept mois s'étaient écoulés depuis qu'ils avaient quitté la France et il leur fallait encore remonter le long des terres magellaniques et de l'immense Brésil portugais pour rejoindre les Antilles où ils laisseraient les hommes de Saint-Domingue et s'y feraient radouber avant de repartir en droiture vers le Port-Louis. Cette fois, ils tournaient le dos à la mer du Sud et il leur semblait que des ailes avaient poussé à la *Marie-Léone*.

Un jour que Jean-Marie allait s'apprêter à entrer dans la rade de Buenos Aires pour remplir ses barils d'eau douce, il posa à Guy Kerghello une question qui le tourmentait depuis plusieurs semaines.

« A combien peux-tu évaluer aujourd'hui la part qui reviendra à chacun de nous? »

Le subrécargue comptait derrière lui quatre générations de marchands et avait une pratique personnelle des affaires plus solide que celle de son associé. Il répondit avec prudence.

« Bien que nous ayons pris quelques mois de retard, je pense que vous serez tous satisfaits. Nous avons vendu toute notre cargaison à un prix inespéré, sur un véritable coup de lansquenet, mais je ne peux pas encore faire de comptes. Notre voyage n'est pas encore terminé, Jean-Marie. Qui peut savoir ce qui arrivera à la *Marie-Léone* avant de mouiller au Port-Louis? »

Cette nuit-là, Jean-Marie fut tiré de son sommeil par des bruits qui ne ressemblaient pas à ceux dont son repos avait pris l'habitude et qu'il parvenait toujours à identifier ou à localiser avec sûreté. Il lui avait paru entendre une plainte, sorte de cri étouffé au fond de la gorge, suivie d'un coup sourd comme aurait fait un sac tombant à terre. Jean-Marie se leva, saisit un pistolet, tendit l'oreille. Tout était calme. Seules quelques petites vagues frappaient la coque du navire entré dans la baie du Rio de la Plata. Sans doute avait-il rêvé? Il voulut cependant se rassurer, prit une lanterne, ouvrit la porte de sa chambre qui donnait sur la coursive, devant la salle des gardes, là où étaient entassés les précieux barils. Il entendit qu'on courait au-dessus de lui, sur le tillac, et au même moment son pied buta contre un corps recroquevillé entre les cloisons. C'était celui de Guy Kergelho. L'homme de veille avait disparu mais la chambre du trésor demeurait toujours verrouillée. Penché avec sa lanterne sur son ami, Jean-Marie vit qu'on lui avait ouvert la gorge. Glacé d'horreur, il était incapable d'appeler à l'aide. Au-dessus de lui, des pas précipités frappaient le pont et se mêlaient maintenant à des cris. Craignant que la mutinerie redoutée par le maître pilote n'ait éclaté, il parvint à traîner le corps de Guy Kergelho dans la grande chambre où se trouvaient les râteliers d'armes et s'y enferma. On frappa bientôt à la porte.

« Capitaine! Capitaine! C'est moi, Bulot! Où êtes-vous? Ouvrez! Nous avons arrêté l'assassin. Je suis là, avec votre maître d'équipage.

– Oui, capitaine! Ne craignez rien. »

Jean-Marie avait reconnu la voix d'un de ses Malouins. Il repoussa le verrou mais s'appuya contre la cloison, un pistolet dans chaque matin : si c'était une ruse, il en tuerait quelques-uns avant de tomber lui-même. Pierre Bulot entra le premier, suivi du maître d'équipage. Haletants, ils racontèrent que, faisant leur ronde coutumière, ils allaient descendre sous le tillac lorsqu'un homme avait bondi devant eux et avait couru vers la rambarde comme s'il eût voulu se jeter à l'eau pour gagner la côte à la nage. Plus prompts que lui, ils étaient parvenus à le ceinturer et lui retirer des mains un poignard ensanglanté : c'était un des matelots de quart désignés cette nuit-là pour monter la garde devant la porte du trésor.

« Etes-vous blessé, capitaine?

– C'est M. Kergelho. Appelez vite le médecin. »

Tandis que le maître d'équipage repartait en courant, le pilote s'était penché lui aussi sur le corps du malheureux.

« C'est déjà trop tard, dit-il en se relevant. Son cœur ne bat plus. Nous ferions mieux d'appeler l'aumônier. Voyez, sa gorge est tranchée d'une oreille à l'autre. »

Jean-Marie demeura quelques instants silencieux, les épaules affaissées et, se redressant soudain :

« Monsieur le maître pilote, mon ami n'aura donc besoin du médecin que pour sa toilette, et du prêtre que pour les dernières oraisons. Allez dire à l'un et à l'autre d'attendre mes ordres. Pour l'heure, laissez-moi seul avec lui. »

Comme Pierre Bulot se retirait, il lui demanda sur un ton plus rude :

« Qui a fait cela? Un des miens ou un des vôtres?

– Un homme embarqué à Saint-Domingue, répondit franchement le pilote.

– Son nom?

– Bois-Brûlé. C'est au moins celui qu'il portait en flibuste. Je ne lui en connais pas d'autre. Je vous avais dit que si un de ces hommes faillissait à son engagement, je réglerais moi-même cette affaire. Vous m'aviez donné votre accord.

– C'est moi, le capitaine de la *Marie-Léone*, qui réglerai cette affaire, monsieur Bulot. Remontez sur la dunette et faites reprendre la mer libre. Nous ne ferons pas escale à Buenos Aires. Si l'eau douce est croupie, nous mettrons des clous rouillés dans les barils. Le conseil de guerre se réunira ici, à six heures, juste avant la prière. Maintenant allez-vous-en! Laissez-moi seul avec mon ami. Allez-vous-en! »

Jean-Marie ôta son bonnet, s'agenouilla près du cadavre, lui ferma les yeux, fit un large signe de croix et s'aperçut seulement que sa main était toute poisseuse de sang. Les vieilles prières apprises dans sa jeunesse, les unes en français les autres en latin, quelques-unes en breton, et qui ne s'effacent jamais de la mémoire se mêlaient à des souvenirs profanes. Etourdi par la soudaineté du meurtre de son ami, il n'en éprouvait pas encore de chagrin, mais il lui semblait entendre encore Guy Kergelho dire à l'oncle Frédéric : « Vous qui êtes si malin, faites donc revenir la pièce sans vous servir des gobelets ni du foulard », au temps des gali gala rue du Tambour-Défoncé. Il y avait vingt ans de cela... L'oncle Frédéric avait été assassiné lui aussi, et voici que lui-même, Jean-Marie Carbec, capitaine d'un navire retour des Indes avec une cargaison de trois millions de livres et le cadavre de Guy Kergelho, se trouvait par le travers du Rio de la Plata, au bout du monde. Pourquoi avait-il été préservé, lui, Jean-Marie? Comme toutes les fois qu'il sentait rôder des ombres autour de lui, il prit dans ses doigts le petit sac de toile qui lui pendait toujours au cou depuis que maman Paramé le lui avait remis la veille de son premier départ sur les bancs de pêche. Où étaient le passé et le présent, les vivants et les morts? Tout se confondait. Allons, vieux frère, réveille-toi. Cacadou va nous chanter les filles de Cancale qui n'ont pas de tétons, et le capitan nous fera boire de la *chicha* au citron vert, mon Dieu, pardonnez-lui ses péchés, allons, réveille-toi, laquelle veux-tu ce soir dans ton lit, la nuit sera longue, Margarita ou Carioca? Notre père qui êtes aux cieux, réveille-toi, subrécargue, nous repartons pour Callao, les cales ne sont pas assez pleines, et prenez-le en votre sainte garde, réveille-toi, paresseux, le vent se lève! Non, Guy Kergelho, reste tranquille, dors, c'est toi qui avais raison, dors. Nous n'avons plus rien à rêver.

Jean-Marie fit signe à l'aumônier et au médecin qu'ils pouvaient maintenant entrer dans la chambre. Habitués à naviguer ensemble sur les routes des Indes depuis de longues années, c'étaient deux vieux compagnons de la maladie, de la mort, de la bouteille et du pharaon. Les petits écus que les deux premières leur rapportaient, ils les perdraient gaiement avec les deux autres.

« Transportez-le dans sa chambre, habillez-le, et n'oubliez pas que M. Kergelho avait reçu sa lettre de marque pour commander à la course. Vous placerez à côté de lui son épée. Lorsque sa toilette sera terminée, vous ferez monter le corps sur le tillac où il sera exposé face à la dunette et veillé par quatre gabiers. »

Quelques instants suffirent au conseil de guerre de la *Marie-Léone* pour condamner à mort l'assassin de Guy Kergelho. Les faits parlaient d'eux-mêmes sans qu'il fût besoin de les instruire : matelot de quart devant la salle des gardes, Bois-Brûlé en avait profité pour tenter d'en fracturer la serrure, s'emparer de quelques barres de métal et déserter à Buenos Aires où la frégate devait relâcher le lendemain. Surpris par le subrécargue, il l'avait égorgé mais avait été ceinturé par le maître pilote avant même qu'il ait eu le temps de jeter son couteau à la mer. Jean-Marie dit à son lieutenant :

« Tu rassembleras tout l'équipage sur le pont, tu lui feras connaître la sentence et tu en assureras l'exécution. Tu connais la manœuvre?

– Non, balbutia l'autre. Je n'ai jamais pendu personne.

– Moi non plus! cria Jean-Marie qui poursuivit en retrouvant la maîtrise de soi : Demande conseil à ceux de Saint-Domingue. Eux, ils savent comment s'y prendre. N'est-ce pas, monsieur le maître pilote? »

Pierre Bulot était devenu blême. Il répondit, grave :

« Capitaine, ça ne serait pas la première fois, en effet, que ces hommes assisteraient à une pendaison. On passe un nœud coulant autour du cou du condamné qui est hissé au bout d'une vergue, et on donne brusquement du mou à la corde. Il n'est pas un seul d'entre eux, moi non plus, qui n'ait pensé qu'il pourrait mourir ainsi. Pour un flibustier, la corde n'est jamais un déshonneur.

– Où voulez-vous en venir?

– Je voudrais régler moi-même cette affaire, capitaine, parce qu'une affaire de flibustier ne se règle bien qu'entre soi. Chez nous, lorsque, à bord d'un navire, un homme en a tué un autre pour le voler, on ne le pend pas au bout d'une vergue, on l'attache vivant au cadavre de sa victime et on les immerge tous les deux en présence de tout l'équipage. C'est la règle. Ils la craignent plus que la potence.

– Vous ne pensez pas que je vais faire ligoter le corps de mon ami à celui de son assassin? protesta Jean-Marie.

– Capitaine, il sera fait comme vous l'entendrez. Rappelez-vous cependant que nous ne toucherons pas Saint-Domingue avant plusieurs semaines. Si les hommes que nous devons y débarquer n'étaient pas aujourd'hui frappés de terreur par votre sentence, il me serait difficile de les tenir en main.

– Non, monsieur Bulot, ne me demandez pas cela. Les Malouins ne comprendraient pas, et je ne sais pas si Dieu me le pardonnerait. »

Jean-Marie avait prononcé ces derniers mots plus bas, comme si sa conscience était déjà tiraillée entre l'horreur du châtiment proposé par le pilote et son devoir de conduire à bon port la *Marie-Léone* avec son équipage et sa cargaison de piastres.

« Je comprends votre humeur, dit encore le maître pilote, M. Kergelho était votre frère, mais vous, vous êtes le maître du bord. Vous savez mieux que moi où est votre devoir. Pensez-vous donc que Dieu vous le pardonnerait davantage s'il arrivait demain des événements graves que nous ne pourrions maîtriser ni l'un ni l'autre?

– Soit! finit par consentir Jean-Marie. Vous l'emportez. Assurez-vous du soin de tout avec le lieutenant. »

Lorsque Jean-Marie apparut sur la dunette, tout l'équipage était rassemblé sur le pont derrière le cadavre de Guy Kergelho, vêtu de noir, un linge blanc noué autour de son cou, étendu sur une planche. Il regarda les matelots les uns après les autres, ceux de Saint-Malo comme ceux de Saint-Domingue, énormes trognes paupières baissées, gros doigts tordant des bonnets de laine. Comment avait-il pu accorder sa confiance à toutes ces brutes qu'il confondait à présent dans une même haine? A peine levé, le jour traînait, sale, sur la mer grise où tournoyaient les cris des grands oiseaux retrouvés. Capitaine rigoureux, Jean-Marie regarda alors comment la voilure avait été établie, et il aperçut un cordage terminé par un nœud coulant qui pendait d'une poulie accrochée à l'extrémité d'une vergue. Sans doute, le lieutenant avait-il ordonné qu'on préparât l'appareil du supplice avant de connaître la dernière décision prise par le maître de la *Marie-Léone*. Il en fut apaisé, souhaita que Pierre Bulot ait changé d'avis, et ordonna à l'aumônier de dire la prière du matin comme à l'accoutumée, en y ajoutant celle des morts. Tous les hommes chantèrent le « De profundis ». Aucun d'entre eux n'en connaissait le sens exact mais ils en savaient par cœur les versets parce que depuis leur enfance ils entendaient rouler le grondement de Dieu sur les cadavres de leurs frères. La prière terminée, le prêtre et Jean-Marie descendirent sur le tillac. Au moment où Jean-Marie allait faire un dernier signe de croix avec le goupillon que l'autre lui avait tendu, une douleur vive lui paralysa le bras en même temps qu'un sanglot l'étouffait. Immobile, il sentait que tous les yeux de son équipage étaient fixés sur lui. Prêt de la faiblesse, il rassembla ses forces en se rappelant que, dans sa jeunesse, il avait failli se noyer au large de Rochebonne et n'en était sorti qu'en bandant sa volonté au-delà de ce qu'une bête prise au piège aurait pu faire. Roide, la tête ébouriffée dans le vent aigre du matin, il fit très lentement le geste rituel. Derrière lui, les matelots défilèrent à leur tour, et le capitaine de la *Marie-Léone* remonta sur la dunette, tout seul, d'où il commanda d'une voix ferme :

« Amenez le condamné! »

Encadré par six hommes, flibustiers comme lui, Bois-Brûlé apparut sur le tillac. D'énormes fers l'entravaient, ses mains étaient liées derrière son dos et sa face ensanglantée portait les traces d'une lutte sauvage. Quand il aperçut la corde accrochée à la vergue, un rire affreux lui tordit la bouche, mais il eut vite un mouvement de recul en voyant, à côté du corps de Guy Kergelho, une masse de chaînes, de cordages et de boulets près desquels se tenait le maître pilote. Il avait compris qu'on allait les attacher l'un à l'autre et les jeter à la mer tandis que l'aumônier lui brandirait sous le nez un crucifix. Sous ses horribles meurtrissures, son visage envahi par la peur était devenu plus gris que celui du cadavre, lui-même déjà cadavre.

« Tu connais la loi, non? »

Bois-Brûlé, retrouvant sans doute sa langue d'origine, répondit dans un souffle :

« *Regular.* »

Les yeux pleins de ciel, Jean-Marie murmurait au même moment :

« Pardonne-moi, Guy Kergelho. Toi, tu comprendras qu'il me faut ramener la frégate au Port-Louis. »

Tout se passa très vite. Lorsque les deux corps eurent coulé à pic, les matelots demeurèrent cependant cloués sur le tillac comme si quelque sortilège les eût encordés l'un à l'autre eux aussi. Ils refusèrent de se distribuer dans la voilure où les appelait le sifflet du maître d'équipage. Là-haut, sur la dunette, tout seul, les cheveux rebroussés par une bourrasque, Jean-Marie Carbec hurla d'une voix terrible :

« Attrape à gréer toutes les bonnettes hautes et basses! »

Les gabiers rejoignirent leurs postes en courant. Ils étaient délivrés. La *Marie-Léone* bondit sur les vagues où plongeaient les grands oiseaux gris et blancs.

LE père d'Emeline Le Coz était devenu aveugle. Si le temps le permettait, il aimait passer quelques heures assis devant la porte de sa maison du quai de la Fosse. Ce jour-là, le 1er octobre 1700, Léon Lajaille avait demandé à son valet de l'habiller de son plus beau costume de drap marron et de l'installer dehors, sur son fauteuil. C'était un bel après-midi d'automne, doux et blond, encore paré des dorures de l'été. Le vieil homme étendit ses deux mains devant lui comme s'il eût voulu saisir entre ses doigts la lumière qui s'était éteinte dans ses yeux. Sa fille, son gendre et sa petite-fille n'arriveraient pas à Nantes avant la fin de la journée mais il s'inquiétait, depuis la veille, d'être prêt à les recevoir et se réjouissait à la pensée de les reconnaître dès qu'ils descendraient du coche, devant la Bourse.

Bien calé sur son siège, son chapeau posé sur les genoux, Léon Lajaille ramena sur les accoudoirs du fauteuil ses deux mains tièdes de soleil. Les bruits du quai de la Fosse lui étaient devenus familiers à ce point qu'il savait tout ce qui s'y passait tandis que le vent d'ouest lui apprenait d'où étaient partis les derniers navires échoués sur les sables de Paimbœuf et dont les marchandises rechargées sur des gabares remontaient le fleuve jusqu'à Nantes, devant le bureau des Fermes. A l'odeur sucrée de la vanille, plus âcre du tabac, un peu amère du cacao, il savait qu'un navire arrivait des îles, le parfum de la noix de muscade et des oranges lui signalait un retour du Brésil, la senteur résineuse des pins lui racontait un voyage vers le grand Nord. A ces odeurs, se mêlaient celle de la morue entassée dans des fûts qu'on enverrait aux Antilles pour la nourriture des esclaves, et celle du bœuf salé venu d'Irlande, destiné lui aussi aux îles et réservé aux maîtres. Avec le vent d'est, un autre parfum dansait sous le nez de Léon Lajaille, celui des petits vins blancs du pays nantais qui donnent soif rien que d'y penser, c'était encore celle de la Loire, l'odeur moelleuse de la vase, douceâtre de l'eau, fade des poissons blancs. A la sentir, des paysages fluides se réveillaient au fond de ses yeux morts, îles sablonneuses et peupleraies qui glissent insensiblement vers la mer, barques de pêche au milieu des osiers, canots, espars, filins, vieilles coques abandonnées, filets ramenant des aloses et des saumons, et tout ce petit monde de charpentiers, gabariers, voiliers et taverniers qui vivaient de la mer sans jamais s'aventurer au-delà du Mindin.

La première grande vente organisée par la Compagnie des Indes depuis la reprise des affaires devait s'ouvrir le lendemain matin. Ce serait un grand événement commercial et, pour tous les Nantais prétexte à rencontres, distractions et soupers. Venus de Paris, Bordeaux, Tours ou Lyon, aussi de Genève et d'Amsterdam, les commis des plus importants négociants avaient retenu toutes les chambres d'hôtel depuis trois semaines, surtout au Pélican et au Grand Monarque. Dès que la date de la vente avait été connue, on avait vu arriver aussi toutes sortes de bateleurs et d'artistes, mangeurs de feu, conteurs, comédiens, dresseurs de chiens, écuyères, jongleurs, acrobates, danseurs, charmeurs d'oiseaux, filles galantes, sans compter les tire-laine invisibles de leur état. De la porte Saint-Pierre à la contrescarpe Saint-Nicolas, aubergistes ou regrattiers, orfèvres, tailleurs ou modistes, armateurs ou négociants, s'apprêtaient déjà à recevoir les visiteurs, et le maire de Nantes, pour éviter à ces derniers d'être écorchés vifs par ses administrés, venait de réglementer le prix de la viande, du poisson, du vin et des chambres, laissant aux rues chaudes la plus grande liberté d'entreprise.

Installé devant sa maison, Léon Lajaille avait vécu, chaque après-midi, les préparatifs de la vente. Le retour de l'*Aurore*, de la *Toison-d'Or* et du *Marchand-des-Indes* envoyés à Pondichéry au lendemain de Ryswick et dont la riche cargaison avait été aussitôt acheminée vers Nantes, il l'avait appris sur son fauteuil et c'est là qu'il avait assisté au déchargement des grosses gabares de Paimbœuf, lourdes et odorantes, pesant sur l'eau de toute leur masse goudronnée, pleines à ras bord de barils, caisses, ballots et sacs vite entreposés dans les magasins du quai de la Fosse.

L'inventaire de la cargaison ramenée de Chine par l'*Amphitrite* avait fait rêver M. Lajaille. Il se fit relire plusieurs fois la liste des trésors qui arrivaient pour la première fois librement dans un port français : paravents de papiers brodés d'or, cabinets et cabarets de laque, éventails de soie et d'ivoire sculpté, tabatières, gazes, mousselines, porcelaines, lits brodés, encre. Il y avait même des cheveux. Quelle magnifique attraction allait être cette vente du retour de l'*Amphitrite* conjugué avec celui des trois navires de la Compagnie des Indes! Jusqu'à ce jour, M. Lajaille n'avait pu se procurer ses merveilles qu'à Amsterdam ou en les achetant à des corsaires malouins qui ne lâchaient jamais les plus belles pièces, préférant les garder pour eux. Le vieux Nantais regretta comme jamais d'être devenu aveugle. Son flair de marchand et un goût inné des beaux objets lui avaient toujours fait préférer la Chine à l'Inde dont il se méfiait et qui lui faisait peur bien qu'il n'eût jamais traversé la mer. Il lui restait le bonheur de se réciter tout bas les noms qu'il avait inscrits si souvent sur ses registres : poivre, cannelle, muscade, gingembre, girofle, opopanax, gomme-gutte, cachou, pyrèthre, galanga, myrobolans, aloès, encens, indigo, ébène, rotin, et par-dessus tout les cauris dont le bruissement nacré le ravissait quand il les brassait à pleines mains au fond des sacs de jute.

A part ces petits coquillages des îles Maldives qui lui servaient à acheter à bon compte des nègres en Afrique, ou des feuilles de thé à Surat revendues en contrebande aux colonies anglaises d'Amérique, M. Lajaille n'avait jamais espéré tirer d'importants bénéfices ni des Indes orientales ni de la Chine. Comme tous ceux de Nantes, il croyait davantage à Saint-Domingue qu'à Pondichéry, aux Antilles qu'aux Malabars, à la Louisiane qu'à Coromandel. L'Asie, il fallait attendre au moins dix-huit mois pour savoir si on avait gagné un écu ou perdu dix mille livres. C'était bon pour les Malouins, les jésuites ou les Hollandais, pas pour les Nantais. La crainte des interminables périples et la méfiance que lui inspirait une Compagnie gérée par des commis de l'Etat n'interdisaient pas pour autant au beau-père du capitaine Le Coz d'être sensible à la sonorité des mots étranges, surtout aux noms des étoffes venues de là-bas qui lui rappelaient le temps où le commerce des indiennes était libre. Un jour il avait apporté à Manuella un coupon de ballassor autant pour lui faire plaisir que pour regarder courir sur les moires les mains étroites et brunes de la jeune Espagnole qu'il aimait.

Ce souvenir en déclencha d'autres. M. Lajaille avait mis son chapeau sur la tête pour se garantir du soleil mais l'avait vite déplacé vers la nuque pour que son front pût être baigné de lumière. Les yeux mi-clos, somnolent, déjà dodelinant, il vit s'animer de vieilles images qui se confondaient l'une l'autre et s'effaçaient au moment qu'il aurait voulu les retenir le plus sous ses paupières parce qu'elles lui rappelaient les couleurs disparues. Venant du fond de sa vie, il entendit des bateliers chanter sur la Loire tandis qu'il jouait à la marelle sur le quai de la Fosse construit trois ans avant sa naissance, et la voix de ces hommes se confondit aussitôt avec celle des chantres de l'église Saint-Julien où l'on jonchait les dalles de paille fraîche, le jour de Noël, et où on lâchait des colombes pour la Pentecôte. Dans ses souvenirs, les prêtres de sa paroisse s'étaient déjà évanouis pour faire place aux comédiens de l'Illustre-Théâtre venus jouer au Jeu de Paume *La Jalousie du Barbouillé* d'un certain Molière devant une dizaine de spectateurs, les Nantais ayant préféré ce soir-là un montreur de marionnettes plus illustre, le Sicilien Segalla. Etait-ce cette même année que la Bourse avait été construite? Ou bien celle où le roi avait fait arrêter le contrôleur général Fouquet? N'était-ce pas plutôt l'année de la fondation de la Compagnie des Indes? Ou encore celle de la crue de la Loire qui avait inondé la place du Bouffay? Léon Lajaille se posa ces questions sans parvenir à trouver des réponses qui le satisfissent. Tout se brouilla, il fut pris de fatigue et il lui sembla que le fleuve était devenu gros, comme au temps des grandes marées du mois de mars qui remontent au-delà de Nantes. L'eau envahit lentement le quai, atteignit les jambes de M. Lajaille sans qu'il y pût, monta plus haut et noya le vieillard dans un profond sommeil.

M. Lajaille fit plusieurs fois le geste impatient de chasser une mouche qui lui chatouillait le front avant d'entendre le rire de sa petite-fille. Marie-

Léone tentait de le réveiller doucement en l'embrassant.

« C'était toi, la vilaine mouche! Comment n'ai-je pu voir arriver le coche? Pourtant, je regardais bien de ce côté. »

Il disait cela en écarquillant ses yeux sans lumière et caressait de ses vieilles mains le visage de Marie-Léone. Elle répondit en riant :

« Peut-être que mon grand-père faisait sa sieste?

– Pardieu non! Je vous attendais. Où sont donc ton père et ta mère? »

Marie-Léone expliqua que le coche de Saint-Malo était arrivé depuis plus d'une heure, et que ses parents s'installaient dans la maison.

« Nous vous avons amené de la compagnie, dit-elle aussi. Devinez qui? »

Elle ne lui laissa pas le temps de chercher.

« Hervé, votre petit-fils, qui a obtenu un congé du capitaine de la *Toison-d'Or*, et mon parrain qui est rentré de la mer du Sud. »

M. Lajaille ne fut pas surpris. C'était la coutume d'arriver nombreux, sans prévenir. Il y avait toujours assez de place dans les grandes maisons bourgeoises pour y loger et nourrir qui débarquait à l'improviste.

« Eh bien, c'est l'époque des retours! fit-il le visage épanoui. Nous allons entendre de la conversation. Allons voir où en sont nos hôtes. Ton frère, ton parrain, et ton père qui est devenu secrétaire du roi... Peste! tu te fais bien accompagner! »

Parvenu devant la porte, il s'arrêta et serra plus fort le bras de la jeune fille.

« Tu dois être contente d'être enfin sortie du couvent! T'entends-tu bien avec ta maman?

– Mon grand-père, j'ai été très heureuse pendant ces cinq années passées avec les mères. S'il m'arri-

vait de l'être moins dans ma famille, j'y retournerais. Soyez-en sûr. »

M. Lajaille s'étonna de la détermination de sa
petite-fille. A peine sortie des mains des douces
filles de Dieu, voilà qu'elle parlait sur un ton pointu
et sans réplique. N'apprenait-on plus au couvent la
réserve et la modestie?

« Bon! bon! grommela-t-il. J'espère que tes cavaliers t'accompagneront à la fête. Il paraît que toutes
sortes de mangeurs de feu et d'avaleurs de sabres
sont venus à Nantes à l'occasion de la vente.

— Quelle horreur! » s'écria Marie-Léone.

Elle avait retrouvé sa voix d'enfant et, d'un vieux
geste qui lui était familier, embrassé la main de son
grand-père. Le capitaine Le Coz apparut à cet
instant. A dire vrai, ça n'était plus tout à fait le
capitaine Le Coz, ce gros homme à perruque, coiffé
d'un large feutre garni de plumes, vêtu d'un habit
de drap vert bouteille galonné d'argent qui s'ouvrait
sur un gilet de soie broché de petites fleurs, portant
l'épée et brandissant une sorte de canne de tam-
bour-major surmontée d'un petit pommeau d'or.

« Que vous êtes beau, mon père! » s'exclama
Marie-Léone avec une imperceptible raillerie qui
n'échappa pas à M. Lajaille et lui fit connaître que
son gendre venait de s'habiller pour faire honneur à
son nouveau titre d'écuyer.

Semblable à tous les aveugles, Léon Lajaille avait
le toucher très sensible. Embrassant son gendre, il
attarda des doigts connaisseurs et curieux sur les
boucles, les passementeries, les dentelles et les
boutons du bel habit, ponctuant chaque découverte
de petits « Oh! » où l'étonnement balançait l'admiration.

« Mon grand-père, vous n'avez pas vu les jolis
nœuds de soie verts des souliers! dit Marie-Léone.

— Raconte-moi tout! fit le grand-père, qui
ajouta : Mon gendre, je vous avais déjà adressé

mes félicitations pour votre entrée dans la noblesse. Je suis heureux de vous renouveler de vive voix mes compliments, et d'avoir aujourd'hui l'honneur de vous recevoir dans ma maison. Ah ça! comment convient-il de vous appeler maintenant? Monsieur l'Ecuyer? Monsieur le Secrétaire du roi? Monsieur Le Coz de la Ranceraie ou bien, selon la coutume malouine, en faisant précéder votre patronyme du nom de la terre où vos parents plantaient hier leurs choux, soit de la Ranceraie Le Coz?

— Vous vous moquez! Appelez-moi toujours capitaine Le Coz, je n'aurai jamais de plus beau titre. Ça n'est pas avec vous, monsieur Lajaille, que je jouerai la comédie de la noblesse, vous connaissez le prix que m'a coûté mon nouvel état. A partir du moment que le roi vend des lettres patentes, ce serait lui faire injure que de mépriser les exigences d'une condition achetée à prix d'or, même si les vieux nobles s'entêtent à mépriser les savonnettes à vilains! Comme me le répète mon ami le comte de Kerélen, tous les nobles sont des anoblis. Ecuyers ou marquis, il suffit de remonter assez loin, on trouve toujours un manant.

— Capitaine Le Coz, je ne me moquais point. Vous avez raison de vouloir honorer votre nouvelle condition. Je ne connais pas de meilleur moyen de devenir un moine que d'en porter l'habit. Sans doute, quelques vieux gentilshommes qui ont juste les moyens de ressemeler leurs chausses, et vont répétant que tout le monde se marquise soi-même, se gausseront-ils de vous. La belle affaire! Vous saurez leur rabattre leur caquet en leur disant que si l'on peut acheter de la qualité avec de l'argent, la naissance ne donne pas toujours du bien. Maintenant, dites-moi ce que vous avez fait de ma fille Emeline, de mon petit-fils Hervé, et de ce capitaine Carbec qui arrive de la mer du Sud? »

Couverte d'ardoises, bâtie de briques et de pierres blondes, percée de hautes fenêtres à petits châssis, la salle des ventes de la Compagnie des Indes orientales s'élevait au bout du quai de la Fosse, là où la Chézine se jette dans la Loire. Deux cents personnes pouvaient s'y tenir assises sur des bancs étagés en amphithéâtre face à une tribune réservée aux directeurs et à leurs commis. Bien que le début de la séance fût fixé à huit heures, les portes avaient été ouvertes avant le lever du jour pour permettre aux notables de la ville et aux gros acheteurs de faire retenir par leurs domestiques les places proches de la tribune, plus recherchées. Jouant des coudes, parfois des poings, et se querellant, foutus Nantais! foutus Lyonnais! foutus mangeurs de fromage! foutus Parisiens! on avait vu des portefaix trapus s'empoigner avec des laquais dédaigneux et s'installer sur des positions emportées de vive force en attendant l'arrivée des maîtres.

Distribuées dans les magasins de la Compagnie depuis plusieurs semaines, les marchandises avaient été répertoriées sur un inventaire dressé avec minutie et réparties en quatre catégories principales : drogues et épices, soies brutes et étoffes de soie, coton et cotonnades, enfin les métaux, bois, porcelaines et cauris. Les commis en avaient fait des lots numérotés et marqués aux armes de la Compagnie. Il y avait là des balles, caisses, sacs et barils pleins de cannelle et clous de girofle, poivre et gingembre, soies brutes et toiles peintes, paravents et cabinets de laque, assiettes et tasses, santal et bois de rose, embarqués à Pondichéry et à Surat sur les navires de la Compagnie mais originaires de Ceylan ou des Moluques, du Bengale ou de Java, des Malabars, de Coromandel et de la Chine. Actifs et entendus, les agents des marchands les plus importants avaient aussitôt examiné de près le poids et la qualité des meilleurs lots, laissant les acheteurs plus obscurs, voire les regrattiers locaux, se rabattre sur les articles gâtés par un long voyage en mer.

A huit heures, la salle était pleine d'armateurs et de marchands auxquels se joignirent quelques gentilshommes qui ne dédaignaient pas de s'intéresser au commerce lointain sans se cacher. Privilégiés, les hommes les plus considérables de Nantes et de Saint-Malo occupaient les premiers rangs et s'interpellaient d'une voix sonore comme s'ils fussent installés au parterre avant le début d'une comédie dont ils connaissaient à l'avance les premiers rôles, la plupart s'étant entendus pour ne pas faire monter les enchères sur les lots choisis par leurs commis. Derrière eux, des négociants moins importants les considéraient avec respect et citaient leurs noms : Bouteiller, Drouin, Grout, Clanchy, Guer, Montaudouin, Luynes, Walsh, O'Neil, Foucault, Richard, Legendre, trois ou quatre Magon, Le Fer, Ducoulombier, Porée, Danycan, La Chapelle, Chapdelaine, Duval, cinquante autres qu'ils connaissaient bien et deux nouveaux, venus de Paris, les financiers Crozat et Jourdan qui avaient armé l'*Amphitrite* pour un voyage à la Chine. Leurs écus leur ayant donné du verbe, tous parlaient fort mais le bruit qu'ils faisaient ne parvenait pas à dominer le vacarme du quai de la Fosse où les jurons des cochers se mêlaient au roulement des carrosses, au hennissement des chevaux, aux cris des marchands d'eau et d'oublie, et aux clameurs des badauds venus contempler tant de beau monde.

Sur la tribune, derrière une longue table où avaient déjà pris place un directeur entouré de syndics, commis et agents des fermes, un fauteuil demeurait inoccupé, celui de M. Julien Proust, riche Nantais auquel le roi avait vendu la mairie héréditaire de la ville en échange de cinquante-cinq mille livres venues grossir le trésor de la guerre. Au roulement d'un tambour municipal, M. Proust arriva enfin, s'installa, souhaita la bienvenue aux étrangers, et donna la parole au directeur près duquel se tenait debout le crieur. La séance commença aussitôt par la mise en vente de plusieurs lots de cauris.

« La mise à prix est fixée à 300 livres! »

Alors qu'on s'attendait à une bataille d'enchères, personne ne répondit à l'annonce du crieur qui, surpris, dut la renouveler.

« 300 livres! 300 livres! répéta-t-il. Qui dit mieux? »

Une voix s'éleva des premiers bancs :

« 301! »

Sur la tribune, les agents de la Compagnie se regardèrent, l'air étonné. Ils savaient qu'aux îles Maldives où on les ramassait à la pelle sur les plages, ces petits coquillages roses, blancs et noirs étaient de valeur négligeable, mais qu'une fois arrivés à Nantes on se les disputait pour acheter des nègres en Afrique.

« J'ai une offre à 301 livres! dit le crieur qui déclencha une tempête de rires.

– Allons, messieurs, une enchère raisonnable! » fit le directeur de la vente en désignant de sa baguette quelques marchands réputés pour être d'importants traiteurs.

Ceux-ci demeuraient muets, impénétrables, un sourire mince au fond de l'œil. M. Lajaille, que le capitaine Le Coz et Jean-Marie avaient conduit dans la salle, dit à voix basse : « Ça n'ira pas plus haut, ils se seront entendus pour ne pas faire monter les prix. »

« 301 livres! J'ai une offre à 301 livres! » s'époumonait le crieur.

Impatient, le directeur frappa la table de sa

baguette. Adjugé! Lui aussi avait compris la ruse des acheteurs et n'ignorait pas davantage que pour échanger un Africain contre ce genre de monnaie, les marchands d'hommes devaient maintenant descendre au sud de la Guinée. Devant les visages fermés qui lui faisaient face, il précipita la mise en vente des autres lots de cauris qui, faute d'enchères, trouvèrent rapidement acquéreurs.

« Ah ça! s'étonna Jean-Marie, il n'y a donc plus de concurrence entre les Nantais?

– Pas pour les cauris, répondit M. Lajaille. Aujourd'hui, les nègres du Sénégal et de la Gambie n'en veulent plus. Ces sauvages apprennent la civilisation, ils demandent de l'alcool et des fusils, comme tout le monde. On voit bien que tu as été absent pendant deux ans! »

La *Marie-Léone* était rentrée au Port-Louis dans les premiers jours du mois d'août. Saisi de terreur par le châtiment immédiat qui avait frappé l'assassin du subrécargue, l'équipage recruté à Saint-Domingue avait été débarqué à Léogane sans autre incident, mais sur la route du dernier retour, deux semaines après avoir quitté les Caraïbes, quatre matelots malouins, subitement atteints d'une de ces mystérieuses maladies de la mer qui vous tuent un homme en deux jours, avaient été immergés selon la coutume. La semaine suivante, deux autres matelots avaient été enlevés par une lame et un troisième était demeuré suspendu à une vergue, l'épaule fracassée, avant de disparaître lui aussi dans la tempête. Jean-Marie avait alors compris qu'il était grand temps que son long voyage prît fin. Encore plus inquiets que fatigués, les hommes avaient épuisé les bonbonnes de *chicha* embarquées à Callao et les dames-jeannes de rhum achetées à Saint-Domingue. Faute de vivres frais, quelques-uns étaient atteints de scorbut et, dans le fond des barils d'eau croupie, des vers grouillaient. Tous avaient hâte de rentrer chez eux, si humble fût leur demeure, et d'y retrouver leur femme, juste le temps de leur faire un enfant avant de repartir pour la morue.

La veille de leur arrivée au Port-Louis, comme la frégate se trouvait par le travers de l'île de Groix, Jean-Marie avait posé au pilote une question qui le tourmentait :

« Vous allez être bien aise de revoir votre Justine?

— Pour sûr! avait répondu Pierre Bulot. Le temps doit lui durer à elle aussi. Nous avons des comptes à faire tous les deux.

— Et en dehors des comptes? avait insisté le capitaine de la *Marie-Léone*. Vous ne me ferez pas croire qu'il n'y a rien d'autre entre vous!

— Ça, vous vous trompez, capitaine, foi de Bulot! Entre la Justine et moi, rien de rien! Vous la connaissez mal. Ça n'est pas une femme à mélanger le sentiment et les affaires. Pour moi, ça n'est pas que la chose m'aurait déplu, mais j'imagine qu'elle a d'autres ambitions, Mme Justine. »

Jean-Marie avait été heureux d'entendre le pilote parler ainsi parce que si les hommes ne peuvent pas empêcher que couchent avec d'autres hommes les femmes qu'ils ont eux-mêmes besognées, il leur répugne de connaître ceux qui les ont précédés ou suivis.

Au premier rang de la foule venue saluer le retour de la *Marie-Léone* au Port-Louis, se tenaient les officiers de l'amirauté, les agents de la Monnaie et les commis de la Compagnie des Indes. Les ancres de la frégate à peine mouillées, ils étaient montés à bord pour interroger le capitaine et s'enquérir du fret de retour. Imperturbable, Jean-Marie Carbec raconta qu'il était allé jusqu'au Pérou par le détroit de Magellan et qu'il en revenait par le cap Horn. A Callao, il était bien parvenu à vendre quelques menues pacotilles à bon prix, mais le plus clair de son bénéfice suffirait à peine à couvrir les frais de son expédition et le carénage de son navire. Le visage franc comme le métal qu'il ramenait il avait même montré aux contrôleurs quelques sacs contenant vingt mille piastres, soit soixante-dix mille livres qu'il était prêt à échanger à l'hôtel des Monnaies après avoir versé un tribut honnête à la Compagnie des Indes. Les commis dont c'était le métier d'être soupçonneux avaient fouillé la *Marie-Léone* de fond en comble, ouvrant même les barils arrimés au fond des cales et n'y trouvant que des cailloux pour lester le navire. Interrogés un à un, les matelots avaient tous répondu de telle manière évasive que personne n'aurait pu déceler dans leur regard la part de moquerie, de mensonge ou d'innocence qui y flambait. Même l'examen des documents n'avait rien appris aux messieurs blancs de l'amirauté, sauf les observations faites en cours de navigation, les avaries dues à la fortune de mer, l'assassinat de Guy Kergelho, le châtiment de Bois-Brûlé et la mort de sept autres matelots, graves événements qui transcrits dans le style laconique des journaux de bord paraissaient coutumiers.

Jean-Marie n'avait pas voulu rentrer à Saint-Malo avant d'avoir apuré les comptes de l'entreprise menée à bonne fin. Alors que ces sortes d'opérations provoquaient toujours des réclamations interminables parce que les armateurs s'ingéniaient à les faire traîner en longueur, Clacla était parvenue à tout débrouiller en quelques jours grâce à la double comptabilité tenue à Callao par les soins de Guy Kergelho. Au cours de ces vingt derniers mois, les affaires de Mme Justine avaient prospéré au point de l'obliger à engager un deuxième commis aux écritures. Elle avait acquis aussi comme un supplé-

ment de dignité qui se traduisait par une certaine
raideur dans les gestes et de gravité dans le regard,
jusqu'au timbre même de sa voix qui avait baissé
d'un ton. Le dernier soir passé rue de la Brèche,
Jean-Marie, à jeun depuis l'escale de Saint-Domingue et tenté de poser sa main sur la poitrine de
Clacla dont la rondeur disait assez qu'elle devait
être encore vulnérable, s'était rappelé le jugement
de Pierre Bulot sur Mme Justine qui ne mélangeait
pas le sentiment et les affaires. Leurs comptes en
ordre, après avoir bu un dernier verre comme deux
associés qui se félicitent d'avoir conduit une affaire
à son terme, il avait simplement dit, sans arrière-
pensée :

« Je suis content de t'avoir retrouvée, Clacla.
Grâce à toi j'ai pu arriver à Lima avant les autres.
Comment pourrais-je te remercier? »

Elle avait répondu : « Je sais tout ce que tu as
risqué, la mort de ton ami en témoigne. Si tu veux
me remercier, armons ensemble un deuxième
navire pour la mer du Sud. Mais, cette fois, en
compte à demi. Part à deux, toi et moi.

– Je viens à peine de débarquer! dit-il. Plus tard,
c'est à voir. En attendant, je vais te faire cadeau
d'une bague dont le capitan de Lima me fit présent.
Je n'ai jamais pu la porter, mes doigts sont trop
gros. »

Clacla tendit une main maladroite, un peu rouge.
Seul son petit doigt put entrer dans l'anneau espagnol. Heureuse, elle regarda le bijou en riant, et
agita sa main dans la lumière de la chandelle pour
mieux admirer les reflets du rubis entouré de petits
diamants. Toute Mme Justice qu'elle fût devenue,
avitailleuse de la Compagnie des Indes, elle n'avait
encore jamais porté de bague, la Clacla. Le temps
du maquereau frais qui vient d'arriver était bien
mort, mort comme le marin du roi qui avait été son
premier mari, mort comme Mathieu Carbec. Au

moment de se séparer, elle avait dit à Jean-Marie après l'avoir embrassé deux fois sur chaque joue :

« Maintenant que tu es riche, marie-toi et fais beaucoup d'enfants à ta femme. Crois-moi, marie-toi. Ne reste pas seul. Moi, la nuit, j'ai peur des loups-garous. »

Rue du Tambour-Défoncé, Jean-Marie trouva maman Paramé assise et tricotant devant la cage de Cacadou. La vieille Cancalaise se leva avec le sourire qui tremblait toujours au fond de ses yeux humides lorsque le garçon rentrait à la maison, et l'oiseau battit des ailes en poussant le sifflet de bienvenue dont il avait coutume. Cette fois, Jean-Marie arrivait de l'autre côté de la terre, après des mois et encore des mois pendant lesquels personne, à Saint-Malo, n'aurait pu dire ce qu'il était devenu. Maman Paramé l'avait accueilli cependant avec le même visage paisible que s'il était parti la veille.

« Tu es aussi saisie que moi, mais toi tu le caches derrière tes tétasses! Pour sûr qu'elles ont encore grossi, non? »

La plaisanterie durait depuis plus de trente ans, Rose Lemoal aurait été déçue de ne pas l'entendre. « Tu as dû te tourmenter, insista Jean-Marie, mon voyage a duré longtemps.

– Que le temps m'ait duré, dame oui! Grâce à elle je ne me suis point trop fait de soucis. »

Disant cela, maman Paramé montrait du doigt la joubarbe qu'elle ne manquait jamais de suspendre au plafond lorsque Jean-Marie prenait la mer. Tant que la plante restait verte, il n'y avait point de péril à craindre. D'un air complice, Jean-Marie avait souri et montré à son tour l'étrange scapulaire qui lui pendait au cou et dont il n'avait jamais mis en doute le pouvoir protecteur. Il était heureux de regarder sa maison, ses meubles, ses objets les plus familiers, d'ouvrir toutes les portes et tous les tiroirs ça m'aurait fait deuil si ce bougeoir cassé avait disparu. Sous ses pieds, le souvenir des longues houles le fit s'accrocher à la rampe de l'escalier et rire tout seul de la joie simple d'un marin qui rentre chez lui. Dans sa chambre, tout était aussi net et reluisant que dans celle du capitaine de la *Marie-Léone*. Ouvert, le lit l'attendait avec ses toiles un peu raides qui sentaient l'eau de mer, une odeur reconnue entre toutes, qui ne ressemblait à aucune autre. Dans le coffre de l'oncle Frédéric, dormaient le violon chansonnier et les gobelets d'argent. Jean-Marie retrouva au fond d'un tiroir ses vieux cahiers de l'Ecole de marine et, se penchant par la fenêtre sur la rue étroite il regarda un coin de ciel bleu et blanc où glissaient les oiseaux piailleurs de son enfance malouine.

Le jour de son arrivée, Jean-Marie mangea quatre grosses crêpes de blé noir, croqua une pomme et but coup sur coup six bolées. Après la *chicha* et le rhum au citron vert, les ananas, les mangues et les corosols dont le parfum musqué l'avait enchanté et vite lassé, il était satisfait, sans le savoir, de retrouver le goût rassurant du beurre, la saveur verte d'une reinette, l'âcreté du petit cidre qui râpe les dents. En face de lui, sans poser de questions sur des pays dont elle se souciait peu, maman Paramé s'était enfin assise en reprenant ses aiguilles. Tout redevenait quotidien. Ce soir, il souperait avec François Troblet et Joseph Biniac à l'auberge de La Malice, pour fêter son retour, et il rendrait visite à la jeune veuve du capitaine péri en mer.

« C'est-il pas joli, ce que je fais là? demanda Rose Lemoal.

— Oui, c'est très joli! répondit-il sans même regarder la laine qu'elle tenait dans ses mains tricoteuses. Qu'est-ce que c'est?

– Une brassière! minauda-t-elle avec un sourire entendu.

– Une brassière? Mais, tu es trop vieille pour faire encore une nourrice, ma pauvre maman Paramé!

– C'est pour ton gars.

– Pour mon gars? »

Jean-Marie ne savait plus s'il devait rire ou s'inquiéter. Après une absence de deux années, des surprises de ce genre attendent souvent les marins. La veille de son départ, il avait passé avec la veuve une nuit qui lui avait brisé les reins et, dans les semaines précédentes, il avait dû lui arriver, par-ci par-là, de sauter une servante ou quelque fille de la campagne sans se soucier du reste, parce que s'il fallait que les hommes s'embarrassent de telles vétilles il ne leur resterait plus que le bordel. Les hommes, Rose Lemoal en avait une connaissance précise : ça aime bien la goutte, ça aime bien forniquer, ça aime bien les sous. Elle comprit la pensée de Jean-Marie et, riant sous cape, dit :

« Ton gars, il n'est point né encore, tu viens seulement de rentrer. Dame, il faut le temps! Mais ces choses-là, elles vous tombent au moment où on ne s'y attend pas. C'est moi qui te le dis. Ton gars, je ne voudrais point qu'il arrive tout nu comme un pauvre. Tu peux être tranquille, j'en ai tricoté déjà plein une armoire. »

Rassuré, il lui avait alors demandé :

« Tu veux donc toujours me marier, toi aussi? M'en as-tu au moins trouvé une? »

Elle avait énuméré plusieurs noms, ça n'est pas ça qui manque, tandis que, battant des ailes dans sa cage, Cacadou récitait avec conviction la leçon apprise en écoutant maman Paramé : « Marie-toi, Jean-Marie, marie-toi, Jean-Marie, marie-toi... » Un grand contentement coula dans le cœur du capitaine Carbec : la rue du Tambour-Défoncé, maman

Paramé avec ses crêpes de blé noir, ses vieilles tétasses et sa manie de vouloir le marier, Cacadou et son caquet, tout allait recommencer comme avant. Tout à l'heure, après souper, il irait rendre visite à sa maîtresse, dont il ne doutait pas qu'elle attendait fidèlement son retour, et il lui ferait cadeau d'un collier d'or avec une écharpe de vigogne.

Lente à son départ, la vente de la Compagnie des Indes battait à présent son plein sous le feu des enchères. Il avait fallu deux jours pour épuiser les cauris et les grosses cotonnades destinées aux armateurs des Antilles, et deux autres pour adjuger aux courtiers de Genève et d'Amsterdam les toiles peintes qui ne pouvaient être vendues qu'à la condition d'être réexportées avant six mois. Les batailles d'acheteurs n'avaient vraiment commencé qu'avec les lots de poivre, gingembre, cannelle, muscade ou même de thé dont la consommation française était très faible mais qu'on pouvait revendre en contrebande aux colonies anglaises d'Amérique. Elles avaient duré une semaine. Il restait encore à distribuer la cargaison ramenée par l'*Amphitrite* : porcelaines, laques et papiers brodés d'or.

De mémoire nantaise, jamais la ville n'avait vécu un mois d'octobre aussi lumineux et aussi gai. Le soleil dorait le fleuve et les écus roulaient dans les rues. Commencée le matin, à huit heures, avec l'ouverture de la vente, la journée ne se terminait guère avant minuit, que ce fût dans les maisons privées où l'on priait tous les soirs à souper, sur les places publiques tenues par les bateleurs, dans les tripots, les cabarets et les rues chaudes. Après neuf années de guerre, cette vente de la Compagnie des Indes sonnait comme une promesse de richesses et permettait des licences que personne n'aurait commises avant la paix de Ryswick. A Saint-Malo où les morts avaient été plus nombreux, un semblable tapage de réceptions ou de débauches n'avait encore secoué ni les beaux hôtels des Magon ni les bouges de la rue des Mœurs. Malgré la chaussée du Sillon qui la reliait à la terre, la ville demeurait toujours une île qui ne devait sa place dans le royaume qu'au courage aventureux de ses habitants, alors que Nantes, dont les citoyens ne le cédaient en rien aux Malouins, était en train de devenir une place commerciale importante grâce à sa situation géographique qui la mettait à l'abri des surprises ennemies, à ses transports fluviaux et au vignoble de son arrière-pays. Sur les bords de la Rance, tout le monde se connaissait, s'observait, se jalousait. Sur les bords de la Loire, si les rivalités n'étaient pas moins vigilantes, elles se diluaient à travers une population quatre fois plus nombreuse et demeurée fière d'habiter l'ancienne capitale d'un duché, ouverte à présent au plus grand négoce lointain et attirant les financiers autant que les acrobates.

A Saint-Malo, aucune jeune fille, même accompagnée de son frère ou de son parrain, n'eût été autorisée par ses parents à se mêler à la foule nocturne qui, à Nantes, se pressait autour des danseurs de corde, faiseurs de tours et autres diseuses de bonne aventure. Encore plus soucieuse des convenances depuis l'anoblissement de son mari, Emeline Le Coz s'y était d'abord opposée mais elle avait rendu les armes en apprenant que les plus grandes familles nantaises, les Becdelièvre, Luynes, Chevigné, Couédic ou Harrouis ne refusaient plus ces audaces devenues courantes chez les armateurs où grandissaient les futures héritières du nouveau siècle. Chaque soir, après le souper, M. Lajaille ne

manquait jamais de dire à ses deux petits-enfants :
« Allez vous amuser, belle jeunesse! »

Tout au long du repas, le vieil homme avait écouté Hervé, lieutenant à la Compagnie des Indes, lui raconter sa brève escale à Pondichéry, et Jean-Marie discourir plus discrètement sur les pratiques commerciales des Indes américaines. Ni lui ni le capitaine Le Coz ne se lassaient de les entendre, tandis que les deux femmes, la mère autant que la fille, regardaient les voyageurs avec une égale fierté. Un soir, le grand-père demanda à son petit-fils :

« Est-il vrai que là-bas, d'où tu viens, il est interdit de tuer le moindre insecte, même les poux ?

– Cela est vrai, mon grand-père. Les seigneurs ont toujours quelques esclaves pour nourrir les punaises de leur lit pendant trois ou quatre heures avant qu'ils ne se couchent eux-mêmes. Repues, les punaises les laissent ainsi dormir. »

Un autre soir, M. Lajaille demanda à Jean-Marie :

« Qui donc t'a donné l'idée d'armer pour ce Pérou où il n'y a rien à acheter? Ne serait-ce point quelque flibustier repenti comme il en arrive, m'a-t-on dit, à Saint-Malo, à Nantes aussi, et peut-être bien au Port-Louis? Dis-moi cela, mon gars. »

N'y voyant pas malice, Jean-Marie allait raconter sa rencontre avec Clacla quand il se rappela soudain que le père Lajaille avait aidé sa belle-mère à installer sa première boutique. De quelle monnaie l'avait-elle donc payé? Et pourquoi le vieux Nantais venait-il de poser une telle question sur le ton des gens qui en savent plus long que vous? Jean-Marie rougit, c'était sa façon de mal mentir, avant de répondre :

« C'est notre ami Kergelho qui a eu cette idée. Sa famille entretenait depuis longtemps des commis à Séville... »

Le nom du malheureux Malouin avait assombri la

fin du repas, mais de la réponse à sa question M. Lajaille n'avait retenu que le seul mot susceptible de réveiller ses propres souvenirs, Séville, dont les deux syllabes allumèrent au fond de ses yeux morts la lumière d'une petite fête amoureuse.

« Les femmes sont-elles au moins jolies, à Lima ? » demanda-t-il encore.

Mme de la Ranceraie Le Coz pinça ses lèvres minces, baissa la tête et fit mine de s'intéresser à la forme de sa cuiller d'argent dont le contact lui apportait toujours du plaisir et de la sécurité.

« Dites-le-nous, capitaine Carbec ! s'écria Hervé.

— Oui, dites-le-nous ! dit Marie-Léone en battant des mains. Notre grand-mère Manuella n'était-elle point espagnole ? »

Il se produisit quelque chose d'étrange que, plus tard, Jean-Marie devait souvent se rappeler. Avant ce jour-là, lorsqu'il regardait sa filleule ou même quand il lui arrivait d'y penser, Jean-Marie revoyait toujours le nouveau-né qu'il avait tenu sur les fonts baptismaux. Ce soir-là, il voyait d'autres formes se superposer à celles de Marie-Léone, celles de filles aussi jeunes, plus minces peut-être, au visage aussi fin et un peu plus mat éclairé de grands yeux noirs alors que ceux de sa filleule étaient d'un bleu profond. Il voulut effacer le souvenir des *señoritas* qui avaient l'une après l'autre enchanté ses nuits de Lima. Leurs deux images ne le lâchèrent pas. Il s'aperçut tout à coup que, pour la première fois, il éprouvait un contentement d'homme à regarder sa filleule. Loin d'en ressentir une honte qui l'eût naguère horrifié, il s'attarda à ces frontières interdites jusqu'au moment où il crut voir monter une légère rougeur aux joues de Marie-Léone. Il répondit enfin, voulant faire le galant :

« Oui, monsieur Lajaille, les Espagnoles de Lima sont souvent très jolies. Il y en a même qui ressemblent à ma filleule ! »

Ce même soir, comme Marie-Léone et ses deux cavaliers s'étaient attardés devant un bateleur qui, renversant la tête, faisait jaillir des flammes de sa bouche, Hervé Le Coz dit à Jean-Marie : « Je vous laisse chaperonner ma sœur, il me faut rejoindre des amis qui m'attendent au Grand Monarque pour tailler une partie », et il les planta là, devant ce diable qui crachait du feu.

Grave, conscient de son rôle protecteur, le bras offert, Jean-Marie fit faire à la jeune fille un dernier tour de foire avant de la raccompagner au quai de la Fosse. Elle s'appuyait à peine sur lui, pas plus que la bienséance le permettait, avec une confiance si complète et une manière de liberté si franche qu'un flot d'amitié paisible inonda le cœur de Jean-Marie. Il avait retrouvé la petite fille des jours anciens, encore qu'il ne se défendît pas d'éprouver un curieux sentiment où quelque vanité se mêlait à une sorte de fureur lorsque, croisant d'autres hommes, il s'apercevait que ceux-ci la regardaient avec trop d'insistance, ou même qu'ils se retournaient après leur passage. De ces manèges, Marie-Léone s'amusait sans jamais baisser les yeux. Sur un ton qu'il eût voulu plus gai, Jean-Marie dit soudain :

« Si tu restes encore quelques jours à Nantes, tu ne manqueras pas d'être demandée en mariage! »

Elle répondit en riant :

« Vous n'y pensez pas, mon parrain! Personne ne l'oserait. M'ayant vue tous les soirs à votre bras, tout le monde doit nous prendre pour deux fiancés. Cela est bien drôle, non? »

Il n'avait rien répondu, mais quelques instants plus tard, Carioca, à moins que ce fût Margarita, avait pris la place de Marie-Léone. Lui-même, sans qu'il s'en aperçût, avait serré un peu trop fort la main de la jeune fille qui ne s'était pas dérobée. Tous les deux gardèrent le silence jusqu'au quai de la Fosse. A quelques pas de la maison de M. Lajaille, elle dit en lui souhaitant la bonne nuit :

« Je suis contente que vous soyez rentré de ce long voyage parce que j'aurai besoin d'avoir un ami. Si je me marie bientôt, vous serez la première personne à qui j'apprendrai cette nouvelle. Je vous le promets. »

Chaque jour, à midi, de nombreuses personnes se rassemblaient sous les ormeaux, le long de la Chézine, en attendant la fin de la vacation. Les épouses des acheteurs étrangers y venaient attendre leurs maris et se mêlaient aux Nantais, nobles ou bourgeois, qui ne voulaient perdre ni l'occasion de se montrer ni celle d'apprendre ou de colporter les nouvelles du jour. Bien que la vente en demeurât interdite, elles portaient des robes multicolores faites de taffetas, gourgouran, satin et autres damas où se croisaient des fichus de soie taillés les uns et les autres dans des coupons de contrebande vendus par tous les agents de la Compagnie des Indes, directeurs, commis, contrôleurs, capitaines et matelots, depuis que le retour de la paix avait tari l'une des meilleures sources de profit des corsaires malouins.

On n'avait jamais vu tant de monde à la Chézine. C'était le dernier jour de la vente, Nantes allait retrouver sa vie quotidienne. Chacun se félicitait de ses achats ou de ses rencontres, et le bruit courait que le produit des adjudications dépassait trois millions de livres, somme dont tout le monde se réjouissait sauf le directeur, seul à savoir que la Compagnie avait emprunté la même année plus de cinq millions. A l'abri d'un gros arbre, pour se garantir du soleil de midi demeuré chaud dans cette première semaine d'octobre, un groupe d'hommes importants entouraient le marquis de

Molac, gouverneur de Nantes, et lui demandaient s'il avait quelque nouvelle de la santé du roi d'Espagne. C'était alors la grande préoccupation des diplomates et des militaires de haut grade, des banquiers et des négociants. Sans héritier, à qui le beau-frère de Louis XIV laisserait-il son trône et l'Empire espagnol des Indes? A ses neveux français ou à ses neveux autrichiens? Si le duc d'Anjou ou le duc de Berry devenait roi d'Espagne, le grand commerce avec les pays producteurs d'or et d'argent s'ouvrirait au négoce français. Dans le cas contraire, la France serait encerclée comme au temps de Charles Quint. Gouverneur d'une grande cité maritime et marquis, M. de Molac n'avait pas accès pour autant au secret de son maître, il croyait savoir seulement qu'aucun moyen n'avait été ménagé à Madrid et il espérait qu'à l'issue de la difficile lutte d'influence que se livraient, depuis de longs mois, Versailles et Vienne au chevet d'un moribond qui n'en finissait pas de mourir, le dernier soupir du roi d'Espagne serait recueilli par le roi de France en même temps qu'un fabuleux héritage.

Les portes de la salle ouvertes à deux battants, les acheteurs sortirent avec gravité. On remarquait parmi eux quelques joailliers venus de Paris, Bâle et Amsterdam car la dernière vacation avait dispersé des pierres précieuses de haut prix. Le capitaine Le Coz apparut l'un des premiers. Apercevant Emeline et sa fille qui l'attendaient au milieu d'une foule où l'on se distribuait des révérences d'adieu, il les rejoignit en saluant de droite et de gauche, tantôt du chapeau, tantôt de la canne à pommeau d'or, comme un parfait gentilhomme qui, dès la naissance, aurait su comme il convient de graduer l'hommage dû à tel ou tel. Moins à l'aise, encore incapable de se départir du dédain bourgeois qu'elle croyait être de bon ton, Emeline répondait aux civilités qui lui étaient adressées par une inclination de tête un peu trop raide. A quelques pas, Jean-Marie Carbec bavardait avec quelques amis nantais dont l'audace à la course, pendant la dernière guerre, avait égalé celle des Malouins. Ils s'appelaient Crabosse, Jean Vié, Kersauson, Riel, Kerbiguet et, le plus illustre de tous, Jacques Cassard.

Sans qu'elle s'en aperçût, un homme regardait Marie-Léone avec insistance. Il avait belle allure sous son uniforme des officiers de la Marine royale où s'étoilait la croix de Saint-Louis. Comme la belle ne lui accordait pas la moindre attention, il se dirigea vers le capitaine Le Coz salué avec affectation.

« Monsieur le Conseiller Secrétaire du roi, souffrez que je me permette de vous féliciter pour votre promotion. Elle honore toute la noblesse. »

Rouge de confusion, l'armateur ôta son chapeau et reconnut le héros qui était allé sous le feu de l'ennemi reconnaître les galiotes de l'amiral Benbow.

« Monsieur le comte de Morzic, vous me comblez d'honneur.

– Point! répondit l'autre en le contemplant avec un bon sourire. Notre vieil ami commun, le comte de Kerélen, m'a dit en quelle estime vous tenait M. de Pontchartrain, et, pour ma part, je ne puis oublier que je vous dois d'être aujourd'hui devenu capitaine de frégate. »

Yves Le Coz avait bien compris qu'on faisait allusion au rôle décisif qu'il avait joué naguère auprès du chevalier de Couesnon en faisant embarquer son fils Romain à bord du *Renard*. Il ne voulut pas demeurer en reste de gracieusetés.

« Monsieur le Comte, vous ne devez votre état qu'à vos seuls mérites. Moi, simple marchand, je n'étais ni à Bévéziers ni sur votre chaloupe à Saint-Malo.

« – Laissons cela! fit Romain de Morzic. Permettez-moi de présenter mes hommages à madame et à mademoiselle. »

Il se découvrit, s'inclina comme il l'eût fait à Versailles, releva très lentement la tête en fixant Marie-Léone qui baissa les yeux, adressa aux deux femmes quelques charmantes banalités et se félicita d'être arrivé à Nantes juste à temps pour la dernière séance de la vente, ce qui lui donnait le plaisir imprévu de rencontrer des amis chers à son cœur. Emeline Le Coz l'écoutait, ravie. Tout secrétaire du roi que fût devenu son mari qui s'appelait maintenant M. de la Ranceraie Le Coz, elle était demeurée pour les Nantais qui l'avaient connue autrefois la fille de Léon Lajaille, et il ne lui déplaisait pas d'être distinguée aujourd'hui sous les ormeaux de la Chézine par un gentilhomme de bonne race qui servait avec honneur sur les vaisseaux du roi. Elle non plus, Marie-Léone, n'y paraissait pas insensible, sous l'air réservé qui avait figé ses sourires comme si les saintes mères de Dinan eussent été présentes pour lui rappeler les règles élémentaires de la bienséance.

« Mais voici notre cher Jean-Marie! » dit joyeusement Romain de Morzic.

La démarche un peu lourde, les gestes sans grâce, le front barré de deux grosses rides qu'Emeline ne lui avait jamais vues, Jean-Marie Carbec s'avançait vers leur groupe. Les deux hommes ne s'étaient pas rencontrés depuis la nuit terrible où Saint-Malo aurait pu être foudroyé par la machine infernale des Anglais, mais Jean-Marie n'avait pas oublié le léger rire de Romain – « décidément tu ne seras jamais courageux! » – parce qu'il a eu un mouvement de recul en entendant une lame siffler entre leurs deux têtes. Ils se saluèrent courtoisement, l'un avec toutes les apparences du bonheur de leurs retrouvailles, l'autre avec plus de réserve.

« Il y a combien d'années que vous ne vous étiez pas rencontrés tous les deux? demanda innocemment le capitaine Le Coz.

– Six ans, fit Jean-Marie d'une voix bourrue.

– Vous étiez donc une toute petite fille, mademoiselle!

– Pardon, monsieur, j'avais douze ans! observa Marie-Léone en retrouvant son sourire parce que tout paraissait plus léger et plus gai dès que l'officier du roi ouvrait la bouche.

– Je dois t'adresser de chaleureuses félicitations, Jean-Marie, poursuivit le gentilhomme. Nous avons tous appris à Brest que tu avais conduit une frégate jusque dans la mer du Sud. De tout cœur je te dis bravo! Tu as réussi là où l'un des nôtres, le marquis de Gennes, avait échoué. Tous les officiers du Grand Corps t'envient. »

Le comte de Morzic avait retrouvé le ton amical et libre des années d'autrefois, celui de Romain de Couesnon. Cette fois, sa sincérité ne pouvait plus faire de doute. Il dit encore, fraternel :

« Il me faut te féliciter aussi pour un autre événement d'importance. Tu ne devines pas lequel? »

Jean-Marie se tenait sur ses gardes. Quel mauvais coup allait-il devoir parer cette fois? Il se contenta de faire signe qu'il ne comprenait pas. Romain de Morzic se tourna alors vers Marie-Léone :

« Eh bien, mademoiselle, vous me permettrez quand même de vous offrir ce modeste présent que je viens d'acquérir à la vente de la Compagnie des Indes. »

Il avait sorti d'une poche un collier fait de petits grains d'or et de corail, et disait : « Ce sera mon cadeau de fiançailles, je vous souhaite d'être très heureuse.

– Mais je ne suis pas fiancée, monsieur! »

Elle avait dit cela en riant aux éclats comme une

petite fille à qui on vient de conter une drôlerie, mais l'officier poursuivait déjà :

« Comment cela? Vous n'êtes point promise à Jean-Marie? Je vous ai pourtant aperçus hier soir tous les deux, à la Foire. Vous aviez l'air de deux fiancés. Je n'ai pas voulu faire l'importun. »

Marie-Léone ne riait plus, une rougeur dont personne n'aurait pu dire si c'était confusion, trouble ou colère, lui était montée au front. Sa mère mit fin à cette méchante comédie, « Ma fille n'est pas la fiancée du capitaine Carbec, elle est sa filleule », et elle quitta la Chézine en entraînant Marie-Léone, laissant les trois hommes stupéfaits. Seul le comte de Morzic paraissait s'amuser en faisant sauter dans le creux de sa main les petits grains d'or et de corail.

« C'est dommage! finit-il par soupirer. Vous auriez fait tous les deux un beau couple de mariés. »

Jean-Marie ne savait quelle contenance prendre. De tous les coups que Romain pouvait lui porter, comment aurait-il pu prévoir celui-là? Comme Marie-Léone l'avait fait tout à l'heure il prit le parti de rire lui aussi.

« Voyons! un parrain n'épouse pas sa filleule.

– C'est ma foi vrai, admit Morzic, je me suis conduit comme un sot. Je vous prie tous les deux de me pardonner. »

Disant cela, les yeux perdus au loin, il faisait toujours sauter dans sa main le petit collier rouge et or. La foule s'était dispersée, et le capitaine Le Coz se demandait si sa nouvelle condition lui permettait de prendre congé le premier ou s'il convenait d'attendre le bon plaisir du comte de Morzic. Celui-ci le tira bientôt d'embarras pour le plonger dans un plus grand souci.

« La route est donc claire, dit rêveusement Romain, et, tirant soudain son chapeau : Monsieur l'Ecuyer, m'autoriseriez-vous à venir faire ma cour à Mlle de la Ranceraie?

– Non, pas vous! »

Jean-Marie avait prononcé ces trois mots avec une telle violence que quelques passants attardés s'arrêtèrent, curieux d'un éclat entre un officier rouge et un officier bleu. Le comte de Morzic, feignant de ne pas comprendre, s'en tira par une pirouette :

« Eh là! Jean-Marie, tout doux. Je ne pense pas offenser le capitaine Le Coz. Ne suis-je pas aussi bon gentilhomme que lui? Répondez-moi, monsieur le Conseiller Secrétaire?

– Monsieur le comte, vous me comblez de prévenances. Ma demeure a toujours été ouverte au chevalier votre père qui m'honore de son amitié, elle ne saurait donc vous être fermée. Vous connaissez mieux que moi les usages de nos familles. Ne pensez-vous pas qu'en ce genre d'affaires, les parents doivent d'abord se rencontrer et se mettre d'accord?

– Vous avez raison. Je consulterai donc mon père et lui demanderai de vous rendre la visite de courtoisie qui précédera les miennes. »

Après avoir salué une dernière fois avec beaucoup de grâce, il s'était éloigné. « En voilà une affaire! dit le capitaine Le Coz en soufflant du nez. Que penses-tu de tout cela? » Jean-Marie ne répondit pas. De la Chézine au quai de la Fosse, il n'y avait que quelques pas à faire. M. de la Ranceraie les parcourut en marmonnant : « Comtesse de Morzic, comtesse de Couesnon de Morzic. » Le capitaine Carbec, comme au temps qu'il était enfant, donna un grand coup de pied sur un caillou.

« Quel démon vous aura poussé à agir ainsi? Vous n'aviez jamais vu cette fille auparavant? »

Le chevalier de Couesnon venait d'entendre son fils venu à la Couesnière pour lui demander de rendre visite au capitaine Le Coz afin d'obtenir les autorisations voulues par l'usage. Sa surprise avait été telle qu'il n'avait pu s'interdire de la témoigner avec humeur.

« Expliquez-moi cela, monsieur le capitaine de frégate !

— Mon père, ne m'avez-vous pas souvent confié que vous ne voudriez pas mourir avant d'entendre vos petits-enfants courir dans cette maison que vous avez relevée ?

— C'est vrai. J'y pense souvent, à condition cependant que ces enfants aient une mère qui convienne à vous et à moi. Il n'y a que dans les romans qu'une inclination pousse deux êtres l'un vers l'autre de façon irrésistible jusqu'à vouloir unir leur vie par le sacrement du mariage. Il ne s'agit pas de cela, n'est-ce pas ?

— Je pense que vous vous trompez, mon père. Ces choses-là arrivent plus souvent que vous ne le croyez, et autre part que dans les contes. Pour ce qui me concerne, je vous avoue sans rougir que j'ai été saisi d'un sentiment subit.

— Que ces sortes de choses arrivent, mon fils, je n'en doute pas, interrompit le chevalier. Mais pas à vous. Parlons net et faites-moi confiance. Avez-vous perdu au jeu ? Combien vous faut-il ? Si vous avez besoin d'argent pour régler des dettes importantes, ou tenir un train qui dépasse mes moyens, prenez l'argent du capitaine Le Coz si bon vous semble, il sera bien aise de vous en prêter à un taux élevé, mais ne prenez pas sa fille. Si vous voulez vraiment vous établir, vous en avez l'âge et l'état, je vous en trouverai d'autres, plus riches. Entre nous, je vous connais assez pour savoir que vous ne vous mésallierez jamais.

– Il n'est pas dans mes idées, en effet, de me mésallier, le capitaine Le Coz n'est-il pas écuyer?

– Vous vous moquez? »

Le comte de Morzic arbora son sourire enfantin pour répondre : « Des autres, cela m'arrive. De vous, jamais, mon père. » M. de Couesnon eut peur de ce sourire. Comme tant d'autres fois, allait-il céder à son charme? Il s'y refusa et se leva du fauteuil au dossier raide sur lequel il était assis devant la cheminée où le feu ne parvenait pas à réchauffer cette soirée d'automne.

« Demeurez assis! demanda-t-il à son fils. Je serai plus à l'aise debout pour vous dire ce que je pense de votre affaire. »

M. de Couesnon venait d'avoir soixante-douze ans, se tenait droit sans effort, ne souffrait d'aucune infirmité et était devenu, la chance l'ayant aidé au penchant de sa vie, un des messieurs de Saint-Malo dont les plus riches sollicitaient les avis. Silencieusement, les bras noués derrière son dos, il entreprit de marcher à travers la grande salle où il s'était installé avec son fils après leur souper. Maître après Dieu sur la frégate qu'il commandait, Romain, quand il se trouvait à la Couesnière, ne prononçait pas un mot plus haut que l'autre. Il regarda, muet, la longue silhouette de son père aller et venir, tantôt éclairée par les six bougies du candélabre, tantôt absorbée par l'ombre de la pièce, et compta les pas qui allaient ponctuer tout à l'heure, il en était sûr, des paroles redoutées. Cinq longues minutes passèrent ainsi. Le chevalier ne savait trop comment s'y prendre avec ce grand fils décoré de l'ordre de Saint-Louis, dont il était fier et davantage inquiet. Toujours marchant, sans jeter le moindre regard à Romain, il finit par dire :

« Vous étiez donc persuadé que Jean-Marie Carbec et cette jeune personne étaient fiancés.

– Absolument, mon père.

– Sur votre honneur?

– Sur mon honneur. Où voulez-vous en venir? »

M. de Couesnon poursuivit sa marche silencieuse et dit au bout de quelques instants :

« Quelque chose m'échappe. Je ne vous comprends ni l'un ni l'autre. A chacune de vos rencontres, elles sont rares j'en conviens, vous témoignez toujours à Jean-Marie Carbec des prévenances, des sourires, cent autres marques d'amitié, et vous finissez toujours par quelque parole, voire quelque geste, hostile. Vous aurait-il manqué gravement naguère au point que vous gardiez le souci de vous venger?

– Mon père, ce sont là des choses qui se règlent sur-le-champ!

– Sans doute. J'ignore ce qui peut vous dresser ainsi contre lui et c'est une affaire où je ne veux pas me mêler. Une chose demeure certaine pour moi, écoutez-moi bien, je ne vous laisserai pas vous moquer de cette jeune fille et de ses parents. »

Le chevalier se courba vers la cheminée pour raviver le feu en mettant une bûche sur celle qui venait de s'effondrer en crépitant. Il se releva avec une grimace qui lui tira les joues et se tint droit devant son fils auquel il dit, très bas, comme à confesse :

« Dites-moi, monsieur de Morzic, le bonheur des autres vous serait-il insupportable? »

Livide, la lèvre inférieure un peu crispée, Romain s'était levé. Il allait répondre, mais son père reprenait déjà son discours avec une voix plus timbrée.

« Laissez en paix Marie-Léone. Vous ne voulez pas en faire la comtesse de Morzic. Moi non plus, je ne le désire pas. Ça n'est pas que je mésestime cette famille Le Coz qui vient d'accéder à la noblesse par les procédés que vous savez et qui valent sans doute les moyens utilisés naguère par ceux dont vous êtes fier de porter aujourd'hui le nom. Je ne dédaigne pas le capitaine Le Coz. Au contraire, je l'estime beaucoup. Je pense seulement que lorsqu'on épouse une fille on se marie toujours plus ou moins avec sa famille. Ce genre d'union n'est pas fait pour vous. Non, ne me coupez pas la parole, je n'ai pas fini. Vous seriez heureux de troubler cette jeune fille, n'est-ce pas? Sans doute, de l'éblouir? Et si elle se prenait à votre libertinage où je ne doute pas que vous soyez passé maître? Vous êtes séduisant, monsieur, peut-être de la pire espèce. Je me suis laissé dire que les femmes aiment ce genre d'hommes auxquels elles n'en veulent même pas d'être infidèles parce qu'à défaut de constance ceux-ci leur apportent beaucoup de plaisir. Chez nous autres, gens de la noblesse, les hommes peuvent se permettre d'avoir quelques vices, le jeu, l'alcool, l'oisiveté, la débauche, cela ne tire pas à conséquence. Nous en avons l'habitude quasi ancestrale, et nos vertus balancent ces défauts. Chez les bourgeois, c'est autre chose. Ce qui est simple nuage dans nos familles devient un orage dans les leurs qui peut tout dévaster. Songez-y et mettez à l'épreuve du temps les sentiments que vous prétendez éprouver. Je ne rendrai pas au capitaine Le Coz la visite de courtoisie que vous sollicitez parce que je ne pense pas, monsieur de Morzic, que les bonnes manières puissent jamais remplacer la moralité. Voilà ce que je voulais vous dire, Romain. D'ailleurs, je gage que vous ne penserez bientôt plus à cette jeune personne. »

M. de Couesnon tourna le dos à son fils et recommença d'aller et venir dans la salle. La bûche qui flambait dans la cheminée projetait l'ombre du chevalier sur les murs où s'écaillait l'or du vieux cadre.

A TOUT ce que la société malouine comptait de solide ou d'éclatant, Noël Danycan avait ouvert les portes de son hôtel. Il fêtait l'heureux retour de ses navires armés pour la mer du Sud et montrait à ses invités sa nouvelle demeure élevée sur les remparts, face à l'océan, faite pour braver les siècles autant que les tempêtes et dont la raideur militaire disait assez que son architecte avait appris de M. Vauban l'art de construire des forteresses. Hôte fastueux, on le disait l'homme le plus riche de Saint-Malo après le vieux Magon de la Chipaudière, depuis que ses écus et ses lingots lui avaient permis d'ajouter une particule à son patronyme suivi du nom d'une petite terre. Noël Danycan de l'Epine n'y contredisait pas et se flattait d'être à lui seul plus généreux que tous les Magon réunis. Alors que la plupart des capitaines armateurs étaient déchirés entre le souci de la dissimulation et le goût de l'ostentation, il était de ceux qui préfèrent étaler leurs richesses et il ne dédaignait pas de faire connaître par le tambour de ville la dot de ses filles et le poids de son argenterie. Pêche, course, commerce, armement, traite, prêts à la grosse, tout lui avait réussi, jusqu'à épouser une nièce du ministre de la Marine, et de marier sa fille au procureur général auprès du parlement de Bretagne.

Conviés parmi cent autres, le comte de Kerélen et le chevalier de Couesnon admirèrent le vaste escalier de pierre qu'on aurait pu gravir à cheval, la chambre de réception, blanche et or, meublée de fauteuils aux velours éclatants, la salle à manger ronde, lambrissée d'acajou et moulurée d'ébène, le grand salon dont les murs s'ornaient d'immenses tapisseries des Flandres et où trônait, au-dessus d'une cheminée de marbre aux garnitures de porcelaine, le portrait d'un personnage emperruqué, rougeaud, magnifique.

« C'est le père de notre hôte! dit à mi-voix M. de Kerélen en poussant du coude son voisin. Encore deux ou trois générations et ce Danycan-là fera figure de grand ancêtre. »

Autour d'eux les invités se pressaient, les uns ravis, les autres étonnés de se rencontrer là, ceux-ci justifiant de parchemins et de terriers incontestables, ceux-là tirant vanité de titres plus neufs, tous surveillant l'ordre des préséances tandis que des laquais galonnés d'or leur distribuaient des sirops, du vin d'Espagne, des pâtisseries et des sorbets sur des plateaux d'argent.

Depuis quelques années, les deux amis observaient avec curiosité la violence avec laquelle les nouveaux venus montaient à l'assaut des positions réservées jusqu'alors aux gentilshommes les plus nantis. Profiteurs eux-mêmes de cette ruée bourgeoise, ils ne la dénonçaient pas mais ne manquaient jamais de marquer leur surprise devant la rapidité avec laquelle l'ordre social auquel ils tenaient le plus s'était fissuré à ce point que, ni l'un ni l'autre, ils n'avaient hésité un seul instant à accepter l'invitation d'un marchand de morue promu gentilhomme. Nobles de vieille souche bretonne, n'étaient-ils pas devenus eux-mêmes morutiers et négriers?

« Je ne sais ce que ce nouveau siècle enfantera,

dit le comte de Kerélen, mais pour l'instant il faut bien convenir qu'il s'ouvre par un comble de gloire pour le roi et de prospérité pour la France. Regardez donc autour de vous!

– Vous me pardonnerez de ne pas partager votre enthousiasme. Jamais la France n'a été aussi pauvre et aussi menacée, répondit gravement M. de Couesnon.

– Allons donc! Vous ne pouvez pas nier que, l'année dernière, feu le roi d'Espagne a légué à son petit-neveu français, le duc d'Anjou, un empire immense! L'Espagne, les Baléares, la Sardaigne, le Milanais, la Toscane, Naples et la Sicile, les Pays-Bas...

– Le Mexique, poursuivit le chevalier, toute l'Amérique du Sud sauf le Brésil, les plus riches Antilles, les Philippines, et j'en passe! Je sais tout cela, et voilà bien ce qui m'inquiète.

– Seriez-vous donc de ceux qui auraient préféré que le roi refuse ce testament? S'il en avait été ainsi, toutes ces possessions seraient tombées entre les mains des Habsbourg! C'est alors que vous auriez lieu d'être inquiet.

– Et qui vous dit, mon cher comte, que Londres, Vienne et Amsterdam ne soient pas déjà inquiètes de voir les deux royaumes de France et d'Espagne réunis, quelque prochain jour, sous une même couronne? répliqua le chevalier.

– La parole du roi de France ne vous suffit donc plus, monsieur le raisonneur?

– Ecoutez-moi, monsieur le comte. Vous m'avez demandé tout à l'heure de regarder autour de moi. Eh bien, regardons ensemble les invités de notre Danycan. Tous ces marchands, négociants et armateurs sont persuadés que, régnant déjà à Madrid à travers son petit-fils, notre roi va leur assurer la liberté du trafic avec les colonies espagnoles. Vous même, vous y comptez!

– Sans doute! Si je n'avais pas déjà un pied dans la tombe, je deviendrais armateur.

– Je vous admire. Comment pouvez-vous penser que les autres puissances admettent la mainmise des marchands français sur tout le commerce avec les Indes, qu'elles soient occidentales ou orientales? Les Espagnols qui sont devenus nos cousins seront les premiers à s'y opposer.

– Il faudra qu'ils l'admettent, s'entêta Kerélen. D'ailleurs Londres et Amsterdam viennent d'envoyer des ambassadeurs à Madrid...

– Mais pas Vienne! » interrompit M. de Couesnon.

Le comte de Kerélen n'y prit pas garde et affirma qu'en acceptant cette succession Louis XIV avait assuré une longue période de paix à la France. De la haute fenêtre devant laquelle ils se tenaient, les deux gentilshommes voyaient en face d'eux les deux Bés, plus loin l'îlot de Cézembre, à gauche l'embouchure de la Rance, à droite le Fort de la Reine, et partout la mer couleur d'émeraude sous un ciel immense où glissaient des petits nuages blancs. Las d'habiter dans des ruelles étroites et sombres des maisons de bois qui ne convenaient plus à leur condition, quelques riches Malouins faisaient construire de vastes demeures sur les remparts d'où ils pourraient dominer l'océan du regard comme s'ils se fussent trouvés sur la dunette d'un vaisseau de haut bord. Leurs emménagements devenaient autant d'occasions d'étaler aux yeux de leurs hôtes quelques précieux objets dont personne ne se souciait de connaître l'origine : pièces d'argenterie, cabinets de laque, lames damasquinées, vases de porcelaine, pendules dorées aux cadrans d'émail, paravents de papier doré où volaient d'étranges oiseaux de soie multicolores.

« Regardez donc nos messieurs de Saint-Malo! fit le comte de Kerélen, ils sont tous venus avec leurs épouses. Et voyez comme elles sont faites! Lorsque les hommes de notre génération seront morts, bien malins ceux qui pourront distinguer les bourgeoises des femmes de la noblesse! Quant aux laquais qui sont déjà mieux habillés que nous, ceux-là, on pourra au moins les reconnaître au nombre de leurs galons! »

Il cita quelques noms et s'étonna de n'avoir pas vu M. de la Ranceraie.

« Vous voulez parler du capitaine Le Coz?

– Sans doute. Votre ami n'est-il pas devenu écuyer? Sa place me paraît marquée chez M. Danycan de l'Epine.

– Ne vous moquez point. Si le capitaine Le Coz n'est pas là aujourd'hui, c'est qu'il se trouve à Nantes où son beau-père vient de mourir.

– Le père Lajaille? C'était un bon homme, un peu retors comme tous les marchands mais un bon homme tout de même. Eh bien, que Dieu ait son âme! Je n'aime pas beaucoup parler des morts qui ont le même âge que moi. Dites donc, Couesnon, voilà qui va faire de sa petite-fille une héritière à ne pas dédaigner?

– Laissons cela, je vous en prie! fit aussitôt le chevalier sur un ton surprenant.

– Quelle mouche vous pique, Couesnon? Ne m'avez-vous pas dit tantôt que les filles des messieurs de Saint-Malo deviendraient un jour les épouses de nos garçons?

– J'aurai donc changé d'avis. »

Les deux amis avaient quitté l'embrasure de la fenêtre pour se mêler aux autres invités. Ils désiraient surtout prendre congé de leur hôte auprès duquel se tenait le capitaine Gouin de Beauchêne, celui qui avait conduit jusqu'au Pérou deux frégates de la Compagnie des mers du Sud. A ceux qui le félicitaient de son heureux retour, le navigateur répondait avec modestie qu'un autre Malouin, le capitaine Carbec, était parvenu à Callao six mois avant lui. « L'important, concluait Noël Danycan, c'est que la route des Indes espagnoles nous soit désormais ouverte. Ça n'est pas le petit roi qui va nous la fermer avec ses six vaisseaux pourris, non? Il se conduira comme un bon petit-fils doit le faire avec son grand-père! » Disant cela avec un gros rire, il se frottait les mains comme un maquignon qui a réussi un bon coup.

« Allons-nous-en! dit Kerélen. Je ne puis pas supporter longtemps ce genre de grossièreté! Donnez-moi donc des nouvelles de votre fils?

– En ce moment, il doit croiser avec l'escadre de M. de Château-Renault dans la mer des Antilles pour protéger le retour des galions.

– Voilà qui est parfait. Hier, c'était toujours une escadre anglaise qui escortait la *flotta de oro*.

– Non, cela n'est pas parfait.

– Vous n'en démordez donc pas?

– Je me contente de considérer les événements. Deux mois après avoir accepté les clauses du testament, le roi a fait proclamer par le Parlement le maintien des droits à la couronne de France du nouveau roi espagnol. Dans le même temps, il ne s'est pas contenté de se faire donner par son petit-fils une procuration pour gouverner les Pays-Bas à sa place, mais il a envoyé des troupes occuper le Milanais. Dites-moi donc où règne aujourd'hui l'aigle à deux têtes? A Vienne ou à Versailles? »

Les deux amis étaient sortis de l'hôtel Danycan et se promenaient maintenant sur les remparts, lieu habituel de leurs interminables discussions. C'était au penchant d'une belle journée du mois de juillet. La mer était paisible, vernie de soleil, et sur les bastions de granit les lourds canons de bronze installés par M. Vauban pointaient vers les passes leurs longs museaux armoriés.

« Jusqu'à la semaine dernière, poursuivit M. de

Couesnon, les intérêts des marchands de Londres et d'Amsterdam n'étaient pas encore touchés, mais vous devez savoir que Madrid vient de nous concéder le privilège exclusif de la fourniture des nègres à toutes les colonies espagnoles. Cela, ni l'Angleterre ni la Hollande ne l'accepteront. Croyez-moi, la coalition d'Augsbourg va renaître sous un autre nom et une autre forme.

— Vous n'y pensez pas, Couesnon! Je ne sais quelle humeur vous aveugle. La guerre? Nous venons d'en sortir. Elle a duré neuf ans. Ni les Anglais, ni les Hollandais, ni les Autrichiens n'y songent. Vous savez aussi bien que moi que personne ne voudra se battre pour se disputer la traite ou le transport de quelques milliers de nègres d'Afrique en Amérique. Pardonnez-moi de vous le dire, ce sont là des idées déraisonnables. Reprenez vos esprits. De vous à moi, parlons franc, si un aigle à deux têtes doit déployer ses ailes sur l'Europe, il vaut mieux que ce soit à Versailles qu'à Vienne. Que répondrez-vous à cela?

— Pour ce qui est des aigles, rétorqua M. de Couesnon d'une voix dont il avait adouci volontairement le timbre, vous me permettrez de penser que les rapaces sont toujours dangereux, dans n'importe quels ciels. Quant à la guerre, je partage votre avis. Ni les Anglais, ni les Autrichiens, ni les Hollandais n'en veulent. Les Français non plus. Mais avez-vous jamais vu, mon cher comte, que pour faire la guerre on demande l'avis préalable de ceux qu'on y dépêche?

— Quelles sortes de libelles huguenots lisez-vous donc, Couesnon?

— Aucun! Dans l'instant, je fais mes délices d'un ouvrage dû à un saint homme d'évêque auquel l'éducation du duc de Bourgogne a été confiée, répondit le chevalier avec bonne humeur. Puis-je avoir meilleure lecture et plus raisonnable auteur?

C'est le *Télémaque* de Mgr Fénelon. Il y a là, sur l'horreur des guerres et l'illégalité des conquêtes, des jugements dont un vieux soldat comme vous-même pourrait tirer quelque profit.

— Fénelon? Cet évêque qui veut séduire pour mieux convaincre? Cela dénote un esprit faux.

— Qu'est-ce qu'un esprit faux, mon cher comte, sinon quelqu'un qui ne pense pas comme vous! Êtes-vous si sûr de demeurer vous-même dans la vérité?

— Oui, Couesnon, j'en suis sûr parce que je ne me suis jamais écarté du chemin tracé par mes parents, et parce que je ne me pose jamais une seule de ces questions qui vous rongent le sang.

— Eh bien, conclut le chevalier, si cela vous suffit vous êtes un homme heureux. Toutefois, je ne sais pas si je dois vous envier. Tout compte fait, je préfère mes tourments à vos certitudes. »

Quand il avait dit à son fils « Vous n'y penserez bientôt plus » le soir où le comte de Morzic lui avait révélé son sentiment subit pour la fille du capitaine Le Coz, M. de Couesnon ne s'était pas trompé. Après avoir manifesté de l'humeur pendant quelques jours à l'encontre du chevalier, l'officier avait regagné Brest sans chercher à revoir Marie-Léone, et quand il était revenu quelques mois plus tard à la Couesnière afin d'y saluer son père avant le départ de l'escadre Château-Renault pour la Nouvelle-Espagne, il n'avait même pas fait allusion à la discussion qui les avait opposés l'un à l'autre.

Emeline Le Coz, elle, n'avait pas oublié la scène qui s'était passée à Nantes le dernier jour de la vente de la Compagnie des Indes. Déçue par la discrétion du chevalier, elle ne désespérait pas de le voir apparaître quelque jour, venant demander la main de Marie-Léone pour son fils. Se défendant d'y croire, son mari ne manquait pas de lui dire « Vous vous racontez des fables », tandis qu'au même moment une coulée de miel sucrait sa bouche à la pensée qu'il pourrait devenir le beau-père d'un comte de Morzic comme le Danycan était aujourd'hui celui d'un comte de la Bédoyère. Après cela, il n'aurait plus qu'à mourir. Un seul souci le taraudait : quelle dot exigerait le chevalier de Couesnon pour permettre à son fils d'arriver plus vite aux grades élevés et de mener, quelque jour prochain, le train d'un chef d'escadre? Ces choses-là se paient. Lui, tout seigneur de la Ranceraie qu'il fût devenu, il ne pouvait pas encore se permettre de placer dans la corbeille de Marie-Léone une somme comparable à celle jetée par Noël Danycan dans celle de son aînée. Ses écus dispersés dans toutes sortes d'affaires, il avait besoin d'argent frais pour ne pas laisser les autres Malouins se partager sans lui les profits de la mer du Sud. Consentir une avance d'hoirie? Il y répugnait. Après ma mort, més enfants feront ce qu'ils voudront de ce que je leur aurai laissé. Moi vivant, je ne veux pas qu'on me dépouille. Constituer une rente aux époux par contrat? Il n'y fallait pas songer, les gendres que la bourgeoisie va chercher dans la noblesse exigent du comptant.

De ce mariage, Emeline Le Coz faisait un conte de fées, dont elle serait l'organisatrice. Certaines nuits, elle se pavanait au bras de l'officier des vaisseaux du roi et se réveillait tout à coup dans la moiteur de son rêve interrompu. Elle comptait maintenant quarante-sept ans, le même âge que Clacla. Semblable au plus grand nombre des Malouines de sa condition, elle n'avait jamais connu qu'un seul homme, non qu'elle eût renâclé à la bonne besogne où elle trouvait du plaisir, mais parce que des sept fautes capitales la seule luxure lui avait fait craindre l'enfer. Au cours des dix dernières années, le trouble qui l'avait dévastée ayant disparu, elle s'était rattrapée en déversant sur les autres des charretées de médisances ornées de ces sourires indulgents qui sont la charité des dévots et comme la revanche de leurs péchés non consommés. Depuis que l'âge l'avait apaisée et épaissi sa tournure, ses démons la crochaient avec d'autres fourches. Lorsqu'elle pensait au comte de Morzic, elle ne voyait ni son allure, ni ses gestes, ni même son visage. Elle ne se rappelait pas le son de sa voix ou le charme de son sourire. Cela lui importait peu. Elle imaginait seulement que, venant après la charge de conseiller secrétaire du roi dont elle avait le bon sens de ne pas surestimer la valeur sociale, le mariage de Marie-Léone la hisserait elle-même d'un seul coup à ce niveau de la société malouine, où les fleurons s'amarrent aux écus. Plus encore que celle de sa fille, cette union serait la sienne.

Les mois passèrent sans que le gendre espéré fît le moindre signe, non sans qu'Emeline poussât son mari à demander au chevalier quelles étaient les intentions du comte de Morzic après sa déclaration qui dans le monde du négoce valait promesse. Le capitaine s'y était refusé, disant que cela n'était pas dans les usages de la noblesse, ou prétextant qu'une telle démarche compromettrait l'avenir sinon lui-même. Il n'osait pas affronter M. de Couesnon, et, dans son secret, se reprochait d'avoir profité naguère de la détresse du gentilhomme en lui achetant à vil prix ses actions de la Compagnie des Indes. Ce jour-là, dont il se souviendrait toujours, il avait tenu à sa merci un noble en sabots comme un poisson qu'on vient de ferrer et il en avait éprouvé un plaisir rare dont il rougissait de honte depuis cet autre jour où, étant allé annoncer au chevalier la disparition de son fils aîné sur les bancs de Terre-Neuve, il avait compris comment un homme peut recevoir un tel coup sans se départir de sa courtoisie. Ignorant tout des révoltes intimes de M. de Couesnon, le capitaine l'avait aidé discrètement auprès de son notaire, prenant garde de blesser sa fierté, et il était parvenu à conquérir sinon son amitié au moins une estime devenue nécessaire à la paix de son cœur inséparable du succès de ses entreprises. Il osait encore moins aborder ce sujet en présence de Marie-Léone : « Ce ne sont pas des affaires qu'un père traite avec sa fille. Pourquoi ne pas lui en parler vous-même? Vous êtes sa mère. Avant que je fasse la moindre démarche, pour autant que je m'y décide, je veux savoir si notre enfant éprouve quelque inclination pour le comte de Morzic.

– Vous ne vous décrasserez donc jamais! avait répondu Mme Le Coz. Il n'y a que les petites gens qui se marient de la sorte. »

A deux ou trois reprises elle avait tenté auprès de sa fille quelque allusion à la scène de Nantes ou au prestige qui auréolait les officiers à parements rouges. Marie-Léone n'y avait porté aucun intérêt, feignant de ne rien entendre et prenant de ces airs indifférents, voire excédés, à la limite de l'insolence propre aux très jeunes personnes. Emeline n'avait plus insisté. Il lui arrivait même de redouter ses sourires, ses paroles autant que ses silences, et elle avait renoncé à parfaire l'éducation domestique d'une fille qui, à peine sortie du couvent, prétendait en savoir plus long que sa mère et ne souffrait pas davantage les conseils que les observations.

La mort de Léon Lajaille dénoua cette situation familiale dans des circonstances que personne ne pouvait prévoir. Pris de faiblesse alors qu'il était installé dans son fauteuil devant sa maison du quai de la Fosse, le vieux Nantais avait doucement incliné la tête sur sa poitrine et ne l'avait plus relevée. Ses dispositions testamentaires faisaient de sa fille sa légataire universelle, à charge pour elle de remettre à son petit-fils Hervé la totalité de ses propriétés acquises à Saint-Domingue, et de prélever sur tous les biens meubles ou immeubles qu'il possédait en France une somme de cent cinquante mille livres pour constituer une dot au bénéfice de sa petite-fille Marie-Léone. Emeline se drapa dans son chagrin, sachant d'instinct que le deuil confère un supplément de considération qui se prolonge au-delà du moment où s'efface l'odeur douceâtre des cierges éteints. Son livre de messe à peine refermé, elle avait ouvert le livre de comptes de M. Lajaille et reçu la visite du notaire. La lecture de l'un et les propos de l'autre lui apportèrent un baume délicieux qu'elle n'osa pas associer au réconfort de la prière, encore qu'une pieuse oraison ne récuse jamais un bon testament. Autant par incapacité de verser des larmes que par respect des convenances et de soi-même, elle ne pleura pas, ni en face des autres ni solitaire. Sa peine était cependant profonde. Le capitaine Le Coz écrasa sans honte une larme au coin de l'œil. Seule Marie-Léone avait sangloté bruyamment pendant la messe. « Sachez donc vous tenir! » lui dit sa mère comme au temps qu'elle était une petite fille, avant le couvent.

Parce que M. Lajaille tenait ses comptes avec un soin scrupuleux, il ne fallut pas longtemps à Emeline pour supputer ce qui lui reviendrait en propre après avoir distribué ou réservé les libéralités de son père. Bien que la conclusion de son examen eût dépassé ce que les notaires et les marieuses appellent sans rougir les « espérances », elle en voulut à sa fille d'avoir été dotée par son grand-père mais se réjouit à la pensée que cent cinquante mille livres peuvent faire pencher les balances du côté espéré. Il restait à en informer le chevalier de Couesnon et provoquer quelque rencontre fortuite entre les deux jeunes gens.

Laissant Emeline à Nantes, au milieu de ses comptes et de ses visiteuses, Yves Le Coz et Marie-Léone repartirent pour Saint-Malo trois jours après les obsèques. Le capitaine était à la fois heureux et inquiet de se retrouver seul avec sa fille. Retors dans le commerce des hommes, il était demeuré naïf devant les femmes au point de ne pas savoir que, même prises en flagrant délit de mensonge, celles qui avouent ne disent jamais toute la vérité. Une chose le peinait plus que d'autres : pourquoi les deux femmes de sa maison se querellaient-elles si souvent alors que partout ailleurs les mères et les filles s'entendaient si bien pour mystifier l'autorité paternelle ? Avec Hervé qui venait de réembarquer, point d'embarras : obéis à ton capitaine, sois ferme et juste envers l'équipage, ne bois pas trop de rikiki, fais ta prière tous les jours, méfie-toi des Portugaises elles ont toutes la vérole, ne force pas trop sur la pacotille. On ne voit pas quelles autres règles de conduite un père peut recommander à son fils partant pour Pondichéry. Mais quoi dire à cette Marie-Léone qui avait quitté la maison à l'âge où on lui coupait son pain en tartines et qui avait passé six années au couvent avec des filles de la noblesse bretonne, fières de leur nom, arrogantes, frondeuses, prêtes à la rébellion ? Depuis son retour sous le toit familial il ne s'était guère passé de semaine sans qu'un orage éclatât entre la mère et la fille, chicanes mineures à propos de tout et de rien où la plus jeune finissait toujours par l'emporter parce que des religieuses bien nées lui avaient appris l'art d'enrober les pires insolences dans les plus grandes marques de politesse. Craignant de prendre parti pour l'une ou pour l'autre, Yves Le Coz demeurait chagrin et se demandait si ça n'était pas là une sorte d'écot que doit payer un bourgeois pour accéder à la société de qualité ?

Dans le coche qui les ramenait tous les deux à

Saint-Malo, Yves Le Coz respecta d'abord le silence dans lequel s'était enfoncée sa fille. Il avait été profondément choqué d'entendre Emeline dire à Marie-Léone qui n'avait pu retenir ses larmes au moment de quitter Nantes : « Cessez donc cette comédie maintenant que votre grand-père n'est plus là pour vous regarder! » Doucement, il finit par dire :

« Tu sais, ta maman a autant de chagrin que toi.

– Sans doute, répondit Marie-Léone. C'était son père. »

Au bout de quelques instants, il avait repris, tout bas, hésitant sur chaque mot, maladroit, familier et rude, vieux chien qui vous envoie tendrement sa patte en pleine figure :

« Il ne faut pas en vouloir à ta mère. Si elle est parfois un peu brusque avec toi, c'est peut-être parce qu'elle n'a jamais connu la sienne. »

Rencognée dans le fond du coche, Marie-Léone faisait mine de ne pas entendre et regardait les arbres. Son père avait encore dit :

« Toi, tu as plus de chance que nous. Tu as connu ton grand-père et tu l'as beaucoup aimé. Le mien était mort, je ne sais où, avant ma naissance. A ta mère comme à moi, il a manqué quelque chose d'important. Comprends-tu ce que je ne sais pas te dire? »

La petite main de Marie-Léone s'était alors posée sur la sienne et ne l'avait pas quittée jusqu'au prochain relais où ils avaient changé de chevaux. Quelques lieues avant d'arriver à Saint-Malo, enhardi par la tendre confiance qui les réunissait maintenant tous les deux, le capitaine Le Coz affecta de rire pour déclarer que toutes les femmes de la ville allaient périr de la jaunisse en apprenant que Marie-Léone de la Ranceraie Le Coz aurait une dot à peu près égale à celle des filles Danycan. Elle lui coupa la parole.

« Je n'ai pas envie de rire, moi. Respectez au moins mon chagrin et sachez que je ne me soucie ni d'héritage ni de mariage! »

Le retour des deux navires du capitaine Gouin de Beauchêne survenant six mois après celui de Jean-Marie Carbec, les armateurs ne parlaient plus que de la mer du Sud et cherchaient à négocier la permission de tenter eux aussi l'aventure du Pérou. Personne ne savait de façon exacte ce que les frégates avaient ramené dans leurs cales. L'imagination malouine y suppléait pour réinventer l'El-Dorado, et ne connaissait plus de limites depuis qu'un petit-fils du roi de France s'était installé sur le trône espagnol. Si la récente concession accordée par Madrid pour la fourniture des nègres intéressait surtout les Nantais, ceux de Saint-Malo avaient vite mesuré tout le parti qu'ils allaient pouvoir retirer d'un privilège réservé jusqu'ici à la Casa de Indias et désormais cédé à des financiers français tels que Samuel Bernard et Crozat à côté desquels on retrouvait toujours les mêmes messieurs Magon, Danycan, Le Fer, La Balue, Miniac, Le Coz, Eon, Fougeray parmi d'autres armateurs. Les bureaux avaient fait observer que la nouvelle convention, qu'on appelait l'*asiento*, ne concernait que la traite des nègres et réservait toujours à la seule couronne d'Espagne le droit d'introduire des marchandises dans les Indes occidentales, mais de semblables difficultés avaient été souvent tournées et tout le monde pensait que Versailles accorderait des dérogations aux plus riches, aux plus entreprenants et aux mieux protégés. Comment aurait-on pu en douter alors que personne n'ignorait que, par l'intermédiaire de M. de Pontchartrain, le roi de

France et le roi d'Espagne s'intéressaient personnellement au commerce du bois d'ébène ?

Les offres d'association n'avaient pas manqué à Jean-Marie Carbec. On ne lui demandait d'apporter dans les armements projetés que son expérience et la direction de l'entreprise, les sommes nécessaires aux mises-hors étant assurées par les autres porteurs de parts. Semblable aux anciens pilotes portugais qui gardaient jalousement le secret de leurs observations, il avait toujours décliné ces propositions et demeurait résolu à ne communiquer à personne les déductions rapportées de son long périple pour tout ce qui concernait les routes suivies, le régime des vents, les atterrages, ou même les usages commerciaux pratiqués à Lima, sauf à les partager avec ses deux amis Biniac et Troblet. Au cours de la réception offerte dans son nouvel hôtel, Noël Danycan avait même pris à part Jean-Marie pour lui dire :

« Tu m'as doublé à Callao, je ne t'en veux pas. Au contraire, je te félicite. Cela prouve que tu as été plus discret et plus rapide que moi. La prochaine fois, marchons de pair. J'arme deux nouvelles frégates pour la mer du Sud. Prendrais-tu des parts ? Cela me ferait plaisir. »

Pour ne pas s'aliéner l'homme le plus puissant de Saint-Malo dont les relations s'étendaient, grâce à ses gendres, jusqu'au parlement de Bretagne et même à Versailles, Jean-Marie avait répondu qu'il en aurait été bien aise et flatté s'il n'avait pas été déjà engagé.

« Avec qui ? »

Pris au dépourvu par la brutalité discourtoise d'une telle question, il s'était alors contenté de dire :

« Avec moi-même. »

Pour rien au monde, il n'eût osé révéler, un pareil jour, qu'il venait de signer chez le notaire du

Port-Louis un acte sous seing privé qui le faisait l'associé de Mme Justine pour un nouvel armement dont il assumerait à la fois le rôle du capitaine et celui du subrécargue. Noël Danycan surpris d'une telle réponse qu'il tenait pour un affront avait à peine pu voiler la menace qui tremblait au fond de sa gorge, tu le regretteras! avant de tourner les talons, brusquement.

En soldant les comptes du premier voyage au Pérou, « Part à deux la prochaine fois », avait proposé Clacla. Six mois plus tard, bien qu'il se fût juré de ne plus entreprendre un pareil voyage, Jean-Marie était revenu à L'Orient pour faire caréner sa frégate et apporter quelques modifications au gréement. Il savait déjà qu'il reprendrait bientôt la mer. A Saint-Malo, à Nantes, à Dunkerque ou à Bordeaux, ils étaient des dizaines de capitaines qui, comme lui, tournaient en rond, oisifs, jouant des fortunes aux cartes et se disputant quelques femmes plus précautionneuses de leur réputation que de leur vertu. Après neuf années de course, la paix de Ryswick ne leur ayant pas apporté les commandements qu'ils avaient espérés sur les rares navires réarmés par la Compagnie des Indes, ils ne voulaient pas laisser passer les occasions offertes par la mer du Sud qu'ils ignoraient encore. Lui, Jean-Marie, connaissait cette mer Pacifique aux longues lames bleues qui bercent lentement les navires. Il avait navigué le long des étroites plages de sable blanc derrière lesquelles se dressent, dans le ciel dur, les blocs glacés de la Cordillière, il avait bu ses premières gorgées de *chicha* dans les tavernes de Callao, et il s'était agenouillé dans des chapelles d'or massif. Quand l'envie de faire l'amour l'échauffait, ce n'est ni à la marchande d'étoffes ni à la veuve du capitaine perdu en mer, encore moins à la vieille Clacla qu'il pensait : deux filles se glissaient dans son lit, minces et soyeuses, dont les caresses auraient épouvanté les pires luronnes de la rue des Mœurs. Un goût de rhum et de citron vert parfumait alors la bouche de Jean-Marie qu'il noyait pour désaltérer son rêve, dans une grande rasade de rikiki avant d'aller se coucher, solitaire et poursuivi par la voix de Cacadou, marie-toi, Jean-Marie... Les fantômes de Margarita et de Carioca ne le lâchaient pas, le poursuivaient, le tenaient éveillé une partie de la nuit. Rien ne pouvait les arrêter, ni les milliers de lieues, ni les remparts de granit, ni les batteries de M. Vauban. Elles connaissaient les chemins qui mènent à la rue du Tambour-Défoncé, entraient dans la maison, traversaient les murs, arrivaient dans la chambre et sautaient sur la couette.

Une nuit, Jean-Marie parvint à saisir Carioca dans ses bras. Au moment où il allait prendre sa bouche, le visage de la jeune Péruvienne disparut parce qu'il s'était soudain transformé en celui de Marie-Léone, comme la substitution inverse s'était produite un soir, à Nantes, chez le père Lajaille. Sur cette bouche, il s'attarda avec complaisance jusqu'au moment où, sorti de son délire, trempé de sueur, il s'arracha de son lit et descendit dans la salle où il but une lampée d'alcool. Sautillant sur son perchoir, Cacadou n'en finissait pas de chanter son refrain, marie-toi, Jean-Marie, marie-toi... Il prit la bouteille de rikiki, but à la goulée, s'assit devant la table, se boucha les oreilles pour ne plus entendre la voix pointue qui semblait le moquer, et finit par donner du poing sur la table. Comme le petit démon chantait toujours sa comptine, Jean-Marie se releva, à moitié ivre, tais-toi, nom de Dieu! ouvrit la porte de la cage et saisit le mainate à pleine main. Comme s'il avait compris que sa vie était en danger, l'oiseau, effrayé, parvint à se dégager, poussa un cri terrifiant, battit des ailes et pointa un bec menaçant devant les yeux de celui qui voulait l'étouffer. Jean-Marie prit peur, recula, et Cacadou alla se réfugier sur le bahut de la grande horloge.

Réveillée par le tapage, maman Paramé était arrivée à son tour dans la salle, un bougeoir à la main, descendant l'escalier sur ses pieds lourds.

« Mon pauvre gars, tu aimes trop la goutte! » avait-elle dit simplement en l'aidant à remonter dans sa chambre, tandis que Cacadou murmurait « Bonne nuit, Jean-Marie » d'une voix douce comme un pardon, avant de rentrer dans sa cage.

C'est le lendemain que Jean-Marie Carbec décida de repartir pour la mer du Sud et de signer un contrat d'association avec Mme Justine chez le notaire du Port-Louis. Elle, c'était pour l'argent. Lui, il ne voulait pas savoir pourquoi il s'en allait, sa cave était pleine de piastres. Il n'avait rien dit, pas même à Biniac et à Troblet dont il avait racheté les parts de la *Marie-Léone*, encore moins au capitaine Le Coz, et il gardait bouche cousue devant maman Paramé qui le regardait par en dessous avec un air d'avoir deviné ses tourments. Pour que personne ne puisse soupçonner son départ, il restait à Saint-Malo. A L'Orient, le capitaine Locdu, toujours retraité de la Compagnie des Indes, s'occupait de la mise-hors, Clacla surveillait le chargement de la frégate : caisses, balles, et sacs de marchandises destinées aux femmes espagnoles, et achetées à Paris ou à Rennes, dont une partie serait débarquée dans les petits ports échelonnés le long du Chili et du Pérou, avant de toucher Callao.

L'avitaillement du navire comme le recrutement de son équipage, officiers en second et maître, tout s'était passé dans le plus grand mystère. Cette fois, il ne s'agissait plus d'arriver le premier, ni même de se cacher d'éventuels concurrents, mais il fallait prendre quelques précautions élémentaires pour ne pas bafouer d'une manière trop visible les interdictions de l'amirauté. A la grande désillusion de tous, le roi venait de faire défense absolue aux capitaines marchands d'appareiller pour les colonies espagnoles des Indes occidentales sous peine de voir leur cargaison confisquée. Le premier moment de colère passé, les armateurs s'étaient ressaisis. Aucun d'eux ne voulait abandonner la partie. Sans bénéficier des hautes protections dont bénéficiaient les Danycan et les Magon, ils pourraient toujours acheter quelques dérogations ou, si le prix en était trop élevé, risquer l'aventure devenue coutumière du commerce interlope.

Jean-Marie devait quitter Saint-Malo dans une semaine pour rejoindre L'Orient où les derniers préparatifs du départ s'achevaient. Absorbé dans l'étude d'une carte marine, il n'avait pas entendu entrer dans la salle les deux femmes qui se tenaient devant lui – « Bonjour, mon parrain! » Il n'eut ni le temps ni l'esprit de replier le document sur lequel il était penché.

« Marie-Léone! fit-il, surpris, en se levant d'un bond. Ce voyage a dû être bien triste pour vous tous! »

Disant ces paroles de circonstance, il regardait le visage de la jeune fille dont les traits tirés et les yeux rouges disaient assez qu'elle avait beaucoup pleuré. Elle dit, comme pour s'excuser, que maman Paramé rencontrée au marché aux herbes l'avait amenée jusqu'ici où elle ne resterait qu'un court instant parce qu'elle devait diriger la maison en l'absence de sa mère.

« Ta mère sera donc demeurée à Nantes?

– Oui, pour quelques jours. Le notaire a besoin de sa présence. Je suis rentrée avec mon père. »

Jean-Marie regarda Marie-Léone avec un sourire grave. Il retrouvait la petite fille des années à peine disparues, celle qui grimpait sur ses genoux, s'émerveillait de ses abracadabras, et cherchait protection dans ses jambes lorsque Emeline Le Coz la menaçait du fouet. Eveillé ou endormi, comment avait-il pu confondre une telle innocence avec l'effronterie des deux diablesses de Lima dont le souvenir brûlait encore son ventre? C'est vrai qu'avec son sang espagnol, Marie-Léone avait la peau brune, les bras longs, les mains fines aux ongles étroits, comme Margarita et Carioca, mais la lumière de ses yeux bleus baignait son visage d'une clarté enfantine.

« Je sais que tu aimais beaucoup ton grand-père.

– C'était mon grand ami », répondit-elle.

Elle ajouta, avec un filet d'amertume :

« Sans doute le seul.

– Pourquoi dis-tu cela? gronda doucement Jean-Marie. Ta mère, ton père, ton frère sont tes meilleurs amis. N'oublie jamais cela. »

La réponse jaillit, telle une réplique au théâtre :

« Non. Ceux-là sont mes parents. Mon grand-père, c'était mon ami. »

Jean-Marie baissa la tête et pensa à sa jeunesse solitaire. Lui, il n'avait connu ni grand-père, ni grand-mère, ni mère, ni frère ou sœur. Il avait grandi à côté de son père sans le connaître, le craignant, et il lui avait même volé sa femme pendant qu'il était en train de mourir. Mais il avait eu maman Paramé et l'oncle Frédéric.

« Et moi? Je croyais être ton ami.

– Je le croyais moi aussi. Je me serai trompée puisque vous allez partir.

– Qui t'a dit cela?

– Vous n'allez pas repartir pour les Indes? »

Elle avait montré du doigt la carte étalée sur la table où, marqués en rouge, le long de la côte occidentale de l'Amérique du Sud, elle lisait des noms étranges : Chiloé, Valparaiso, Coquimbo, Arica, Pisco. Brusquement, elle se jeta contre l'épaule de Jean-Marie.

« Consolez-moi, mon parrain! Je suis malheureuse. »

Maladroit, il la prit dans ses bras comme on fait
avec une petite fille secouée par l'orage d'un chagrin subit, essaya de la calmer avec des mots puérils
et, n'y parvenant pas, chercha du secours auprès de
maman Paramé. Elle avait disparu dans sa cuisine.

« Calme-toi, Marie-Léone! Tu es devenue une
grande fille, mais tu sais bien que je suis moi aussi
ton ami, autant que ton grand-père l'était!

– Non, puisque vous allez me laisser toute
seule! »

Elle pleurait de plus en plus fort, reniflait,
secouée de sanglots, et Jean-Marie ne savait plus
que faire pour la consoler quand il entendit le
mainate impertinent :

« Marie-toi, Jean-Marie, marie-toi!

– Tais-toi! Tais-toi! Vas-tu te taire!

– Que dit Cacadou? demanda Marie-Léone.

– Rien.

– Je veux le savoir! »

Elle avait dit ces quatre mots avec le ton impérieux de la petite enfant coléreuse qu'elle avait été
autrefois quand frappant du pied, elle jetait à terre
sa poupée qui avait désobéi. « Je veux le savoir! »

Goguenarde, un peu éraillée, la voix du mainate
reprit : « Marie-toi, Jean-Marie, marie-toi... »

« Vous l'avez entendu, mon parrain? »

Elle se tenait toujours contre son épaule. Un
sourire brilla dans ses larmes quand elle demanda :

« Pourquoi ne m'épouseriez-vous pas, mon parrain? »

Interdit, gauche, avec un rire plein de fausses
notes, il dit :

« Vous n'avez plus l'âge de jouer « au mariage »
comme lorsque vous aviez cinq ans, tu te rappelles?

Maintenant tu es assez grande pour savoir qu'un parrain ne se marie pas avec sa filleule.

– Pourquoi pas?

– Parce que l'Eglise le défend.

– Pas toujours! rétorqua-t-elle. Je connais une fille de mon couvent qui a épousé son parrain.

– C'est que sa famille entretenait de très hautes relations. On n'obtient pas si facilement une dispense de l'évêque.

– N'auriez-vous pas rapporté assez d'argent de la mer du Sud?

– Tais-toi, tu es une petite sotte! Tais-toi! Tais-toi et rentre vite chez ton père! »

Disant cela, il la retenait, frêle dans ses gros bras, et l'éloignait doucement quand elle se pressait contre lui avec l'audace des très jeunes filles. Tais-toi. Ne dis plus un seul mot. Il embrassa son front, ses joues mouillées, et posa sa bouche sur ses lèvres. Elle se laissa faire, confiante, la tête légèrement renversée en arrière. Depuis quelques instants, attentif, dressé sur ses petites pattes, Cacadou jouait un air de flûte inspiré. C'était un chant d'amour, de ceux que les hommes entendent parfois s'élever en eux et qu'ils parviennent plus rarement à transcrire sur une page de musique, un chant transparent, insaisissable, bleu comme un clair de lune d'été.

Rouge de confusion, Marie-Léone se raidit, repoussa Jean-Marie, ouvrit la porte et descendit en courant la rue du Tambour-Défoncé. Elle portait ce jour-là des petits sabots qui faisaient, eux aussi, claclacla. Jean-Marie se boucha les oreilles pour ne pas les entendre.

Il y avait déjà une semaine qu'Emeline était rentrée à Saint-Malo, lorsque Yves Le Coz se décida à lui révéler une grande nouvelle : pendant son absence, un beau capitaine était venu lui demander la main de Marie-Léone. Selon son habitude, il attendait toujours qu'ils fussent tous les deux au lit pour lui annoncer les événements d'importance et en disputer à la lueur des chandelles. Mauvais menteur devant sa femme qui le connaissait trop bien, il préférait être allongé à son côté plutôt que de la regarder en face. Cette fois, il se redressa légèrement pour voir la rougeur du contentement monter aux joues d'Emeline.

« Capitaine, voilà une affaire que vous aurez rondement menée!

– Elle n'est pas encore terminée, fit Le Coz en reposant sa tête sur l'oreiller.

– J'entends bien, admit Emeline. Il y a les convenances. Racontez-moi toutes choses. A-t-on fait allusion à la dot?

– Point. Il ne s'agissait que d'une visite de vieille amitié, ou de courtoisie si vous voulez.

– Je reconnais bien là les manières d'un vrai gentilhomme, déclara Mme Le Coz.

– Gentilhomme? Vous allez trop vite, Emeline. Notre prétendant le sera peut-être un jour. Pour l'instant, poursuivit à mi-voix le capitaine, Jean-Marie a bien reçu une épée d'honneur de la part du roi, mais il n'est pas encore entré dans la noblesse. »

Emeline s'était dressée sur le lit :

« Il ne s'agit pas du comte de Morzic?

– Je viens de vous dire que c'est le capitaine Carbec, Jean-Marie.

– Quoi? Jean-Marie? Le fils d'un regrattier, le beau-fils d'une moins que rien? Et vous ne l'avez pas jeté dehors? »

Le visage d'Emeline s'était tordu comme celui d'une harengère à qui on vient de dire que son poisson n'est pas frais. Elle avait perdu toute retenue. Son mari, conseiller secrétaire du roi, s'en aperçut et tenta de la calmer. Il lui dit, perfide :

« Parlez plus bas, madame de la Ranceraie! »

Pour ne pas accuser la flèche décochée et qui l'avait atteinte, elle fit mine de n'avoir rien entendu et répéta sur le même ton :

« Vous ne l'avez pas jeté dehors?

– Non, je l'ai écouté comme n'importe quel père l'aurait fait.

– Et vous avez perdu la raison au point d'oublier que Jean-Marie est son parrain!

– Bah! Il paraît que ces choses s'arrangent facilement.

– Jamais je ne consentirai à une union sacrilège! Jamais! Croyez-vous que mon père ait légué cent cinquante mille livres à Marie-Léone pour qu'elle épouse le fils de Mathieu Carbec? Vous aviez tantôt d'autres ambitions! Mais c'est ma fille, je la défendrai contre vous! »

Depuis qu'ils étaient mariés, Yves Le Coz n'avait pas vu sa femme dans un tel état de fureur. L'humeur d'Emeline devenait plus irritable avec les années, il le savait bien, mais si ses emportements faisaient flamber ses yeux ils demeuraient toujours en deçà de ses lèvres serrées. Ce soir, il lui apparut qu'elle ne pouvait plus se contenir. Il pensa qu'un mari peut vivre longtemps en face d'une épouse sans la connaître tout à fait.

« Ma mie, dit-il d'une voix plus douce, vous n'aurez pas besoin de défendre votre fille contre son père. Ils se sont déjà mis d'accord tous les deux.

– Tous les deux? Qu'entendez-vous par là?

– J'entends que votre fille Marie-Léone est d'accord avec Jean-Marie notre futur gendre.

– Taisez-vous! Vous ne savez plus ce que vous dites. Il n'y a que chez les manants que les garçons et les filles se mettent d'accord avant d'en parler à leurs parents. Ou bien, c'est que votre fille est une catin ! »

Elle avait craché le mot comme quelqu'un qui trouve une mouche au fond de son verre. Yves Le Coz ne le releva pas et regarda Emeline : une mèche de cheveux lui était tombée sur la figure. Il dit inquiet :

« Préféreriez-vous que Marie-Léone se retire au couvent ? Ces choses-là arrivent.

– Dame oui ! répondit-elle sans hésiter.

– Prenez garde, Marie-Léone n'est pas fille à se retirer dans une de ces pieuses hôtelleries où l'on vit douillettement à l'abri du siècle. Je la connais mieux que vous. Le sang espagnol qu'elle tient de sa grand-mère la conduira à se cloîtrer. Pour nous, elle sera morte avant de mourir. C'est cela que vous voulez ?

– Je pense que je l'aimerais davantage cloîtrée que sacrilège. Au moins, elle prierait Dieu.

– Est-il nécessaire d'être nonne pour prier Dieu ? »

Butée, Emeline lança :

« Je veux préserver ma fille de la luxure ! »

Le capitaine Le Coz affecta de prendre un ton plus léger :

« Ma mie, nous avons été jeunes nous aussi. La luxure, voilà un mot bien effrayant. Tu n'as pas toujours parlé de ces choses comme un prêtre en parle à la confesse, non ?

– Dites toujours, je m'y opposerai. J'irai trouver Mgr de Guémadeuc.

– Paix ! Vous oubliez que je suis seul ici à détenir la puissance paternelle. »

Perdant patience, Yves Le Coz avait retrouvé sa grosse voix et se dressait lui-même sur le lit. Leurs inévitables querelles de ménage se terminaient toujours de la même façon : il parlait plus fort, sur un ton de capitaine hurlant ses ordres dans la tempête, elle se mettait à pleurer, et tout était dit.

Bon homme, Yves Le Coz s'en voulut d'avoir rabroué sa femme. Pour la rassurer, il lui dit :

« Si vous tenez absolument à ce que votre fille entre dans la société où mon office a fait admettre notre famille, je n'y vois pas d'inconvénient. Je suis prêt à demander à Jean-Marie d'acheter un titre d'écuyer et au besoin de lui prêter les dix mille livres nécessaires. Il n'en aura pas besoin. Certains bruits de guerre circulent en ce moment. Cela est fâcheux pour le négoce mais je ne serais pas étonné que ce soit pour le roi l'occasion de vendre quelques centaines de lettres de noblesse. Allons, faites bon visage. Il se fait tard. Tendez-moi votre joue que je la baise. Je sais que vous êtes une bonne mère. Vous verrez que, tous les deux, nous ferons en sorte que Marie-Léone soit heureuse. Elle nous donnera de beaux petits-enfants. Dormez en paix... »

Lorsque les premiers cris des goélands grincèrent dans le ciel malouin, Emeline ne dormait pas encore. Immobile, roide, au bord du lit, la tête enfiévrée, elle s'était débattue pendant toute la nuit dans une tempête de ressentiments, de hontes et de prières qui l'avaient plus épouvantée qu'apaisée. Comment son mari et sa fille avaient-ils pu se jouer ainsi d'elle en gardant secrète une telle affaire pendant une semaine au lieu de la lui révéler dès son retour de Nantes? Elle en voulait surtout à sa fille. Ce monstre de dissimulation aura profité de mon éloignement pour enjôler son père comme elle a toujours aveuglé son grand-père avec ses mines, ses cils battus et ses caresses qui lui rapportent aujourd'hui cent cinquante mille livres. Et pour en faire quoi? Pour les apporter à ce petit capitaine marchand qui m'a conduite au bord du péché et qui provoqua la colère de Dieu contre mon fils. Mon Dieu, vous m'aviez déjà punie en frappant Hervé, mais vous l'aviez guéri parce que je vous en avais prié de toute mon âme. Pourquoi m'envoyez-vous aujourd'hui un châtiment plus terrible en voulant marier ma fille à un homme dont le regard me trouble encore? Seigneur, ne le permettez pas! Ce serait un sacrilège. Faites qu'il reparte pour les Indes, ou que Marie-Léone entre au couvent. Elle vous y adorera toute sa vie. Moi, j'ai tenu la promesse que je vous fis le jour où je vous demandai de sauver mon fils de la petite vérole. J'ai renoncé aux plaisirs de la chair qui vous déplaisent, j'ai enfermé les robes et les bijoux que j'aimais. J'ai fui le regard de cet homme que j'avais connu enfant et j'ai cru que vous m'aviez guérie comme vous aviez guéri mon fils. Je me suis trompée. Vous ne m'avez pas délivrée et je sais que mon péché est aujourd'hui plus abominable parce que j'ai l'âge d'une grand-mère, mon mari me l'a dit tout à l'heure. La jeunesse de ma fille me fait horreur. Voilà la vérité, Seigneur, vous qui savez tout et qui voyez dans le fond de mon cœur. Vous savez pourtant, mon Dieu, que je ne suis pas mauvaise : je ne manque jamais vos saints offices, je communie souvent, je fais retraite tous les ans, je viens de payer trois années de messes pour le repos éternel de mon père, j'ai toujours été fidèle au capitaine Le Coz, j'ai élevé mes enfants d'après les lois de l'Eglise, la pension de Marie-Léone chez les religieuses de Dinan nous a coûté assez cher! Seigneur, je n'ai pas le cœur dur, je respecte l'autorité sans laquelle il n'est point de direction ni pour les affaires, ni pour la famille, ni pour la religion. C'est Marie-Léone qui a le cœur dur avec ses airs de chatte. Souvenez-vous, Seigneur! Un jour, quand elle était enfant, je l'ai surprise à se regarder dans un miroir et à faire des grâces quand soudain elle a grondé sa poupée d'avoir été coquette et, pour la punir, lui a cassé la tête contre le mur. Pardon, je vous offense. Aidez-moi à être plus charitable.

Aidez-moi à devenir une grand-mère. Oui, mon esprit est troublé, je suis vieille, une vieille folle. N'y avait-il pas des vieilles femmes qui vous suivirent, jadis, pour vous aider à porter votre croix et essuyer votre front ? Seigneur, c'est à votre tour de m'aider. Moi, j'ai tenu ma promesse...

Emeline Le Coz s'endormit enfin aux cris des goélands et fit un dur cauchemar : les oiseaux lui donnaient de furieux coups de bec sur tout le corps.

Le chapitre malouin qui bénissait les corsaires dont les prises étaient contestées par les plus scrupuleux pouvait-il rejeter la requête d'un des plus courageux capitaines ? Après trois mois de réflexion, Mgr de Guémadeuc jugea que Jean-Marie Carbec était un paroissien dont le courage et la générosité avaient témoigné si souvent qu'on ne pouvait lui refuser la dispense nécessaire à son mariage avec sa filleule. Les offrandes du droit canon ne le cédant en rien aux épices du droit civil, il poussa même la bienveillance jusqu'à consentir à recevoir en personne la promesse des deux fiancés.

Jusqu'au moment de connaître la décision épiscopale, Jean-Marie était demeuré soucieux. Il n'était pas de ces jeunes Clitandres qui fracturent les pucelles pour mieux percer les coffres de leur beau-père. De Mathieu Carbec (on ne trouve pas que des écus dans une succession), il n'avait hérité ni les sourcils charbonneux, ni le visage austère, ni cette façon de mêler le sacré au quotidien, ni même ce goût de thésauriser que les plus hypocrites avaricieux dissimulent sous un masque de prud'homme pour faire accroire que la seule précaution les gouverne. Avec les barils de morue, les sacs remplis de piastres, les actions de la Compagnie des Indes, les prêts à la grosse aventure et les parts d'armement, Jean-Marie avait hérité aussi d'un goût irrépressible pour le péché de la chair, celle-ci indissociable de celui-ci, où il trouvait autant de plaisir que d'épouvante, l'un donnant à l'autre une étrange séduction qui lui rappelait les terreurs merveilleuses du mousse de douze ans marchant pieds nus sur les hautes vergues, à la limite du vertige. Lorsqu'il avait posé, la première fois, ses lèvres sur celles de sa filleule, l'horreur de la faute avait à la fois balancé et aiguisé son ravissement comme, aux jours de son enfance sur la mer grise, la houle dilatait son dangereux bonheur de jouer à l'acrobate. Alors que le bruit des petits sabots de Marie-Léone courait encore dans sa tête, il était allé demander conseil à son confesseur, vieux prêtre breton sans inquiétudes qui semblable à l'évêque Remy baptisant les guerriers francs par milliers sans leur demander des comptes dont Dieu n'aurait que faire, remettait les péchés à tous les marins qui partaient pour les bancs de pêche sans même leur poser de questions, sachant mieux qu'eux tout ce qu'ils auraient pu raconter, du blasphème, sacré bordel de Dieu, jusqu'à la fornication et de la soûlerie au larcin, peut-être au meurtre : les hommes manquent d'imagination, que c'est à vous dégoûter de croire au diable! A Jean-Marie, le vieux prêtre avait dit d'aller raconter franchement la chose au père de la fille. Pas à la mère. Les mères, mon gars, faut t'en méfier. Si le père est d'accord, tu déposeras une requête entre les mains de l'évêque avec un peu d'huile pour qu'elle glisse mieux. Le chapitre étudiera ton affaire. Dans trois mois tu connaîtras sa décision. Si l'évêque dit non, eh bien mon pauvre gars tu devras renoncer à la fille et t'embarquer pour les Indes afin de t'épargner la tentation de la revoir. Ne te mets pas en peine, elle en épousera un autre, et le Bon Dieu bénira la vérole que tu iras choper à Lima ou à Pondichéry.

Jean-Marie n'était pas reparti pour les Indes. Sans attendre la sentence de l'évêque, fort du consentement tacite de son futur beau-père, il avait tout de suite rejoint le Port-Louis pour dire à Clacla que s'il restait toujours en compte à demi avec elle pour un second voyage dans la mer du Sud, il fallait trouver un capitaine, un pilote et un subrécargue parce qu'il allait lui-même se marier. On se trouvait alors à trois semaines du départ projeté : c'était porter un mauvais coup aux affaires de Mme Justine.

« Tu as raison de ne pas partir, dit-elle. N'oublie pas que je t'ai conseillé de te marier le plus tôt possible. Cela, c'est une bonne chose. Mais il reste qu'un contrat est un contrat, et que tu t'es engagé à conduire toi-même notre armement jusqu'à Callao. Si je suis de moitié avec toi dans cette affaire, c'est parce que j'ai placé ma confiance en toi. Cela ne veut pas dire que j'aurais une égale confiance dans un autre. »

Le premier mouvement du capitaine Carbec fut de s'emporter, claquant la porte et laissant tout en plan. Il se ravisa et parvint même à sourire. Elle était devenue plus forte que lui, la Clacla, dans sa manière d'interpréter les clauses d'une convention.

« Qu'exiges-tu ? demanda-t-il brutalement. Une compensation ? Fixe ton prix. De toute façon, je ne partirai pas, retiens cela.

– Ne te fâche pas, Jean-Marie. Tu sais que je n'ai jamais mélangé le sentiment et les affaires. Fais-moi plutôt une offre. »

Il avait déjà réfléchi à la proposition qu'il lui ferait. « Pour le capitaine, dit-il, je me charge de t'en trouver un dans huit jours. Toi, il faut que tu décides Pierre Bulot à repartir comme pilote et subrécargue. Il connaît la route, la pratique du commerce, et s'entend aux écritures. Je le paierai sur ma part. Nous allons dire au notaire que tous les risques de fortune de mer concernant le navire et sa cargaison sont assurés par moi seul. Ainsi, s'il arrivait malheur à notre armement, je te rembourserais ta part de mise-hors et tu n'auras rien perdu. Es-tu satisfaite?

— Cela me convient, dit-elle, si j'arrive à décider le Bulot. Je ne pense pas que cela sera difficile. Ces gars-là disent toujours qu'ils ne navigueront plus jamais et ce sont toujours les mêmes qui repartent, si on les paie bien. »

Clacla avait fermé les yeux, et la respiration lui manquait un peu.

« Ça me fait tout drôle, l'idée que tu vas te marier. Je penserai à toi, le jour de tes noces. Tu te rappelles les temps où je t'appelais mon petit mari? Cela me ferait deuil de ne pas te savoir heureux. Ne sois pas brutal avec ta femme quand tu lui feras l'amour, Jean-Marie. Avec moi, ajouta-t-elle en rougissant, cela n'avait pas d'importance. Au contraire, j'aimais cela. »

Emeline ne se contenta pas de s'incliner devant la décision de l'évêque. Usant du stratagème de ces femmes qui accentuent un défaut de leur visage pour en tirer un charme imprévu, c'est elle qui annonça la bonne nouvelle à Marie-Léone en manifestant une bonne humeur et une émotion maternelles. Le capitaine Le Coz n'avait pas été sans caresser lui-même le rêve de voir entrer sa fille dans la famille des Couesnon-Morzic, ce qui eût fait figurer du même coup son propre nom dans l'arbre généalogique d'une grande lignée bretonne, mais il n'était pas parvenu à son âge sans savoir que les beaux mariages ne sont pas toujours les meilleurs. A Jean-Marie, il pouvait accorder sa confiance en même temps que sa fille. Tout le monde savait que les qualités du marin valaient le poids du marchand, et personne ne doutait depuis l'affaire de la mer du Sud, que le jeune armateur ne manquerait pas de recevoir quelque jour une lettre de noblesse. A Saint-Malo, quel père et quelle mère n'avaient pas rêvé d'avoir le capitaine Carbec pour gendre? L'adhésion chaleureuse de Mme Trouin qui, en même temps que Jean-Marie, avait tenu Marie-Léone sur les fonts baptismaux décida Emeline à se féliciter de ce mariage, d'en faire part à la société, et d'en fixer la date au 17 juin, le jour de la Saint-Hervé parce que ce serait une jolie manière de faire participer à cet événement familial son fils qui se trouvait être à Pondichéry.

A partir de ce moment, la maison Le Coz se remplit de gaieté. La mère et la fille, devenues inséparables et complices, se chuchotaient des confidences qui les faisaient rire aux larmes, les deux servantes frottaient les meubles et l'argenterie avec une ardeur peu coutumière, et le capitaine Le Coz lui-même se surprenait à murmurer des couplets à boire tandis qu'Emeline et Marie-Léone lui présentaient, en se poussant du coude, les mémoires de leurs dépenses chez la lingère et le tailleur, avant l'arrivée de Jean-Marie qui, chaque soir, venait souper et faire sa cour, les mains ou les poches pleines de cadeaux pour sa fiancée et ses prochains beaux-parents.

Rue du Tambour-Défoncé, tout le monde chantait aussi, les peintres sur leurs échafaudages, les tapissiers sur leurs échelles, Cacadou sur son perchoir, et maman Paramé assise sur sa chaise en tricotant de plus en plus vite ses brassières avec un air guilleret qui semblait dire qu'elle avait eu depuis longtemps une petite idée dans sa tête. Marie-Léone venait y passer quelques moments. La maison, qui lui avait paru féerique lorsque, petite fille, elle y avait vécu quinze jours pour éviter la contagion de la petite vérole dont son frère était atteint, lui était apparue tout à coup telle qu'elle était, sombre et triste avec ses murs noircis, ses quelques meubles lourds, sans grâce. Tout cela sentait encore son regrattier et correspondait si peu aux manières qu'on lui avait apprises au couvent de Dinan! Elle était encore à l'âge où le mariage, l'amour, un bel homme et une demeure doivent s'accorder du premier coup et se fondre dans une même et belle image. De la maison du Tambour-Défoncé, elle avait eu tôt fait d'ouvrir les portes et les tiroirs sous le regard embué de maman Paramé qui permettait tout à sa nouvelle maîtresse. Un jour, elle s'était même enhardie à demander à Jean-Marie de lui montrer la chambre qui serait bientôt la leur. A peine entrée dans la pièce obscure, où luisaient les bois noirs d'un lit de milieu, du siècle dernier, recouvert d'une courtepointe grise, au-dessus duquel s'inclinait un grand Christ crucifié, elle avait reculé d'un pas :

« C'est là que...? »

Jean-Marie avait interprété ce mouvement comme le geste pudique d'une jeune fille, et il s'était contenté de répondre avec gravité, comme Mathieu Carbec l'aurait fait lui-même :

« Oui, c'est là que mes grands-parents et mes parents sont morts. C'est là aussi que je suis né. »

En souriant, un peu benêt, il avait dit encore :

« C'est là aussi qu'un jour... »

Mais elle avait déjà secoué la tête en s'appuyant sur l'épaule de Jean-Marie : « Non, je ne pourrai pas! »

Dès le lendemain, une équipe de peintres s'était installée rue du Tambour-Défoncé, bientôt suivie par des tapissiers, et les deux fiancés avaient choisi ensemble des meubles d'acajou et de pitchpin parmi tous ceux que le corsaire avait entassés dans

ses magasins de Mer-Bonne, après les avoir prélevés sur des navires anglais ou hollandais retour des
Indes, et dont il ne s'était jamais servi.

Clacla, quand elle était devenue Mme Carbec,
avait bien apporté un peu de lumière et de gaieté à
la vieille maison mais n'avait disposé ni du temps ni
de l'argent, encore moins du goût, nécessaires à sa
transformation. Elle était trop près du temps des
maquereaux frais qui viennent d'arriver. Après son
départ, sauf qu'il avait bientôt supprimé la boutique, Jean-Marie avait tout laissé en place. Il trouvait
ses aises dans cette maison où il revenait s'amarrer,
et il n'oublierait jamais le sentiment fort qu'il avait
éprouvé la première fois qu'il avait dormi dans le lit
où son père était mort, comme s'il s'était réconcilié
cette nuit-là avec lui-même en acquérant en même
temps que des barils pleins de piastres la certitude
d'être devenu un homme et le maître de toutes ces
choses, murs, toits, meubles et écus. Lorsque son
mariage avec sa filleule avait été décidé, il avait
trouvé naturel de conduire sa femme dans cette
maison devenue la sienne, comme il y avait amené
maman Paramé, sans se douter qu'il ne pensait qu'à
lui seul, à ses souvenirs, même les pires, à ses
habitudes, à la quiétude que lui apportait la vieille
bâtisse qui craquait de partout les soirs de gros
vent, carcasse familière dont il connaissait tous les
bordages, les virures une par une. Le geste de
Marie-Léone quand elle était entrée dans la chambre, surtout ses paroles – « Non je ne pourrais
pas » –, il y pensait souvent malgré l'arrivée des
peintres et des tapissiers, et s'en inquiétait au point
de se poser des questions auxquelles il n'osait pas
répondre. Qu'avaient-ils donc de commun, tous les
deux? N'avait-elle pas cédé à l'un de ces entraîne-
ments assez communs aux jeunes filles vers les
hommes plus âgés quand ils brillent de quelque
renommée? Lui-même n'avait-il pas été troublé par

sa jeunesse? Ne s'apercevrait-elle pas bientôt qu'elle avait confondu l'amitié, peut-être la vanité, et l'amour quand il lui faudrait vivre tous les jours auprès d'un homme deux fois plus âgé dans cette vieille baraque de regrattier qui puait toujours la morue? Et ne regretterait-elle pas alors de ne pas habiter le manoir du chevalier de Couesnon qui aurait pu devenir son beau-père?

Cette dernière question qui l'écorchait davantage que les autres, Jean-Marie la résolut brusquement en prenant une décision qui orienta tout le reste de sa vie. Une fin d'après-midi, comme il se promenait avec Marie-Léone sur les remparts, au milieu des Malouins dont c'était devenu le plaisir d'aller regarder les chantiers des nouveaux hôtels que faisaient construire les armateurs, il la conduisit en face du Fort de la Reine et lui montra un bout de terrain où affleuraient des rochers.

« Regarde ce carré. Je l'ai hérité de mon père qui le tenait de mon grand-père. Il avait dû l'acheter pour quelques livres tournois. A cette époque, tous ces rochers ne valaient rien. Ici, je vais bâtir une grande maison de quatre étages, avec des fenêtres allant du plafond jusqu'au plancher pour que le soleil, le ciel et la mer soient toujours devant nos yeux, comme à bord de la *Marie-Léone*. »

Joyeuse, elle battit des mains.

« Oui! dit-elle. Une maison sur les remparts! Mais pourquoi aussi grande, monsieur?

– N'aurons-nous pas beaucoup d'enfants, mademoiselle?

– Pour sûr! Dieu soit loué, cette maison ne sera pas si vite terminée.

– Pourquoi dis-tu cela?

– Parce que, répondit Marie-Léone sans rougir mais en mettant sa main dans la sienne, je voudrais que le premier naisse rue du Tambour-Défoncé, dans la chambre où sont morts vos parents et où vous êtes né vous-même. »

Ce jour-là, Jean-Marie Carbec fut rassuré. Dans un mois, il serait marié et il fonderait une famille qui ne renierait pas les vendeurs de chandelles qui l'avaient précédé. Jusqu'à présent, la fortune lui avait été favorable. Il calcula que la frégate armée avec Clacla devait naviguer maintenant au large du Brésil. L'argent frais ne lui manquait pas, mais pour peu que la *Marie-Léone* accomplisse son périple sans subir trop d'avaries, sa seule part de bénéfices suffirait à payer la construction de l'hôtel Carbec. Il en voyait déjà la façade de granit. Haute et solide, elle ne dirait pas seulement aux gens de Saint-Malo que le fils du regrattier de la rue du Tambour-Défoncé était devenu riche, elle proclamerait aussi son amour pour sa femme, autant que les enfants qu'elle lui donnerait en porteraient témoignage. Le bonheur, celui d'un homme simple, brilla dans ses yeux. Comme ils passaient tous les deux devant l'amirauté, ils virent un attroupement d'hommes et de femmes au visage consterné. L'Angleterre, la Hollande et l'Autriche venaient de faire connaître au roi de France que, jugeant inacceptables les positions prises par Versailles en Espagne, elles s'étaient alliées et lui déclaraient la guerre. Marie-Léone s'appuya davantage au bras de Jean-Marie. C'était le 15 mai 1702, cinq semaines avant leur mariage.

A la surprise de tous les invités, Emeline Le Coz fut la reine incontestée de la noce. Autant la robe de la mariée avait paru de bon ton et correspondre à une héritière de sa position, autant la parure de sa mère fit tourner toutes les têtes non pas qu'elle semblât trop fastueuse pour une telle circonstance mais parce qu'on avait pris l'habitude depuis plusieurs années de ses tenues de toile grise à vingt sous l'aune autant que de son visage austère. Cette fois, elle avait revêtu une robe taillée dans un taffetas cramoisi orné de passementeries piquées de fils d'or, où le corsage surchargé de dentelles se terminait en deux basques sous la taille et dont la troisième jupe, relevée sur le côté pour découvrir les petits bouquets de roses de la seconde, se prolongeait en une traîne qui bouffait et crissait à chacun de ses pas. Mandé à Rennes, un perruquier, qui avait l'habitude du Parlement, avait passé plusieurs heures à lui échafauder trois étages de boucles maintenues par des épingles à tête de jais. Poudrée, fardée de céruse et de rouge d'Espagne, les yeux étincelants, à peine reconnaissable, se voulant belle alors qu'elle n'était que provocante, peut-être désirable et parvenant à l'être le temps d'un éclair à force d'y croire, Emeline Le Coz avait réussi à faire du mariage de sa fille la cérémonie de la présentation de Mme de la Ranceraie à la haute société malouine que son deuil lui avait fait manquer en la privant de la réception offerte par Noël Danycan le jour même où l'on enterrait M. Lajaille. A tous ses invités, nobles d'épée, de robe, de cloche ou du commerce, grands ou moins grands bourgeois, négociants et capitaines qui suaient la vanité ou le numéraire, parfois les deux, elle avait tenu tête, voulant montrer à ces Malouins ce qu'était une vraie Nantaise et franchissant les imperceptibles frontières des civilités par peur de demeurer en deçà. Fringante, le verbe haut perché, jouant du gros diamant sorti du coffre, trop sûre d'elle-même pour entendre le vieux comte de Kerélen comparer la coiffure de l'hôtesse à la mitre de l'évêque, elle n'avait soulevé son masque de carnaval que pour défier Jean-Marie venu la saluer : « Maintenant que tu es devenu mon gendre, auras-tu toujours peur de m'embrasser ? »

Assise près de la cage de son compagnon, maman Paramé avait attendu jusqu'au soir les nouveaux mariés. Vêtue de neuf, une robe de drap noir bordée de deux ourlets de velours, après avoir assisté muette et craintive, en bout de table, au repas qui avait suivi la bénédiction nuptiale, elle était vite rentrée chez elle dès que le beau monde commençait d'arriver, et s'était remise à tricoter sa laine et ses prières. Les odeurs de poisson séché et de cannelle recouvertes de peinture fraîche, la vieille maison de la rue du Tambour-Défoncé sentait maintenant comme un vaisseau du roi, frais verni, sortant de l'arsenal et prêt à prendre la mer. Regrettant les vieux meubles auxquels elle était habituée, Rose Lemoal n'osait pas encore s'asseoir dans les fauteuils apportés par Marie-Léone, alors que Cacadou se pavanait à son aise dans une cage toute neuve, peinte et dorée comme un carrosse avec un toit fait de petits miroirs biseautés, pour sûr qu'il avait dû être un prince avant d'être un oiseau!

Quand il voyait qu'on l'observait en essayant d'expliquer un comportement que l'oncle Frédéric avait été seul à comprendre avec tous ses abracadabras, le mainate faisait pétiller ses petits yeux.

« N'empêche que sans nous deux, lui dit maman Paramé, notre Jean-Marie et la Marie-Léone ne seraient pas mariés aujourd'hui!

– Pour sûr! » convint gravement Cacadou.

Ils en étaient convaincus tous les deux, elle parce qu'elle croyait aux saintes et aux fées, lui parce qu'il était né dans un pays où les serpents dansent debout, où les hommes marchent pieds nus sur les braises rouges et où les fleurs parlent aux oiseaux. Ce mariage, c'était leur gali gala. Allez savoir!

L'ombre avait envahi la rue étroite lorsque Rose Lemoal entendit l'horloge frapper sept coups. Ils n'allaient plus tarder à arriver. Se rappelant les recommandations de Jean-Marie, elle appela la servante qui l'aidait à tenir la maison et elles entrepri-

576

rent toutes les deux d'allumer les bougies disposées dans tous les coins de la salle, puis le grand candélabre de la chambre posé sur une commode ventrue, noire et or, enfin le chandelier debout sur la table de nuit près du lit entrouvert sous le petit Christ d'ivoire, maigre sur son velours sanglant, qui avait remplacé le crucifix tragique. Leurs mouvements étaient mesurés, quasi religieux, semblables à ceux des sacristines allumant les cierges avant la messe et dont les gestes liturgiques font croire que la lumière leur sort du bout des doigts. Mêlés à des violons et des musettes, des cris joyeux les firent redescendre dans la salle et ouvrir la porte de la maison. Dans la rue où l'on se bousculait, des femmes applaudissaient, des hommes chantaient les refrains et les plaisanteries de la tradition, des enfants se battaient comme des dogues pour attraper les piécettes que Jean-Marie leur distribuait à la volée.

Ailes déployées, Cacadou accueillit les mariés d'un sifflet aussi long que s'il eût salué l'arrivée d'un amiral d'escadre à son bord, et maman Paramé croisa ses deux mains sur ses tétasses, immobile, toute bête, ne sachant plus quoi faire et quoi dire avant de retrouver les mots cependant cent fois répétés.

« Tout est prêt comme tu l'as commandé, finit-elle par dire. Je vais monter dans la chambre avec notre maîtresse. »

Marie-Léone avait déjà regardé les nombreuses bougies qui illuminaient la salle et adressé un tendre sourire à Jean-Marie. Relevant de ses deux mains sa robe, elle s'engagea dans l'escalier d'un pas rapide que Rose Lemoal eût voulu plus cérémonieux, comme à l'église. A sa mère qui, la veille, lui avait tenu les propos d'usage, Marie-Léone avait répondu : « Ne vous mettez pas en peine. Aujourd'hui nous sommes moins sottes que de votre temps et savons que les enfants ne se font pas par l'oreille.

– Où avez-vous appris cela?

– Au couvent, comme toutes les autres. N'y avez-vous pas été éduquée vous-même? »

Et Marie-Léone avait ajouté, le diable au bout de la langue : « Il est vrai que c'était au siècle dernier! »

Aidant sa maîtresse à se déshabiller. Rose Lemoal se rappela les jours heureux où elle avait connu la petite fille venue se réfugier chez son parrain. Comme elle avait alors prodigué de soins à tous ces vêtements qui lui avaient révélé comment les enfants riches sont habillés par-dessus autant que par en dessous! Ce soir, elle s'extasiait sur la robe de soie, les voiles, les trois jupes de mousseline brodées d'or, les lingeries, les bas, les souliers, prenant son temps et son plaisir à les toucher, les caresser, les sentir, tiraillée qu'elle était entre son souci de ne pas irriter l'impatience de son gars qui attendait en bas, et celui de retarder le plus possible le moment dont elle n'avait pas gardé elle-même un si bon souvenir et qu'elle redoutait pour Marie-Léone, cette pauvre petite sainte. Elle fut surprise de s'entendre dire : « Dépêche-toi, maman Paramé, éteins toutes les bougies et va chercher mon mari. »

Vêtu pour la nuit, il arriva dans le noir, se cogna au lit, déclencha un petit rire de Marie-Léone et se glissa enfin sous les draps, le plus loin possible d'elle. Précautionneux, immobile, inquiet, il n'osait ni la toucher ni même lui parler. Tout à l'heure il avait bu pourtant trois verres de rikiki : jamais il n'avait encore fait l'amour à une pucelle et il avait peur de lui faire mal. Avec n'importe quelle autre il fût allé à l'abordage, sûr d'une arme soumise à de

578

dures batailles. Avec celle-ci, il ne pouvait pas même la sortir du fourreau. Les images du nouveau-né et de la petite enfant, qu'il était parvenu à effacer pour ne retenir que celle de la jeune fille qu'elle était devenue et dont il avait voulu faire sa femme devant Dieu et dans son lit, voici qu'elles revenaient le hanter. La sueur, perlant à son front, coula sur son nez. Mal à l'aise, se sentant ridicule, il devinait qu'elle non plus n'osait pas bouger. Attendre, il fallait attendre. Attendre quoi? Sans doute, les liens qui le nouaient allaient-ils bientôt se relâcher. Dis-toi bien que ces choses-là arrivent à d'autres gars qui ne te l'ont pas raconté. Ce doit être la fatigue de la journée. Comment donc appelle-t-on cela? C'est un mot espagnol. Non, c'est un mot italien. Ah! *fiasco!* Faire fiasco... Immobile, non inerte, Marie-Léone attendait elle aussi. Jean-Marie pensa qu'elle s'était endormie, et il en fut rassuré. Quelle loi a-t-elle jamais contraint un homme à consommer son mariage le soir même de ses noces? Demain, elle lui serait reconnaissante de l'avoir laissée dormir en paix. Comme il allait se tourner, il entendit une petite voix, mi-enjouée mi-tristotte qui disait : « Vous ne m'aimez déjà plus? » tandis que Marie-Léone se pressait contre lui. Eperdu, comprenant qu'il ne s'en tirerait pas avec honneur, il pensa de toutes ses forces à Carioca et à Margarita dont le souvenir lui jouait encore des tours. Elles ne lui firent pas défaut, mais les diablesses apparaissaient quelques instants pour s'évanouir aussitôt au moment qu'il en aurait eu le plus besoin. Il enrageait. T'es encalminé, mon gars. Dire qu'au Port-Louis, il n'y avait pas quinze jours, il avait été tout prêt d'embrocher la Clacla qui s'était dérobée une fois de plus. Cette pensée le sauva. Ce que les jeunes filles de la mer du Sud n'avaient pas réussi, la vieille Clacla y parvint en se glissant, invisible, entre Jean-Marie et le corps long et mince dont il sentait la tiédeur à travers la chemise légère, si bien qu'il ne sut bientôt plus laquelle des deux il tenait vigoureusement entre ses jambes. Bonne brise capitaine! Marie-Léone poussa un léger cri, il n'y prit seulement pas garde et ne s'occupa que de terminer sa besogne. Plus tard, comme il l'embrassait très doucement, il s'aperçut que ses joues étaient mouillées de larmes et la prit dans ses bras pour qu'elle puisse s'endormir contre son épaule. A voix basse, elle lui dit : « Jean-Marie, je suis heureuse que vous m'ayez fait un peu mal. A présent je ne suis plus votre filleule. »

Trois mois s'étaient écoulés depuis le mariage de Jean-Marie Carbec avec Marie-Léone Le Coz et la guerre faisait flamber l'Europe. A vrai dire, il y avait déjà un an qu'elle avait recommencé, l'empereur Léopold ayant envahi l'Italie du Nord dès qu'il avait appris que le fabuleux héritage espagnol lui échappait. Devant la poussée du prince Eugène, les troupes françaises avaient dû céder du terrain mais personne ne s'était intéressé aux malheurs du maréchal de Villeroy sauf pour le chansonner d'avoir été fait prisonnier au saut du lit. Maintenant que Londres et Amsterdam s'en mêlaient, la guerre prenait des dimensions nouvelles au point d'inquiéter les provinces maritimes autant que les frontières terrestres. A Saint-Malo où chacun savait que la ville n'était plus invulnérable, l'enthousiasme des anciens corsaires s'était apaisé au fur et à mesure qu'ils avaient entassé des écus. On ne manquerait pas pour autant d'armateurs, de jeunes capitaines, et de matelots, mais les messieurs devenaient plus nombreux à penser que, risque pour risque, il y aurait plus de profit à tenter l'aventure de la mer du Sud. Aucun n'ignorait qu'en face des cent soixante-dix gros vaisseaux de la flotte anglo-hollandaise, l'amiral de France ne pourrait guère opposer qu'une cinquantaine de navires de ligne sur lesquels il avait déjà fallu prélever plusieurs bâtiments pour assurer la protection des galions espagnols dont le bon retour des Indes américaines devait payer la guerre.

Sans savoir qu'une nouvelle coalition s'était nouée à La Haye, une escadre française commandée par M. de Château-Renault, chargée d'escorter vingt-deux galions, avait ainsi quitté La Havane. Faisant escale aux Açores, l'amiral apprit deux nouvelles dont l'une au moins l'inquiéta : on se battait en Italie et en Bavière, et une grosse flotte anglo-hollandaise croisait déjà devant Cadix. M. de Château-Renault avait la réputation de courtiser avec bonheur la chance qui fait des hommes de guerre avec de médiocres militaires. Soucieux de mener à bon port une cargaison évaluée à plus de cent millions de livres, il lui était interdit de livrer combat à cinquante gros bâtiments ennemis alors que son escadre ne réunissait que quinze vaisseaux de ligne et quelques plus petits navires. Le plus sûr moyen d'échapper à la meute qui le guettait, c'était de conduire le convoi jusqu'à Brest où les barres d'or et d'argent seraient mises en sûreté. M. de Château-Renault le proposa à l'amiral espagnol des galions, mais celui-ci refusa tout net de faire voile vers le nord comme s'il eût craint qu'une fois débarqué dans un port français le trésor des Indes n'en sortît plus. Comme on avait appris au même moment qu'une autre escadre anglo-hollandaise se tenait au large du cap Finistère, les deux marins se mirent d'accord pour chercher refuge à Vigo.

Le comte de Morzic comptait parmi les officiers de l'escadre de M. de Château-Renault. Sa frégate, la *Railleuse*, avec ses trente-quatre canons, ses voiles d'étai et ses deux cent quatre-vingt-six hommes d'équipage, avait été construite pour exécuter des manœuvres rapides et audacieuses, non pour combattre contre des vaisseaux du premier rang. Capitaine courageux qui avait fait ses preuves, bon manœuvrier, il devait à ses aptitudes une rare promotion à un moment où, faute de navires en état de naviguer, le jeune M. de Pontchartrain laissait à terre de nombreux officiers du Grand Corps. C'était le premier commandement du fils du chevalier de Couesnon. Il menait ses hommes durement, ne pardonnait aucune négligence, punissait sans faiblesse et participait aux exercices les plus périlleux. Ses chefs pensaient qu'il avait l'étoffe d'un futur chef d'escadre mais redoutaient son comportement quand on leur rapportait que le comte de Morzic traitait parfois ses officiers avec une brutale grossièreté qu'aucun maître d'équipage n'eût osé imposer aux matelots. Solitaire, n'invitant jamais un de ses officiers à sa table, le comte de Morzic n'adressait la parole qu'au second capitaine pour lui transmettre ses ordres, le plus souvent pour le blâmer. On le voyait peu, il savait tout ce qui se passait à son bord. Enfermé pendant des heures dans sa chambre, plongé dans des traités d'hydrographie ou d'artillerie, il n'en sortait que par les jours de gros temps et se tenait alors à côté de l'homme de barre. Les enseignes racontaient que, faisant leur ronde de nuit, ils entendaient leur capitaine lire à haute voix quelques passages d'une fameuse comédie de Molière, *Dom Juan*, surtout la dernière scène, lorsque le suborneur disparaît dans les flammes en poussant le long cri qui faisait toujours frémir les spectateurs : « Aa-a-a-a! » Prêts à le haïr lorsqu'il les punissait pour des vétilles, les marins de la *Railleuse* demeuraient fiers d'être commandés par celui qui avait sauvé Saint-Malo de la destruction en allant repérer sous le feu des mousquets la galiote infernale de l'amiral Benbow. Tous le savaient. Quelques-uns affirmaient que leur capitaine avait été autrefois mousse à Terre-neuve pour pêcher la morue. Ils cessaient aussitôt d'y croire dès qu'ils le voyaient apparaître sur la dunette, corseté dans son uniforme bleu à parements rouges où s'étoilait la croix de Saint-Louis, la tête haute, dédaigneux, avec ses yeux de chat dont la fixité jaune les fascinait.

Dès que les vingt-deux galions avaient pu mouiller au fond de la baie de Vigo, M. de Château-Renault fit dresser un barrage de chaînes, de câbles et de mâts dans le goulet du port au milieu duquel trois de ses vaisseaux s'embossèrent. Le déchargement des lingots et des barres n'était pas encore terminé que la flotte ennemie apparut et entreprit de réduire aussitôt les deux forts qui commandaient la passe, avant d'enfoncer le barrage en lançant deux files de gros navires qui disloquèrent le dispositif d'une défense trop précaire. Dans un étroit espace où il n'était guère possible de manœuvrer, le combat s'engagea d'abord au canon, bientôt au mousquet, puis à la grenade, et au pistolet, enfin au sabre. Ployant sous le nombre, ne pouvant plus sortir du piège où elle s'était enfermée, il ne restait plus à l'escadre française qu'à se battre jusqu'au dernier boulet ou à amener ses pavillons. Voyant que quatre de ses bâtiments du premier rang étaient détruits, que trois autres avaient été capturés et que deux vaisseaux s'étaient échoués, M. de Château-Renault prit le parti d'ordonner à ses capitaines d'incendier leurs navires. Démâtée et donnant de la bande, la *Railleuse* était prise sous les feux de deux batteries ennemies. Debout sur la dunette, Romain de Morzic fit sonner du clairon pour que les chaloupes fussent mises à l'eau. Sur les deux cent quatre-vingt-six hommes de son équipage et ses six officiers-majors il ne restait alors que quatre-vingts valides. Le capitaine veilla à ce que la manœuvre d'abandon fût exécutée selon les règles prescrites et demeura seul à son bord jusqu'au moment où il remarqua qu'un parti de marins anglais avaient jeté des grappins sur la *Railleuse* et s'apprêtaient à s'en emparer. Sans se hâter, il quitta la dunette, descendit sur le pont principal, s'engagea dans un escalier qui le conduisit sur le faux pont au bout duquel il ouvrit la porte de la soute à poudre dans laquelle il s'enferma avec le plus grand soin. Des rayonnages étaient fixés sur les parois de cette grande chambre où des gargousses étaient correctement rangées, dizaine par dizaine. M. de Morzic regarda avec un sourire satisfait l'alignement impeccable de vingt barils d'explosif. Ses consignes avaient été scrupuleusement respectées, chacun à bord de la *Railleuse* sachant que son maître professait le souci du détail et de l'harmonie. Au-dessus de lui, il entendit un bruit de pas précipités. La sainte-barbe étant aménagée sous sa propre chambre, c'était sans doute quelque Anglais qui volait déjà ses bijoux. Il lui fallait donc se hâter. Avec des gestes rapides et précis d'artificier, Romain saisit sur une étagère une mèche d'étoupe qu'il introduisit dans un des barils de poudre, prit un briquet, alluma la mèche et entendit aussitôt un léger bruissement en même temps qu'il vit une petite étincelle rouge courir le long de la mèche vers le baril. Il eut le temps de réciter tout haut la dernière réplique de *Dom Juan*, celle qu'il préférait entre toutes : « Tout mon corps devient un brasier ardent. Ha-a-a-ah! » La voix du comte de Morzic disparut dans les flammes et le tonnerre.

La nouvelle de la mort de Romain parvint au chevalier de Couesnon la veille de Noël. Depuis quelques jours on connaissait le désastre de Vigo mais on ignorait le nombre des disparus. Adressée personnellement au père du comte de Morzic, une lettre du marquis de Château-Renault disait comment le capitaine de la *Railleuse*, après s'être battu jusqu'à épuisement de ses munitions et avoir fait évacuer son navire, avait préféré se faire sauter avec sa frégate plutôt que de se rendre à l'ennemi.

M. de Couesnon vit les murs de la Couesnière vaciller. Il lui sembla que la maison s'écroulait sur lui et qu'il était enseveli sous ses décombres, tout seul et vivant, ne pensant à rien, incapable de gémir ou même de se révolter, encore moins de prier. Se révolter contre quoi et prier qui? Des formes, des couleurs, des bruits de voix, des odeurs et des visages, tout ce qu'on appelle les souvenirs surgirent peu à peu de sa tête pleine de brouillard, désordonnés, se bousculant les uns les autres, s'enfuyant, soudain insaisissables, comme font toujours les morts quand ils se disputent la mémoire des vivants avant de disparaître pour revenir au moment qu'on ne les attend plus, aujourd'hui encombrants indiscrets, demain oublieux infidèles. Il cherchait vainement à retenir l'image du jeune héros de Bévéziers, tel qu'il lui était apparu dans son bel uniforme à parements rouges, mon fils, je suis fier de vous et il voyait apparaître celle d'un démon, aux yeux de tueur, qui s'élançait une épée démouchetée à la main sur son compagnon d'enfance. Seul, tout seul sous les décombres, vieil homme vivant au milieu des morts, voici ce que je suis devenu, moi, chevalier de Couesnon, marchand de morue et négrier. Dieu me punit parce que j'ai trahi la noblesse. Mais non, Dieu ne pourrait pas punir les pères en tuant les enfants... C'est vrai, j'ai envoyé mes fils à Terre-Neuve où l'un d'eux est mort comme un misérable gueux, mais l'autre aura illustré une grande famille avec sa tournure et son courage, sa méchanceté et son orgueil, sa témérité et sa façon de mourir. Le jour où il n'y aura plus d'hommes comme lui, c'en sera fait de la noblesse, c'est là que réside l'honneur de nos familles, du sang et de la race. Je ne t'ai pas compris, mon garçon. Quand tu étais à Brest ou parti sur la mer, il m'est arrivé de préférer que tu sois loin, mais je savais que tu étais vivant. Les vivants, même lointains, sont toujours des vivants. Quel imbécile a prétendu que l'absence était l'image de la mort? La mort, Romain, c'est le néant. Avant de lire cette lettre, j'avais encore un fils, tu étais encore vivant. Maintenant il n'y a plus de comte de Morzic.

M. de Couesnon redressa soudain la tête. Mais oui! Il y a encore un comte de Morzic. C'est moi! C'est à moi que revient maintenant le titre de notre famille. C'est moi, le comte de Morzic! Non, Dieu n'aura pas voulu cela? Mon fils, mon petit, ta mort va m'enlever un peu de cette odeur de morue qui me colle aux doigts.

Des bruits de cloche sonnaient dans la tête de M. de Couesnon. Il entendit à peine la voix de Léontine qui lui disait :

« Monsieur le chevalier, c'est l'heure de la messe. »

Il la regarda, hébété, les yeux larges ouverts et n'y voyant rien, se leva, sortit dans la cour où la carriole était attelée :

« Allez, montez! J'emmène tout le monde! » dit-il aux valets qui se tenaient à distance.

Depuis près de quarante ans, M. de Couesnon n'avait jamais manqué la messe de minuit dans son village. Ça n'est pas parce que son fils s'était fait sauter avec son navire, en face de l'ennemi, dans la baie de Vigo, qu'il allait rompre avec cette tradition et renier le rôle qu'il entendait tenir au milieu de ses gens. Il entra dans l'église, la tête droite, sans même regarder le prêtre qui l'attendait au pied de l'autel, l'encensoir à la main, et reçut avec la dignité qui lui était coutumière les fumigations dues à son rang. Personne ne connaissait encore le nouveau coup qui le frappait. Il ne devait pas gâcher la joie de ces hommes et de ces femmes qui chantaient la naissance du Sauveur et regardaient avec extase une petite poupée toute nue couchée sur un lit de paille et censée représenter le fils de Dieu. Savoir si parmi tous ceux-là rassemblés dans l'église, derrière son dos, ne se trouvaient pas quelques bâtards dont Romain, à moins que ce fût lui-même, était responsable? Il essaya de prier, n'y parvint toujours pas, jugea qu'il était convenable de laisser ses lèvres murmurer une suite de mots latins sans même savoir ce qu'il disait. Au moment de la consécration, comme le prêtre levait l'hostie, il eut l'audace de ne pas courber la tête, quêtant un signe qui lui eût fait retrouver la foi qui le fuyait comme si son âme eût été percée de trous. Demeuré seul debout, à son banc, il ne communia pas davantage, se contentant d'observer que les fidèles regagnant leurs places, mains jointes et yeux mi-clos, le regardaient par en dessous. La fin de la messe le surprit. Son esprit était parti à la dérive, dans une brume glacée, semblable à celle qui avait englouti son autre fils. A pleine voix, tout le monde célébrait la Nativité, et tous ceux-là dont il connaissait la misère chantaient joyeusement parce qu'ils avaient retrouvé l'allégresse des anges venus annoncer la bonne nouvelle. M. de Couesnon se sentit plus seul qu'il ne l'avait jamais été. « Perdre la foi, se dit-il, c'est ne plus savoir à qui se confier quand on est dans la détresse. » Il regarda une dernière fois la crèche devant laquelle se pressaient des enfants, s'immobilisa un instant devant une grande croix de bois noir où un Christ suait l'agonie, et il pensa que l'histoire des hommes est pleine de dieux morts. Sous le porche de l'église, le curé l'attendait :

« Joyeux Noël, monsieur le chevalier!

— Appelez-moi désormais monsieur le comte! » dit-il d'une voix qui ne tremblait pas.

« C'est un gars, Jean-Marie! C'est un gars! »

Il monta les marches à grandes enjambées, bous-cula maman Paramé sans même la regarder et entra dans la chambre. La veille, lorsque les premières douleurs avaient pris Marie-Léone, il avait voulu rester auprès d'elle, penaud devant son visage défait et ce gros ventre sous les draps qui, depuis quelques jours, était devenu énorme. Au milieu de la nuit, la matrone lui avait dit de redescendre dans la salle, on l'appellerait le moment venu, et Rose Lemoal avait ajouté : « Toi, tu as fait ton travail, laisse-nous faire le nôtre! » Bien que le visage paisible des deux femmes l'eût rassuré, il gardait au fond des yeux le regard terrifié de Marie-Léone et, au bout des doigts, la sueur de son front caressé. Les heures lui avaient paru si longues qu'il s'était senti encore plus seul que le jour où le capitaine Le Coz lui avait appris la mort de son père et où le notaire lui avait dit : « Monsieur Carbec, vous n'êtes pas un orphelin, vous êtes un héritier. » C'était vrai. Les orphelins, ce sont les pauvres. Aujourd'hui qu'il était encore plus riche et qu'il attendait la naissance de son enfant, pourquoi éprouvait-il un tel sentiment de solitude? Autrefois, alors qu'il était lui-même enfant, lorsque son père était venu le chercher à Paramé pour le conduire ici, rue du Tambour-Défoncé, il avait connu le même trouble. Des premiers jours passés dans cette maison il gardait des souvenirs que le temps, au lieu de les effacer, gravait chaque année un peu plus profond dans sa vie. Il s'entendit demander : « C'est là que ma vraie maman est morte ? » et regretta de n'avoir plus jamais osé poser de questions à son père. Ce soir, il aurait été heureux de connaître le visage de sa mère et de se rappeler le son de sa voix : un souvenir, c'est comme une ancre qu'on mouille. Maman Paramé, il l'aimait de tout son cœur, mais Rose Lemoal ne serait pas la vraie grand-mère de son enfant. Le capitaine et Mme Le Coz, il les aimait eux aussi, c'étaient ses beaux-parents mais son enfant serait d'abord un Carbec.

« C'est un gars, Jean-Marie ! C'est un gars ! »

L'appel de Rose Lemoal l'avait tiré de sa rêverie, et voilà que dans cette même chambre d'où il avait dû, naguère, chasser tant de démons, il regardait un affreux mouflet, rouge et miauleur, qui était son fils.

« Vous avez vu comme il vous ressemble ? » dit doucement Marie-Léone.

Avant même qu'il eût répondu un seul mot, Rose Lemoal avait répliqué : « Pour sûr qu'il lui ressemble, même qu'il sera plus fort que lui. Ecoutez-le donc piailler, il réclame déjà la goutte ! » Elle était à son affaire, maman Paramé. Vieille femme, elle retrouvait les sourires, les gestes doux et précis de sa jeunesse pour emmailloter bien serré le marmot tandis que la matrone s'occupait de l'accouchée et disait à son tour à Jean-Marie :

« Oui, c'est un beau petit. Il pèse sûrement plus de dix livres. Maintenant, il faut laisser madame Carbec se reposer. Elle va dormir. Je vais demeurer près d'elle. »

Jean-Marie s'en était allé à reculons, maladroit. Il n'avait rien à faire dans cette chambre où Clacla lui avait dit, comme il l'avait surprise en train de laver son père qui avait fait sous lui : « Cette besogne n'est pas faite pour toi. Seule une femme peut la faire, sors d'ici. » Il redescendit dans la salle, s'installa dans un fauteuil, lampa un petit gobelet de rikiki, écouta l'horloge frapper trois coups, et essaya de comprendre pourquoi le gros ventre de Marie-Léone lui avait donné, au cours des derniers mois, plus d'orgueil que la vue de son fils venait de lui apporter de joie. Il finit par s'assoupir, fut réveillé par les cris des oiseaux du petit matin et ouvrit la porte sur la rue du Tambour-Défoncé. Le grand coup de vent qui lui défripa le visage lui donna envie d'aller se promener le long de la mer. « Les chiens ne sont pas encore rentrés », pensa-t-il. Refermant la porte, il tourna autour de la table, inutile, ne sachant que faire, jusqu'au moment où il entendit la voix de Cacadou imiter maman Paramé :

« C'est un gars, Jean-Marie!

— Oui, Cacadou, c'est un gars! Nous allons fêter sa naissance tous les deux. »

Il tira d'un coffre le violon de Frédéric et joua un air à danser. Depuis qu'il avait passé de longs mois en mer pour aller aux Indes d'Amérique, ses doigts étaient devenus plus agiles, l'archet ne grinçait plus sur les cordes de l'instrument et son répertoire s'était enrichi de quelques danses espagnoles aux cadences endiablées. Le mainate l'accompagna d'un fifre aigu, comme si ces airs lui étaient familiers, et devint bientôt le meneur du jeu pour en précipiter le mouvement. Courbé sur son violon, Jean-Marie esquissait déjà quelques pas lorsque, relevant la tête, il aperçut devant la porte ouverte de la cuisine une femme qui le regardait avec surprise, les yeux perdus de sommeil.

« Pardonnez-moi, dit-elle, je me serai endormie. L'enfant est-il arrivé?

590

– Vous avez passé toute la nuit dans la cuisine? s'étonna Jean-Marie.

– Dame oui! assura-t-elle en montrant une chaise paillée. Quand je suis arrivée, dans l'après-midi, la Rose Lemoal m'a dit de l'attendre ici, qu'elle viendrait me chercher dès que l'enfant serait né.

– Tu es donc la nourrice?

– Pour sûr! Même qu'on m'a choisie parmi sept autres! » fit-elle en bombant la poitrine.

Comme Jean-Marie l'observait en souriant, ses joues de paysanne devinrent encore plus rouges. Elle avait cru voir dans les yeux du capitaine Carbec la lueur qui brûlait si souvent le regard des maîtres quand l'envie les prenait de relever son cotillon. Baissant les yeux, elle attendit.

« Comment t'appelles-tu?

– Solène. Je suis de Saint-Jacut. »

Jean-Marie souriait toujours. Il pensait seulement que sa vieille nourrice, avant qu'elle devienne maman Paramé, avait dû ressembler à cette femme.

« Oui, il est né. C'est un garçon. Auras-tu au moins du bon lait et en quantité suffisante? »

C'était lui faire offense. Elle se redressa et, sans plus de façons, ouvrit son corsage d'où elle sortit à pleine main une mamelle tendue à éclater qui sentait le chaud. Jean-Marie n'en fut pas troublé, mais il se demanda pourquoi les autres avaient de pareilles tétasses alors que les seins de Marie-Léone tenaient dans le creux de ses mains? Il demeurait silencieux, contemplant cette mamelle soyeuse, veinée comme un marbre, si bien qu'il n'entendit pas maman Paramé descendre l'escalier et traverser la salle. Solène la vit la première et, comme prise en faute, renfourna brusquement sa tétasse.

Rose Lemoal les regardait. Elle n'avait pas dormi depuis deux jours. Son visage, baigné tout à l'heure de douceur, s'était soudain crevassé de toutes ses vieilles colères.

« Si c'est pour ça que tu es venue par ici, tu peux repartir tout de suite à Saint-Jacut! En attendant, monte avec moi, c'est l'heure. Tu lui donneras au moins à boire jusqu'à ce que j'en trouve une autre qui ne soit pas une traînée! »

Jean-Marie ne comprit pas pourquoi maman Paramé rudoyait la nourrice, et encore moins de s'entendre dire : « Vous ne pensez donc qu'à ça, vous autres? » Demeuré seul, il se fit chauffer un bol de soupe et se décida à monter lui aussi l'escalier pour dire à toutes ces femmes qui le régentaient depuis son mariage qu'il était le maître et que, maintenant, ils seraient deux hommes pour se défendre et commander, lui et son fils. Parvenu sur le palier, il hésita pendant quelques instants à entrer dans la chambre et entrouvrit la porte, juste pour passer une tête inquiète. Marie-Léone dormait, paisible, le visage ourlé de lumière. Il referma doucement la porte, en ouvrit une autre derrière laquelle il savait retrouver maman Paramé, la nourrice et son fils. Solène avait déjà commencé son service. Calée sur une chaise basse, jambes écartées et les deux pieds posés bien à plat sur le plancher, elle donnait le sein au nouveau-né dont la tête reposait au creux de sa main. Des marmots accrochés à la mamelle, il en avait vu plus d'un, sans y prendre garde. Cette fois, il ne pouvait détacher les yeux de ce spectacle, comme s'il lui eût apporté les révélations d'un secret qu'il serait seul désormais à connaître. Il ne vit, posé à terre, le petit lit en forme de barque ramené autrefois de Paramé, qu'au moment où Rose Lemoal y déposa son garçon.

« Tu l'avais donc gardé?

— Dame! Je te l'avais bien dit, lorsque tu m'as conduite de force à Saint-Malo. Ce qui a été bon pour toi sera bon pour lui, non? »

La fille de Saint-Jacut s'était levée et relaçait les cordons de son corsage. Elle se pencha sur la minuscule chaloupe et retrouva la même tendresse qui la baignait tout à l'heure quand elle appuyait la tiédeur lisse de sa mamelle sur la joue de son nourrisson. Rose Lemoal qui l'observait reconnut que Solène était une de ces femmes faites pour protéger les plus petits enfants des hommes.

« Si ton lait est bon, gronda-t-elle d'un ton moins rude, le gars profitera vite. Assieds-toi donc. Quand il criera, tu lui en donneras encore, autant qu'il en veut. »

Rassuré, Jean-Marie les laissa seules toutes les deux, reliées par les mêmes sourires, les mêmes gestes et tant d'autres mystérieuses connivences qui n'étaient pas de son domaine. Le jour maintenant levé éclairait un peu la salle. Jean-Marie avait besoin de remuer, marcher, prendre un grand coup d'air qui balaierait ses inquiétudes de la nuit. Il lui fallait faire d'abord quelque chose d'important. Installé devant son écritoire, il s'appliqua à consigner l'événement sur la page blanche d'un gros registre : 20 avril de l'an 1703, quatre heures après minuit, naissance de mon fils Jean-Pierre Carbec. Puis, le registre mis à sa place, il ouvrit la porte et descendit la rue du Tambour-Défoncé.

La ville était encore à peu près déserte. Jean-Marie rencontra quelques femmes qui, un panier de linge sous le bras, se dirigeaient vers le bas de l'eau, et une compagnie de la milice municipale. Bonjour capitaine, ça va-t-il comme vous voulez? J'ai un fils! Parvenu sur les remparts, il enfonça son chapeau, durcit les épaules, entra dans le vent. Comme tous les Malouins, il aimait la mer du petit matin, l'écume crémeuse qui court vers la muraille où elle donne des coups de canon qui vous couvrent de mitraille liquide. Il marcha à longues jambes, droit devant lui, rêvant et riant tout seul lorsqu'une bourrasque le frappait en pleine poitrine et l'obligeait à ralentir son train. Les maçons n'étaient pas encore au travail sur les chantiers où des blocs de granit s'entassaient prêts à la taille, alors que les canonniers qui avaient passé la nuit à veiller sur les bastions se tenaient accroupis autour d'un feu de bois et se réchauffaient avec d'énormes bourrades sur l'épaule. Ouvrez l'œil, les gars! J'ai un fils! Bravo capitaine! répondaient les canonniers qui l'avaient connu au moment de l'affaire de la galiote infernale. Maudits congres d'Anglais, ils seraient bien capables de revenir!

Pour les protéger, les Malouins avaient toujours compté davantage sur leurs rochers et sur leurs batteries que sur la marine royale à laquelle ils auraient été bien aise d'appartenir et qu'ils admiraient en secret. Depuis le désastre de Vigo, c'était au tour des flottes ennemies d'essayer de ruiner le commerce français comme l'avaient fait les corsaires malouins avec le négoce anglais pendant l'autre guerre. Tout à l'heure, à Mer-Bonne, Jean-Marie avait bien vu des frégates armées pour le combat par Thomas Pépin, Alain Potier, Etienne Daniel, La Moinerie parmi quelques autres, mais ceux-là n'ignoraient pas que la course était devenue plus dangereuse et moins profitable depuis que les *Indiamen* partis des Moluques, de Surat ou de Ceylan naviguaient en convois protégés, et parce que le nombre des corsaires anglais et hollandais dépassait maintenant celui des Français. Lui, Jean-Marie, il avait fait son temps à une époque où les armateurs conseillaient à leurs capitaines de ne jamais engager le combat sans avoir la certitude de l'emporter à peu de frais. Aujourd'hui tout avait changé : non seulement la rencontre d'un navire isolé devenait très rare mais l'amirauté recommandait d'attaquer les vaisseaux ennemis quoi qu'il en coûtât. C'était se battre sans profit. A d'autres le soin! pensaient Jean-Marie et la plupart de ceux qui avaient ramené naguère à Saint-Malo les meilleures prises. Il y avait bien quelques exceptions comme René Trouin, mais celui-là qui était plus jeune de dix années aimait la guerre comme on aime les femmes, se souciait peu d'enrichir son armateur, et, depuis que le roi en avait fait un capitaine de frégate, naviguait le plus souvent de conserve avec d'autres bâtiments pour livrer de véritables batailles navales. « Maintenant qu'il est du Grand Corps, pensa Jean-Marie, c'est son affaire de se battre de cette façon, comme c'était l'état de Romain. »

A Romain de Couesnon, Jean-Marie pensait souvent sans démêler si la mort de son ancien compagnon l'avait plus délivré qu'attristé, ou si elle ne l'avait pas réjoui de ne plus craindre de le voir quelque jour revenir rôder autour de Marie-Léone. Aujourd'hui qu'il avait créé une famille, que sa femme venait de lui donner un fils, il ne pouvait plus ruser avec lui-même. Après avoir aimé et admiré Romain de Couesnon pour toutes ses diableries qui donnaient à leur vie quotidienne un goût de poivre et de gingembre, il n'avait cru le haïr, malgré ses rebuffades et ses gestes étranges, que le jour de la vente de la Compagnie des Indes orientales à Nantes, lorsque le gentilhomme s'était soudain mis en tête de demander Marie-Léone en mariage. Il aurait été heureux de le provoquer et le tuer, quitte à être pendu. Ce matin, Jean-Marie se demandait si son ressentiment ne remontait pas à des jours plus anciens, peut-être des années, voire si, fils de regrattier, il n'en avait pas voulu au jeune gentilhomme dès les premiers jours de leur rencontre, parce que son éclat, son charme, son insolence, son état, lui étaient insoutenables! Plus encore que la mort de Romain de Couesnon, la naissance de son fils dénouait les liens qui le garrottaient depuis vingt ans. Tout devenait plus simple. Après tout, le jeune comte de Morzic, officier des vaisseaux du roi, était mort selon sa condition. Le vieux chevalier de Couesnon auquel il avait rendu une visite de condoléances ne lui avait-il pas dit simplement : « Nous autres, nous sommes faits pour mourir à la guerre » ? Eh bien, lui, Jean-Marie Carbec, fils et petit-fils de regrattier, il allait construire une maison, aussi grande que celle des Magon et des Danycan et il la peuplerait de garçons et de filles qui décoreraient un jour sa vieillesse.

Commencée quelques semaines après la naissance de Jean-Pierre, la construction de l'hôtel Carbec dura plus de trois années et ne fut achevée qu'à l'automne 1706. Avec sa haute façade de granit, éclairée de grandes fenêtres encadrées de bandeaux en relief, et les pentes raides de ses toits d'ardoise d'où s'élançait la fierté des robustes cheminées, c'était une magnifique maison, semblable à quelques détails près aux demeures des grands messieurs de Saint-Malo, belles verticales bâties par un ingénieur militaire qui avait le goût de mettre les blocs de pierre au garde-à-vous face à la mer. Le deuxième retour de sa frégate ayant été encore plus fructueux que le premier, Jean-Marie n'avait pas lésiné sur la dépense. Faute de pouvoir s'approvisionner aux îles Chausey autour desquelles croisaient trop souvent des corsaires anglais, il s'était rabattu sur les carrières de la Colombière, devant Saint-Jacut, d'où l'on tire du granit bleu pointillé de paillettes brillantes, et il avait fait venir de Saint-Cast des dalles de pierre destinées à paver le grand escalier, les paliers, même la cuisine. Toutes les charpentes avaient été taillées dans des fûts de chêne que les maîtres de hache n'utilisaient pour construire les navires malouins dans les chantiers de Rocabey ou de Solidor qu'après les avoir fait durcir dans la vase pendant deux ou trois ans, et on était allé jusqu'à Châteaulin pour acheter les meilleures ardoises. Pour qu'elle puisse donner son avis sur la distribution des lieux dont elle serait la maîtresse, Jean-Marie n'avait pas voulu confier au seul M. Garangeau le plan de sa maison, il y avait associé Marie-Léone. Elle avait souvent accompagné son mari sur le chantier qu'il ne manquait pas de visiter chaque jour avec la joie solide et simple d'un homme qui regarde un mur s'élever sur une terre dont il est propriétaire.

Les cinq années qui les séparaient du premier jour de leur mariage avaient attaché Jean-Marie et Marie-Léone par des liens qu'ils n'auraient jamais soupçonnés. Après Jean-Pierre, Jean-François était né douze mois plus tard, lui aussi rue du Tambour-Défoncé, mais Jean-Luc avait vu le jour dans la plus belle chambre de l'hôtel Carbec, située à l'étage supérieur d'où, allongé sur le lit, on pouvait voir des voiles courir sur la mer. Semblables à tous les bourgeois de leur milieu, ils n'estimaient pas encore qu'il est inconvenant de s'aimer et de le témoigner parce qu'un certain nombre d'écus ou de fleurons ont été acquis ou hérités. Jeune épousée, Marie-Léone avait été aussitôt admise par la société malouine alors que sa mère avait dû marquer le pas avant de franchir la porte des Magon. La seule présence de Mgr de Guémadeuc à son mariage avait noué les langues déjà prêtes à clabauder sur l'union d'un parrain bientôt barbon avec sa filleule à peine sortie du couvent. Elle n'avait pu empêcher les vieux Malouins de rire sous cape en se rappelant le temps où le Mathieu Carbec fermait boutique une fois par mois pour se rendre à Paramé chez la nourrice, et ces autres années où il avait convolé avec la Clacla. Qu'était-elle donc devenue celle-là? Quelques armateurs qui faisaient construire sur les chantiers de L'Orient savaient qu'elle était devenue une importante avitailleuse, qu'elle prêtait à la grosse aventure ou aux capitaines besogneux, et qu'elle avait armé en compte à demi avec son beau-fils pour la mer du Sud.

Jean-Marie ne le démentait pas. La dernière fois qu'il s'était rendu au Port-Louis pour régler les comptes du deuxième voyage de sa frégate, il avait appris à Clacla la naissance de son troisième fils. Elle en avait été émue sans tricherie et, d'un geste qu'il lui connaissait bien, elle avait posé la main droite sur sa poitrine demeurée ferme.

« Ta Marie-Léone a bien de la chance! Ils te ressemblent, tes gars? Cela me ferait tant plaisir de les connaître!

– Viens les voir.

– Non, avait répondu Clacla. Tu sais bien que je ne reviendrai jamais à Saint-Malo. Il paraît que tu as fait construire une belle maison, juste en face du Fort de la Reine? »

Avec la vanité ingénue d'un homme vite installé dans la prospérité, il avait tout décrit : les caves voûtées sur deux étages, la grande porte sculptée de guirlandes autour d'une tête de lion, l'escalier aussi monumental que celui de Noël Danycan, la chambre de réception, la salle à manger lambrissée d'acajou avec ses placards moulurés d'ébène, le salon recouvert de tapisserie, les chambres à dormir, même le garde-meuble où s'entassaient des tables, des fauteuils, des pendules, des vases, des lits, des coffres, qui avaient été des parts de prises lorsque son père ou lui-même armaient à la course.

Clacla l'avait écouté avec un mince sourire, avant de demander :

« Et la rue du Tambour-Défoncé?

– J'y ai laissé nos livres de comptes, ceux de mon

père et les miens. Plus tard, mes fils y logeront leurs archives.

– Tu ne me parles pas de ta femme? » avait-elle encore demandé.

Il était devenu tout rouge. Cela lui paraissait déshonnête que Clacla eût osé lui poser une telle question.

« Elle gouverne bien ma maison, elle s'occupe des écritures et elle m'aide à tenir notre rang », répondit-il avec une pointe d'orgueil.

Comme s'il eût voulu se venger d'une offense faite à Marie-Léone, il avait ajouté :

« Tu as raison de ne pas vouloir retourner à Saint-Malo. Tu ne reconnaîtrais personne et personne ne te reconnaîtrait. Reste donc ici. »

Elle fut tentée de relever le défi. Maintenant qu'elle avait amassé assez d'écus pour construire elle aussi une belle demeure sur les remparts, pourquoi ne retournerait-elle pas là-bas? Le regard de Jean-Marie lui fit comprendre qu'elle n'y serait pas acceptée. Mme Carbec, c'était l'autre, la jeune. Avec son petit rire de gorge qui faisait remonter un peu plus ses pommettes hautes et gravait une étoile aux coins de ses yeux, Clacla ne voulut pas demeurer en reste. Elle lui décocha :

« Il ne vous manque plus qu'un titre de noblesse, monsieur Carbec! »

Une nouvelle génération d'armateurs, négociants et capitaines marchands, née au moment de la création de la Compagnie royale des Indes orientales, bousculait celle des vieux messieurs de Saint-Malo où Yves Le Coz avait fini par se faire admettre. Tout le monde reconnaissait en Jean-Marie Carbec un des jeunes notables parmi ces nouveaux venus qui, en quelques années, avaient décuplé les piastres trouvées dans les caves paternelles, risquant toujours leur héritage, souvent leur vie, et devenant des personnages du commerce avec lesquels il faudrait désormais compter. Biniac, Troblet, Le Fer, Porée, La Chambre, tous les anciens compagnons de Terre-Neuve et du Collège de marine, ceux qui avaient profité de l'élan donné au négoce lointain par la Compagnie et qui avaient rempli leurs coffres dans le moment qu'elle accumulait ses dettes, s'étaient mariés eux aussi, s'apprêtaient à construire de vastes demeures pour y loger leur nombreuse famille, et achetaient des charges ou des lettres de noblesse dès que le roi les mettait en vente. Hier corsaires prudents ou aventureux navigateurs, aujourd'hui armateurs ou capitaines pour la mer du Sud, ces Malouins du nouveau siècle se ressemblaient tous : aussi prompts à déhaler qu'à mouiller une ancre. Tous ces coureurs de mer voulaient devenir des bâtisseurs.

L'opulence des villes maritimes qui, au cours des dernières années, avait tant surpris les témoins de la misère étalée ailleurs, brillait alors d'un éclat insolent. Les piastres péruviennes, on les entendait rouler à Rouen et à Nantes, à La Rochelle, Bordeaux et Marseille, mais c'est à Saint-Malo que le retour des frégates devenues de véritables galions interlopes provoquait les pires charivaris. A peine débarqués, les équipages montaient sur des charrettes par groupes de dix à vingt matelots qui, acclamés par la foule, parcouraient les rues étroites où l'on crochait une ancre devant chaque cabaret et chaque bordel pour s'y contenter et faire frire dans une poêle portée au rouge des écus jetés brûlants sur la chaussée avec d'énormes rires qui secouaient la ville jusqu'à ce que les hommes de retour des Indes d'Amérique aient vidé toutes les futailles et fatigué les reins des plus rudes luronnes. Sans avoir la chance d'un certain Jean Séré qui venait de ramener une cargaison évaluée à quinze millions de livres, tous les armateurs tentés par la mer du Sud remplissaient leurs caves de métal blanc. Une mise-hors de trente mille livres rapportait plus d'un million dans les cas les plus défavorables, lorsque les commissaires de la marine s'étaient montrés trop vigilants parce que M. de Pontchartrain venait de leur rappeler les ordonnances interdisant de commercer avec les colonies espagnoles. Que ces mesures aient été prises à Versailles pour protéger le privilège de la Compagnie ou pour apaiser les représentations diplomatiques de Madrid, personne n'en tenait compte, tout le monde pensait même que le roi ne les avait formulées que pour la forme. Au moment d'appareiller, les capitaines juraient la main sur le cœur qu'ils partaient vers les Caraïbes où ils courraient sus aux navires ennemis, ils fai-saient même visiter leurs cales toujours vides pour la bonne raison que les marchandises destinées aux ports chiliens ou péruviens avaient été clandestine-ment expédiées depuis trois mois aux Canaries où elles seraient réembarquées. Sans la moindre vergo-gne, certains commissaires monnayaient leur dis-crétion pour compenser les retards apportés par l'administration au paiement de leur solde, et les armateurs achetaient des « permissions de décou-vertes » que les proches commis du ministre de la Marine, et M. de Pontchartrain en personne, accor-daient volontiers, sans être jamais dupes, soit qu'ils fussent directement intéressés à l'entreprise, soit qu'ils eussent jugé déraisonnable de priver l'Etat d'une source de revenus dont quelques fractions finissaient toujours par tomber dans les caisses du Trésor à peu près vides. Tout le monde y trouvait finalement son compte, d'abord les tailleurs de pierre et les maçons, les menuisiers et les ferron-niers, les peintres et les tapissiers qui transfor-maient à ce point Saint-Malo que, malgré la guerre, au moment où le royaume souffrait le plus du

601

manque de numéraire, les membres de la Communauté de Ville avaient décidé de combler le vieux port de Mer-Bonne et d'y implanter un nouveau quartier destiné aux nouveaux messieurs pour qu'ils y bâtissent leurs hôtels.

Lorsque Clacla avait lancé, narquoise, à Jean-Marie qu'il ne lui restait plus qu'à devenir noble, il n'avait pas même perçu la raillerie : « J'y songe, répondit-il. Tous les autres ont acheté des titres d'écuyer, mon tour viendra. »

Depuis le désastre de Vigo où le comte de Morzic avait disparu, on aurait dit que le mauvais sort s'acharnait sur la France. Cela avait commencé par la défection du Portugal et celle du prince de Savoie passés soudain à l'ennemi, et s'était poursuivi par une insurrection générale des Cévennes qui n'avait pu être réprimée qu'en y dépêchant le maréchal de Villars, un des rares bons généraux qui ne devait pas son commandement à la faveur. Ailleurs, malgré quelques succès locaux sans lendemain, les armées du roi étaient bousculées.

A la fin du mois d'août de l'année 1704, lorsque courut le bruit d'une grave défaite subie à Hoechstaedt là même où Villars avait été victorieux l'année précédente, les Malouins ne s'inquiétèrent guère plus que ceux de Rouen, de Nantes, de La Rochelle, de Brest ou de L'Orient. Tous ceux-là qui naviguaient sur les vaisseaux, les navires du commerce ou les barques de pêche n'étaient sans doute pas mécontents d'apprendre que les terriens se faisaient durement étriller de temps à autre. Eux, les marins, ne se battaient-ils pas contre la tempête pendant que les soldats se tenaient au chaud dans leurs quartiers d'hiver? Quelques jours plus tard, à peine avait-on eu le temps de pavoiser en l'honneur de la flotte française qui avait livré un beau combat au large de Malaga, on connaissait maintenant la vérité sur l'affaire de Hoechstaedt. La défaite avait été une déroute : trente mille hommes tués ou prisonniers, vingt mille fuyards, cent soixante-douze drapeaux abandonnés, toute l'artillerie et les équipages tombés aux mains ennemies, la noblesse militaire détalant aussi vite que la roture pour ne pas être sabrée par la cavalerie de Marlborough.

M. de Couesnon avait appris ces détails de Mgr Desmarets, le nouvel évêque de Saint-Malo, qui les tenait lui-même de son parent le contrôleur général.

« Dieu nous a abandonnés! » se lamenta le prélat.

Accablé, les épaules voûtées, maigre dans son habit de deuil qu'il n'avait pas quitté depuis la mort de son fils, M. de Couesnon avait répondu avec un imperceptible tremblement dans la voix.

« Monseigneur, il me paraît que, depuis Azincourt, nos Français ont trop pris l'habitude de louanger leurs généraux quand ils sont victorieux et d'accuser Dieu quand ils sont vaincus. »

Il se rendit aussitôt chez le comte de Kerélen pour lui apprendre la nouvelle avec ménagements. Perclus de douleurs, le vieil homme ne sortait plus de sa chambre mais n'ignorait rien de ce qui se passait ou se disait à Saint-Malo, renseigné par les gentilshommes de la ville qui le considéraient comme leur doyen et en avaient fait le capitaine de la noblesse locale pour tout ce qui concernait leurs affaires de famille, de blason ou d'honneur. Lorsque Romain était mort, il avait dit à son père : « Vous pouvez prendre le nom de votre fils si cela vous convient. C'est votre droit. Pour moi, sans doute pour tous vos amis, vous demeurerez le chevalier de Couesnon parce que aujourd'hui le titre de chevalier est le seul dont on soit sûr qu'il n'ait pas été acquis avec des écus ou des complaisances. »

M. de Couesnon redoutait d'apprendre les conditions du désastre au vieillard qui avait combattu sous Condé, Turenne et Luxembourg, à une époque où le service militaire du roi comptait plus de vrais soldats que de courtisans. Son embarras alerta M. de Kerélen.

« Dites-moi la vérité, Couesnon. On m'a déjà appris beaucoup de choses. Je ne veux pas les croire. Jurez-moi sur l'honneur de me répéter tout ce que M. Desmarets vous aura confié. Couesnon, je suis le chef de la noblesse malouine, répondez-moi! Je veux tout savoir. »

M. de Couesnon se taisait.

« C'est donc encore plus grave?

– Oui. »

M. de Kerélen ne se souciait pas de connaître le nombre des morts. Il demanda :

« Ils nous ont fait combien de prisonniers?

– Peut-être trente mille.

– Les canons, les équipages?

– Pris par l'ennemi.

– Pas les drapeaux? »

M. de Couesnon baissa la tête avant de répondre :

« Si, tous les drapeaux.

– Alors nous avons fui?

– Sans doute.

– La roture, pas les nôtres?

– Hélas!

– Non! Ça n'est pas vrai. Vous mentez!... avait bégayé le vieux gentilhomme. Plus tard, personne ne voudra le croire. Nos familles sont déshonorées. Vous, Couesnon, vous avez été un père heureux. »

Le lendemain, deux heures avant le couvre-feu, le crieur juré avait parcouru les quartiers de Saint-Malo, une cloche dans la main droite, une lanterne dans l'autre, et psalmodiant d'une voix sépulcrale : « Priez pour le repos éternel du comte de Kerélen qui vient de trépasser dans son logis de la Croix-du-Fief. » Sur le passage de l'homme noir, les femmes se signèrent, les chiens, qui n'aimaient pas les emblèmes funèbres dont il était affublé, lui coururent après en aboyant.

La mort du comte de Kerélen affecta M. de Couesnon. Elle le privait d'un ami où sa barque venait s'arrimer comme à un pieu rassurant et un peu vermoulu, les jours où la tempête le malmenait. Pour M. de Kerélen, la civilisation s'était toujours confondue avec la Religion, le Roi, l'Armée, le Lieutenant de Police et les Tragédies de Corneille, autant de mots qu'il ne prononçait qu'avec des lettres majuscules. En face, c'était le désordre, peut-être le diable. Tous ceux qui ne pensaient pas comme lui, il les jugeait volontiers dangereux et bornés, hérétiques, bons pour le gibet avant d'être jetés dans les flammes éternelles. Le chevalier en avait souvent débattu avec son vieil ami, l'écoutant avec une impatience courtoise et se gardant de lui révéler les cheminements de sa pensée qui l'avaient conduit à ne plus croire aux hommes et à douter de Dieu. Lorsqu'il avait entendu la dernière phrase balbutiée par Kerélen : « Vous avez été un père heureux! », il avait été près de se révolter contre les sottises de ces vieillards qui se consolent de la mort de leurs enfants en bénissant le Ciel de leur avoir ouvert une porte rapide sur l'éternité. Plus tard, il avait cru mieux comprendre le sens profond des propos de son ami en se rappelant que ses fils, le premier sur une humble chaloupe de pêche, le second sur la frégate qu'il commandait, étaient morts tous les deux en obéissant à quelques principes clairs, là où on leur avait dit d'accomplir leur tâche. Maintenant, il préférait les savoir engloutis à Terre-Neuve et à Vigo que les imaginer lâchant leurs armes sur le terrain de Hoechstaedt pour mieux courir devant les habits rouges de M. de

Marlborough. Il pensait même, puisqu'il leur devait le titre de comte de Morzic, que son tour était venu de porter les couleurs de la famille. Trop chétif pour la guerre, il trouverait bien quelque occasion d'armer à la course.

La guerre ne favorisa pas M. de Couesnon. Après lui avoir tué son fils, elle prit son argent. Pour remettre en état la Couesnière, il avait déjà dépensé beaucoup d'écus, les dettes laissées par Romain pesèrent encore plus lourd, et voilà qu'un navire corsaire dont il détenait la plus grosse part venait d'être coulé par un Hollandais. Confiné dans sa maison pendant les mois d'hiver, le chevalier fit et refit plusieurs fois ses comptes pour n'aboutir qu'aux mêmes certitudes malgré les complaisances dont il caressait ses calculs. Quand il aurait fini de payer les billets signés par son fils, il ne lui resterait à peu près rien. Comment cela avait-il pu arriver? Autour de lui, tout le monde s'était enrichi et continuait d'amasser. Quelques années ne lui avaient-elles pas suffi pour lui permettre de relever ses murs et d'assurer à Romain la pension nécessaire à son rang tandis qu'il s'installait lui-même dans les assemblées malouines où sa bonne noblesse et ses parts d'armement lui avaient conféré une position que ses malheurs domestiques allaient décorer de surcroît? Il était pourtant sûr de tenir ses comptes aussi bien que n'importe quel autre marchand de morue, et de pouvoir discourir sur l'univers mieux que la plupart des armateurs. « Prenons garde, Couesnon, lui avait dit un jour Kerélen, il est plus aisé à un marchand de devenir noble qu'à un noble de devenir marchand... » Le vieil ami dont le ronchon aiguisait si souvent ses ripostes lui manquait de plus en plus, c'était la seule personne à laquelle il eût pu confier ses embarras sans en rougir.

Entre le gentilhomme en sabots qui avait vendu naguère à Mathieu Carbec cinq actions de la Compagnie des Indes orientales, et l'homme qu'était devenu M. de Couesnon de Morzic au cours de ces vingt-cinq années, que restait-il de commun sinon un sentiment intime de supériorité dont il ne pouvait se départir même quand son attitude ou ses propos allaient contre? L'aisance l'avait arraché à ses labours, le manque ne l'y ramènerait pas : il était trop faible pour tenir les mancherons d'une charrue. Il était surtout devenu trop âgé pour être pauvre après avoir connu le merveilleux bonheur d'entrer à l'auberge sans se soucier du moment où il lui faudrait payer son écot, commander un habit neuf à son tailleur, honorer les dettes de son fils, entendre toujours tinter quelques écus dans sa poche. Où vais-je les prendre maintenant? Il y avait pensé tout l'hiver, vivant chichement, sortant peu de sa maison. Notre maître se laisse périr de chagrin depuis la mort de Romain, pensait Léontine. Comment allait-il se tirer de cette passe? Le connétable de Saint-Malo lui avait retiré le commandement de la milice côtière pour le donner à un gentilhomme plus jeune. Il n'allait tout de même pas redevenir un bouseux lorsque des fils de regrattiers, à quelques lieues de la Couesnière, se gobergeaient dans les cabarets, bâtissaient des palais et achetaient des charges nobiliaires? Un après-midi du mois de mars, parce que le printemps courait dans les nuages, il se rendit chez Yves Le Coz.

Le capitaine le reçut sans bonne humeur. Enfoui dans un fauteuil, la jambe droite allongée sur un tabouret tapissé au petit point de Hongrie, il souffrait de la goutte et ne s'interdisait pas de pousser quelques gémissements quand la douleur perçait trop violemment son pied emmailloté comme un marmot. Les convenances exigeant qu'il se levât pour saluer son hôte, le capitaine Le Coz ne s'y déroba pas, l'autre le retint.

« Restez où vous vous tenez. Nous savons, nous autres gens de la noblesse, combien cette maladie est douloureuse.

– Pourquoi donc savez-vous cela? s'inquiéta M. Le Coz.

– Parce qu'elle n'atteint que les gentilshommes.

– Cela est-il vrai?

– Absolument, je n'ai jamais vu un roturier goutteux.

– Vous devez avoir raison. Avant d'avoir reçu ma charge de conseiller secrétaire du roi, je n'avais pas mal. Aïe! »

Yves Le Coz venait de recevoir un coup de poignard dans l'orteil et n'avait pas retenu un cri qui lui crispa le visage autant qu'il dérida celui de M. de Couesnon dont c'était le premier sourire depuis de longs mois.

« La goutte, monsieur de la Ranceraie, est une maladie noble, vous devez donc la supporter avec noblesse. N'est-ce pas, madame? »

Emeline Le Coz venait de les rejoindre. Elle avait toujours soupçonné le gentilhomme d'avoir traversé les intentions manifestées publiquement, à Nantes, par le jeune comte de Morzic, ne lui avait jamais pardonné sa réserve et se prenait parfois à situer la mort de l'officier dans la logique d'une suite d'événements où elle distinguait la main de Dieu. Si le père était venu rendre la visite de courtoisie qui eût permis au fils de faire sa cour, celui-ci eût certainement obtenu un congé au lieu de partir avec l'escadre de M. de Château-Renault, et quand bien même Marie-Léone fût-elle devenue veuve elle n'en serait pas moins comtesse de Morzic au lieu d'être Mme Carbec. La belle affaire que d'avoir épousé un fils de regrattier qui avait dû faire bâtir une maison battue par les vents pour fuir les odeurs du logis paternel!

Emeline crut deviner dans la voix de M. de Couesnon comme une raillerie dont le dard la piqua légèrement et la persuada davantage que les seuls gentilshommes se trouvaient être capables d'improviser des propos aussi légers. Voulant entrer elle-même dans le jeu, elle minauda :

« Les hommes sont douillets, cela vous est commun à tous. Vous autres, vous ne supportez bien que les grandes douleurs. »

Sa phrase à peine terminée, elle comprit sa maladresse. Mi-amusé, mi-triste, le sourire un peu crispé de M. de Couesnon la lui avait révélée sans que le capitaine, tout à son orteil, se fût aperçu de rien.

« C'est vrai, madame, dit le chevalier au bout d'un bref silence. Je pense toutefois qu'il ne faut pas confondre la douleur avec le chagrin. »

Pour dissimuler le malaise où se trouvait la malheureuse Emeline, il poursuivit : « Donnez-moi plutôt des nouvelles de vos petits-enfants. J'ai appris que le troisième est né. »

Quand Mme Le Coz se fut retirée, les deux hommes causèrent pendant plus de deux heures. Sans fausse honte, retrouvant la plus grande aisance tenue de ses ancêtres dès qu'il était question d'argent, M. de Couesnon ne cacha rien de son état. Il en discourut même avec un tel détachement qu'Yves Le Coz ne put s'interdire de remarquer :

« Monsieur le comte, si la goutte n'atteint que la noblesse, je vois bien que la ruine n'atteint jamais que la bourgeoisie. Vous parlez de vos affaires malheureuses avec une indifférence que nous ne comprendrons jamais.

– Je vais vous surprendre, Le Coz. Ce que je vais déclarer, je ne vous l'aurais pas dit naguère. Ça n'est pas seulement parce que vous êtes devenu conseiller secrétaire, c'est parce qu'ayant beaucoup vécu j'ai compris qu'il ne fallait pas s'inquiéter de ses dettes à partir du moment qu'elles sont importantes. Un seigneur qui doit deux millions de livres est un plus grand seigneur que celui qui n'en doit qu'un seul, non?

— Cela est peut-être vrai pour un seigneur, pas pour un marchand.

— C'est que vous êtes demeuré un vilain bourgeois. La peur de manquer, voilà sans doute la plus grande frontière qui nous sépare. Regardez-moi. Ce qui me tourmente, ça n'est pas d'avoir perdu, c'est d'avoir à payer des dettes dont la médiocrité risque de m'enfoncer plus que de m'aider. Vous autres qui avez acheté des charges, je ne conteste pas votre état. Nobles d'aujourd'hui ou d'hier, qui le saura demain? Mais quelque chose nous oppose absolument. C'est que nous autres, gens de haute noblesse et non d'offices, nous dépensons d'abord et nous trouvons l'argent ensuite. Vous autres, vous ne songez qu'à entasser des écus, des rentes, des domaines. Quand on a de la race, les écus finissent toujours par arriver. »

Le capitaine Le Coz soupçonna son visiteur, non de vouloir le blouser mais de parader et jouer, vieil homme vêtu de deuil, au cynique pour mieux masquer sa détresse. Il n'était pas parvenu à son âge sans connaître la désinvolture malhonnête avec laquelle les gentilshommes les plus titrés traitaient ces sortes de questions dès qu'ils s'adressaient à des bourgeois, et sans savoir qu'il n'avait lui-même favorisé les affaires de M. de Couesnon ou celles de M. de Kerélen que pour en tirer le bénéfice des marques extérieures d'une amitié flatteuse. Le souvenir de la première visite du chevalier rue du Tambour-Défoncé le taraudait encore. Redoutant d'offenser son hôte tout en sachant que les gentilshommes, une fois tirés d'embarras, ne s'estiment

jamais obligés, sa mauvaise conscience autant que
son respect de l'argent lui interdisaient d'offrir avec
simplicité sa bourse sans y mettre certaines formes
qui lui échappaient comme autant de liturgies auxquelles il n'aurait pas encore obtenu accès. Pour se
permettre un instant de réflexion, Yves Le Coz se
lamenta sur les malheurs du temps et se félicita de
vivre désormais à la manière d'un noble homme : le
négoce ne l'intéressait plus, la course était devenue
plus dangereuse que rémunératrice, il venait de
participer à un gros emprunt arrangé par le banquier Samuel Bernard et quelques messieurs de
Saint-Malo pour permettre au roi de lever une
armée nouvelle de soixante-dix bataillons et cent
quarante escadrons.

« Voilà un geste qui vous honore.

– A mon âge, il faut bien se contenter de ce genre
de service.

– Taisez-vous! Vous êtes mon cadet. Et je connais
la générosité de votre bourse! »

Nous y voilà! pensa le capitaine. Faut-il lui proposer tout de suite quelques subsides ou attendre sa
demande?

En face de lui, M. de Couesnon se posait une
question similaire : « Faut-il attendre sa proposition ou le quêter sur-le-champ? » Yves Le Coz se
lança le premier.

« Vous rappelez-vous la visite que rendit naguère,
il y a plus de vingt ans, le chevalier de Couesnon à
mon bord?

– J'ai conservé bonne mémoire, capitaine Le Coz.
Votre navire s'appelait le *Renard*. C'est un nom qui
vous allait bien.

– C'est le jour où nous venions, avec Mathieu
Carbec, de vous acheter pour cinq cents livres cinq
actions de la Compagnie des Indes orientales.

– Laissons cela, voulez-vous, c'est un souvenir qui
ne m'est pas agréable, grogna M. de Couesnon.

– Non pas, poursuivit Yves Le Coz, parce que le moment est venu pour moi de tenir ma promesse. Je m'étais engagé à vous recéder ces actions au prix que nous les avions achetées s'il arrivait qu'elles regagnent un jour leur valeur nominale. Vous en souvenez-vous?

– Allons, Le Coz, encore une fois laissons cela. Il y a beau temps que ces actions ne valent plus un sou. Tout compte fait, c'est moi qui réalisai une bonne affaire avec les cinq cents livres que j'en tirai.

– Ne croyez pas cela. C'est nous qui avons fait une bonne affaire, parce que toutes ces actions achetées à bas prix, tant à vous qu'à beaucoup d'autres qui voulaient s'en débarrasser, nous ont permis d'atteindre des positions que nous n'aurions jamais obtenues sans leur acquisition. Lorsque leur valeur est devenue nulle, je ne m'en suis pas soucié, j'étais dans la place et je connaissais déjà ce moment de la pratique du négoce où, une affaire en provoquant une autre, il semble que les écus arrivent tout seuls. Ce sont eux qui m'ont conduit jusqu'à cette charge nobiliaire, si bien que je vous dois mon titre d'écuyer.

– Voilà une belle démonstration! La logique vous perdra. Si je m'avisais de raisonner ainsi, j'aboutirais à cette conclusion que je vous dois d'en être arrivé à l'état où je suis aujourd'hui. De vos propos, je ne retiendrai qu'une seule chose, c'est ce moment des affaires où les écus arrivent tout seuls, parce qu'il semble bien que dans la vie des hommes il y ait aussi des moments où les tourments vous accablent sans qu'on ait besoin de les provoquer. Mais je demeure curieux de vous entendre. Marchez donc!

– Monsieur le chevalier, j'ai toujours pris part à vos tourments. Cela me gêne de vous le dire, mais tout goutteux et écuyer que je sois devenu, c'est toujours le capitaine Le Coz qui est devant vous.

612

Tandis que vous demeuriez enfermé à la Couesnière avec vos chagrins, nous avons été quelques Malouins à être pressentis par M. de Pontchartrain pour racheter le privilège de la Compagnie des Indes... Ah! je vois que l'événement vous intéresse. J'avais toujours pensé que ce moment arriverait et je craignais de mourir avant d'avoir eu raison de le croire.

— Racheter quel privilège? Il n'est donc pas arrivé à son terme?

— Pas encore! Le duc de Chaulnes est venu à Saint-Malo dans l'année 1664, le privilège prendra fin en 1714. Nous sommes en 1705, il reste donc neuf ans.

— Soit, Le Coz. Mais ce serait un marché de dupes! Pour vous donner la satisfaction d'avoir eu raison, vous n'allez pas acheter les débris d'une Compagnie qui n'a jamais enrichi que ses commis ou d'autres financiers, ainsi qu'il arrive à toutes ces sortes d'affaires où les responsables n'engagent pas leur propre argent? »

Le capitaine Le Coz exposa que les armateurs malouins prenaient connaissance des états comptables à Paris. Ils avaient déjà fait connaître que peu disposés à payer les dettes de la Compagnie des Indes, ils étaient prêts à constituer une nouvelle Compagnie de Saint-Malo dont les directeurs dirigeraient les affaires comme des marchands et non comme des commis de l'Etat.

M. de Couesnon demeurait sceptique. Il demanda :

« Si cela n'est pas un secret, quels seraient les fondateurs de cette nouvelle Compagnie?

— Vous les connaissez tous. Ce sont les fils de ceux qu'on appelait les messieurs de Saint-Malo : la famille Magon, Le Fer, Fougeray, Locquet, Coulombier, Chapdelaine, mon gendre Carbec, moi-même et quelques autres qui seraient bien aises, monsieur le chevalier, de vous compter parmi eux. Voici comment le capitaine Le Coz va tenir la promesse faite à M. de Couesnon. J'ai souscrit cinquante actions dans cette Compagnie de Saint-Malo. Il y en a dix pour vous. Prenez-les. Je vous les dois. »

M. de Couesnon pensa qu'il était de trop bonne condition pour refuser ce qui lui avait été promis, et qui lui était offert aujourd'hui avec tant de courtoisie. Il accepta sans plus de façons et sans remerciements. Du même coup, il n'offensait pas le donateur, et lui-même ne se mettait pas dans la situation d'un obligé.

« Je les prends, dit-il. Je ne veux pas vous déplaire, et c'est mon dû. Vous croyez donc au commerce avec les Indes orientales? Entre nous, capitaine Le Coz, vous me permettrez de penser que vous rêvez comme tous nos Malouins.

— Non pas! Ça n'est pas tant le commerce de la France avec l'Inde qui nous intéresse que celui d'Inde en Inde et vers la Chine. »

M. de Couesnon considérait le capitaine avec attention.

« Vous n'êtes mon cadet que de six années, vous voici cloué par la goutte et vous parlez de l'avenir comme un jeune homme n'oserait pas le faire. Voilà qui est admirable! On voit bien que vous avez des petits-enfants. Vous avez raison de vouloir les établir. Ceux de cette génération-là feront de plus grandes choses que nous. Le temps des Carbec et de tous ces nouveaux messieurs de Saint-Malo va commencer. Celui des Couesnon... »

Il acheva sa phrase par un geste évasif et se leva pour prendre congé.

« Le Coz, votre orteil vous fait-il encore mal?

— Je n'y pense plus.

— C'est donc que vous êtes devenu un véritable gentilhomme. »

M. de Couesnon se retrouva dans la rue. Au dernier moment, il avait dédaigné d'avouer au capitaine Le Coz que cinq mille livres de numéraire auraient mieux fait son affaire. Il croisa des passants qui s'inclinaient devant un vieil homme vêtu de noir dont le regard passait au-dessus de leurs yeux. C'était lui, ce vieil homme. Tous ces gens qui se découvrent et me cèdent le pas ne prenaient seulement pas garde à moi le jour où j'étais venu chez Mathieu Carbec. Il y en a même qui m'avaient bousculé, rue du Tambour-Défoncé. Aujourd'hui, ils me saluent parce qu'ils croient que je suis devenu riche. Quand ils sauront la vérité, ils se détourneront à peine pour que je ne les voie pas sourire. Le Coz est un homme heureux, il aura connu dans sa vie deux sources de joie : l'argent et la vanité.

Comme il passait devant la maison de son notaire, M. de Couesnon y entra, sans même en avoir eu l'idée, et fut reçu aussitôt par maître Huvard, le fils de celui qui lui avait conseillé d'acheter une petite part d'armement à la pêche. C'est là qu'il avait appris comment son frère aîné, l'austère comte de Morzic, s'était enrichi avec la morue et le bois d'ébène. Depuis qu'il venait dans cette maison rien n'avait changé, ni les longues tables ni les hauts pupitres ou les registres poussiéreux, l'odeur d'encre et de crasse. Succédant à son père, le fils en avait hérité le regard furtif et les gestes de prêtre autant que la mémoire de toutes les minutes grossoyées par plusieurs générations de tabellions. Dans la manière qu'il était accueilli, M. de Couesnon crut déceler que le notaire n'ignorait pas les difficultés au milieu desquelles il se trouvait. Il en fut piqué et voulut en avoir le cœur net.

« Huvard, dit-il d'un ton impérieux, trouvez-moi cinquante mille livres. J'ai un armement en vue. »

Le notaire n'eut pas le temps de cacher sa surprise.

« C'est une grosse somme! »

Il a les mêmes petits yeux rouges que son père, pensa tout bas le chevalier qui dit tout haut :

« Mon armement le sera aussi. Je n'emprunterai pas moins. Connaissez-vous des parties susceptibles de s'y intéresser?

– Sans doute, fit l'autre d'une voix prudente. Mais...

– Mais quoi?

– Vous savez comme moi-même, monsieur le comte, que l'argent est devenu cher. La guerre n'est pas faite pour faire baisser le taux des emprunts.

– J'irai jusqu'à trente-cinq pour cent.

– Il me faut consulter plusieurs personnes et connaître les conditions des prêteurs éventuels.

– Vous vous trompez! Votre père ne m'eût jamais dit cela. C'est moi qui pose les conditions. J'en ajoute une autre. Je veux non seulement que mon nom ne figure pas sur le contrat, mais j'exige qu'il demeure toujours ignoré du prêteur. C'est à vous d'organiser mon affaire. »

Le notaire croisait ses mains tachées d'encre. Epaules basses, il ressemblait à un écolier craignant d'être battu par son maître. A la fin, il s'enhardit.

« Monsieur le comte, vous avez raison. Bien des affaires ne réussissent que par le secret mais, comme on dit à la comédie, ce sont des secrets de Polichinelle. Tout le monde, même les commissaires de l'amirauté, connaît aujourd'hui le nom des navires, des armateurs et des capitaines qui vont à la mer du Sud. Mon silence, je vous le promets, cela va sans dire. Le secret, je ne peux pas vous l'assurer.

– Je m'adresserai donc ailleurs! fit M. de Couesnon en se levant.

– Nous sommes tout dévoués à vos ordres. Je sais

en quelle estime vous tenait mon père. La somme que vous exigez, tout le monde aura tôt fait de la connaître et d'en parler. Nos Malouins sont bavards, pis que les Marseillais. Si vous vouliez vous adresser ailleurs, je pense qu'il vous faudrait le faire en dehors de notre ville, par exemple à Nantes où l'argent ne demande qu'à circuler. Votre famille y est trop connue? Alors, du côté de L'Orient, peut-être à Hennebont ou au Port-Louis où l'argent ne manque pas non plus? »

Rentré chez lui, M. de Couesnon soupa maigre et s'installa dans le fauteuil où il prenait le mieux ses aises, près de la cheminée, en lisant des libelles imprimés à Londres et à Amsterdam qui lui parvenaient par des chemins détournés, et lui apprenaient que des troupes de brigands ravageaient la Champagne et le Berry. Ce soir, il n'avait pas envie de lire. Tout à l'heure, il aurait pu répondre au capitaine Le Coz : « Gardez donc vos actions de la Compagnie de Saint-Malo et donnez-moi plutôt cinq mille livres! » Quelle folie l'avait donc saisi tout à coup au collet et poussé chez le notaire? Demain, personne ne l'ignorerait. Il savait pourtant que le moment était mal choisi de chercher un prêteur et de lui offrir trente-cinq pour cent alors que n'importe quel armateur pouvait tripler sa mise en prenant des parts d'armement pour la mer du Sud. Tripler sa mise? Parfois décupler! Pourquoi n'en ferait-il pas autant? Tout crasseux qu'il fût, ce petit tabellion n'était pas si sot. Au lieu de faire et refaire ses comptes, en gardant précieusement quelques centaines de livres sauvées du désastre pour éteindre les dernières dettes de son fils, pourquoi ne pas suivre le conseil de maître Huvard?

Le premier établissement de la Compagnie des Indes était devenu une petite ville plus faite de planches que de pierres où sept cents familles s'entassaient maintenant dans des baraques. M. de Couesnon n'était jamais venu à L'Orient mais il n'ignorait pas que les marins du roi y régnaient en maîtres. Ils s'étaient même installés dans les bâtiments élevés pour les directeurs et les commis après les en avoir chassés. Désœuvrés, toujours orgueilleux de leur bel uniforme à parements rouges, la main à l'épée, une petite pipe aux dents, des officiers du Grand Corps déambulaient sur les quais. Devenus inutiles depuis que la flotte avait été désarmée au lendemain de la bataille navale de Malaga, les plus courageux tournaient autour des chantiers de radoub dans l'espoir d'y rencontrer quelque armateur qui leur proposerait un commandement à la course. M. de Couesnon les regardait avec son sourire triste qui lui tirait les joues. C'est pitié de voir ces jeunes hommes quêter un embarquement ! Que serait-il advenu de Romain s'il n'était pas mort à Vigo ? Il ressemblait un peu à celui-ci. Non, mon fils était plus élégant. Il avait plutôt la tournure de celui-là qui cause avec ce capitaine marchand. De la main droite, qu'il avait maigre, M. de Couesnon fit un geste devant ses yeux comme pour effacer une image à laquelle il ne voulait pas croire car il venait de reconnaître Jean-Marie Carbec dans ce capitaine marchand. Il se détourna, attendit que les deux hommes aient terminé leur conversation et revint sur ses pas.

« Je vois que tu es venu passer l'inspection de ta frégate », dit-il simplement comme s'il eût été naturel qu'il se trouvât lui aussi à L'Orient.

Jean-Marie n'ignorait pas les embarras de M. de Couesnon. Il fut à la fois surpris et heureux de cette rencontre. Jeune garçon, il avait admiré les manières du vieux chevalier, peut-être regretté en secret que son père n'eût pas la même allure, et il avait compris que M. de Couesnon voulait le protéger.

« Ça lui fait déjà deux voyages à la mer du Sud, il faut la remettre en état avant de repartir.

– Tu vas armer à la course?

– Non, pas à la course. A vous, je peux le dire, c'est trop de risques pour peu de profits.

– Et vers la mer du Sud, il n'y a donc pas de risques?

– Pour sûr qu'il y en a! dit Jean-Marie en riant. Quand j'y suis allé, on ne craignait que les Espagnols, aujourd'hui il faut se méfier des Anglais et des Hollandais. Mais gréée comme elle est, je ne connais pas un navire qui pourrait rattraper la *Marie-Léone*. »

Curieux de connaître comment Jean-Marie parvenait à embarquer des marchandises et à débarquer des piastres sans les déclarer à l'amirauté ou aux Monnaies, le chevalier invita Jean-Marie à l'auberge et commanda un flacon de vin de Nantes. Sa bourse pouvait encore lui permettre cette mince débauche.

« Dis-moi si ce qu'on raconte est vrai. Un voyage dans la mer du Sud peut-il rapporter cinq ou six fois une mise-hors? Comment l'idée t'est-elle venue de partir là-bas le premier? »

Jean-Marie n'avait plus besoin de dissimuler et de cacher à M. de Couesnon son association avec sa belle-mère devenue une riche veuve du Port-Louis.

« Vous l'avez connue naguère. Lorsque nous étions au Collège de marine, avant que mon père l'épouse, elle a souvent préparé notre souper, rue du Tambour-Défoncé. Nous l'appelions Clacla, comme tout le monde à Saint-Malo. Vous ne vous en souvenez donc pas? »

Non, M. de Couesnon ne se souvenait pas de Clacla. Il avait seulement entendu dire qu'elle avait bien soigné son mari et qu'après sa mort, ne s'entendant pas avec le fils, elle avait préféré s'en aller.

« Elle a donc gagné tant d'argent?

– Elle en a plus que moi! L'avitaillement des navires, les rachats de pacotille, le trafic des toiles peintes, les prêts d'argent à la grosse ou aux capitaines, tout lui réussit. Sa tête est pleine de chiffres.

– Tu dis qu'elle prête de l'argent?

– Tout le monde le dit.

– Quel âge a-t-elle donc, cette Clacla?

– Il faut que je vous dise qu'à L'Orient, personne ne connaît Clacla. On l'appelle Mme Justine. Son âge? Elle avait dix ans de plus que nous deux. Ça lui fait cinquante-trois ans. »

M. de Couesnon fit effort pour se souvenir. Il était pourtant venu plusieurs fois rue du Tambour-Défoncé, jamais une présence féminine ne l'avait alerté, et jamais Romain ne lui en avait parlé. Cinquante-trois ans, comment pouvait-on être si jeune? Lui, il en aurait bientôt quatre-vingts. Hier, la chaise de poste lui avait moulu les reins. Qu'était-il venu faire ici, au lieu de demeurer tranquille à la Couesnière où Léontine trouvait toujours assez de lait, d'œufs et de blé noir pour les crêpes, et de pommes pour le cidre? Quatre-vingts ans. Autour de lui, tout le monde mourait. Le curé lui avait dit l'autre jour que le cimetière du village se remplissait de petits enfants, la terre les refusait. Pourquoi avait-il été épargné? La Providence? Non, il ne voulait pas croire à cet autre Saturne qui tuait les fils, mais il n'en avait été pas moins stupide d'entreprendre ce voyage.

« Quand repars-tu pour Saint-Malo, mon gars?

– Demain matin par la poste, monsieur le chevalier.

– Nous voyagerons donc ensemble. »

Un bref instant s'écoula avant qu'il dise encore :

« Ça m'aurait fait plaisir de voir comment était faite la femme de ton père.

– Elle sera flattée de votre visite. Clacla n'habite pas à L'Orient mais au Port-Louis, rue de la Brèche. »

Le plus étonné de cette visite, ce fut M. de Couesnon. Il ne s'attendait pas à se trouver en présence d'une bourgeoise aux manières si honnêtes. Autant le cabinet de maître Huvard lui avait paru poussiéreux, autant celui de l'avitailleuse témoignait d'un souci d'ordre et de netteté. Habituée au commerce des agents de la Compagnie des Indes, Clacla en avait acquis un certain goût des beaux meubles tempéré par une prudence paysanne de ne point trop paraître. Elle reçut son visiteur comme elle recevait les commissaires ordonnateurs, les marchands et les capitaines, et sut lui marquer quelques façons que l'âge et la prestance de M. de Couesnon commandaient.

Dès qu'il se fut fait reconnaître, elle parla sans la moindre gêne de la rue du Tambour-Défoncé, des gens de Saint-Malo, de son veuvage, et sut prendre le ton et la mine qui convenaient pour évoquer le souvenir de Romain dont elle avait appris, par quelque officier du Grand Corps, la mort au combat.

« Je crois que vous aviez vingt-cinq ans lorsque mon fils en avait quinze, n'est-ce pas? Parlez-moi donc de lui. »

Clacla, sans même savoir si c'était jeu ou fierté, ne baissait jamais les yeux la première quand un homme la dévisageait. Sous le regard du vieil homme où papillotait un léger sourire, elle sentit une chaleur lui monter aux joues, comprit qu'elle devait rougir, baissa les paupières et dit simplement :

« Votre fils et Jean-Marie, ils promettaient tous deux de devenir des hommes. »

Habitué à apprécier le poids de viande d'une bête rien qu'à la regarder, M. de Couesnon la devinait sous sa robe. Elle était certainement aussi solide que ronde. Naguère il lui aurait fallu une femme de cette complexion, propre à faire des enfants, alors que la sienne, plus maigre qu'une chèvre, en était morte. Pourquoi cette Clacla n'avait-elle pas eu d'enfants?

« Jean-Marie m'a dit que vous étiez en affaires avec lui et que vous vous occupiez d'avitailler les navires en partance?

— Il vous a dit vrai. Son père lui aussi était avitailleur.

— Votre mari, Mathieu Carbec, je l'ai bien connu rue du Tambour-Défoncé.

— Vous me faisiez assez peur!

— Moi? Je ne me rappelle pas vous avoir vue...

— Parce que vous me regardiez sans me voir, comme une servante. Je me sauvais dès que vous arriviez.

— Je serais bien aise de savoir comment on regarde une servante?

— Si vous en avez une, demandez-le-lui plutôt, répliqua-t-elle d'un ton vif. Moi, je n'ai jamais été servante. »

Qu'elles viennent des hommes ou des femmes, M. de Couesnon tenait qu'il ne faut jamais subir les insolences sans les châtier. Il se contenta cependant de rire, en pensant que sa Léontine, depuis une trentaine d'années, lui avait souvent tenu chaud pendant les nuits d'hiver mais qu'il serait bien incapable de dire comment elle était faite.

« De quoi donc aviez-vous peur?

— Dame! Vous étiez le chevalier de Couesnon et le père du petit gentilhomme.

— Vous fais-je encore peur? »

622

Ce fut au tour de Clacla de rire.

« Oh! non.

– Vous avez raison, dit M. de Couesnon. A mon âge, on ne fait plus peur aux femmes, on ne les fait même plus rire. »

Confuse, elle se leva.

« Excusez-moi, monsieur, je ne voulais pas dire cela.

– Remettez-vous. Ce qui est dit est dit. Venons-en au fait de ma visite. Jean-Marie m'a dit aussi qu'on pouvait s'adresser à vous comme à un banquier.

– Cela est encore vrai.

– Pour une affaire d'importance, j'aurais besoin de cinquante mille livres. Pourriez-vous me les faire tenir? »

Elle était redevenue tout à coup Mme Justine. Les yeux vides de toute expression, elle répondit qu'elle disposait en effet de cette somme.

« Un intérêt de trente pour cent vous conviendrait-il? hasarda M. de Couesnon.

– Je ne le pense pas, répondit-elle. Il faut considérer les malheurs du temps. La valeur de l'argent change si rapidement qu'il nous faut prendre les plus grandes sûretés. Hier on échangeait quinze livres contre un louis, aujourd'hui il en faut vingt.

– Eh bien, le louis vaut donc vingt livres. Si c'est cela que vous voulez dire, le rehaussement des espèces d'or et d'argent ne donne-t-il pas une valeur plus grande au capital?

– Je veux dire que celui qui prêta hier quatre louis de quinze livres est remboursé aujourd'hui par trois louis de vingt livres. Ajoutez à ces manipulations les risques de guerre, le prix des assurances maritimes, le mauvais paiement des rentes ou des billets de monnaie, et vous comprendrez qu'il m'est impossible de descendre au-dessous de soixante-quinze pour cent. »

Le vieux gentilhomme se sentit bafoué, comme il

l'avait été autrefois par Mathieu Carbec, le mari de cette femme dont la main rouge s'ornait d'un gros rubis entouré de petits diamants. Droit sur le fauteuil canné où il était assis, il regarda dans les yeux Mme Justine qui ne cilla pas. Ces gens-là, pensa-t-il, sont plus dangereux que le populaire qui pille les châteaux. Kerélen avait raison, ce sont les bourgeois qui nous mangeront.

« Soixante-quinze pour cent? dit-il avec humeur. J'ai passé l'âge où l'on s'endette chez les usuriers pour régler ses dettes de jeu.

– Aussi, je ne vous proposerai pas une telle affaire, mais je vous ferai tenir cette somme comme un prêt à titre gratuit. »

Elle avait dit cela en souriant et ne baissait toujours pas les yeux sous le regard étonné de son visiteur.

« Madame Justine, répondit-il, je n'ai jamais aimé qu'on me rende service parce que je sais qu'il n'y a pas de service gratuit.

– Ne vous mettez pas en peine, monsieur de Couesnon! En aucun cas, vous ne serez mon obligé. Donnez-moi, en gage, votre domaine de la Couesnière. Il n'y a pas d'offense, ces arrangements sont choses coutumières. Dans deux ans, vous me rendriez ces cinquante mille livres et l'hypothèque serait levée. Consultez votre notaire de Saint-Malo tandis que je dirai au mien de tout mettre en règle et de préparer notre contrat. »

M. de Couesnon demanda pensif :

« C'est en souvenir de mon fils? »

Clacla haussa à peine les épaules :

« Allez donc voir votre notaire! »

M. de Couesnon attendit quelques instants et, soudain très à l'aise :

« Tout bien réfléchi, plutôt qu'un contrat notarial qui mêlerait des tabellions indiscrets à nos affaires, pourquoi n'établirions-nous pas un acte sous seing privé qui ne serait connu que de nous deux? »

Mme Justine n'y aurait point consenti, Clacla donna son accord, et M. de Couesnon se rappela alors qu'il avait dit au capitaine Le Coz : « Quand on a vraiment de la race, les écus finissent toujours par arriver. »

Les plus vieux disaient tous qu'ils n'avaient jamais connu un hiver aussi terrible, à croire que Dieu en voulait à la France au point d'ajouter la malédiction du froid à celle de la guerre. Cela était arrivé tout d'un coup vers la mi-janvier de cette année 1709 à un moment où, les réserves de grain n'ayant pas suffi à compenser les manques de deux mauvaises récoltes, des bandes affamées attendaient silencieuses à la porte des intendants, et jusque devant les grilles bleu et or de Versailles, qu'on leur distribuât du pain. Un matin, comme si la nuit se fût pétrifiée au nord et au sud de la Loire, tout le royaume s'était réveillé dans un silence immobile et blanc. La neige tomba pendant plus d'une semaine, recouvrant les toits, les champs, les chemins sur lesquels le vent se mit à hurler. Bientôt on ne put plus sortir de son village, encore moins circuler d'une ville à l'autre. La terre était devenue si dure que les fossoyeurs ne parvenaient plus à y creuser des tombes et abandonnaient les morts sous une croûte de glace. Dans les campagnes on entendait craquer d'énormes branches ou éclater le bois des arbres fruitiers. Des formes étranges couraient dans les nuages, et ceux de Grandville juraient que la mer était gelée autour du Mont-Saint-Michel.

« Non, c'est moi qui vous le dis, assurait Rose

Lemoal, personne n'a jamais vu cela. C'est pis que lorsque ces maudits Anglais sont venus avec leur machine du diable! »

Dure à la besogne, elle était parvenue à résister au froid en s'affairant dans la grande maison, gourmandant l'homme de peine qui entretenait les feux et surveillant toujours de près la fille de Saint-Jacut qui nourrissait encore Jean-Luc, le dernier-né des Carbec. Comme elle avait autrefois regretté sa misérable chaumière de Paramé, elle regrettait maintenant la rue du Tambour-Défoncé, où elle avait accepté de bon cœur que Marie-Léone dérangeât ses habitudes. Ici, une servante s'occupait de la cuisine et une autre du ménage, elle n'avait plus grand-chose à faire mais elle trouvait à peine le temps de tricoter, ses gros doigts devenus maladroits, ou de s'occuper de Cacadou, toujours à monter ou à descendre le grand escalier de pierre sur ses jambes gonflées de varices. Marie-Léone, elle l'aimait bien, elle l'avait tout de suite aimée, elle avait même prié Dieu sait quels saints inconnus pour qu'elle épouse Jean-Marie, mais depuis que Mlle Le Coz était devenue Mme Carbec, Rose Lemoal sentait bien qu'elle n'était peut-être plus tout à fait la maman Paramé d'autrefois.

Avant le mariage, lorsque Jean-Marie soupait en compagnie, elle servait toujours la table, causait sans façons avec les capitaines qui demeuraient dans son cœur simple des gars aux pieds nus courant au bas de l'eau. Rue du Tambour-Défoncé, même après les noces, on vivait l'un près de l'autre, dans la salle, entre la grosse pendule et la cage, avec deux marmots qui vous couraient dans les cotillons. La porte était toujours ouverte aux anciens du Collège de marine auxquels elle versait elle-même la goutte, bonjour maman Paramé! Dès qu'on s'était installés sur les remparts, sans perdre le moindre de ses sourires, Marie-Léone avait fait comprendre à tout son monde, mari, enfants, servantes, nourrice, qu'elle entendait diriger la maison selon les règles apprises chez sa mère et au couvent. A chacun, elle avait distribué des tâches précises comme l'aurait fait un maître d'équipage avec ses matelots, laissant à Rose Lemoal le soin de compter le linge, veiller sur l'argenterie, soigner le mainate, aider la nourrice à endormir les garçons. Pour les draps et les cuillers, maman Paramé était à son affaire : les armoires et les tiroirs dont elle détenait les clefs en étaient pleins, entassés et alignés selon un ordre rigoureux qui la confortait dans la certitude que Jean-Marie avait fait un bon mariage et qu'il était devenu à son tour un des messieurs de Saint-Malo. Avec Cacadou, la paix avait été conclue depuis des lustres. Ils se chamaillaient encore de temps à autre, tous deux ayant gardé bon bec, mais leurs vieilles connivences ne s'exprimaient plus guère que par des signes et des sons dont personne n'aurait pu percer le mystère. « Fi? » disait-elle en branlant la tête. « Fû! » sifflait-il en hochant la queue. Ils n'avaient pas besoin d'en dire et d'en faire davantage pour échauffer leurs regrets des jours disparus ou d'en retrouver le bonheur lorsque Jean-Marie, pendant une absence de la maîtresse, ouvrait la cage et que le mainate en profitait aussitôt pour caguer sur la pendule. Le gouvernement de Marie-Léone, Rose Lemoal l'acceptait parce qu'elle savait Jean-Marie amoureux, mais elle ne comprenait pas pourquoi les trois gars, qu'elle devait endormir lorsque Solène n'y suffisait pas seule, se mettaient à hurler dès qu'elle entreprenait de les bercer. Pendant des années, elle avait été de ces femmes dont la présence fait naître un charme qui apaise les petits enfants. Aujourd'hui, ils se débattaient contre elle, donnaient de la tête et des poings dans les vieilles tétasses, hurlaient comme des démons, et ne se calmaient que si la fille de

Saint-Jacut ou Marie-Léone les prenaient dans leurs bras ronds où baignés par l'odeur de la jeunesse ils trouvaient bientôt le sommeil. Elle n'en voulait pas à la nourrice qu'elle avait vite adoptée mais pensait qu'elle n'était plus bonne à rien depuis qu'elle avait entendu, malgré elle, Marie-Léone dire à son mari :

« Ta maman Paramé ne sait plus s'occuper des enfants. Elle est trop vieille, sa figure et sa voix leur font peur. »

Honte ou chagrin ? Allez savoir. Elle se retirait plus souvent dans la petite pièce qui lui tenait lieu de chambre, à côté de la cuisine, où Jean-Marie venait parfois lui demander tout bas, comme en cachette, de lui casser un œuf sur une crêpe. Ces jours-là, elle prenait sa revanche : « Personne ne sait les préparer comme toi !

– Pour sûr ! répondait-elle. Si Dieu me donne encore quelques années, tes trois gars auxquels je fais peur, qu'elle dit la Marie-Léone, ils viendront tirer mes cottes pour en avoir ! Ça n'est pas à leur grand-mère Le Coz qu'ils iront en demander. Celle-là, dès qu'ils la voient arriver, voilà qu'ils pleurent. C'est toujours vers leur maman Paramé qu'ils courent comme des perdus. En veux-tu encore une, mon gars ? »

Il y avait maintenant plus de six années que Jean-Marie et Marie-Léone étaient mariés, plus de deux ans qu'ils habitaient dans leur grande maison de granit. La guerre qui avait commencé le lendemain de leurs noces menaçait d'être perdue. Tant que les armées du roi avaient combattu en Bavière, aux Pays-Bas, en Espagne ou dans le Milanais, même si elles avaient subi de graves défaites, tout le monde avait pensé que les coalisés ne parviendraient jamais à entamer les frontières. Depuis que les soldats du prince Eugène étaient descendus en Provence et ceux de Marlborough en Artois, l'inquiétude ébranlait la confiance. Vraies ou fausses, toujours déformées et contradictoires, les mauvaises nouvelles couraient le royaume et effaçaient les bonnes. De nombreux *Te Deum* avaient bien célébré des succès non négligeables remportés par Villars au-delà de la Forêt-Noire et par Berwick en Espagne, mais Villeroy était mis en déroute à Ramillies, La Feuillade subissait le même sort à Turin, Boufflers avait été contraint de livrer Lille, la flotte du Levant s'était sabordée à Toulon pour éviter d'être capturée par les Anglais. Où était la vérité? Dans le glorieux tintamarre des cloches ou la rumeur des désastres, les bulletins de victoire ou l'épouvante des fuyards devenus déserteurs? Ne fallait-il pas plutôt espérer que le roi signerait bientôt la paix avec les Anglais dont on disait qu'ils étaient eux aussi à bout de souffle? La soudaineté du terrible hiver qui s'était abattu sur la France avait au moins paralysé les envahisseurs. Pour l'heure, on ne mourait plus que de froid et de faim.

Dressant sur le ciel gris ses cheminées gainées de gel, la maison Carbec ressemblait à une forteresse. Il y faisait aussi froid que dans les casernes, sauf dans la cuisine où un peu de braise rougeoyait du matin au soir, et dans la salle à manger où la cheminée avalait des morceaux de vieux navires achetés par Jean-Marie sur les chantiers de Rocabey. Malgré les engelures qui lui gonflaient les mains et en faisaient des battoirs violacés, Rose Lemoal bénissait secrètement cette calamité qui avait contraint Marie-Léone à regrouper toute la maisonnée dans la seule pièce où l'on pouvait encore se tenir sans risquer d'être frappé par ces maladies qui font cracher le sang et vous tuent un homme en quelques jours. Maître, maîtresse, enfants, servantes, valet, tout le monde vivait dans cette salle de forme ovale, lambrissée d'acajou et moulurée d'ébène, devant le feu qu'il fallait économiser et autour de la table où l'on posait à l'heure des repas des soupières qui sentaient bon. On y avait même installé la cage de Cacadou, recouverte d'une courtepointe sous laquelle, muet et transi, le mainate était devenu une petite boule de silence ébouriffée. La nuit à peine tombée, chacun regagnait sa chambre, dans les étages, s'enfouissait tout habillé sous des paquets de couvertures et attendait longtemps le sommeil. Jean-Marie tenait Marie-Léone dans ses bras et écoutait le vent siffler derrière les hautes fenêtres. Il lui semblait parfois que sa maison oscillait dans la tempête. Inquiet, il serrait Marie-Léone encore plus fort contre lui comme il lui était arrivé de prendre la barre dans ses mains pour diriger lui-même à travers une tornade le navire qui portait le nom de sa filleule. Tous les deux naviguaient ainsi dans la nuit et touchaient ensemble aux îles où l'hiver est inconnu.

L'état de guerre avait souvent profité à Saint-Malo, lui insufflant des audaces nouvelles et éperonnant sa voracité de profits. Cette fois, la ville se trouvait prise elle aussi dans le gel qui paralysait les champs, les bêtes, les arbres, les hommes et figeait le vin de messe du curé. Occupés aux travaux du quai de Mer-Bonne ou à la construction des nouveaux hôtels, les maçons avaient dû abandonner les chantiers, entraînant avec eux tout un monde d'artisans qui, ayant découvert les bois précieux apportés des Indes, étaient devenus aussi habiles que ceux de Nantes et de Rennes. Chacun se calfeutrait chez soi. Rue des Mœurs, leurs provisions d'alcool et de cidre épuisées, les cabarets durent fermer leurs portes et, dans les bordels, les filles restaient au lit deux à deux faute d'hommes pour leur tenir chaud.

Malgré le froid, les messieurs se réunissaient tantôt chez l'un tantôt chez l'autre, pour examiner la situation de leurs affaires. Depuis plusieurs semaines, les routes demeuraient impraticables aux chariots, à la poste, aux cavaliers. Ni vivres, ni nouvelles, ni voyageurs ne pouvaient circuler entre Rennes et Saint-Malo, sauf les libelles qui se multipliaient sans que les exempts parviennent à surprendre ceux qui les répandaient. Un jour du mois de mars, Jean-Marie et ses deux amis Troblet et Biniac, qui sortaient de l'hôtel de Fresne, s'étaient arrêtés derrière un petit groupe de Malouins occupés à lire un placard collé pendant la nuit. Imprimés en grosses majuscules, deux mots, « Au roi », indiquaient sans détours le destinataire de ce message : « Notre père qui êtes à Versailles, votre nom n'est plus glorifié, votre royaume n'est plus si grand, votre volonté n'est plus faite ni sur terre ni sur l'onde. Donnez-nous notre pain, pardonnez à nos ennemis qui nous ont battus et non à nos généraux qui les ont laissés faire... » Comme tant d'autres armateurs, marchands et capitaines de Saint-Malo, Jean-Marie avait tourné les règlements, berné les agents fiscaux, trompé les commis de l'amirauté, rempli ses caves de toiles indiennes et de métal espagnol. Il n'y voyait pas trahison. Quand il resserrait des sacs de piastres au lieu de les échanger contre des billets de monnaie qui fondaient comme motte de beurre au soleil, qui était le plus fraudeur, lui ou l'Etat ? Moins savant que Marie-Léone, il s'était fait lire et expliquer par elle quelques feuillets que M. Vauban avait fait parvenir à ceux de Saint-Malo avant que « La Dîme Royale » fût saisie et mise au pilon. Leur sévérité l'avait surpris, mais les plus rudes observations du vieux maréchal demeuraient toujours respectueuses. Pour tous les Malouins, sans doute pour tous les Français, le roi gardait un caractère sacré. Les impôts, la disette, l'instabilité de la monnaie, les réquisitions, le mauvais état de la marine, les désastres militaires, toutes les calamités qui s'étaient abattues sur le royaume, c'étaient les princes, les ministres, le contrôleur général, les intendants et les généraux, jamais le roi. Pour Jean-Marie Carbec et quelques autres qui avaient déjà reçu une épée d'honneur, voire un portrait du souverain ou n'importe quel témoignage de satisfaction qui présageait la signature d'une lettre de noblesse non vénale, un tel placard dépassait l'injure : c'était blasphème. Il écarta les badauds et arracha l'affiche. Autour de lui, personne n'osait exprimer sa pensée, dire le moindre mot. Saisis de frayeur, quelques-uns se dispersèrent en hâtant le pas comme s'ils eussent craint qu'on les eût surpris à lire cet écrit séditieux.

Les trois amis étaient inquiets. Ce qu'ils redoutaient le plus, c'était le retour de la *Marie-Léone* avant que les routes verglacées fussent redevenues praticables. Associés pour un troisième armement comme ils l'avaient été lors du premier voyage de la frégate, ils avaient rempli les cales de leur navire de marchandises luxueuses que le capitaine de Lima avait dû vendre d'autant plus cher que l'Espagne, envahie par les Anglo-Portugais, n'était plus capable d'envoyer à ses colonies la moindre chemise et le plus mauvais soulier. Naviguant de conserve, une dizaine de navires étaient attendus avec la *Marie-Léone* dans le courant de ce mois de mars. Aucun de leurs armateurs ne pouvait soupçonner la valeur des retours, mais ils étaient tous décidés à n'en déclarer qu'une faible partie. Fallait-il encore qu'ils puissent se trouver en place au moment où la petite flotte malouine serait signalée.

Une nuit, haute et noire, criblée d'étoiles immenses, la ville prise dans le froid depuis plus de deux mois fut soudain bousculée par des vents d'ouest qui poussaient devant eux d'énormes nuages. Une pluie de déluge, douce au point de paraître tiède, cingla les toits, engorgea les gouttières, dégela les rues, transforma les routes et les champs en bourbier où quelques fleurs de genêt annoncèrent bientôt que l'hiver s'était enfui.

Leur plan arrêté depuis plusieurs semaines, les trois associés partirent pour le Port-Louis où d'autres Malouins se trouvaient déjà. Elle aussi, Mme Justine attendait le retour des navires à bord desquels il ne se trouvait guère de capitaines qui n'eussent embarqué pour son compte quelque pacotille achetée à Paris chez les merciers de la rue Saint-Denis. L'hiver avait frappé plus fort à L'Orient qu'à Saint-Malo : des familles entières étaient mortes dans les baraques de la Compagnie. Clacla raconta à Jean-Marie qu'elle avait dû puiser dans ses réserves pour nourrir des commis et des officiers qui n'avaient pas touché leur solde depuis plusieurs mois. Biniac et Troblet écoutèrent avec considération l'avitailleuse qu'ils avaient connue autrefois, maquereau frais qui vient d'arriver, et qui, devenue aujourd'hui plus riche qu'eux, avait conservé dans son cellier assez de vivres pour les inviter à souper. C'est ainsi qu'elle les avertit, un soir, que sept navires malouins avaient été signalés au large de Belle-Ile, faisant route vers le Port-Louis. Dès le lendemain, Joseph Biniac partait pour Groix à bord d'une grosse chaloupe tandis que François Troblet allait s'installer près du Pouldu. Jean-Marie attendrait sur place l'arrivée de la frégate.

Passant par le travers de Groix, le capitaine de la *Marie-Léone* réduisit sa voilure et vint mouiller dans la petite baie de Locmaria, laissant les autres navires du convoi continuer leur route vers L'Orient. Le soir tombait, et Pierre Bulot tenait la barre. Connaissant bien la côte rocheuse de la petite île pour l'avoir explorée avec soin la dernière fois qu'il était revenu de la mer du Sud, il était sûr d'avoir jeté l'ancre au bon endroit selon les instructions données par son armateur au moment de son départ. Pilote et subrécargue, les deux fonctions lui plaisaient, l'une parce qu'il demeurait à bord maître des secrets de la navigation, l'autre parce que, sans bourse risquer il se faisait un magot qui lui permettrait enfin de vivre comme un bourgeois à Nantes d'où il était parti, vendu par un marchand d'hommes blancs. Il n'avait accepté cet autre voyage que parce qu'il se sentait responsable du meurtre de Guy Kergelho mais, cette fois, c'était son dernier retour. Pierre Bulot savait que, s'il repartait, il resterait là-bas, à Lima, où les pavés n'étaient peut-être pas des blocs d'argent ainsi que le prétendaient les faiseurs de rêves, mais où tous les *caballeros* avaient quatre mules dans leurs écuries, trois domestiques dans leur maison, et deux filles soyeuses dans leur lit.

« C'est pour vous, capitaine! dit-il à son voisin en lui montrant du doigt une chaloupe qui se dirigeait vers eux.

— Savoir lequel de nos trois armateurs est venu nous attendre ici?

— D'après les instructions reçues au départ, ce devrait être le capitaine Biniac. »

La mer est dure dans ces parages au mois de mars. Sur le pont, les matelots grelottaient. La pluie cinglait leurs visages maigres, cuits de soleil, râpés par le vent, mangés de barbe. Ils regardèrent la chaloupe escalader les vagues, se tenir un moment sur la crête, disparaître et se redresser à la verticale.

« C'est des gars de par ici! reconnut un matelot.

— Pour sûr! » dit l'autre.

Dans ces simples mots, l'équipage de la *Marie-Léone* saluait et reconnaissait quelques compagnons parmi des milliers d'autres marins bretons qui, de Nantes à Grandville, étaient toujours prêts à remettre le coffre sur l'épaule, pour la pêche, la guerre, les soûleries.

Parvenu sur le pont de la *Marie-Léone*, Joseph Biniac s'enferma avec le capitaine et Pierre Bulot. La règle exigeait qu'il s'informât d'abord des incidents survenus pendant le voyage, de la santé de l'équipage, et qu'il parcourût le livre de bord où tout était consigné en quelques lignes. Il n'y manqua pas mais les deux autres savaient bien que la sincérité de ses cinq signes de croix, esquissés à la mémoire de cinq matelots morts en route, calmait mal son impatience de regarder les registres du subrécargue.

« En ramènes-tu plus que la première fois? finit-il par demander au subrécargue.

— Je ne connais pas le montant de votre mise-hors, monsieur l'armateur, et je ne me permettrais pas d'apprécier votre bénéfice, répondit Pierre Bulot. Je pense que, nous autant que les autres avons ramené une jolie cargaison.

— Fais voir tes comptes. Ce sont les vrais, ou ceux pour l'amirauté?

— Les vrais, monsieur.

— Ce qui m'intéresse, c'est de savoir combien de piastres tu ramènes.

— C'est marqué sur le livre, dit Pierre Bulot. Il y en a exactement 1 450 000. »

La somme était considérable. Joseph Biniac se rappela à temps les conseils paternels lui recommandant de ne jamais trop manifester sa satisfaction devant les gens qui vous servent. Converties en livres tournois, ces piastres représentaient un peu plus de cinq millions. Pour suivre à la lettre le plan établi par Jean-Marie, il fallait agir vite.

« Dites au maître, dit-il au capitaine, de faire transborder sur ma chaloupe les trois quarts de la cargaison. M. Bulot comptera les barils et vous surveillerez la manœuvre. Je pense que deux va-et-vient suffiront. Dès que nous en aurons terminé, vous remettrez à la voile pour rejoindre les autres demain matin à L'Orient où le capitaine Carbec vous attend. Il montera aussitôt à bord. Toi, Bulot, remets-moi les livres de comptes, les vrais bien sûr. Quel nombre as-tu écrit sur les autres registres que tu dois remettre à l'amirauté?

– Le tiers de 1 450 000 piastres, monsieur : exactement 483 333 piastres. »

Glissant le long d'un câble, Joseph Biniac rejoignit la chaloupe que quatre hommes courbés sur leurs avirons s'efforçaient de maintenir contre la coque de la frégate. Dans la nuit fouettée de pluie, de vent et de jurons, le maître d'équipage et Pierre Bulot firent passer eux-mêmes avec précaution, par l'ouverte d'un sabord, des barils lourds de métal. Lorsque la chaloupe fut pleine, Joseph Biniac donna le signal du départ vers Locmaria où un autre homme les attendait avec une lanterne. Deux voyages furent nécessaires pour amener à terre ce que les Malouins ne voulaient pas déclarer aux agents de la Monnaie. La *Marie-Léone* remit à la voile pour le Port-Louis où elle rejoignit les six autres navires qui y branlaient déjà à l'ancre.

Après ces mois d'hiver pendant lesquels des tourmentes de neige s'étaient abattues sur L'Orient, le retour des Malouins apportait une promesse de jours heureux comme si leurs toiles eussent ramené les coups de soleil de la mer du Sud. Gabiers, maîtres, lieutenants ou capitaines, on savait bien que leurs poches étaient bourrées de piastres, mais les hôtelleries, les cabarets et les bordels demeuraient encore vides de vin, d'alcool, de viande et de légumes frais, même de pain : on ne pourrait guère vendre aux hommes du retour que des putains trop maigres pour être courageuses à la besogne. Pour qu'ils ne soient pas pillés, le commissaire ordonnateur avait dû faire tripler les sections d'archers devant les magasins où les dernières rations s'épuisaient. Les lourds charrois circulaient encore mal sur les routes défoncées par le gel. Dans les nuages devenus moins lourds, le petit printemps n'en sifflait pas moins la joie naïve des matelots, heureux de retrouver leur ciel gris rayé de pluie fine et impatients de mettre coffre à terre dès qu'ils seraient autorisés à débarquer.

Venant des Indes espagnoles, les capitaines ne rentraient pas au Port-Louis comme d'un voyage aux Caraïbes. Sous peine d'être condamnés à verser sur-le-champ cinq mille livres d'amende, ils devaient présenter à l'amirauté leur autorisation d'être partis à la découverte. La plupart du temps, le commissaire de la marine ne posait que quelques questions discrètes, pour la forme, sachant à quoi s'en tenir sur le commerce interlope mais contraint de donner satisfaction à l'ambassadeur de Madrid. Avec les agents des Monnaies, le contrôle des retours devenait de plus en plus sévère au fur et à mesure que les caisses du Trésor avaient besoin de numéraire pour l'extraordinaire des guerres. Si le roi fermait volontiers les yeux sur la contrebande des toiles peintes, il les gardait grands ouverts sur le métal.

Lorsque le juge garde se présenta à bord de la *Marie-Léone*, il y fut reçu par Jean-Marie dont le franc sourire décourageait les soupçons.

« Nous vous attendions. J'ai déjà examiné les livres, je pense que tout est conforme. Buvons d'abord, monsieur le juge garde, ces derniers flacons à la santé de l'équipage. »

L'homme n'avait pas bu une seule goutte d'alcool depuis plusieurs semaines. Au cinquième gobelet il se leva avec dignité « Messieurs, au roi! » Le bougre tenait bien la boisson et ne s'en laissait pas accroire. Il s'était fait accompagner de six archers qu'il avait postés sur le pont pour empêcher les matelots de quitter le navire avant la conclusion de ses vérifications. Sans illusions, il savait qu'il serait floué mais il y mettrait du temps et finirait bien par obtenir pour son compte personnel quelques subsides de ce Carbec comme il en avait touché ce matin d'autres armateurs. Là-haut, sur le tillac, les matelots avaient déjà rempli les poches des archers.

« Combien avez-vous ramené de piastres du Pérou? demanda-t-il avec un sourire sournois.

— Consultez donc vous-même nos registres. Voyez, nous en avons inscrit très exactement pour 483 333. C'est un beau denier! J'en suis content, et je pense que votre prévôt général sera satisfait?

— Hum! fit le juge garde. Les autres messieurs de Saint-Malo ont fait mieux que vous. Moins de cinq cent mille piastres, c'est pitié, non? D'après leurs déclarations ils en ont rapporté au moins le double.

— C'est qu'ils auront été plus habiles que moi.

— Ouais donc! répondit l'autre en hochant la tête. Il y en a sûrement qui sont habiles dans ce genre d'affaires. N'est-ce pas votre avis? »

L'innocence baignait les yeux de Jean-Marie. L'un n'était pas dupe de l'autre mais l'armateur conservait l'avantage parce qu'il était sûr que l'agent des Monnaies ignorait qu'au même moment où ils se jouaient tous les deux une comédie vieille comme les hommes, Joseph Biniac avait déjà transporté le magot au Pouldu où François Troblet l'attendait avec un fardier et où il se rendrait lui-même dès qu'il en aurait fini ici.

« Je persiste à penser, s'entêta le juge garde, que votre si long voyage n'a pas été rémunérateur. Moins de cinq cent mille piastres, c'est une misère.

– Peste! Vous oubliez qu'une piastre vaut trois livres et demie.

– Non pas! Mais, de vous à moi, nous comprenons ces sortes de choses. Dites-moi, monsieur le capitaine Carbec, ces 483 333 piastres inscrites sur vos registres, correspondent-elles bien aux sommes que vous avez embarquées?

– Vérifiez-le vous-même, monsieur le juge garde. N'est-ce point votre état? Faites visiter nos cales.

– A quoi bon? Nos archers font toujours chou blanc. Je préfère les poster sur le quai. Ils vérifieront ainsi tout ce qui sera débarqué, et surveilleront le chargement de vos pignes[1], de vos lingots et de vos pièces sur les chariots de l'hôtel des Monnaies. Je suis votre serviteur. »

Interdit, Jean-Marie considéra le commis, brave homme qui assurait le service du roi avec des habits rapiécés et des chausses trouées.

« L'hiver a été dur à L'Orient? demanda-t-il niaisement pour ne pas briser là leur conversation.

– Oui, répondit le juge garde. Comme partout, je pense.

– Avez-vous de la famille?

– Six enfants, bientôt sept. Il faut nourrir tout ce monde-là. »

Jean-Marie tira de sa poche une poignée de papiers qu'il tendit sans façons au juge garde : « Prenez-les pour vos enfants en souvenir de la *Marie-Léone*. Ça n'est pas seulement le nom de mon navire, c'est aussi celui de Mme Carbec. »

L'homme n'y avait jeté qu'un rapide coup d'œil.

---

1. Pignes : petites masses d'argent solidifié après fusion. (*N.d.E.*)

« Des billets de monnaie? Ils ne valent même plus le quart de leur valeur d'émission. N'auriez-vous pas plutôt quelques piastres?

– Si fait. Mais il vous faudrait les changer en écus de France. Comment vous y prendriez-vous?

– Par les mêmes moyens que vous, monsieur le capitaine. Croyez-vous que les commis du roi, petits ou grands, soient plus naïfs que les messieurs de Saint-Malo? »

Informé du retour des sept navires, l'intendant de Bretagne était déjà arrivé à L'Orient pour inviter les armateurs à prêter à l'Etat la moitié de leur trésor. Ces sortes d'appels au soutien de la guerre, ils les connaissaient bien pour y avoir souvent répondu avec générosité, sachant par expérience qu'il vaut mieux prêter de bon gré que de se laisser dépouiller de force et ne doutant pas que si le roi ne leur rendait pas leur argent il saurait bien les dédommager avec quelques fleurons. Cette fois encore, ils ne se dérobèrent pas. Grands seigneurs autant que fidèles sujets, ils consentirent même à prêter la totalité de leur cargaison. Sa mission terminée, l'intendant était reparti pour Rennes, mais un prévôt des Monnaies s'était installé au Port-Louis sans cacher qu'il voulait diriger une vaste opération de police à travers la province pour récupérer une partie des piastres dont il savait bien que la moitié n'avait pas été déclarée à ses officiers.

Autant que les autres Malouins venus au Port-Louis pour saluer le retour de leurs équipages et prendre des dispositions analogues aux siennes, Jean-Marie savait qu'on surveillait ses allées et venues. Sur toutes les routes, des archers sans uniforme visitaient les charrettes et parvenaient parfois à mettre la main sur un sac dont le carillon troublait la conscience des plus loyaux, d'autres fouillaient en vain les caves et creusaient inutilement des jardins : la misère les empêchait de résister longtemps à l'épreuve d'un écu. Espérant provoquer les délations et ranimer le zèle de ses agents, le prévôt avait beau promettre des récompenses, les caches découvertes étaient toujours vides, dès que la nuit tombait, l'or et l'argent des Indes circulaient le long des chemins creux et sur les barques qui remontaient le cours des rivières. Un dimanche que Jean-Marie était allé entendre la messe à Hennebont, le curé dit à ses ouailles au milieu de son prône, qu'ils devaient rapporter au lieutenant de police tout ce qu'ils auraient pu connaître des débarquements frauduleux. Autour de lui, il ne vit que visages fermés et yeux sans regard. Personne n'avait jamais entendu parler des retours de la mer du Sud. Autant vouloir faire parler des pierres. Ces Bretons se rappelaient seulement que les soldats de Louvois avaient pendu, roué, chauffé les pieds ou envoyé aux galères quelques centaines des leurs.

Clacla n'ignorait rien de ces affaires. Ce qui se faisait et se disait à L'Orient ou au Port-Louis, commérages ou décisions administratives, tout parvenait rapidement jusqu'à son cabinet. Quand elle sut que la surveillance des routes commençait à se relâcher, elle en avertit Jean-Marie :

« Tu peux maintenant rejoindre tes amis au Pouldu. Il vous faudra prendre garde, ne voyager que la nuit, et faire un grand détour pour éviter Locminé et Josselin où des dragons sont postés. Méfiez-vous surtout d'entrer à Saint-Malo, toutes les portes sont gardées. »

Comme il allait partir, elle lui dit encore :

« Une frégate malouine qui naviguait isolée a été attaquée hier soir par le travers de Belle-Ile et coulée.

– Connais-tu son nom ?

– C'est l'*Isabelle*. Je sais que M. de Couesnon y avait placé cinquante mille livres. Il vaut mieux qu'il apprenne cette mauvaise nouvelle par toi que par l'amirauté. Pauvre M. de Couesnon, il n'aura pas eu de chance dans sa vie! »

A l'exemple des archers du prévôt des Monnaies, Jean-Marie et ses deux compères avaient revêtu de vieilles vestes paysannes pour conduire le fardier où leurs lingots étaient dissimulés sous des billes de bois achetées dans la forêt de Carnoet réputée pour la qualité de ses chênes. Tout le monde les prenant pour des bûcherons, ils n'avaient guère emprunté jusqu'à Quimperlé que des chemins de terre, puis ils s'étaient dirigés vers Pontivy et Loudéac qu'ils avaient contournés, et rejoint Caulnes d'où Jean-Marie gagna Dinan pour s'assurer que la route était claire, laissant Troblet et Biniac faire reposer les chevaux.

Quelques jours plus tard, Jean-Marie était de retour, soucieux de ce qu'il avait vu et appris. Les avis de Clacla étaient fondés : des hommes armés gardaient toutes les portes de Saint-Malo, contrôlaient les barques sur la Rance, surveillaient les chemins qui longent l'estuaire. Deux grosses charrettes semblables à leur fardier venaient de se faire prendre par les gardes du commissaire de Saint-Malo. Jeunes garçons, les trois amis avaient affronté les bancs de Terre-Neuve, jeunes hommes ils s'étaient comportés comme de hardis corsaires, aujourd'hui l'ombre d'un archer les mettait mal à l'aise, non qu'ils eussent peur mais ils demeuraient tiraillés entre ce goût de la fraude qui leur rapportait tant d'argent, et le respect de l'autorité dont c'était le devoir de protéger leurs biens.

« Il faut nous éloigner de Dinan, dit Jean-Marie, la rivière est pleine de congres, et tirer vers le mont Dol. De là, nous repartirons vers Saint-Malo quand les chemins seront redevenus libres. Nous ne manquerons pas d'amis pour nous abriter.

— Jusqu'au Sillon, ton plan est peut-être bon, s'inquiéta Troblet. Et après? Comment t'y prendras-tu pour faire entrer ce fardier si toutes les portes sont gardées?

— Il faut nous en aller, répondit-il. Nous ne pouvons pas rester plus longtemps ici. Lorsque nous quittions Saint-Malo ensemble, le mois dernier, je pensais que nous pourrions cacher nos piastres pendant quelques semaines dans l'ancienne maison de maman Paramé. Elle était d'accord, je l'avais mise en confidence. Vous la connaissez, elle se ferait arracher la langue plutôt que violer notre secret. Aujourd'hui, je pense que c'est trop risqué parce que nous allons être surveillés tous les trois. J'ai un autre plan, Clacla m'en a donné l'idée. Nous déposerons nos piastres à la Couesnière. Oui, chez M. de Couesnon de Morzic. C'est lui qui les fera entrer à Saint-Malo le moment venu. Personne n'ira le soupçonner.

— Tu es sûr qu'il acceptera? C'est un gentil-homme! »

Jean-Marie haussa les épaules :

« Il vient de perdre cinquante mille livres avec l'*Isabelle*. Avez-vous vu jamais un noble dans l'embarras refuser de se refaire? Il n'y a que les roturiers qui rougissent d'être ruinés et ne s'en relèvent pas. Les autres se rétablissent toujours. »

Le capitaine Carbec arriva trop tard à la Couesnière pour apprendre au chevalier la perte de l'*Isabelle*. L'amirauté de Saint-Malo avait déjà fait connaître au vieux gentilhomme que sa frégate avait été coulée par un corsaire anglais qui rôdait autour de Belle-Ile.

« J'ai joué quitte ou double, Jean-Marie. J'ai perdu. Ton père Mathieu avait raison de répéter qu'il ne faut pas mettre toutes ses piastres dans le même baril. »

M. de Couesnon dit ces mots sur un ton insouciant que démentait un léger tremblement de sa main droite.

« J'espère que ta *Marie-Léone* est bien arrivée, au moins? C'est un nom qui te porte bonheur! D'où arrives-tu donc, te voilà vêtu comme un de nos bouseux? »

Jean-Marie raconta le retour de sa frégate, le contrôle des agents des Monnaies, le long voyage à travers les chemins creux pour échapper aux dragons, la décision qu'il avait osé prendre de lui demander refuge en attendant que la surveillance aux portes de Saint-Malo soit levée. Il dit enfin, sans lever les yeux :

« Nous avons pensé que, peut-être, si cela vous convenait, c'est à vous d'en décider, nous pourrions vous louer, à un bon prix cela va sans dire, un coin d'une de vos granges. Des lingots, ça ne tient guère de place. Vous savez comme nous que les armateurs courent les plus grands risques. Ce qu'on gagne un jour, on peut le perdre le lendemain. Les commis ne peuvent pas nous comprendre et nous accusent de resserrer parce qu'ils ignorent qu'il nous faut beaucoup de réserves pour armer. »

M. de Couesnon le laissait parler. Depuis qu'il fréquentait lui-même les messieurs de Saint-Malo, il appréciait leur audace et leur esprit d'entreprise. Seule leur âpreté au gain le gênait encore.

« Et le roi? dit-il d'une voix sévère. Crois-tu qu'il n'a pas besoin d'argent pour payer ses armées? »

Jean-Marie s'enhardit. Il lui fallait gagner une partie difficile et loin d'être jouée.

« Si fait, monsieur le chevalier! Les Malouins ont

toujours armé à la course avec leurs propres écus et n'ont jamais refusé d'en donner au roi, mais ça n'est pas en nous maltraitant qu'il en obtiendra davantage. Rien que sur le retour de la *Marie-Léone*, je lui ai prêté près de cinq cent mille piastres qui ne me seront jamais rendues. Voyez vous-même, c'est le reçu du commissaire ordonnateur de la marine de L'Orient. »

Il tendit un papier qui valait quittance de l'hôtel des Monnaies à Rennes. Pendant que M. de Couesnon l'examinait de près et se demandait s'il était possible que ce fils de regrattier ait pu prêter une telle somme au roi de France, Jean-Marie continua à soutenir une cause souvent plaidée devant lui par d'autres messieurs de Saint-Malo.

« Nous ne prenons rien au roi, nous lui donnons toujours sa part. Nous refusons seulement d'être payés avec des billets dont la valeur fond plus vite que la chandelle. Nous pensons tous que le roi n'est pas responsable d'un bel brigandage. Sans doute l'ignore-t-il. Sans cela, il y pourvoirait. »

M. de Couesnon savait bien que si les rêves et les écus faisaient toujours bon ménage à Saint-Malo, la ville resserrait son or et son argent, jamais ses hommes. Ceux-là, le roi les trouvait toujours quand il en avait besoin.

« Où se trouve ton chargement? demanda-t-il.

— Pas loin d'ici, avec Biniac et Troblet, derrière une haie. Nous n'avons pas voulu entrer ici sans votre permission.

— Tu as bien fait, je t'aurais mis dehors. Maintenant tu es mon hôte. Pour des raisons que je ne veux pas t'expliquer, je me sens redevable d'une vieille dette envers toi. Tu pourras déposer tes lingots dans la dernière grange, au fond de la cour. Ne me remercie pas. C'est là que tu tirais à l'épée avec Romain, tu t'en souviens? Quand vous aurez déposé votre trésor, vous rentrerez à Saint-Malo avec votre fardier. Je ne veux pas qu'on vous rencontre ici. Je vais réfléchir à tout ce qui nous arrive... Dis-moi, Jean-Marie, parmi les navires qui sont rentrés à L'Orient il s'en trouve bien un dont Noël Danycan soit l'armateur?

— Il y en a deux, monsieur le chevalier.

— Alors, sois tranquille, je gage qu'avant huit jours M. de Pontchartrain aura fait lever toutes les surveillances. Vous pourrez entasser vos écus dans vos caves. En attendant, ils seront en sûreté chez moi pour une semaine, pas davantage, car je dois partir en voyage. Cela te convient-il?

— Comment pourrais-je vous remercier?

— Ne me remercie pas. D'ailleurs, tu l'as déjà fait en m'appelant plusieurs fois monsieur le chevalier comme avant la mort de Romain. Chevalier, c'est un beau titre, tu sais, Jean-Marie? Même à mon âge, il oblige à se tenir droit. C'est peut-être à cela que servait autrefois la noblesse. Un jour, tu auras peut-être, toi aussi, un blason. Pourquoi pas? M. d'Hozier en dessine tous les jours de nouveaux. Tu es devenu assez riche pour devenir écuyer comme ton beau-père. Eh bien, si Dieu veut que tu deviennes aussi vieux que moi et que tu aies la chance d'avoir des petits-enfants, je suis sûr que tu leur diras n'avoir jamais eu de plus beau titre que celui de capitaine.

— Monsieur le chevalier, il vous faut fixer vousmême le prix de cette semaine de location.

— Mon garçon, tu sais que le négoce ne m'a pas réussi. C'est un métier qui n'est pas fait pour nous. Je te rends un service, je ne te le vends pas. D'ailleurs, même si je le voulais, je ne pourrais pas te louer cette grange. Elle ne m'appartient plus, je n'en suis plus propriétaire. Je préfère que tu l'apprennes par moi, cela t'intéressera. J'ai emprunté cinquante mille livres pour l'*Isabelle*, en donnant pour gage ma maison, mes terres et tous les bâtiments. Désormais, la Couesnière appartient à la veuve de ton père, celle qu'on appelle à L'Orient Mme Justine et que toi et Romain appelaient Clacla. Qu'en penses-tu, mon gars? »

LORSQUE Jean-Marie Carbec et ses amis voulurent franchir la Grande-Porte avec leur fardier, un piquet d'archers les conduisit devant les bâtiments de l'amirauté où M. Lempereur, commissaire de la marine, siégeait en permanence depuis quelques jours.

« Messieurs les capitaines, vous me voyez chagrin de faire visiter votre charrette. Je sais tout ce que vous avez déjà donné à l'Etat, je connais les services que vous avez rendus à votre cité mais je dois obéir aux ordres de M. de Pontchartrain. »

Plus menteur que les deux autres, Joseph Biniac protesta : c'était attenter à leur honneur, ils ne subiraient pas un tel outrage et en appelleraient au roi lui-même.

« Ne rendez pas ma tâche encore plus difficile, monsieur Biniac. Il ne s'agit que d'une simple formalité. »

Narquois et curieux d'assister à la scène, plusieurs Malouins s'étaient rassemblés devant l'amirauté. Pour deux ou trois saisies réussies, ils savaient que M. Lempereur avait laissé rentrer des barils pleins de piastres, soit qu'il eût volontairement fermé les yeux sur la fraude, soit que les armateurs aient été plus rusés qu'il n'était lui-même vigilant.

« Finissons-en, dit Jean-Marie. Nous avons quitté Saint-Malo depuis plus d'un mois pour aller chercher ce bois de chêne et il nous tarde de rentrer chez nous. Visitez donc ce que vous voudrez. »

Les archers n'appréciaient guère cette besogne. Mis en place à Saint-Malo depuis quelques années par l'intendant de Bretagne, des liens d'amitié, parfois de parenté, s'étaient noués entre ces hommes et les habitants. Lui-même, le commissaire de la marine était devenu presque malouin. Le fardier n'en fut pas moins examiné avec soin sans qu'on y trouvât la moindre piécette, et les trois compères rentrèrent enfin chez eux.

Avertie du retour de son mari, Marie-Léone l'attendait entourée de ses trois garçons. Jean-Pierre avait maintenant six ans, Jean-François cinq et Jean-Luc trois. Maman Paramé, on ne connaissait pas plus son âge que celui de Cacadou. Tous accueillirent Jean-Marie avec des cris joyeux. Depuis leur mariage, Marie-Léone n'était jamais restée seule aussi longtemps. Inquiète d'apprendre que des chariots venus de L'Orient avaient été arrêtés sur les chemins, entre Dinan et Saint-Malo, elle s'était efforcée de toujours poser sur ses enfants un regard paisible, mais quand elle s'enfermait dans sa chambre, le soir, la maisonnée endormie, et qu'elle se regardait dans son miroir, elle redevenait une femme qui attend son homme devant un lit vide aux draps trop bien tirés. L'hiver à peine disparu, le printemps chantait partout, dans le ciel et dans les arbres, sur la mer et sur les toits, sauf dans les yeux des hommes où demeurait la tristesse des batailles perdues. Accoudée au bord de sa fenêtre, il était arrivé plusieurs fois à Marie-Léone, au cours de ces dernières semaines, d'envier un couple de promeneurs attardés sur les remparts. Elle en était troublée au point d'en rougir, mais le sentiment d'être seule dans cette grande maison, d'en être la maîtresse, et de veiller sur tous ceux qui l'habitaient, finissait toujours par conforter son goût pour le commandement. Le matin, levée avec les deux servantes et le valet toutes mains, elle donnait ses ordres, surveillait les soins du ménage et de la cuisine, assistait au lever des enfants, partait pour la halle aux poissons ou pour le marché aux herbes où l'on se disputait à prix d'or les rares légumes apportés par les maraîchers des environs. Les pommes de terre dont on commençait à développer la culture en Bretagne avaient pourri comme les choux. Seules quelques raves avaient résisté aux plus dures gelées, mais les derniers semis de grain avaient été gâtés par des pluies torrentielles.

« A Paramé, j'avais un jardin où les légumes ne gelaient jamais, dit un jour Rose Lemoal. Si vous voulez que vos gars ne périssent point de faim, il faudrait peut-être bien y planter quelque chose. »

Comme il le lui avait promis, Jean-Marie avait fait réparer la petite maison de maman Paramé où elle se rendait deux ou trois fois l'an. C'était son bien. Pour rien au monde, elle ne l'aurait lâché. A chacune de ses visites, elle se tenait devant l'humble façade, contemplait le toit et les volets tout neufs, restait immobile un long moment, se décidait à faire le tour de son minuscule domaine, histoire de poser ses sabots sur la terre qui lui appartenait, respirait une large bolée d'air et s'en retournait à Saint-Malo.

Emportant dans une charrette des bêches et des houes, Marie-Léone et Rose Lemoal étaient parties dès le lendemain pour Paramé où elles avaient entrepris de défoncer un petit carré de jardin, la maîtresse avec un courage maladroit, la vieille Cancalaise avec une sûreté brutale qui rajeunissait ses mains. Tous les matins, elles franchissaient le Sillon pour ne rentrer qu'à l'heure où la marée le permettait. Jean-Marie rit de bon cœur lorsque Marie-Léone lui raconta qu'elle avait planté des choux, des salades et des raves pendant son absence : « Vos mains sont faites pour l'aiguille et pour les chiffres, peut-être pour la cuisine, pas pour les travaux de la terre! Je vous défends bien, lorsque je ne suis pas là, de vous livrer à de tels caprices qui fatigueront votre santé pour des profits inutiles.

– Jean-Marie, répliqua-t-elle avec le tendre sourire dont elle parait toujours la violence de ses entêtements, lorsque vous êtes absent, c'est moi qui gouverne la maison et tous ceux qui y habitent. Vous remplirez peut-être vos caves avec les piastres de la mer du Sud, pas votre garde-manger. Laissez-moi ce soin. »

Remplir les deux étages de ses belles caves voûtées, le capitaine Carbec ne pensait pas à autre chose. Deux jours après son retour, alors qu'il se rendait chez son beau-père pour le saluer et s'inquiéter de sa santé, il remarqua qu'un archer était posté non loin de sa maison et un autre dans la rue du Tambour-Défoncé. Un troisième faisait les cent pas devant la porte de Joseph Biniac, et encore un autre devant celle de François Troblet. Un cinquième faisait le guet devant les magasins du quai de Mer-Bonne, mais personne ne surveillait les abords de l'hôtel Danycan. Le commissaire Lempereur se méfie de nous, pensa Jean-Marie, mais il sera tout penaud quand il lui faudra, par ordre, lever cette surveillance.

Le capitaine le reçut au lit, cloué par une violente crise de goutte qui lui donnait la fièvre et le mettait au supplice. Toujours bavard, il lui arrivait encore de s'emporter contre les commis, les gens de l'amirauté, les ministres et les chefs militaires mais la douleur, l'âge, le mauvais hiver, les malheurs de la France avaient fini par calmer ses colères et sa volonté d'entreprendre, vieilles compagnes qui l'avaient aidé à bâtir une vie où le rêve et les calculs avaient fait alliance avec l'audace et la prudence.

« Jean-Marie, je suis content de te savoir rentré. Tu vois où j'en suis. Je puis bien te le dire, entre nous il n'y pas d'offense : je pisse mal. Ta belle-mère en profite pour me gorger de tisane et me gourmander. C'est elle qui commande. Tes affaires vont-elles comme tu veux? On m'a dit que M. Lempereur te cherchait des poux. Méfie-toi de ce maudit congre, mon gars! Pendant ton absence, j'ai reçu la visite de Danycan et de Le Fer qui sont venus m'apprendre qu'ils se sont accordés avec les directeurs de la Compagnie des Indes. Cette fois, l'affaire est dans le sac : les Malouins sont les maîtres. Ah! si mon pauvre Mathieu était encore vivant! C'est toi avec Marie-Léone et mes petits-enfants qui en profiterez. »

Jean-Marie essaya de dire un mot, le fiévreux l'en empêcha.

« Laisse-moi parler, ça ne m'arrive pas si souvent. A part la visite de Danycan et de Le Fer, personne ne vient me voir. Emeline monte la garde, comme un dogue. C'est une bonne femme. Tu la connais. Je sais qu'entre vous il y a eu des mots, autrefois. Elle dit tout d'une pièce. Quand elle parlait trop, je lui rabattais bien son caquet, à cette sacrée pétasse, mais pour la comptabilité, je n'en connais pas une plus forte qu'elle, même la sœur de René Trouin! Il n'y a qu'une chose qui me chagrine, elle ne s'entend pas avec sa fille. Les femmes, Jean-Marie, c'est plus difficile à commander que les hommes. Toi, tu es heureux, cela se voit. Tu n'es pas noble mais tu ne souffres pas de la goutte. Rends-moi donc un service, prends ce pot de tisane et vide-le dans le pot de nuit. C'est de la même couleur, Emeline n'y verra rien. Sacré Jean-Marie, je suis heureux de t'avoir pour gendre! Quand je pense que Mme Le Coz avait d'autres idées pour Marie-Léone... A propos, sais-tu si les retours de mon ami le comte de Couesnon de Morzic ont été satisfaisants? Je crois qu'il avait pris à son compte la part la plus importante de l'armement d'une belle frégate, l'*Isabelle*. On a même parlé de cinquante mille livres. »

Jean-Marie se garda de révéler que les lingots ramenés par la *Marie-Léone* se trouvaient à la Couesnière, mais il dit la tragique aventure de l'*Isabelle*. Dressé sur ses oreillers, le capitaine Le Coz jura le nom de Dieu. Il ne se rappelait pas avoir blasphémé une seule fois dans sa vie, au moins tout haut. Comment le ciel pouvait-il s'acharner sur un homme de bien et le jeter dans la misère après lui avoir pris sa femme et tous ses enfants? Ou bien Dieu n'était pas juste, ou bien les hommes n'entendaient rien à sa justice. Le capitaine Le Coz courait sur le chemin des colères qui autrefois terrifiaient Jean-Marie.

« Quel est le jean-foutre qui commandait l'*Isabelle*?

— Je ne sais pas.

— Comment, tu ne sais pas! Ça n'est pas une réponse. Il faut châtier les responsables...

— Mais ils sont tous morts. L'*Isabelle* a coulé corps et biens. »

Le capitaine Le Coz ne pensait plus au gros orteil qui le tourmentait cependant comme s'il eût été écrasé dans un brodequin de fer.

« Dès que je pourrai me lever, j'irai à la Couesnière. Toi et moi, nous devons nous entendre pour le tirer d'embarras.

— Je le ferai de tout mon cœur, mais vous le connaissez mieux que moi. Il n'est pas de ceux qui acceptent volontiers qu'on leur rende service. Ne pourriez-vous pas intervenir discrètement auprès du parlement, à Rennes, pour que le roi lui accorde une pension en mémoire de son fils qui est mort dans les conditions que vous savez? »

654

Un moment flatté parce que Jean-Marie avait fait allusion à sa charge de conseiller secrétaire du roi, le capitaine Le Coz haussa les épaules.

« Une pension? Le roi est plus pauvre que nous. Donne-moi mon écritoire, tu porteras à la Couesnière ce billet que je vais lui écrire.

– Je le porterai avant cinq jours, je vous le promets.

– Pourquoi pas demain? »

Jean-Marie hésita. Il ne savait que répondre. Il finit par avouer que ses allées et venues étaient guettées par les archers de M. Lempereur. « Je ne voudrais point compromettre M. de Couesnon en me rendant chez lui. Dans deux ou trois jours, la surveillance sera certainement levée.

– Tu as raison, fils. Fais comme tu l'entendras. »

Jean-Marie avait promis au chevalier de Couesnon de revenir chercher ses lingots avant la fin de la semaine. Il s'inquiéta de voir les archers prolonger leur surveillance aux portes de la ville et devant celles des armateurs soupçonnés de vouloir faire entrer en fraude des barres de métal. Le cinquième jour, les trois associés se réunirent pour prendre une décision. Ou bien ils demanderaient à M. de Couesnon de garder leur trésor jusqu'au moment où la voie serait redevenue libre, ou bien ils achemineraient leur trésor, la nuit, sur un point de la côte où l'attendrait un bateau de pêche sur lequel ils chargeraient leurs barils. Faute de recourir à l'un ou l'autre de ces stratagèmes, il faudrait se résoudre à déclarer à l'hôtel des Monnaies le plus clair de leurs bénéfices.

Ce soir-là, Jean-Marie rentra chez lui plus tard qu'il n'en avait l'habitude. Il soupa sans dire un mot en face de sa femme, échafaudant cent ruses qui s'écroulaient les unes sur les autres, fronçant les sourcils et pensant tout bas qu'il ressemblait à son père en prenant de l'âge. Aucune décision n'avait été prise : Biniac aurait préféré laisser le magot à la Couesnière, Troblet lui faire reprendre la mer. Au moment d'arrêter leur plan, Jean-Marie avait demandé qu'on le laissât réfléchir jusqu'au prochain matin. Il espérait toujours que M. Lempereur se serait lassé, mais en rentrant chez lui il avait constaté que le poste de guet n'avait pas été levé, malgré l'heure tardive, ni rue du Tambour-Défoncé ni devant sa nouvelle demeure. Acheter le silence des espions? Il y avait pensé. D'autres l'avaient fait mais, sitôt l'argent empoché, certains archers les avaient dénoncés pour toucher une prime des deux côtés.

En face de lui, respectant son silence, Marie-Léone l'observait. Il ne lui avait rien révélé du service rendu par M. de Couesnon. Depuis son mariage, il évitait toujours de prononcer ce nom-là, comme s'il eût craint le fantôme de l'officier aux parements rouges. Quant au secret de ses affaires, il se confiait plus volontiers à ses amis ou à Clacla qu'à sa femme. La tenue de ses livres, il la laissait à Marie-Léone parce qu'elle s'entendait mieux que lui à faire des comptes, mais il avait appris du capitaine Le Coz que les grandes entreprises exigent le mystère autant que la décision solitaire.

A la fin du repas, levant enfin la tête, il regarda Marie-Léone avec le bon sourire d'autrefois quand elle grimpait après ses jambes. Dans la mère de famille qu'elle était devenue, malgré sa poitrine un peu plus ronde, ses joues moins creuses, et le cerne des yeux dont il s'enorgueillissait. Jean-Marie retrouvait toujours la petite fille qu'il avait promis de protéger.

« Vous paraissez bien soucieux depuis votre retour?

– Ne vous mettez pas en peine, répondit-il. Les affaires sont devenues difficiles avec tous les malheurs de cette guerre qui dure depuis trop longtemps.

– Vous n'avez pas confiance en moi, Jean-Marie, continua-t-elle d'une voix plus grave, ou bien c'est que vous ne m'aimez pas comme je voudrais que vous m'aimiez. »

Elle le regardait tout droit, ouvrant ses grands yeux d'où la jeune clarté avait disparu. Il allait répondre par une de ces paroles qui aident les grandes personnes à calmer les enfants, quand elle dit encore :

« Vous ne m'aimez bien que dans notre lit. »

Ce fut au tour de Jean-Marie d'écarquiller les yeux. La surprise le clouait sur sa chaise. Comment Marie-Léone avait-elle pu prononcer des mots dont l'audace le faisait rougir, lui un homme ? Ses entreprises, ses risques, ses soucis, la construction de cette grande maison, ne prouvaient-ils pas assez son ambition de faire de Mme Carbec une des premières dames de Saint-Malo ? Les mots refusèrent de lui monter à la bouche. Ça n'était pas la première fois. Sauf au lit, chandelles éteintes, où il redevenait maître après Dieu, Jean-Marie se sentait toujours un peu pataud devant cette demoiselle qui avait passé six ans au couvent et avait été élevée par une mère dont c'était la prétention d'appartenir à la société malouine.

« Si ce sont les archers qui vous inquiètent, dites-le-moi, Jean-Marie. Vous pensez que je ne me suis aperçue de rien ? Pourquoi les hommes croient-ils donc que nous sommes plus sottes qu'eux ? Je pourrais peut-être vous aider à vous tirer d'un mauvais pas ? »

Mentir efficacement n'était pas chose facile sous ce regard bleu qui virait au noir. Il tint bon pendant quelques instants et se décida à tout raconter, se maudissant d'être faible. Marie-Léone l'écouta sans l'interrompre une seule fois comme si elle se fût divertie à l'entendre trébucher sur des phrases maladroites et pleines d'embrouillaminis. Furieux contre lui, retrouvant le tutoiement d'autrefois :

« Toi qui es si maligne, comment te sortirais-tu de cette affaire? » questionna-t-il.

Elle n'hésita même pas.

« C'est bien simple. Ni vous, ni Biniac, ni Troblet, vous ne pouvez vous rendre à la Couesnière. Une seule femme peut y aller, ou plutôt deux, moi et votre maman Paramé. Les archers ont l'habitude de nous voir passer tous les jours et prendre le Sillon. Ils croiront que nous allons au jardin. De Paramé nous irons à Dol, et nous rentrerons le soir avec vos lingots sous nos jupes. S'il le faut nous ferons plusieurs voyages. Personne n'ira relever les cottes de maman Paramé, non? »

Jean-Marie découvrait une autre Marie-Léone. Cette petite fille qui lui avait donné trois enfants en cinq ans, elle était bien de la race de ces Malouines qui, devenues veuves, conduisaient les entreprises de leur mari avec plus d'audace et d'âpreté que les défunts. Venant de Clacla, maintenant qu'on la nommait Mme Justine, la proposition ne l'eût point étonné. De Marie-Léone il en était surpris, voire inquiet, retenant surtout qu'elle avait dit que personne n'irait soulever les cottes de maman Paramé. Elle n'avait pas parlé des siennes, la drôlesse! Cependant, plus il y pensait, plus la ruse lui paraissait habile. Jamais pareille tromperie ne lui serait venue à l'esprit, encore moins d'y mêler sa femme.

« Seul mon oncle Frédéric aurait pu imaginer un tour de cette façon! dit-il en riant.

— Eh bien, nous emmènerons Cacadou avec nous, dit Marie-Léone. Lorsque nous passerons la Grande-Porte, il dira gali gala aux archers. N'est-ce pas, Cacadou? »

Comme au bon vieux temps de la rue du Tambour-Défoncé, le mainate battit deux fois des ailes et répéta les syllabes enchantées. Marie-Léone sut qu'elle avait gagné la partie, et alla avertir Rose Lemoal de se tenir prête de bon matin. Jean-Marie dut alors confesser qu'avant de partir pour L'Orient, il avait confié le secret à sa nourrice.

« Vous voyez bien que vous l'aimez plus que moi! »

Il bredouilla, le rouge au front, la vieille excuse masculine : « Ça n'est pas la même chose... »

Dès que M. de Couesnon avait appris la disparition de l'*Isabelle*, il avait fait tenir à Clacla une lettre pour lui annoncer sa prochaine visite : il lui remettrait en mains propres tous ses titres de propriété. Sans perdre de temps, il avait rassemblé de nombreux terriers dont l'écriture maladroite et décolorée disait comment le domaine de la Couesnière s'était peu à peu constitué et agrandi par des achats de petits prés et de ségalas pendant plus de deux cents ans. Jamais, il n'avait encore lu ces grimoires ficelés en liasses et enfermés dans un coffre. Il passa sans déplaisir plusieurs jours à les déchiffrer, retrouva les noms de quelques voisins et essaya d'imaginer le visage des Couesnon laboureurs qui s'étaient échinés sur ces champs jusqu'au moment où l'un d'eux avait secoué la crotte de ses sabots, enfourché un bourrin, suivi à la guerre un seigneur plus riche que lui, et fait la fortune de la famille. La Couesnière avait été alors réservée au cadet de chaque génération. C'était la part du pauvre, la sienne, tout ce qui restait de ce que les gendres, les procès et les couvents n'avaient pas dévoré. Lui, il ne laisserait rien derrière lui, ni toits, ni terres, ni colombier ni garçons. Pas même un nom. Adieu les Couesnon et les Morzic. Me révolter? A quoi bon et contre qui? Offrir ma peine à Dieu? Ce serait reconnaître que, non satisfait de m'avoir frappé en tuant ma femme et mes enfants, il a précipité l'*Isabelle* aux abîmes avec tout son équipage. Et pourquoi donc m'aurait-il épargné? Parce qu'un duc de Bretagne a distingué autrefois un Couesnon et en fit un comte de Morzic? La faim, le froid, la maladie, la mer, ont été aussi prompts à tuer des familles entières qui ont peiné avec moi sur leurs tenures. Celles-là, la mort les a effacées comme si elles n'avaient jamais existé. Moi, mon nom sera sans doute gravé sur ma tombe. Voire! Il faudra que je le précise sur mon testament. Mon testament? Je n'ai plus rien. Le curé sera bien étonné quand il saura que je ne lui laisse rien pour dire des messes...

A la pensée que la Couesnière allait être vendue, M. de Couesnon ne pouvait empêcher qu'un sentiment de tristesse lui brouille les yeux. Pour ne pas se laisser submerger, il interrompit la lecture des terriers et alla faire le tour de son domaine. Prenant appui sur un bâton de paysan, il tourna autour de ses bornages, longea les haies pleines d'oiseaux, éprouva du plaisir à sentir sous ses pas la terre humide où ses souliers laissaient une large empreinte derrière lui. Il avait toujours aimé la marche qui assouplissait son corps et rendait son esprit plus agile. Les promenades à pied finissaient par apaiser ses pires tourments, elles lui inondaient le cœur d'une joie secrète qui s'accordait à tout ce qu'il avait imaginé lorsqu'on l'avait préparé à recevoir la communion pour la première fois. Ce que l'hostie n'avait pas réussi à lui apporter, un brin d'herbe, un bourgeon, un battement d'ailes, les fées du printemps, le lui donnaient toujours et remplissaient le gouffre où son enfance n'avait pas trouvé ce qu'il avait tant cherché. Pourquoi donc les ouailles de son curé revenaient-elles toujours de la table sainte avec des mines déconfites, alors que la seule vue d'une aubépine le faisait rire et le ravissait pour le restant de la journée? M. de Couesnon pensa qu'un homme de son âge, bientôt quatre-vingt-un ans, ne saurait être malheureux tant qu'il pourrait entendre chanter les oiseaux. Une inquiétude le fouaillait pourtant. Qui serait demain le maître de la Couesnière? Mme Justine, il était sûr qu'elle s'empresserait de tout mettre en vente. Ce qui l'intéresse, l'avitailleuse, ce sont les écus. Parmi tous nos marchands de morue, son notaire trouvera vite un acquéreur qui aura tôt fait d'ajouter à son nom celui de mon domaine. Dans deux ou trois générations, ça leur fera des ancêtres. Je préférerais que ce soit un Malouin plutôt qu'un de ces financiers venus de Paris ou de Bordeaux qui s'abattent sur nos terres comme des corneilles. Il faudra que je le dise à Mme Justine.

M. de Couesnon avait décidé de partir pour L'Orient dès que Jean-Marie Carbec serait venu reprendre ses lingots. Cette affaire, survenue au moment de son plus grand embarras, il y trouvait comme un goût de comédie italienne où il aurait tenu le rôle d'un barbon rossé au fond d'un sac. Quel auteur de théâtre aurait jamais imaginé de confier la garde d'un trésor à un vieillard démuni et à la veille d'être chassé de sa maison par la propre veuve de ce regrattier qui l'avait berné naguère en lui achetant à un prix dérisoire cinq belles actions de la Compagnie royale des Indes orientales? Cette idée le fit sourire tandis qu'il sortait de la grange où étaient cachés sous des bottes de paille les précieux barils. « Encore deux jours », dit-il tout haut en regardant sa maison. Il avait belle allure, ce manoir, avec la pente aiguë de ses toits d'ardoise, ses hautes cheminées de brique, ses longues fenêtres dont la blancheur modérait la sévérité des lignes. Il avait commencé à l'aimer le jour où il avait pu en relever les murs et réparer la charpente, remplacer quelques ardoises brisées, rêver qu'elle deviendrait la maison des champs d'un chef d'escadre dont le retour serait accueilli par des cris d'enfants. Cette maison où son frère aîné l'avait jeté comme dans une prison, il s'apercevait au moment de la quitter que toutes ses pierres faisaient corps avec lui-même. Tout à l'heure, il s'était surpris à faire de la main un petit signe d'amitié, tu es plus jeune que moi! au vieux pommier dont les branches couvertes de lichen s'entêtaient à fleurir encore.

C'est à ce moment qu'il vit entrer dans la cour une carriole dont Marie-Léone tenait les rênes. Il alla au-devant.

« Madame Carbec, je suis votre serviteur. J'attendais Jean-Marie mais un vieil homme est toujours heureux de recevoir la visite d'une jeune personne. Donnez-moi donc des nouvelles de tous les vôtres. »

La saluant, il la regardait avec gentillesse, s'attardant, juste ce qu'il était courtois d'oser, sur la pureté du visage mat, l'éclat des yeux, et, au même moment, l'espace d'un éclair rouge et bleu, il revoyait une fois de plus la silhouette de l'officier aux parements d'écarlate venu lui raconter sa première bataille. Il allait dire à Marie-Léone : « Vous serez toujours la bienvenue à la Couesnière », quand il s'arrêta au milieu de sa phrase commencée. Il n'avait plus le droit de l'exprimer puisqu'il n'était plus chez lui. Le temps de telles galanteries était terminé. On ne lui demandait que de remettre le dépôt dont il avait accepté la garde.

« Monsieur, répondit-elle sans la moindre gêne, je vous présente les compliments et les excuses de mon mari. Une visite inopportune l'a empêché de venir lui-même pour régler l'affaire que vous savez.

– Tout est en ordre. Menez donc votre carriole devant la porte de la grange, au fond de la cour. Léontine aura tôt fait d'y charger la marchandise, elle est forte comme un Turc. Nous surveillerons nous-mêmes la manœuvre. »

Moins d'une heure après leur arrivée, les deux femmes étaient reparties. Visage de bois, lèvres minces, maman Paramé n'avait pas dit un mot. Elle savait ce qu'elle était venue faire. Si tu ouvres la bouche, avait menacé Jean-Marie, tu iras en prison manger le pain du roi! Au contraire, Marie-Léone avait fait mille grâces au vieux gentilhomme. Immobile, les épaules voûtées, la main droite agitée par un tremblement dont il n'était plus maître, M. de Couesnon demeura au milieu de la cour jusqu'au moment où la carriole disparut au bout de la longue allée bordée de chênes. Jamais la cour ne lui avait paru si grande, l'allée si longue. Il regarda sa main, jeta un dernier coup d'œil au pommier en fleur et rentra chez lui en pensant que la fille du capitaine Le Coz aurait pu faire une charmante comtesse de Morzic.

Puisqu'on était venu le débarrasser des piastres de la mer du Sud, il partirait le lendemain pour L'Orient. Après avoir rendu à la jeune Mme Carbec son magot, il lui fallait rendre à présent à l'autre Mme Carbec l'argent qu'elle lui avait fait tenir. Ainsi serait joué le dernier acte de la comédie qui le liait curieusement à cette famille de regrattiers qui, semblables à tant d'autres Malouins, s'étaient si vite enrichis. Après? Que ferait-il après? Des petits neveux dont il ne s'était jamais soucié lui consentiraient peut-être une rente minuscule qu'ils ne paieraient plus à partir du troisième mois. Demander à Versailles une pension? On lui répondrait que le roi faisait fondre sa vaisselle plate pour nourrir les soldats. Emprunter? Il l'avait fait une fois par une sorte de miracle qui, au bout du compte, avait mal tourné. On ne prête qu'à ceux qui ont quelque chose à vendre, à gager ou à donner : terres, bijoux, fils ou filles, titres nobiliaires. Il n'avait plus de terres, les pauvres bracelets de sa femme avaient disparu dans le coffre de la veuve Hamon, son dernier fils était mort à Vigo. Pourquoi s'était-il donc opposé au mariage de Romain avec cette Marie-Léone Le Coz? Courageuse et futée comme il la devinait, elle aurait apporté à son fils une solidité qui lui manquait. Qu'on ne me parle pas de mésalliance, le nouveau siècle n'y croit déjà plus D'ailleurs, il n'y a que les filles qui se mésallient. Moi si je m'étais remarié avec une roturière, je ne serais pas descendu d'un seul degré pour autant. C'est elle qui aurait monté et c'est sur elle qu'on aurait clabaudé, pas sur moi.

Se marier? Sans qu'il s'y attarde, l'idée lui en avait traversé la tête tout à l'heure. Elle revenait maintenant le harceler. Pourquoi n'y avait-il pas pensé plus tôt? Souvent, le comte de Kerélen l'avait poussé dans cette voie où il n'était pas difficile de mettre la main sur quelques vieilles filles de la noblesse bretonne laissées pour compte malgré un magot non négligeable et ce que les notaires appelaient dévotement les « espérances ». La morue y suffisant, M. de Couesnon n'avait alors pas besoin d'argent, et les candidates ne convenaient jamais à son agrément, trop vieilles, trop sottes ou sentant trop le cierge. Il n'en aurait eu l'utilité ni pour son pot, ni pour son lit, encore moins pour la conversation. Mieux vaut la solitude. Avec moi, je ne m'ennuie jamais. Même aujourd'hui, alors qu'il ignorait où il mangerait demain, il repoussait la pensée de se mettre à table deux fois par jour devant une vieille imbécile qui passerait son temps à mâchonner des souvenirs et ne raterait jamais une occasion de lui rappeler, lèvres pincées, que la Couesnière avait été préservée grâce à l'apport de ses écus. A tout prendre, il aurait été plus sage d'aller chasser sur les terres de la bourgeoisie marchande. Vieux rêves, vieilles lunes, chevalier de Couesnon. Trop tard. Tout comte de Morzic que vous êtes devenu, qui accepterait aujourd'hui cette friperie? Regardez-vous dans un miroir.

M. de Couesnon prit un chandelier et se dirigea vers la grande glace qui ornait la cheminée de la salle. Il s'y observa sans complaisance. Mon visage est couturé de rides, les joues ne sont pas trop affaissées, mais ma bouche descend, les dents du fond sont tombées et les autres sont gâtées. On voit surtout mon nez, c'est celui des Couesnon. Mes yeux sont encore bons pour voir de près. Au loin, bernique! Qu'est-ce que ce chandelier a donc à branler de la sorte? C'est encore cette sacrée main. Mes jambes sont meilleures, marcher me fouette les sangs. J'ai bon appétit mais j'ai froid au lit. Si Léontine ne m'avait pas réchauffé, je n'aurais pas passé l'hiver. A mon âge, on ne peut pas demander à une femme autre chose que de bassiner votre lit avec ses fesses.

Au moment de repartir dans sa carriole, Marie-Léone avait remis à M. de Couesnon une lettre de son père. Il la tira de sa poche. C'était un simple billet griffonné à la hâte : « Je garde la chambre, cloué par la fièvre. Le capitaine Carbec m'apprend le malheur survenu à l'*Isabelle*. Si vous éprouviez quelque embarras, ne vous mettez pas en peine. Ma bourse, mon logis et mon domestique sont tout à vous. Yves Le Coz de la Ranceraie, écuyer. »

La lecture de ce billet provoqua des sentiments contradictoires où la gratitude tenait une place égale à celle du ressentiment. A la générosité du capitaine Le Coz, M. de Couesnon ne pouvait être insensible tout en craignant d'en être envahi. Trop heureux d'avoir la goutte, il faut maintenant que ce marchand de morue vole à mon secours! Il va le faire connaître à tout le monde. Bientôt, tous les messieurs de Saint-Malo voudront se disputer l'honneur de me faire la charité. Eh non! Je préférerais encore chercher quelque veuve. Saint-Malo n'en manque point!

M. de Couesnon reprit son chandelier et se regarda encore une fois dans la glace où la flamme des bougies dansant dans ses yeux enfoncés sous des arcades broussailleuses lui donnait l'air d'un vieux diable. Le tintement des bobèches l'avertit que sa main s'était remise à trembler. Il reposa le chandelier sur la cheminée. Qui voudrait d'une telle carcasse? Le joli fiancé que voilà! Les chevaux et les chiens vieillissent mieux que nous. Ce sont les hommes que Dieu aura le moins bien réussis. Epouser une vieille veuve de Saint-Malo, c'est vite dit, il faudrait d'abord que la future comtesse de Morzic rachète le gage de Mme Justine! Et qu'arriverait-il si celle-ci ne voulait pas s'en dessaisir? M. de Couesnon ne parvenait pas à comprendre les raisons qui avaient poussé l'avitailleuse à consentir un tel marché. La générosité? Ces gens-là, pensait-il, ne donnent rien pour rien. Il s'attardait plus volontiers au souvenir de Romain dont il ne doutait pas qu'il avait dû culbuter plusieurs fois la Clacla. C'est vrai qu'elle avait dû être bien avenante, cette Clacla avant de devenir Mme Justine. Même aujourd'hui, malgré sa taille un peu épaisse, ses poignets trop forts, et sa cinquantaine dépassée, elle devait être capable de faire sonner le carillon à un homme. Entendue comme elle était, riche, portée sur les chiffres, et de bonnes manières qui lui venaient on ne sait d'où, en voilà une qui n'aurait pas de peine à trouver un mari si elle le voulait! Et pourquoi ne serait-il pas cet homme? M. de Couesnon ne voulait pas s'avouer que sa pensée était parvenue à cette conclusion après avoir cheminé par des détours secrets pendant plusieurs jours et nuits sans sommeil. Elle lui apparaissait cependant comme la meilleure et la plus simple solution de tous ses embarras. A tout bien considérer, il ne se présentait pas les mains vides. Un titre de comtesse, cela vaut cher, Noël Danycan en avait payé un à sa fille en lui donnant cent quatre-vingt mille livres de dot. Qui oserait le blâmer de faire un tel mariage? A ceux qui s'y risqueraient, il rappellerait que le fils du duc de Bouillon venait d'épouser la fille Crozat, et Louis de La Rochefoucauld la fille du négrier Ducasse. Lorsque le roi de France faisait chevalier un Samuel Bernard, le chevalier de Couesnon ne pouvait-il pas faire une comtesse de la veuve Carbec? Il restait encore à la convaincre, mais M. de Couesnon ne doutait pas de mieux réussir ses affaires matrimoniales que ses entreprises commerciales.

Trois jours plus tard, M. de Couesnon frappa à la porte de Mme Justine. Confuse, elle le reçut entre deux portes.

« Je ne vous attendais pas de sitôt. Vous me voyez occupée avec le commissaire ordonnateur de l'amirauté. Pourriez-vous revenir ce soir et souper avec moi? Nous aurions tout le temps de parler de nos affaires sans autres importuns. »

Il était reparti déçu, interprétant ce contretemps comme il l'aurait fait d'un vol de corneilles parties du mauvais côté, *ad sinistra*, disait le prêtre qui lui avait appris le latin. Combien de fois les oiseaux avaient-ils dû s'envoler du côté gauche au cours de la vie de M. de Couesnon! Depuis qu'il avait entrepris ce voyage, tout allait de travers. Sur la route, à chaque relais, son coche avait été assiégé de loqueteux menaçants et exigeant l'aumône. Tout ce qu'il avait pu lire sur les feuilles imprimées en Hollande était dépassé par ce qu'il avait vu et entendu entre Saint-Malo et L'Orient, dans cette Bretagne misérable, ignorée des citadins maritimes. Comme le cocher faisait reposer son attelage en haut d'une côte, près de la forêt de Quénécan, quatre gueux s'étaient jetés sur lui, vieillard dont la petite épée révélait la qualité, et l'avaient rançonné sans que personne ne vienne à son secours. Au Port-Louis, il avait trouvé les rues à peu près désertes : faute de voyageurs et de résidents capables de payer un bon repas, faute aussi de pouvoir le leur préparer, la plupart des aubergistes et des hôteliers avaient fermé boutique.

Après avoir fait quelques pas le long de la rade où des coques de navires démâtés se profilaient dans le crachin, M. de Couesnon préféra regagner l'hôtel où il était descendu et y attendre le moment de se présenter une deuxième fois chez Mme Justine. Une grande lassitude l'envahit, d'un seul coup. Pour venir jusqu'ici son corps avait peiné autant que son esprit avait dû se raidir pour se familiariser avec la démarche qu'il lui fallait maintenant risquer. Au moment de l'entreprendre, tout semblait se liguer contre lui, les mendiants menaçants, la pluie, les rues vides, les volets clos, le contretemps imposé par Clacla, et cette immense odeur de misère, d'inquiétude et de désastre qui tombait des nuages sur tout le pays. Lutter contre les orages qu'il avait vus venir de loin, autant vouloir remonter le cours des années. Il s'assoupit. Cela lui arrivait de plus en plus souvent de s'endormir au moment qu'il s'y attendait le moins, et il éprouvait un délicieux plaisir à se laisser glisser dans ce trou d'ombre. L'aubergiste le réveilla : un valet de Mme Justine venait le chercher pour le conduire rue de la Brèche. Pendant un instant, il fut tenté de lui remettre le portefeuille où étaient rangés les titres de propriété de la Couesnière et de s'en retourner, autant dire fuir comme ceux de Hoeschtaedt et de Ramillies, baisser la tête comme cet officier des milices qui, se trouvant parmi les passagers du coche de Saint-Malo, n'avait pas osé intervenir lorsque les quatre gueux de la forêt de Quénécan s'étaient jetés sur lui. Il se ressaisit parce qu'il ne lui déplaisait pas d'ajouter une scène imprévue à la comédie des Carbec et d'y jouer à son tour le premier rôle.

Le valet le fit entrer dans une petite pièce où une table de deux couverts était déjà dressée. Il s'installa dans un fauteuil et regarda autour de lui. La première fois qu'il était venu rue de la Brèche, Mme Justine l'avait reçu dans un cabinet dont le mobilier rappelait celui qu'il avait coutume de voir chez les grands armateurs malouins : bureau plat, chaises cannées, bibliothèques grillagées aux rayons chargés de registres à dos noir, escadres en minia- ture naviguant toutes voiles dehors sur de longues tables d'acajou. Ici, il se trouvait dans un petit salon aux murs lambrissés de chêne clair, décoré d'une cheminée de marbre noir au-dessus de laquelle étincelaient les trumeaux d'un grand miroir clouté d'or, où se reflétaient des petits meubles en bois précieux. Sur la table ronde, il remarqua les assiet- tes aux étranges dessins bleus, les verres taillés, les couverts d'argent, le candélabre à cinq branches. Ce qui piquait le plus sa curiosité, ça n'était pas la richesse du décor mais sa simplicité. Argenterie, procelaines chinoises, secrétaires en bois de rose et cabinets de laque, toutes les maisons des messieurs de Saint-Malo en regorgeaient : la course, la morue, les nègres, les toiles indiennes et la navigation interlope ayant pourvu les salons, les chambres et les greniers au point que leurs propriétaires ne s'avaient plus où les entasser. Que l'avitailleuse de L'Orient eut reçu des capitaines qu'elle avait obligés sa large part de pacotille, il n'y trouvait rien de surprenant. Le plus étonnant, c'était de ne pas être aveuglé par cette accumulation d'objets et de meubles fastueux que les riches Malouins avaient à cœur d'étaler dans leurs demeures. A quelle école avait-elle donc appris une telle discrétion?

Quand elle entra, M. de Couesnon remarqua du premier coup d'œil qu'elle avait changé de tenue. Ce matin, une robe sévère lui montait jusqu'au cou. Son décolleté faisait ce soir moins d'embarras, sa robe claire était taillée dans une de ces indiennes que le roi s'acharnait à prohiber, un léger fard atténuait le hâle de ses joues et ses yeux souriaient. Décidément, pensa le vieux gentilhomme, tout change avec le nouveau siècle, voici même que les usuriers portent cotillon. Clacla pria son hôte d'avoir la bonté de l'excuser de l'avoir fait attendre et lui demanda à brûle-pourpoint :

« Préférez-vous que nous réglions nos affaires avant ou après notre souper? Quoi que vous en décidiez, les termes de notre contrat étant clairs, nous n'en aurons pas pour longtemps. Je vous ferai raccompagner à votre hôtellerie par mon valet. »

M. de Couesnon qui s'apprêtait, malgré qu'il en eût, à débiter une ou deux fadaises, fut désarçonné par ce coup droit.

« Finissons-en avec cette affaire pour ne pas retarder le moment de votre souper, répondit-il. Voici vos titres de propriété. »

Elle prit le portefeuille, l'ouvrit et examina avec attention les papiers noircis d'encre. Son sourire de bienvenue avait disparu mais sa poitrine se soulevait et s'abaissait comme si son souffle fût devenu plus court.

« Ces documents me paraissent en ordre. Je les communiquerai à mon notaire pour opérer le transfert de propriété, dit-elle d'une voix indifférente qui se fit plus aimable pour ajouter : Pendant que je regarde ces terriers, voulez-vous avoir la bonté de nous servir un peu de ce vin d'Espagne qui est dans ce flacon? J'ai demandé qu'on nous laisse seuls jusqu'au moment de nous mettre à table. Faites donc comme si vous étiez à la Couesnière. »

La drôlesse! Elle avait dit cela alors qu'elle s'apprêtait à le chasser de son domaine. M. de Couesnon se rappela le regard qu'il avait surpris dans les yeux de Mathieu Carbec le jour où il était venu vendre ses actions de la Compagnie des Indes, regard doucereux et impitoyable d'un regrattier qui savourait une imprévue revanche. Ce soir, avec plus de manières, la veuve Carbec le dépouillait. Il demeura assis, tiraillé entre la colère, le désir de s'en aller tout de suite, le mauvais plaisir d'aller jusqu'au bout de la soirée.

« Vous préférez que je vous serve moi-même? Vous avez raison. Ce vin d'Espagne, nous n'en bûmes jamais autant! Le jeune roi qui est à Madrid ne nous aura guère apporté autre chose. »

Une telle remarque n'était pas faite pour calmer l'humeur de M. de Couesnon. Il y répondit par un autre sarcasme.

« Si, madame, il nous a apporté la guerre et les désastres qui s'en suivent. Sans cette succession singulière, mon *Isabelle* n'eût point été coulée par un corsaire anglais.

— Sans doute, monsieur le comte. Moi, je ne serais pas devenue propriétaire d'un beau domaine... »

Elle avait rempli deux verres, en tendit un à son hôte : « A la Couesnière! » et elle attendit pour boire que M. de Couesnon eût lui aussi levé son verre. Le malheureux n'y parvenait pas. Il lui semblait tenir entre ses doigts un objet de plomb qu'il n'arrivait pas à soulever. Sa main s'était mise à trembler légèrement. Clacla le regardait droit dans les yeux et attendait toujours. Le chevalier put enfin porter son verre à ses lèvres mais n'en but pas une seule gorgée, le tremblement de sa main était devenu si fort que le cristal heurtait ses dents. Pour faire cesser les petits tintements qu'il ne maîtrisait plus, ses doigts se crispèrent si durement sur le gobelet qu'ils finirent par le briser. Des éclats de verre étaient tombés sur le sol et un peu de sang tachait le jabot de dentelle du vieux gentilhomme.

« Je suis confus », bredouilla-t-il.

Clacla lui avait déjà pris la main, l'entourant d'un mouchoir avec des gestes doux. Elle appela une servante pour réparer le léger désordre. Il se laissait faire comme un enfant, les yeux fixés sur le rubis enchâssé de petits diamants qui brillait au médium de Clacla, un doigt solide qui ne tremblait pas.

« Ça ne sera rien, une légère coupure. Remettez-vous, dit-elle en lui tendant un autre verre qu'il avala, cette fois, d'un trait. Vous avez déjà meilleure figure! Mettons-nous à table, voulez-vous? Vous ne ferez pas bonne chère. Même à Hennebont, les boutiques son vides. Ici, comme à Saint-Malo, il nous reste heureusement la marée et les huîtres. Savez-vous, monsieur le comte, qu'avant de me marier avec Mathieu Carbec, j'ai vendu du poisson au détail? Il y en a ici qui ne veulent point le croire parce que je suis établie aujourd'hui dans l'avitaillement. Vendre du poisson, il n'y avait pas d'offense, non? C'est même à cause du bruit de mes sabots qu'on entendait par les rues qu'on m'appelait autrefois Clacla. Aimez-vous ces huîtres? Sont-elles aussi bonnes que les cancales? C'est vrai, que vous avez meilleure figure! »

Il répondait par petites phrases prudentes et hochements de tête, mais c'est vrai qu'il retrouvait un bien-être oublié depuis longtemps! Cela venait-il du vin d'Espagne, des huîtres, du gros poisson au beurre fondu que la servante venait d'apporter, des porcelaines et de l'argenterie, du beau visage, rude, non vulgaire, de cette femme qui professait ne jamais mêler le sentiment aux affaires? Quand il se sentit assez fort pour reprendre le dé de la conversation, il se décida à poser la question qui le taraudait.

« Je n'ai pas compris pourquoi vous m'avez prêté à titre gratuit cinquante mille livres. Pouvez-vous me le dire ce soir? »

Il regardait les yeux couleur de mer bretonne. La vie de tous les jours n'avait pas abîmé ce visage, à peine deux rides sur le front et quelques coups de griffes en forme d'étoiles au coin des paupières.

« Ce serait long à vous expliquer. Ni le souvenir de votre fils, ni celui de Mathieu Carbec ou de Jean-Marie, et de toute ma jeunesse passée à Saint-Malo, n'y sont étrangers. Disons que c'est davantage Clacla que Mme Justine qui en décida.

– Allons donc! Pourquoi trichez-vous?

– Monsieur, je n'ai jamais triché.

– Pardonnez-moi. Parfois on triche avec soi-même sans même s'en rendre compte! Soyez franche avec un vieil homme. N'aviez-vous pas pensé que s'il arrivait malheur à mon armement, vous deviendriez propriétaire de la Couesnière? »

Elle répondit sans hésiter :

« Dame oui!

– C'était dans l'espoir d'une revanche? Il me semble cependant que Mme Justine n'a pas à se venger, dit-il encore en regardant autour de lui les meubles précieux et la glace cloutée d'or.

– Il s'agit seulement de Clacla. Plus tard, quand j'aurai pris possession de mes terres, je vous expliquerai peut-être tout cela.

– Vos terres? Vous tenez donc à en prendre possession pour vous y installer?

– N'est-ce point dans nos accords?

– Si fait, grommela-t-il. Donnez-moi quinze jours pour que je puisse mettre de l'ordre dans mes livres et mes papiers. C'est étrange, tout ce qu'on peut accumuler de billets inutiles dans une vie. Dans deux semaines, j'aurai quitté la place et vous pourrez y entrer. »

M. de Couesnon prononça ces derniers mots d'une voix blanche, peu perceptible, et dut poser sa main gauche sur son poignet droit pour en arrêter le tremblement. Mme Justine eut la bonté de ne pas s'en apercevoir.

« Reprenez donc de ce poisson. C'est un bar. On m'a appris naguère à Nantes la recette du beurre blanc. Il faudra que j'emmène à la Couesnière ma vieille Aline. C'est une bonne cuisinière. Qu'en pensez-vous? »

A quel jeu jouait-elle, la Clacla? Le vieux gentilhomme s'était laissé prendre aux délices d'un charmant souper dont il n'avait dédaigné aucun détail. Les lumières, la bonne chère, la maturité appétissante de l'hôtesse, rien n'y manquait. M. de Couesnon songea même que dix ans plus tôt il aurait été encore capable de servir à Mme Justine une sorte de dessert qui eût galamment terminé ce repas. Il lui fallait maintenant mettre fin à cette comédie dont les pointes commençaient à lui faire mal.

« Vous m'excuserez, madame, de vous demander de terminer ce jeu.

— Quel jeu?

— Vous tiendrez la Couesnière comme vous l'entendrez! Avec ou sans votre Aline! Cela dépend de votre commandement, non du mien. Lorsque vous arriverez à Dol, j'aurai vidé les lieux.

— C'est là un langage d'exempt! Qui vous a demandé de vider les lieux?

— Soyez logique. La maison est à vous, vous y entrez, j'en sors.

— Je ne veux point que vous en sortiez! La maison est à moi, c'est entendu. Je l'ai gagnée, vous l'avez perdue, je la garde. Ce sont les affaires. Rien n'empêche le chevalier de Couesnon comte de Morzic de continuer à y vivre selon ses aises, autant qu'il le voudra, à condition que le gouvernement de la Couesnière ne dépende que de son nouveau propriétaire.

– Cela n'était point écrit dans nos conventions.

– Si fait. Vous n'aurez pas bien lu. Regardez plutôt. »

Elle avait tiré du portefeuille un double de leur sous-seing privé et lui désignait les dernières lignes « quelle que soit la fortune de mer réservée à l'*Isabelle*, et quels que soient les accommodements pris par l'une ou l'autre des parties concernant le remboursement de la somme empruntée, monsieur le comte de Morzic pourra jouir du domaine et de la demeure de la Couesnière jusqu'à sa mort ».

« Je n'ai jamais signé cela !

– Non, dit-elle effrontément. J'ai ajouté moi-même cette clause à nos accords. Pour un juge, l'important c'est qu'elle soit signée par celui qui l'a consentie. Ne me plongez pas dans un embarras dont nous ne sortirions ni l'un ni l'autre à notre avantage. Si vous n'acceptiez pas, je n'oserais jamais venir à la Couesnière, et je serais obligée d'en confier la vente à mon notaire. »

Une telle offre, M. de Couesnon avait de trop bonnes manières pour l'accepter sur-le-champ, et était trop bon gentilhomme pour la refuser. La courtoisie le contraignit à respecter le délai de deux ou trois sourires avant d'avoir la grâce de consentir. Il était à peine confus et se tenait droit comme une épée.

« Ne me remerciez pas, prévint Clacla. On ne vous importunera pas à la Couesnière où je ne viendrai pas souvent. Le voudrais-je, les convenances ne nous l'interdiraient-elles pas ? »

Elle ajouta gaiement, levant son verre et feignant une fausse pudeur : « Nous ne pourrions habiter tous les deux sous le même toit sans blesser la morale.

– Oh! madame! voilà des principes bien démodés. La morale est devenue une sorte de vieille catin avec laquelle couchent toutes les canailles du royaume. Pour moi, j'ai passé l'âge des plaisirs et celui où ces sortes de médisances peuvent encore vous atteindre. Croyez que, ce soir, je le regrette. Mais que pourrait-on trouver à dire sur votre présence à la Couesnière, sauf pour vous louanger de venir au secours d'un très vieux gentilhomme? »

La tête légèrement renversée, elle minauda :

« Ne me parlez point de votre âge! Vous n'ignorez pas que pour une petite bourgeoise un gentilhomme n'aura jamais plus de trente ans. »

M. de Couesnon fut charmé de la réponse. Cette Mme Justine pourrait tenir à elle seule un bureau d'esprit. Il rit de bon cœur, et lampa son verre d'un seul trait sans que sa main eût le moins tremblé. C'est le moment que choisit Clacla pour affecter d'être soudain soucieuse.

« Une seule chose m'embarrasse dans cet arrangement. Les affaires vont mal à L'Orient, il peut arriver que je décide de m'installer de façon définitive à la Couesnière. Si cela était, êtes-vous sûr que le curé du village ne me refuserait pas les sacrements? Vous savez combien je suis attachée à la religion. »

Il la regarda avec un mince sourire de chasseur. La Clacla s'était découverte un peu trop vite. Tout à l'heure gibier, c'est lui qui la tenait maintenant au bout de son vieux fusil. Il pouvait prendre son temps et sauver la face du même coup.

« Il convient d'y réfléchir en effet, dit-il lentement. Le mieux serait sans doute que je m'en ouvre à notre évêque. C'est un saint homme qui ne transige pas plus avec les règles de l'Eglise que celles des convenances. Voulez-vous que nous nous en remettions tous les deux à sa décision?

– Pour ne pas perdre de temps, pendant que vous demanderez conseil à votre évêque, ne pourrais-je pas moi-même consulter mon notaire pour tout mettre en ordre afin que vous ne vous trouviez pas démuni de numéraire au moment de mon arrivée à la Couesnière? »

Ils se regardèrent comme deux complices et se quittèrent enchantés l'un de l'autre.

IL y avait bien longtemps que M. de Couesnon ne s'était réveillé d'humeur aussi gaie. Alors qu'il se levait toujours tôt le matin, il prit plaisir à s'attarder au lit pour entendre des bruits familiers monter jusqu'à sa chambre, et il se surprit à répéter tout haut des mots innocents qui précédés d'un possessif, mon lit, ma chambre, ma maison, prenaient un tour délectable depuis que son mariage avec la veuve de Mathieu Carbec l'avait délivré de tous ses soucis financiers. Il n'aurait pas pu dire « ma femme », ce vocable ne lui venant jamais à l'esprit, encore moins aux lèvres, mais il se plaisait à répéter « la comtesse de Morzic » en y ajoutant un sourire farceur destiné aux dames malouines et au cadavre de Monsieur son frère.

Comment aurait-il pu être de méchante humeur ? Alors qu'on redoutait la marche des coalisés sur Paris, une merveilleuse nouvelle était parvenue à Saint-Malo : les armées conjuguées de Marlborough et du prince Eugène avaient laissé à Malplaquet vingt-cinq mille cadavres sur le terrain. Sans doute, l'ennemi était-il resté maître du champ de bataille que les soldats du maréchal de Villars avaient dû abandonner, mais ceux-ci s'étaient cette fois retirés en bon ordre, sans abandonner un seul canon ou un seul drapeau. Du coup, la confiance du royaume dans son armée et ceux qui la commandaient avait été ranimée. M. de Couesnon n'avait pas manqué de grogner : « Voilà une bataille enfin glorieusement perdue! » mais personne n'avait voulu entendre des sarcasmes aussi déplacés, et la comtesse avait demandé à son époux de convier à la Couesnière quelques Malouins dont ils avaient dressé ensemble la liste. Avant Malplaquet, personne n'aurait accepté de répondre à un dîner prié.

M. de Couesnon avait été réveillé par un remue-ménage auquel sa vie solitaire ne l'avait guère habitué. Sortant de son sommeil, tout ce bruit mêlé à des odeurs de cuisine lui rappela qu'il lui faudrait assister tout à l'heure à une sorte de petit repas de noces.

« Joli marié! » murmura-t-il avec un air de dégoût qui tira un peu plus sa lèvre inférieure.

Qu'il eût bientôt quatre-vingt-deux ans et que Clacla en dévoilât cinquante-cinq, cela ne le gênait pas. Dans la noblesse, les maris portent glorieuse-ment ces différences d'âge. Même si le goût l'en prenait, il ne demanderait jamais à la comtesse de partager son lit, et s'il avait froid l'hiver prochain, c'est encore Léontine qui lui tiendrait chaud jus-qu'au moment où, selon sa vieille habitude, il lui dirait rudement : « Allez! ôte-toi de là, tu sens trop mauvais! » Ce qui le tourmentait, c'était de savoir si croyant avoir épousé Mme Justine, Mme Justine ne l'avait pas davantage épousé, lui, le chevalier de Couesnon comte de Morzic? Sans doute, le fils du duc de Bouillon et Louis de La Rochefoucauld avaient-ils donné l'exemple, mais ce qui était permis à la haute noblesse l'était-il à un simple comte de Morzic? Qu'aurait pensé de cette union son ami Kérélen? Bah, il fallait vivre avec son temps! Une veuve Carbec valait bien une pucelle bien dotée comme la fille Crozat. J'ai voulu être marchand, j'aurai au moins réussi une bonne affaire.

De la nécessité où il se trouvait, M. de Couesnon avait fini par faire une bravade. Quelques jours après son retour du Port-Louis, il s'était rendu à Saint-Malo pour y faire connaître sa détermination d'épouser l'avitailleuse et en informer d'abord l'évêché.

« Qu'en pensez-vous, monseigneur ? »

Daignant sourire avec bonté, le prélat avait révélé à son visiteur surpris qu'il avait été mis au courant de ce projet.

« Sans doute, monsieur le comte, de grandes différences d'état, plutôt de condition, vous séparent-elles tous les deux, mais vos intentions ne sont-elles pas aussi pures que celles de cette personne dont on m'a dit qu'elle vendait naguère du poisson ? Voilà qui est miraculeux. Le Christ ne fut-il pas le plus cher compagnon des pêcheurs de Tibériade ? Au regard de Dieu, vous êtes égaux. Pour l'Eglise, tout dépendra des secours que vous distribuerez aux pauvres, ils n'en eurent jamais autant besoin, comme de votre comportement religieux. Je sais que vous êtes tous les deux de fervents chrétiens. Le nom des Carbec est ici honorablement connu. Je n'ai pas besoin de vous dire que celui des Couesnon et des Morzic est révéré. Quant à la future comtesse, je puis vous assurer que sa piété et sa générosité nous sont connues depuis longtemps. Enfin, je ne doute pas que tous ceux des vôtres qui furent rappelés par Dieu ne protègent votre bonheur du haut du ciel. Vous avez l'agrément de votre pasteur et la bénédiction de votre évêque. »

M. de Couesnon avait été stupéfait d'apprendre les relations tissées par Mme Justine auprès des milieux religieux de Saint-Malo, comme si elle eût préparé depuis plusieurs années son retour dans la ville qui n'avait pas accepté que Clacla devînt Mme Carbec. La seule idée qu'il allait en faire une comtesse le raffermit encore dans sa détermination. Alors qu'il allait prendre congé, Mgr Desmarets le retint quelques instants.

« Je vous ai aperçu dimanche dernier à la messe de la cathédrale. Qu'avez-vous pensé en écoutant ma lecture du message royal? »

Comme tous les autres évêques de France, M. de Saint-Malo avait lu une belle lettre adressée par le roi à ses sujets pour les faire juges de ses efforts, multipliés et impuissants, pour ramener la paix. Bien qu'il fût de ceux qui ne cachaient pas leur désaccord en face de tant de guerres, sanglantes et ruineuses, faites pour apaiser des querelles dynastiques, M. de Couesnon avait écouté le message royal avec une réelle émotion. Au-delà des jalousies et des ambitions qui opposaient les souverains les uns aux autres, il lui était apparu que, cette fois, l'Angleterre, la Hollande, l'Autriche et leurs princes alliés s'étaient juré d'abattre la France. Vieil homme qui dans sa jeunesse n'avait jamais eu l'argent nécessaire à l'achat d'un équipement militaire, il se demandait si son dénuement ne l'avait pas précipité dans le camp de ceux qui réclamaient la paix à n'importe quel prix. Transmise par la belle voix de Mgr Desmarets, la lettre l'avait même troublé à ce point qu'il en avait retenu l'essentiel : « Je suis persuadé que mes sujets s'opposeraient à recevoir la paix à des conditions contraires à la justice, et à l'honneur du nom français. »

« Connaissez-vous ces conditions, monseigneur?

– Oui, monsieur le chevalier. Je vous appelle comme tous les Malouins ont coutume de le faire. C'est encore le plus beau titre, n'est-ce pas?

– J'en suis sûr, monseigneur.

– Les conditions de paix que voulaient nous imposer les coalisés, j'en tiens le détail par mon parent, le contrôleur général. Comme elles ne sont point préservées par le secret du roi, je peux vous les rapporter. D'ailleurs, il est bon que des hommes tels que vous les connaissent. Vous êtes des amis de M. de Cambrai, n'est-ce pas?

– C'est vrai, j'apprécie beaucoup l'auteur du *Télémaque*, et je suis du parti de ceux qui réclament la paix.

– Eh bien, en voici les conditions. Nos ennemis exigent Dunkerque, Lille, l'Artois, Strasbourg et l'Alsace, la Franche-Comté et le Roussillon. Ils veulent aussi que le roi se joigne à eux pour chasser son petit-fils de Madrid si Philippe V n'a pas lui-même abandonné son trône espagnol, d'ici deux mois, au profit d'un archiduc autrichien. »

En écoutant ces mots, M. de Couesnon se sentit, peut-être pour la première fois de sa vie, devenir aussi français qu'il était breton. Le roi avait eu raison de refuser un tel outrage et d'en appeler à son peuple. Pour autant, fallait-il l'excuser de s'être mis dans un tel guêpier?

Sortant de l'évêché, le chevalier s'était alors rendu chez quelques-uns des Magon, d'abord le plus riche, Nicolas de la Chipaudière, connétable de la ville, puis chez La Gervaisais, La Balue, La Lande, Villebague, auxquels le liait un incertain cousinage. Tous ceux-là qui avaient quelque droit d'être orgueilleux de leur lignage et de leurs lingots l'avaient écouté avec la courtoisie glacée due à un lointain parent qui a subi des malheurs. A tout bien considérer, ce mariage insolite, dont l'inconvenance les choquait, confortait leur bonne conscience en les rassurant sur les derniers jours d'un grand vieillard qui était un des leurs, et auquel ils auraient été obligés de porter secours sans cet événement inattendu mais peu susceptible de gâter un arbre généalogique dont les moindres rameaux étaient taillés avec soin. La porte de leur hôtel refermée, les hommes en avaient ri avec autant de bruit mais moins de méchanceté que leurs épouses. L'une d'elles avait laissé tomber de ses lèvres couperosées un mot qui ferait bientôt fortune à Saint-Malo :

« La comtesse Clacla! »

Le même soir, M. de Couesnon avait adressé un billet à Mme Justine pour lui faire connaître les bénédictions épiscopales. « Dans ces conditions, madame, consentiriez-vous à me faire l'honneur de devenir en face de Dieu et des hommes, la comtesse de Morzic? » Le lendemain, il était reparti pour Saint-Malo afin d'y visiter Yves Le Coz, mais, au premier regard d'Emeline, il avait compris qu'un des Magon l'avait déjà précédé.

Anoblie de trop fraîche date pour savoir dissimuler avec grâce, Mme de la Ranceraie le reçut avec sa bouche des mauvais jours tandis que son mari, retrouvant sa bonne humeur entre deux accès de goutte, et plus capitaine que conseiller secrétaire, lui offrit une mine réjouie.

« Comment se porte votre orteil?

– Pour dire vrai, monsieur le chevalier, mon orteil me laisse tranquille depuis que ma femme m'a lu la lettre du roi. Jamais je n'ai autant regretté de n'avoir pu entendre la messe. Nous allons nous ressaisir. Pour ma part, j'envoie toute notre vaisselle plate à la Monnaie et j'arme à la course. »

Ainsi qu'elle en avait l'habitude quand elle voulait entendre tout ce qui allait être dit, Emeline Le Coz s'était assise entre les deux hommes. Ecoutant son mari, elle haussa les épaules. « C'est l'héritage de mon père! », réflexion murmurée qui lui attira une verte réplique : « Taisez-vous donc! La course vous en rapportera de plus belles. N'êtes-vous donc pas bonne Française? »

Gêné par cette scène de ménage dont les premiers pétards s'allumaient devant lui, M. de Couesnon pensa que sa pauvreté lui épargnerait de telles discutions avec une épouse qu'il soupçonnait d'être, elle aussi, vaniteuse, et avaricieuse. Ne sachant comment aborder l'objet de sa visite, il entreprit de remercier d'abord le capitaine.

« J'ai bien reçu le billet que vous m'avez fait tenir par Jean-Marie au sujet de quoi vous savez. Je n'y pus répondre car j'ai dû partir le lendemain en voyage, mais je n'en attendais pas moins de votre générosité. »

Il s'aperçut trop tard que les yeux du capitaine lui faisaient signe de se taire, tandis que ceux d'Emeline témoignaient d'une grande surprise.

« Oui, continua-t-il sans regarder Mme Le Coz, je suis parti pour le Port-Louis où j'ai décidé d'épouser la belle-mère de votre gendre. »

Feignant de ne pas comprendre et jouant le jeu du quiproquo, le capitaine Le Coz donna une tape sur la cuisse de sa femme.

« Holà! monsieur le chevalier, vous voulez épouser Mme Le Coz, ma femme?

— Ma foi non! Je ne vous ferais pas une telle injure. Pourquoi cette question?

— Dame! ma femme n'est-elle point la belle-mère de mon gendre? »

Ils riaient tous les deux de bon cœur sous le regard immobile d'Emeline, choquée par cette vulgarité masculine. M. de Couesnon jugea que son affaire était maintenant bien engagée, et il déclara tout de go qu'il était venu leur annoncer son prochain mariage avec la veuve de Mathieu Carbec.

« Quelle surprise! mentit Yves Le Coz. Ma foi, ce sont vos affaires, monsieur le chevalier. Moi, je pense que vous avez raison. J'ai toujours pensé du bien de la femme de mon ami Mathieu, et je sais qu'elle a acquis une belle position à L'Orient. Permettez-nous de vous porter tout de suite une santé! »

Il avait frappé dans ses mains pour appeler une servante et demander qu'on apporte des flacons et des verres. Incolore, les yeux sans lumière, Emeline s'était raidie sous sa robe sans parures. Elle ne retrouva la voix et le sourire qu'au moment de lever son verre.

« A la comtesse Clacla! » siffla-t-elle entre ses dents.

Le mot avait déjà fait le tour des remparts.

M. de Couesnon revêtit un bel habit d'or qu'il n'avait jamais porté depuis la mort de son fils. Soucieux de surveiller lui-même les ordonnances, si simples fussent-elles, auxquelles il n'avait jamais voulu renoncer, il quitta sa chambre vers la fin de la matinée et entra dans la grande salle de la Couesnière où la table avait été dressée. De la vaisselle plate et des cristaux qu'il ne connaissait pas étincelaient sur une nappe damassée au centre de laquelle trônait une pièce d'orfèvrerie comme il n'en avait vu que chez le Noël Danycan, même pas chez un Magon. Il n'aima pas cet apparat, fronça les sourcils et aperçut à chaque extrémité de la pièce, raides et plus galonnés qu'un maréchal de camp, deux grands escogriffes costumés en laquais qui étaient ses valets de ferme. Etouffé de rire autant que de colère, il se contint à grand-peine de les renvoyer aux étables parce que Clacla aurait eu trop de peine. Elle s'était si bien conduite avec lui, la veille de leur mariage, en rendant à M. de Couesnon, déchiré en quatre morceaux, le contrat sous seing privé consenti trois ans auparavant! Pouvait-elle imaginer plus noble façon d'annuler la dette de son débiteur, faire connaître à son fiancé qu'il demeurait toujours propriétaire de son domaine et lui dire par la même occasion que la comtesse de Morzic n'achetait pas son titre avec cinquante mille livres?

Le chevalier tourna lentement autour de la table

où il dénombra seize couverts. Certaine qu'on ne ferait pas à la comtesse de Morzic l'affront infligé autrefois à Justine Carbec, Clacla aurait voulu réunir autour d'elle tous ceux qu'elle avait invités rue du Tambour-Défoncé et qui l'avaient moquée, les femmes par leur refus, les hommes par leur grossièreté. De ceux-là, il ne restait que les deux Le Coz et la femme d'Alain Porée parti pour la mer du Sud depuis dix-huit mois. Tous les autres étaient morts. Lui-même sensible autant qu'elle au goût de la revanche, mais pour d'autres raisons, le maître de la Couesnière, piqué au vif, s'était mis en tête de demander à Mgr Desmarets de bien vouloir lui faire l'honneur d'assister à cette première réception. L'accord du prélat obtenu sans difficultés sinon sans largesses préliminaires, il avait alors prié quelques notables, les uns de haut rang, les autres non négligeables et plus jeunes, auxquels il s'était empressé de faire connaître la présence de l'évêque. Curiosité, amitié, ou déférence envers le vieux père du héros qui avait sauvé Saint-Malo de la destruction, personne ne s'était dérobé.

Il restait à M. de Couesnon à établir avec autant de rigueur que d'esprit l'ordre des préséances.

La règle exigeait que la comtesse prît à sa droite Mgr Desmarets et à sa gauche Nicolas Magon de la Chipaudière, lui-même s'entourant de l'épouse du connétable et de Mme Danycan. A la réflexion, ce plan lui parut peu convenir. Il décida d'installer l'évêque au centre de la table, entre les deux amphitryons, elle à sa droite, lui à sa gauche. Manifester à M. de Saint-Malo qu'il se trouvait à la Couesnière comme dans son évêché, le premier, n'était-ce pas la moindre courtoisie qu'on pouvait lui témoigner pour souligner une marque de bienveillance sans laquelle ce repas n'eût sans doute jamais pu être ordonné? En face de Mgr Desmarets, le connétable partagerait avec l'évêque la certitude de présider le dîner. Tout serait bien ainsi. Les places d'Yves et d'Emeline Le Coz comme celles des autres invités, les capitaines Carbec, Biniac et Troblet qui représentaient la nouvelle génération des messieurs de Saint-Malo furent distribuées à la suite.

Ses hôtes n'arriveraient pas avant l'angélus de midi. M. de Couesnon pouvait disposer d'une bonne heure. Il renifla quelques flacons où sommeillait un vieux vin, admira deux corbeilles de fruits auxquels il fut tenté de toucher, et se retira inutile dans un petit salon que la comtesse de Morzic avait eu tôt fait d'aménager. Au-dessus de sa tête, il l'entendait aller et venir de son petit pas sec. Elle ne perdra donc jamais cette habitude de claquer les talons! Clacla s'était levée plus tôt que lui pour veiller à ce que tout fût en ordre. Maintenant, elle devait terminer sa toilette. En l'attendant, il ouvrit un paquet de correspondance arrivé le matin, *Le Mercure*, quelques lettres et toujours ces libelles qui prétendaient être imprimés à Amsterdam pour mieux masquer l'officine parisienne où ils étaient clandestinement composés. Il en lut un au hasard, dont la méchanceté dénonçait un habile homme de plume. C'était une adresse au roi, encore plus cruelle que les autres. Cette lecture le troubla tellement qu'il ne put aller jusqu'au bout. Sa main qui tenait le libelle s'était mise à trembler. Il fit effort pour l'arrêter et y parvint juste au moment où Clacla entrait dans la pièce.

« Ma tenue vous convient-elle? »

Elle se tenait devant lui, bien droite, non raide, avec une robe taillée dans une étoffe légère venue des Indes, de couleur vert sombre et tissée de petits fils d'or, légèrement décolletée, qui convenait aussi bien à son âge et à ses yeux qu'à cette journée d'un bel automne ensoleillé. Il se leva, la regarda avec amitié, sans indulgence, lui sut gré d'être moins parée que la table et moins galonnée que les valets. Sous sa robe, il la devinait solide, un peu épaisse, de poitrine encore ronde, charnue et tiède de partout, telle qu'il avait toujours aimé les luronnes de la campagne. Elle ressemblait à ces beaux fruits mûrs que tout à l'heure sa vieille main n'avait pas osé toucher.

« Madame, dit-il mi-paternel mi-narquois, vous allez jouer tantôt une partie difficile. Ne craignez point. Je sais que vous la gagnerez. D'ailleurs, nous la jouerons ensemble. »

Le bruit d'une voiture roulant dans la cour les avertit que leurs premiers invités arrivaient. Un pan de sa robe légèrement levé pour mieux assurer sa démarche, le feu aux joues devenues soudain trop rouges sous la mince couche de poudre, la tête haute et les yeux clairs, le ventre un peu bombé comme au temps du maquereau frais qui vient d'arriver, la comtesse Clacla partit au combat.

Reliés par des souvenirs ou des intérêts, des jalousies tonifiantes, parfois une vague parenté, toujours une même volonté d'entreprendre et d'éblouir, tous ces hôtes réunis à la Couesnière se connaissaient de longue date. Seul parmi eux l'évêque était un nouveau venu mais la vieille cité, sensible au fait que Mgr Desmarets fût un neveu de Colbert et le frère du contrôleur général lui avait vite ouvert les portes les plus longues à s'entrebâiller. En dépit de tous ces liens qui les attachaient les uns aux autres, ils avaient mis un certain temps à dégeler une première réserve qui se situait en deçà des bonnes manières. A part leur orgueil partagé en commun d'être malouins, tout ce qui les rapprochait ne manquait pas pour autant de les diviser parce qu'ils se situaient à des degrés différents d'une même échelle. M. de Couesnon le savait mieux que personne. Lui-même, si dédaigneux fût-il des préjugés, ne doutait pas d'appartenir à une lignée qui l'emportait de loin sur le Magon ou le Danycan dont les titres de noblesse avaient besoin d'être confirmés. Les deux plus riches hommes de Saint-Malo auraient-ils accepté son invitation s'il n'avait pas été reconnu pour être le capitaine de la noblesse locale, après la mort du comte de Kérélen? Il y songea en observant ses invités. Visiblement l'un épiait l'autre sans en avoir l'air, établissait son comportement sur celui de son voisin, parlait bas comme si l'évêque eût officié. La moins empruntée, c'était encore la comtesse de Morzic, même si elle cherchait trop souvent le regard de son mari, davantage celui du capitaine Le Coz dont la clarté paisible la rassurait. Placée entre l'évêque et Danycan elle ne pouvait voir ni Emeline Le Coz ni Jean-Marie qui se trouvaient du même côté de la table, mais lorsque ses yeux rencontraient ceux de Marie-Léone, son instinct l'avertissait qu'elle trouverait une alliée dans la jeune Mme Carbec.

Ils avaient d'abord parlé de la dureté des temps, du terrible hiver et de tous ces malheurs qui s'étaient abattus sur la France, guerre, épidémies, famine. La saveur mousseuse d'un saumon au beurre blanc ralluma l'espoir des convives dans les destinées du royaume menacé d'être envahi. Moins gourmée que les autres épouses, Mme Porée en oublia qu'elle s'appelait maintenant de la Touche mais, se rappelant le temps si proche où elle préparait elle-même les repas de sa famille, demanda avec simplicité la recette d'un mets aussi délicieux.

« C'est à Nantes qu'on me la donna, je vous la communiquerai volontiers, dit Mme de Morzic.

– A Nantes? » s'étonna le capitaine Le Coz qui ajouta, bon bourgeois, que sa femme ne lui avait jamais fait goûter un plat aussi fin, bien qu'elle ait été élevée à Nantes.

Emeline n'avait encore prononcé que quelques paroles de circonstance. Pressée par le capitaine d'assister à ce dîner, elle avait fini par céder en se persuadant qu'elle accomplirait un geste charitable envers celle qu'elle avait le plus méprisée hier. A la seule vue de l'ancienne maîtresse de la rue du Tambour-Défoncé dont le visage plein et doré la faisait paraître plus proche de Marie-Léone que d'elle-même, sa mâchoire s'était serrée sur ses lèvres minces tandis que, dédaignant son air distant, Mme de Morzic s'était contentée de lui adresser un sourire de bienvenue en regardant sans pitié ses joues défraîchies.

« Les Nantaises sont aussi bonnes ménagères que nos Malouines, dit en souriant Mgr Desmarets. Je suis sûr que Mme Le Coz de la Ranceraie et la comtesse de Morzic partagent cette bonne opinion que nous avons des unes et des autres? »

La réponse d'Emeline partit la première, aiguë comme un dard.

« La comtesse a plus d'expérience que moi. Tandis que j'étais encore au couvent à Nantes, elle vendait déjà du poisson à Saint-Malo. N'est-ce pas, Clacla? »

Emeline Le Coz s'aperçut qu'elle était seule à rire. Tous ces Malouins avaient conservé le souvenir de la belle fille qui, la première de toutes, criait la marée en remontant la pente des ruelles dès que les barques étaient rentrées. Qu'elle fût devenue aujourd'hui riche et titrée avait surpris les hommes, indigné les femmes, tout en provoquant chez eux et chez elles une plus secrète admiration où ils se miraient assez eux-mêmes pour ne pas souffrir qu'une Nantaise méprisât tout haut une réussite dont ils se sentaient à la fois solidaires et jaloux. L'avenir de l'ancienne marchande se scella en un bref instant, dans l'échange de quelques regards. Au coup qu'avait cru porter Emeline Le Coz, M. de Couesnon redoutait une brutale riposte de son épouse. Dans ce genre de duel, les Malouines avaient la langue plus agile que les Nantaises. Il jugea prudent de répondre lui-même. Bon gentilhomme, il entendait aussi porter les couleurs de sa dame.

« C'est vrai, la comtesse de Morzic a vendu du poisson à Saint-Malo. Nous le savons tous. N'était-ce pas le temps où, moi-même, petit bouseux, je m'écorchais les mains sur les mancherons d'une charrue? Comme ces années me paraissent lointaines! ajouta-t-il rêveusement. Et faut-il que je sois devenu un très vieil homme pour me rappeler qu'en ce temps-là notre connétable de la Chipaudière s'appelait tout bonnement Nicolas Magon et que Noël de l'Epine se nommait Danycan. Notre chère Mme de la Touche était encore notre bonne Mme Porée, elle l'est toujours, et M. de la Ranceraie était fier d'être le capitaine Le Coz. A vous tous qui m'avez fait l'amitié de venir jusqu'ici, permettez-moi de porter une santé, et en premier à la comtesse. »

Clacla adressa à tous ses hôtes un sourire qui crispait légèrement son visage. M. de Couesnon lut dans les yeux de son épouse que son petit discours valait bien cinquante mille livres et, tout en caressant sa croix pectorale Mgr Desmarets songea qu'il connaissait aujourd'hui un peu mieux qu'hier ces étranges messieurs de Saint-Malo. Placée à la droite de l'évêque, Clacla affectait un air modeste et surveillait le service des deux escogriffes qui tournaient autour de la table avec leurs flacons. La conversation redevint générale et prit un tour animé. Autant qu'ils étaient, à part le prélat, ils ne s'intéressaient à rien d'autre qu'à leurs affaires. Noël Danycan, qui avait envoyé deux navires à la

Chine, confirma sa décision de prendre la direction de la nouvelle Compagnie de Saint-Malo dès que les pouvoirs de la Compagnie des Indes orientales lui seraient enfin octroyés. Nicolas Magon ne nia pas qu'il espérait obtenir pour son ami Crozat le privilège du commerce avec la Louisiane, et Mme de Morzic expliqua sans vergogne comment elle s'y prenait pour négocier au meilleur change les piastres de la mer du Sud : elle les vendait à des banquiers suisses ou suédois qui lui faisaient tenir des lettres de crédit sur des places étrangères. Charmé de ces Malouins, Mgr Desmarets fit connaître qu'il prendrait volontiers quelques parts d'armement pour Callao.

Les trois plus jeunes, dont les relations avec Versailles et la haute finance étaient peu comparables à celles de leurs grands anciens, écoutaient mi-respectueux mi-goguenards. A la fois plus élémentaires et plus audacieuses, leurs méthodes convenaient à leur souci d'engranger le plus vite possible le métal qu'ils transformeraient aussitôt en nouveaux navires et en belles demeures où s'entasseraient plus de meubles précieux qu'ils ne pourraient jamais en utiliser à l'occasion des réceptions et des fêtes que chacun se proposait de donner une fois la paix signée. Pour en avoir été complice désintéressé, M. de Couesnon qui connaissait mieux que personne leur secret se garda d'en lever le moindre coin de voile. Par précaution, à son retour du Port-Louis, il n'avait même pas rendu la moindre visite au capitaine Carbec dont la belle-mère allait pourtant devenir son épouse. Discrètement, il se contenta de demander à Marie-Léone :

« Avez-vous fait un bon retour de promenade, l'autre jour?

— Aussi bon que je l'avais prévu.

— Il faudra revenir nous voir. Je crois savoir que la comtesse de Morzic serait heureuse de mieux

692

vous connaître, vous et vos enfants. N'est-elle pas déjà la belle-mère de Jean-Marie ? »

Il dit encore :

« Et Jean-Marie n'était-il pas le plus ancien ami de mon malheureux fils ? »

Pour leur part, les femmes parlaient des affaires de leurs hommes comme si elles y avaient été étroitement associées et se fussent déjà préparées à devenir des veuves redoutables. Marie-Léone n'était pas la dernière à tenir bon caquet mais ne pouvait s'empêcher de regarder du côté de son père qui, à l'ordinaire si bavard, prenait moins part que les autres à la conversation. La perfidie aiguisée tout à l'heure par Emeline, le capitaine Le Coz l'avait d'abord écoutée avec indulgence, ça n'était pas la première fois qu'il s'était aperçu qu'Emeline supportait mal le succès des autres, beauté, honneurs ou argent, même quand il s'agissait de sa fille. Au cours du repas, sans qu'elle s'en doute, il l'avait observée jusqu'au moment où il lui était apparu, tout à coup, qu'Emeline était devenue une vieille femme comme si quelque fée eût frappé son visage d'une baguette maléfique ainsi qu'il arrive dans les contes. Il en avait été bouleversé. Une multitude de souvenirs insignifiants, disparus de sa mémoire depuis longtemps, avaient alors tourné autour de lui une mauvaise ronde dont il ne parvenait pas à rompre le cercle, et il s'était demandé, pendant que les autres parlaient de la mer du Sud, des piastres, du change et des mines de Potosi, s'il avait jamais bien connu Emeline Lajaille. Plus isolé de leurs propos qu'un sourd l'eût été, il avait tendu trop souvent son verre aux laquais empressés de le remplir, si bien que M. de Couesnon lui lança gaiement à travers la table :

« Tout bon gentilhomme que vous voilà devenu, attention à la goutte, monsieur de la Ranceraie !

— Marchez donc ! La goutte n'a jamais fait mourir

un vrai Malouin », avait répondu le capitaine en tendant à nouveau son verre.

A la fin du repas, Yves le Coz dut prier Jean-Marie de l'aider à se lever. Sa tête demeurait cependant assez claire pour lui demander :

« Un repas comme celui-ci, avec Emeline, Clacla, Mme Porée, toi et moi, ça ne te rappelle rien, mon gars ?

– Si, cela me rappelle le repas du baptême de Marie-Léone. C'est même la veille de ce jour-là que vous m'aviez appris le mariage de mon père. »

A quelques pas d'eux, la comtesse de Morzic répondait à celles qui lui faisaient compliment pour l'ordonnance de la réception : « C'est une bagatelle ! Dès que le roi aura signé la paix, nous ferons construire nous aussi sur les remparts de Saint-Malo. Il me tarde de revenir en ville et d'y habiter. »

Elle va trop vite, pensa M. de Couesnon qui l'avait entendue et il eut un de ces sourires dont personne n'aurait pu dire s'il était gai ou triste. Lorsque tout le monde fut parti, Clacla posa doucement sa main sur celle de son mari.

« Merci, pour ce que vous avez répondu tout à l'heure à Emeline Le Coz.

– Madame, ne me remerciez pas. Je rembourse comme je peux. »

L'ESPOIR d'une paix prochaine s'effaça une fois encore au lendemain de Malplaquet, les conditions imposées par l'ennemi avaient été plus intolérables que les précédentes. Peu de personnes connaissaient le secret des négociations mais le seul mystère dont elles étaient entourées provoquait la naissance spontanée des pires suppositions qui se trouvaient elles-mêmes en deçà de la vérité. A Saint-Malo, où chacun prétendait être mieux renseigné qu'ailleurs, on racontait que le roi avait bien accepté de céder toute l'Alsace et offert un million de livres par mois pour l'entretien des troupes qui combattraient le roi d'Espagne, mais qu'il avait refusé d'engager ses propres armées contre son petit-fils. Après avoir désespéré de la guerre, on désespérait de la paix. La rumeur, bientôt confirmée, d'un succès militaire franco-espagnol remporté du côté de Barcelone permit de faire accepter plus facilement de nouveaux impôts et de lever encore plus de milices.

Un soir d'hiver de cette année-là, Jean-Marie Carbec ne rentra chez lui que quelques instants avant le couvre-feu. La maison était silencieuse, une grosse lampe éclairait l'escalier. Passant devant la petite chambre située à côté de la cuisine, il entendit la voix de maman Paramé :

« C'est-il toi, Jean-Marie?

– Oui. Tu ne dors pas encore?

– Tu as été encore boire la goutte à La Malice?

– Laisse-moi tranquille, bonne nuit. »

Marie-Léone l'attendait sur le premier palier, un bougeoir à la main.

« Vous voilà enfin! Vous m'aviez dit que vous ne rentreriez pas tôt, mais il est bien tard. J'ai été inquiète. Vous n'avez pas pris froid? Vous êtes transi. Depuis quelque temps, je vous entends souvent tousser.

– Dieu merci, l'hiver est moins rude que l'an dernier. »

Ils étaient entrés dans le petit cabinet où l'armateur aimait travailler, face à la mer, et où il rangeait les registres des affaires en cours.

« Pardonnez-moi, s'excusa-t-il, la discussion fut plus longue que je ne croyais. L'affaire est d'importance.

– Avez-vous soupé, au moins?

– Nous n'avions pas même le temps d'y penser. J'ai faim.

– Je descends à la cuisine. »

Jean-Marie s'installa dans un large fauteuil, dégrafa son justaucorps, tendit ses mains vers la cheminée où d'énormes braises rougeoyaient, et se donna de grandes tapes sur la poitrine et sur les flancs pour se réchauffer comme il faisait sur le pont des navires où il naviguait autrefois. Depuis son mariage, déjà huit ans, il n'avait pas repris la mer. Devenu plus armateur et marchand que capitaine, il avait croché à terre, bâti une maison, fait trois enfants à sa femme, n'était pas même sorti une seule fois en course malgré la guerre. Il en avait un peu honte car les capitaines Troblet et Biniac, eux-mêmes encalminés dans leurs aises, avaient été cueillir de bonnes prises jusqu'au nord de la mer d'Irlande.

Sur un des panneaux lambrissés, l'épée d'honneur offerte par le roi était pendue par sa bélière à un gros clou de bronze. Depuis combien de temps? Jean-Marie compta sur ses doigts et dut recommencer plusieurs fois pour admettre que dix-sept années avaient passé depuis le bombardement de Saint-Malo. Il menait la vie d'un riche bourgeois, attentif à ses écus, bon père de famille, les pieds au feu, surveillé de près par sa femme qui s'entendait à déjouer les pièges des contrats à la grosse et faire rentrer les créances, intraitable dans le gouvernement de la maison, pieuse à la messe, chaude au lit. La petite pièce où il se tenait ce soir résumait sa prospérité et ses ambitions. Il s'y sentait aussi à son aise qu'il avait éprouvé naguère du plaisir à se trouver dans la salle de la vieille maison de la rue du Tambour-Défoncé, même s'il regrettait parfois les gros meubles, noirs et usés à force d'avoir été frottés, que Marie-Léone avait remplacés par des menuiseries claires, marquetées, souvent ornées de bronze. La fenêtre qui s'ouvrait sur les remparts était masquée ce soir par un jardin de fleurs étranges qui riaient sur des rideaux de toile peinte offerts par Clacla. Du Port-Louis, elle en avait ramené des caisses à la Couesnière : les ordonnances interdisaient qu'on les vendît, non qu'on les donnât. Jean-Marie était heureux de l'amitié qui s'était vite nouée entre la comtesse de Morzic, Mme Carbec, et les trois garçons qui n'avaient de cesse de réclamer la présence de « tante Clacla ». Le jour de sa première visite, maman Paramé qui ne l'avait jamais vue autrefois l'avait tout de suite reconnue. Tournant la tête, elle s'était sauvée, trouvant refuge dans son lit clos, comme une bête dans son terrier, où elle était restée enfermée deux jours avant de déclarer, mourant de soif et de faim, qu'elle voulait s'en retourner chez elle, dans sa maison, à Paramé. Ça n'était pas la première fois que de telles humeurs lui faisaient tourner les sangs. Jean-Marie avait haussé les épaules et tenté de la raisonner. A son âge, vieille comme elle était devenue, que ferait-elle toute seule? « J'irai pêcher des coques. » Têtue, elle avait commencé de rassembler ses hardes dans son coffre. A la fin, Jean-Marie avait lancé la bouée à laquelle elle se raccrochait toujours :

« Tu ne m'aimes plus, que vais-je devenir sans toi?

– Tu n'as plus besoin de moi, tu as ta Marie-Léone.

– Et mes trois gars? Tu n'es donc plus leur grand-maman Paramé? »

Elle avait levé vers lui ses yeux clairs, délavés, noyés d'eau tremblante au bord des cils ras, et elle avait fini par faire sortir de sa gorge tout son ressentiment.

« Oh! les grand-mères, c'est pas ça qui leur manque à cette heure! »

Jean-Marie avait compris. Comme tant d'autres fois, il l'avait serrée contre lui, embrassée, étouffée, grondée, fait tourner ses grosses jambes jusqu'à la soûler de rires et de plaisanteries sur ses vieilles tétasses. Elle n'était pas partie, mais elle demeurait plus souvent couchée dans son lit clos, au rez-de-chaussée de la maison, épiant toutes les allées et venues comme un vieux chien reconnaît les pas familiers, et disant : « C'est toi, Jean-Marie? »

Marie-Léone revint de la cuisine avec une crêpe de blé noir sur laquelle deux œufs avaient été cassés, et avec un cruchon de cidre. Enfermés dans leurs murailles, les Malouins ne disposaient plus guère de réserves : les greniers étaient devenus aussi vides que les celliers. Seuls ceux qui avaient resserré du numéraire parvenaient à se procurer dans l'arrière-pays des choux, des raves, parfois des œufs, qui coûtaient une fortune. Grâce au petit jardin de Paramé, surtout à la générosité de tante Clacla, la famille Carbec demeurait privilégiée. La plupart ne mangeaient que du poisson lorsque les barques pouvaient sortir. Par chance, un petit senau qui était allé chercher du grain dans les pays de la mer Baltique avait réussi à rentrer à Saint-Malo sans se faire prendre par un Hollandais ou un Anglais.

Jean-Marie dévora sa crêpe comme un goinfre, avec des grognements satisfaits. Marie-Léone regardait en riant sa mâchoire de carnassier, sa grosse tête bouclée, son encolure de forgeron, tout le contraire des beaux cavaliers dont on rêve au couvent. Il n'aura jamais de manières mais je l'aime ainsi. Du plus loin de sa plus lointaine mémoire, elle l'avait toujours aimé, sans savoir pourquoi, sans se poser la moindre question, hier comme une enfant, aujourd'hui comme une femme, sans cesser tout à fait d'être une petite fille parce qu'elle comprenait qu'il s'y laissait prendre avec la complaisance d'un homme de son âge.

« Votre crêpe est-elle bonne?

– Délicieuse!

– Aussi bonne que celles que vous faisait autrefois maman Paramé?

– Aussi bonne. Elle est peut-être meilleure, seulement...

– Nous y voilà!

– Je vous dis qu'elle est meilleure, mais il y manque un je-ne-sais-quoi...

– ... que seule votre nourrice savait y mettre?

– Peut-être?

– Eh bien, c'est elle qui vient de la faire! »

C'était un de leurs jeux. Ils étaient parvenus à se créer un univers clos, fait de souvenirs et de clins d'œil, de confiance et de complicité, de mots de passe et de gestes plus secrets où ils respiraient à l'aise sans même savoir que l'amour profond de deux êtres naît des minuscules habitudes qu'ils ont l'un de l'autre, comme le dessin d'une tapisserie surgit d'une invisible multitude de petits points noués derrière la trame.

« De quelles affaires si importantes vous a donc parlé M. Trouin? » demanda Marie-Léone.

Une légère inquiétude fêlait sa voix. Tout le monde savait que le héros malouin courait la mer depuis l'âge de seize ans et qu'il demeurait toujours plus soucieux de gloire que de profits. On ne comptait plus les navires ennemis qu'il avait pris à l'abordage, capturés ou coulés avec une audace qui balançait sa chance et son courage. Pour autant qu'ils étaient fiers de leur corsaire, les armateurs eussent sans doute préféré qu'il se lançât sur les paisibles *Indiamen* retour de Surat ou des Moluques que sur des vaisseaux de ligne, mais se moquant des consignes prudentes adressées par les messieurs de Saint-Malo à leurs capitaines, M. Trouin faisait la guerre. Le roi, qui y trouvait son compte, l'avait anobli et nommé capitaine de vaisseau. Dès lors, le corsaire avait ajouté à son nom celui du village du Gué où ses parents l'avaient autrefois mis en nourrice et il n'avait plus commandé que des petites escadres au lieu de manœuvrer en solitaire.

Chez sa sœur aînée qui s'entendait à tenir les comptes de la famille, René Trouin avait réuni ce soir-là quelques armateurs de sa génération pour leur faire part d'un grand projet qui lui tenait à cœur : prendre Rio de Janeiro, rançonner la ville pour punir les Portugais d'être passés à l'Angleterre, et délivrer du même coup le millier de prisonniers français, pour sûr des Bretons, qui y pourrissaient. Le roi avait donné son accord et fournirait les navires à condition que les Malouins participent aux dépenses d'armement, vivres, munitions, paie des officiers et des matelots.

« Il faudra beaucoup d'argent ? questionna Marie-Léone.

– Dame ! Nous avons calculé que sept vaisseaux de ligne et six frégates seraient nécessaires. Cela représente plus de sept cents canons et près de six mille hommes à embarquer.

– Vous ne vous en tirerez pas à moins de deux millions de livres, dit Marie-Léone après un rapide calcul.

– C'est le chiffre provisoire auquel nous nous sommes arrêtés, convint Jean-Marie en regardant sa femme avec des yeux admiratifs. Mon père disait souvent que les femmes sont comme les paysans, même celles qui n'ont jamais appris à lire savent toujours compter.

– Vous-même, Jean-Marie, combien comptez-vous placer dans cette affaire ?

– Nous n'en sommes pas encore là, dit-il prudemment.

– Demandez donc à tante Clacla ce qu'elle en pense. Elle est de bon conseil et elle prendrait peut-être des parts ?

– Le plus difficile, ça ne sera pas de trouver l'argent, mais assez de bons capitaines et de bons officiers. Il n'y en a pas beaucoup qui connaissent ces parages. »

Jean-Marie prononça cette dernière phrase en baissant la tête, comme pris en faute. Elle s'en aperçut et demanda :

« N'aviez-vous pas fait escale à Rio de Janeiro lorsque vous êtes allé pour la première fois dans la mer du Sud avec votre ami Guy Kergelho ?

– Oui, dit-il en rougissant. En ce temps-là, nous ne faisions pas la guerre au Portugal.

– M. Trouin doit donc penser que vous feriez un bon capitaine pour une telle expédition.

– Trouin doit le penser de tous ceux qui étaient réunis tout à l'heure. Il y avait là Troblet, Biniac, Le Fer, Chapdelaine, Pépin. Danycan est venu lui aussi avec d'autres. Cela ne veut pas dire que nous avons accepté. »

Comme elle eût fait avec un pistolet, Marie-Léone maintenait Jean-Marie, toujours mauvais menteur avec elle, sous son regard bleu. Il hésita un instant avant d'avouer.

« Pour tout vous dire, notre réunion n'a pas duré si longtemps. Quand nous en sommes partis, nous sommes allés, Biniac, Troblet et moi, à La Malice pour en discuter entre nous.

– Et qu'en avez-vous conclu?

– Rien, sinon d'en parler à nos femmes.

– Eh bien, voilà qui est fait, Jean-Marie! »

Embarrassé, il dit à mi-voix :

« Pas tout à fait, il reste le plus difficile. De toute façon nous ne partirons pas avant le mois de juin, dans six mois.

– J'avais compris », souffla-t-elle.

Son visage s'était tout à coup durci, comme au temps où petite fille elle déguisait ses chagrins en colère pour ne jamais pleurer devant les autres. Il la prit dans ses gros bras :

« Tu es une bonne Malouine, non? »

La petite flotte de Duguay-Trouin prit la mer le 9 juin de l'année 1711. Promu au commandement en second d'un de ses navires, Jean-Marie Carbec avait souscrit une part importante à son armement mais, toujours fidèle aux vieux principes paternels, il avait obtenu de participer à l'avitaillement de quelques bâtiments. Ses parts se trouvèrent donc ainsi remboursées avant même que l'escadre se fût rassemblée devant La Rochelle.

Quelques jours avant son départ, maman Paramé

le fit entrer dans la petite chambre où elle s'enfermait pendant de longues heures avec Cacadou.

« Alors te voilà bientôt reparti?

– Dame oui! répondit-il le visage radieux, en montrant le petit sachet pendu à son cou. Je l'ai toujours, tu vois.

– Tous autant que vous êtes, qu'avez-vous donc dans les sangs? T'en as pas assez, d'écus?

– Cette fois, ça n'est pas pour les piastres. Tu ne peux pas comprendre.

– Je ne peux pas comprendre? Oui, je suis une pauvre vieille bête, c'est vrai. Mais toi, tu ne vois rien de rien!

– Qu'est-ce que je ne vois donc pas?

– Je sais ce que je dis.

– Parle donc!

– Tu n'as seulement pas vu que ta femme est grosse!

– Marie-Léone? Tu en es sûr?

– Oui, même qu'elle te le cache, pauvre petite sainte, pour ne pas t'empêcher de partir. Moi, je te le dis parce que ces choses-là, quand on s'en va pour longtemps, il vaut mieux les connaître au départ qu'au retour, des fois qu'on aurait de mauvaises idées. T'as compris, mon gars? »

Jean-Marie s'était jeté dans l'escalier, et avait cherché Marie-Léone dans toute la grande maison. Il la découvrit vomissant dans une cuvette, voulut l'aider et multiplia les maladresses. Livide, confuse d'avoir été surprise, elle le repoussait :

« Laissez-moi! Ces sortes de spectacles ne sont pas faits pour les hommes », dit-elle entre deux hoquets.

Quand elle fut apaisée, il la prit dans ses bras comme une enfant et la porta dans leur chambre, là-haut, au dernier étage, d'où l'on découvrait la mer malouine avec ses bés, ses îlots fortifiés, l'embouchure de la Rance où le printemps habille les jardins en robes à fleurs. Il la posa sur le lit à baldaquin et la gronda doucement, inquiet autant qu'heureux de cette nouvelle.

« Pourquoi ne m'as-tu rien dit? »

Elle confessa qu'elle n'avait voulu ni influencer sa décision d'accepter ou de refuser la proposition de M. Trouin, ni troubler ses préparatifs de départ, encore moins refroidir la joie que cette affaire de Rio de Janeiro lui apportait.

« Vous êtes si heureux de partir, Jean-Marie!

— Si vous me l'aviez dit plus tôt, je ne me serais jamais engagé aussi loin, protesta-t-il. Aujourd'hui que le rôle de l'équipage est au complet et que nous appareillons dans quinze jours, il me sera plus difficile de poser mon coffre à terre. Quand cet enfant doit-il naître?

— A la fin du mois de décembre. Vous penserez à moi à ce moment-là, et lorsque vous reviendrez... Quand comptez-vous revenir?

— Trouin pense que nous serons de retour au mois de mars.

— Une belle petite fille vous attendra.

— Vous croyez que ce sera une fille? dit-il en riant.

— Dame! Il le faut bien, après trois gars. J'ai même trouvé déjà son nom et sa marraine.

— Dites-moi donc tout cela.

— Elle s'appellera Marie-Thérèse, et j'ai pensé qu'il vous serait agréable de demander à Mme de Morzic d'être sa marraine. »

Jean-Marie avait oublié depuis quelques années qu'il avait autrefois insulté la femme de son père. Il n'avait pas oublié le reste. La réussite de l'avitailleuse du Port-Louis ne lui était pas indifférente, non plus qu'elle fût devenue la maîtresse de la Couesnière. Cela le faisait même sourire. Lui aussi, parlant d'elle, disait « la comtesse Clacla ». Fils d'un ancien regrattier de la rue du Tambour-Défoncé, il était bien devenu lui-même, en quelques années, un des jeunes messieurs de Saint-Malo. Qui sait s'il n'achèterait pas une lettre de noblesse à son retour de Rio, ou si le roi ne lui en ferait pas le cadeau en récompense de ses services? Mais que Clacla puisse tenir un jour dans ses bras, au-dessus des fonts baptismaux, la petite fille que Marie-Léone attendait de lui, cela lui semblait sacrilège. De Clacla, même à son âge, montait encore une odeur de péché qui l'avait lui-même troublé, il n'y avait pas si longtemps, une odeur chaude, comme celle de Carioca et de Margarita, tandis que Marie-Léone sentait toujours l'air frais du petit matin.

« Non, pas Clacla! dit-il.

– Je le lui ai déjà promis », répondit-elle d'un ton sans réplique.

Pour la première fois, allaient-ils se quereller dans une telle circonstance, quelques jours avant le départ de l'escadre de Rio, et à propos de Clacla?

« Tu feras comme tu voudras, consentit-il. Clacla est une femme de tête. A tout prendre, il vaut mieux avoir pour marraine une femme riche et titrée. Je suis sûr qu'elle veillera sur toi pendant mon absence, la pauvre maman Paramé est trop vieille pour monter l'escalier. Je pourrais peut-être encore me démettre et en avertir tout de suite René Trouin. Le voulez-vous?

– Non, Jean-Marie. Vous m'avez demandé d'être une bonne Malouine, non? Eh bien, demeurez à votre tour un aussi bon Malouin que vous l'avez toujours été. Cette guerre n'est pas encore terminée. »

Hésitant un peu sur chaque mot, avec les mêmes précautions qu'elle prenait pour enlever un pansement collé sur le genou écorché d'un de ses garçons, elle dit encore :

« Vous avez trois gars. Je ne veux pas qu'on dise un jour que, pendant cette guerre si longue, leur père s'est contenté d'aller pêcher des piastres dans la mer du Sud. »

Marie-Thérèse naquit le 6 janvier de l'année suivante au milieu d'un grand branle-bas qui secouait toute la maison Carbec. Autour de Marie-Léone, et dès les premières douleurs, s'étaient affairées la matrone, Emeline le Coz, Mme de Morzic et Rose Lemoal, chacune se défiant du regard, voulant tenir un rôle, donner des conseils, apporter des soins, Clacla plus que les autres qui se sentait rejetée de leur compagnie parce que bréhaigne et essayait de rendre service en transportant des bassines d'eau chaude. L'accouchement de Mme Carbec fut plus laborieux que les précédents. Alors que les autres commères croyaient que tout allait être bientôt fini, Marie-Léone avait soudain poussé une plainte de bête et arrêté son travail. Ruisselante de sueur, les cheveux collés sur son visage défait, elle avait regardé les femmes avec des yeux terrifiés, et, tout à coup, comme une sorte d'écho, des pleurs et des cris d'enfants apeurés avaient succédé à ce hurlement. Sur le pas de la porte grande ouverte, se tenant par la main, les yeux pleins de larmes, les trois jeunes Carbec, abandonnés et inquiets, étaient montés eux aussi en haut de la maison et regardaient ce qu'on pouvait bien faire à leur mère.

« Rendez-vous donc utile! dit Emeline Le Coz à Mme de Morzic. Occupez-vous au moins de ces enfants au lieu de nous encombrer! »

Tante Clacla les avait emmenés pour les distraire jusqu'au moment où leur grand-mère descendit pour leur dire : « Le Bon Dieu vous a apporté une jolie petite sœur. » Clacla avait alors rejoint Marie-Léone qui la réclamait auprès d'elle. Penchée sur le berceau du nouveau-né, maman Paramé, tanguant sur ses jambes et mains jointes, contemplait un petit visage, pas plus gros que le poing d'une fillette, aux joues lisses, couronné d'une mousse blonde.

« Mon Dieu, qu'elle est belle! Pour sûr que t'auras pas besoin d'aller à Cézembre pour trouver un mari, toi! »

Les filles de Saint-Malo avaient en effet coutume d'y faire pèlerinage pour demander à saint Brédan de les aider à trouver un lézard à trois queues, condition nécessaire à leur mariage dans l'année. Clacla se pencha elle aussi sur le berceau, s'y attarda un long moment et, soudain, avec son pouce, traça un petit signe de croix sur le front de sa filleule. Quand elle releva la tête, un sourire paisible et doux que personne ne lui avait jamais vu éclairait son regard. Rose Lemoal fut si surprise de ce geste et de cette clarté qu'elle lui sourit, elle aussi pour la première fois.

Quelques jours plus tard, le capitaine Le Coz demanda qu'on lui amenât sa petite-fille. Cloué au lit depuis deux semaines par une nouvelle crise qui lui déformait le pied, des taches jaunes brunissaient sa figure demeurée jusqu'ici flamboyante. Le médecin qui le visitait tous les jours, un certain M. Broussais depuis la mort de M. Chiffoliau, ne cachait pas son inquiétude et recommandait qu'on fît boire à son malade plusieurs pots de tisane par jour. Marie-Léone, dont c'était la première sortie de relevailles, comprit en entrant dans la chambre de son père qu'il était gravement malade.

« J'espère que vous êtes heureux d'avoir une aussi belle petite-fille? »

Depuis la dernière fois qu'elle l'avait vu, il avait beaucoup maigri au point que ses yeux, hier petits dans sa grosse figure, s'étaient agrandis et faisaient ses joues plus plates. Sa voix demeurait toujours sonore, une voix de capitaine marchand, mais la fièvre brûlait ses mains. Il ne s'était pas rasé depuis plusieurs jours. Marie-Léone fut surprise de voir des poils blancs envahir le visage de son père. Jusqu'à présent, il était demeuré pour elle une sorte de géant invincible et débonnaire dont les orages annonçaient toujours des arcs-en-ciel.

« Oui, je suis très heureux d'avoir une petite-fille. Ne l'approche pas trop de moi. Je l'embrasserai lorsque cette foutue fièvre m'aura quitté.

— Un conseiller secrétaire du roi, M. de la Ranceraie, ne dit pas « une foutue fièvre », rectifia Mme Le Coz qui se tenait elle aussi près du lit.

— Laissez-moi regarder cette Marie-Thérèse ! Tu as eu raison de lui donner le nom de ma mère. Je crois que ma petite-fille sera une Le Coz du côté malouin. Celle-là, dit-il en la désignant du doigt, je vais lui constituer une dot qui lui permettra d'épouser un vrai marquis !

— Vous nous direz cela au moment de signer son contrat de mariage, plaisanta Marie-Léone.

— C'est bien loin ! » dit le capitaine Le Coz et, s'adressant à Emeline : « Emmenez donc ma petite-fille et laissez-moi seul quelques instants avec ma fille. Nous avons à causer tous les deux. »

Dès qu'ils furent seuls, le capitaine Le Coz dit à Marie-Léone :

« Veux-tu me rendre un service, ma fille ? Prends donc ce pot de tisane et verse-le dans mon pot de nuit.

— Non, je ne le ferai pas, vous devez le boire, M. Broussais l'a dit.

— Fais-le pour ton vieux père !

— Non.

— Tu es donc toujours entêtée ?

— Je suis une Le Coz, fit-elle en souriant. Vous allez en prendre un bol tout de suite, devant moi. Buvez donc.

— Avec toutes tes manigances, bougonna-t-il ravi, tu m'as toujours fait faire ce que tu voulais. »

Il but, exagérant une grimace pour la faire rire,

peut-être une dernière fois, cela faisait pitié, s'essuya les lèvres avec la manche de sa chemise.

« Tout ça ne sert plus à rien, dit-il lentement. Nous nous sommes toujours bien entendus tous les deux, n'est-ce pas, ma fille?

– Oui, mon père.

– Nous avons même partagé assez souvent des secrets tous les trois, ton grand-père Lajaille, moi et toi. Il faut que je te dise quelque chose qui va te faire de la peine, mais je dois te le dire pour que tout soit en ordre. Ne dis rien, laisse-moi parler. Je sais que tu as compris que je vais m'en aller ces jours-ci. Ne dis rien, je l'ai lu dans tes yeux, tout à l'heure, quand tu as ouvert la porte de ma chambre. Moi aussi, je le sais bien. Je dois avoir l'urine qui est passée dans le sang, allez savoir! Ecoute-moi bien. Ta mère m'a beaucoup aidé à devenir ce que je suis devenu. Nous nous sommes souvent querellés, tu la connais. Ça n'est pas une mauvaise femme, elle est aussi vaniteuse d'être nantaise que nous sommes orgueilleux d'être malouins. Ton grand-père Lajaille lui a légué assez de biens en propre pour qu'elle ne manque de rien, je lui laisserai cependant cette maison et une rente de cinq mille livres dont le capital sera versé, à sa mort, à l'hospice des matelots. Il faut qu'elle puisse tenir son rang, nous avons eu assez de mal à y parvenir! Ton frère Hervé va hériter ma charge de conseiller secrétaire du roi qui lui apportera plus de considération que d'argent mais qui en fera un noble homme, au même titre que moi. A son retour de Pondichéry, tu pourras l'appeler M. de la Ranceraie.

– Arrêtez-vous, mon père. Vous vous essoufflez! Il sera toujours temps de connaître vos intentions.

– Point. Je ne suis pas essoufflé, j'ai soif. Donne-moi donc un bol de cette foutue tisane. Une fois prélevée la dot de ma petite-fille, ma fortune sera partagée entre toi et ton frère, avec un préciput à ton bénéfice à cause de tes trois gars qui devront être établis. J'ai spécifié que mes parts dans la nouvelle Compagnie de Saint-Malo seront ta propriété personnelle. Il y aura gros à gagner du côté du Bengale et de la Chine. Dis-le bien à Jean-Marie.

— Vous le lui direz vous-même...

— Non, ma fille. Ton mari est au courant de tous les pions que nous avons avancés, son père et moi, pendant des années, pour parvenir à ce résultat. Personne n'y croyait. Jean-Marie, c'est presque mon fils. Je le connais mieux que ton frère. Hervé, c'est plus un Lajaille qu'un Le Coz mais c'est quand même un Malouin : quand il a envie de partir, rien ne l'arrête et il ne regarde plus derrière lui... A ton Jean-Marie, je vais laisser aussi quelque chose. Ce n'est pas de l'argent. Depuis qu'il est allé au Pérou, il est plus riche que moi. Tu vois ce petit cahier? Il m'a été rapporté des Indes par son oncle Frédéric, celui des gali gala. Vous y lirez tous les deux ses observations sur les procédés des tisserands et des teinturiers de Pondichéry pour préparer leurs toiles. Il faut que Jean-Marie et tes enfants en tirent profit parce qu'il n'est pas bon que notre numéraire quitte le royaume pour acheter des toiles peintes à ces Indiens qui ne nous achètent rien. Ce petit livre, c'est peut-être ce que je vous laisserai de plus précieux. Il faut encore que je te confie une mission. Ouvre ce tiroir. Prends le petit sac qui s'y trouve, il contient cinq mille livres en écus d'or. Emporte-le chez toi, aujourd'hui même, sans le montrer à ta mère. C'est un secret entre nous deux, oui? Tu le porteras chez maître Huvard, le notaire. Je l'ai averti. Il doit remettre cette somme à M. de Couesnon après ma mort. Le chevalier, je le connais. Il eût refusé une aumône, il sera heureux d'accepter un héritage : les grandes familles ne se construisent pas autrement, retiens cela, ma fille. Sa main droite tremble bien un peu trop, mais solide comme il est, cela lui permettra de faire encore un peu le gentilhomme sans rien demander à la comtesse Clacla. Tu sais, je l'appelle ainsi, histoire de rire un peu, parce que, la Clacla, j'ai toujours eu beaucoup d'amitié pour elle.

— C'est la marraine de Marie-Thérèse.

— Ta mère ne me l'avait pas dit. Tu as eu raison de la choisir. Ah! si tu l'avais vue danser la dérobée avec ses petits sabots! »

Cette fois le souffle du capitaine Le Coz était devenu plus court.

« Ne parlez donc plus et reposez-vous.

— Je crois que je vais faire un petit somme. Reviens me voir demain si tes enfants t'en laissent le temps. Non, ne les amène pas. Je ne suis pas beau à voir. Les enfants sont comme les chiens, l'odeur de la fièvre leur fait peur. »

Trois jours plus tard, sa cloche d'une main, sa lanterne de l'autre, le crieur juré parcourut les rues de Saint-Malo en psalmodiant : « Priez pour le repos de M. Yves Le Coz de la Ranceraie, écuyer, conseiller secrétaire du roi, capitaine armateur, qui vient de trépasser en son logis de la rue Saint-Benoît... »

Les cloches qui avaient sonné le glas pendant qu'on aspergeait d'eau bénite le cercueil du capitaine Le Coz s'ébranlèrent de nouveau à la fin du mois de février pour célébrer l'heureux retour de M. Duguay-Trouin. Après avoir défait la flotte portugaise et réduit les forts qui défendaient la baie, le Malouin était entré dans Rio de Janeiro, avait délivré les mille prisonniers et menacé le gouverneur de livrer la ville au pillage et de la raser s'il ne lui versait pas une rançon de cent mille cruzades. Il y avait des années qu'une vraie victoire française n'avait pas été célébrée avec tant d'éclat dans une église du royaume. Entouré de tout son chapitre, Mgr Desmarets, mitre d'or en tête et crosse en main, entonna lui-même le *Te Deum* pendant que les thuriféraires, vêtus de robes bleues recouvertes d'un surplis de dentelle blanche, balançaient des encensoirs sous le nez des héros groupés dans le chœur de la cathédrale, en face de la foule qui murmurait leurs noms : Duguay-Trouin, Gouyon, Beauve, Le Fer, Biniac, Carbec, Kerguelen, Pradel, d'autres encore, et disait plus bas celui des capitaines disparus. Sur les dix-sept navires partis de La Rochelle, trois avaient été engloutis par la tempête avec leur équipage et un million de butin.

Sur les bancs réservés aux dames de Saint-Malo, Marie-Léone s'était agenouillée avec ses trois garçons : Jean-Pierre, neuf ans, Jean-François, huit, et Jean-Luc, six. A côté d'elle, sortie pour la circonstance du couvent où elle s'était retirée après avoir examiné l'inventaire dressé par le notaire, Mme Le Coz de la Ranceraie s'abîmait dans des souvenirs qui, sous son petit voile de deuil, lui gravaient un visage de reine de théâtre. Il y avait là aussi toutes les dames de la famille Magon, Mmes Trouin, Danycan, Porée, Dufresne, La Chambre parmi toutes celles qui, d'un léger coup de menton, se montraient la comtesse Clacla dont personne n'aurait osé se moquer en face. Ni les cloches sonnées à toute volée, ni les chants repris en chœur, ni même la présence des capitaines victorieux dans leurs beaux habits galonnés, ne parvenaient cependant à donner à la cérémonie voulue par Mgr Desmarets un air de gloire, encore moins de fête. Tous les fronts demeuraient soucieux.

Comme ils s'étalaient sur toutes les provinces du royaume où il semblait que le malheur ne connaîtrait jamais de fin, l'inquiétude et le chagrin avaient fini par franchir les remparts de Saint-Malo. Non repus d'avoir massacré des milliers de soldats sur les champs de bataille, d'avoir accumulé des défaites et ruiné la France par le froid autant que par la guerre, quels dieux infernaux s'en prenaient maintenant au roi lui-même en lui tuant ses enfants et permettaient au prince Eugène de rassembler en Flandre une armée de cent trente mille hommes décidés à s'ouvrir le chemin de Paris?

Avant de quitter la nef, l'évêque ouvrit tout grands les bras et proclama d'une forte voix : « Dieu sauve la France! » Tout entière, l'assistance répondit : « Dieu sauve la France! » Ce cri poussé depuis des siècles par un pays souvent menacé, c'était comme une vague qui s'en alla rouler à travers la cathédrale. Mme de Morzic en fut si troublée qu'à peine rentrée à la Couesnière elle dit, la gorge encore nouée : « Seul un miracle pourrait nous sauver! » Le chevalier ne l'avait pas accompagnée à Saint-Malo, il s'estimait devenu trop vieux pour se tenir longtemps debout ou agenouillé devant les autres, sauf dans l'église de son village où son état l'y contraignait.

« Un miracle? Vous voilà devenue bien dévote!

— Pourquoi pas? s'étonna Clacla. Vous ne croyez donc pas aux miracles?

— Il faut bien y croire, répondit-il sur un ton de légère ironie, c'est même la seule explication de ma présence ici.

— Cessez ce ton et prenez garde de mourir en état de péché si vous vous entêtez à raisonner comme un libertin.

— Bah! J'ai toujours pensé qu'il devait être plus agréable à Dieu de nous voir bien vivre que bien mourir. Non, ça n'est pas un blasphème, ne prenez pas cette mine, c'est même le contraire.

— En tout cas, votre ton n'est pas de mise aujourd'hui.

— Madame, tandis que vous étiez à l'église pour

remercier le Seigneur d'avoir permis à nos Malouins de rançonner ces Portugais du Brésil, j'ai honoré Dieu à ma convenance en relisant quelques pages de la Bible. Je me suis même attardé, voyez-vous, sur celles de l'Ecclésiaste qui sont attribuées au roi Salomon. Au moment où vous êtes arrivée, j'en étais à ce passage où il est écrit : « Tu subiras les conséquences », et je m'étais pris à penser que le roi, le nôtre, trouverait peut-être dans cette pieuse lecture une explication à ses chagrins domestiques et à tous nos maux. »

La comtesse Clacla avait-elle eu tort de croire au miracle? Personne ne douta en France que la victoire remportée le 24 juillet 1712 à Denain par le maréchal de Villars ne fût autant due à la Providence qu'à l'élan des troupes bousculant l'ennemi au-delà de l'Escaut et reprenant bientôt toutes les places fortes du Nord. Quelques mois plus tard, l'Europe épuisée, le roi était enfin parvenu à négocier des traités séparés avec l'Angleterre, la Hollande, le Portugal, le duc de Savoie, et le roi de Prusse. L'année suivante, c'était avec l'empereur d'Autriche.

M. de Couesnon n'eut pas le temps de savoir que la paix avait été enfin signée à Utrecht, puis à Rastadt, mais il eut la joie de connaître la victoire de Denain dont l'incontestable éclat effaçait d'un seul coup de soleil une longue suite de batailles perdues dans des conditions souvent honteuses, même pour un raisonneur de son espèce peu enclin à croire au génie militaire, et encore moins à peser ce qui peut bien différencier un général vainqueur d'un général vaincu. Quelques jours après la bonne nouvelle, comme son épouse lui demandait s'il niait toujours l'intervention de la Providence, le vieux gentilhomme avait d'abord répondu : « Dans l'affaire qui nous intéresse, vous me permettrez de croire au courage de tous ces braves gens qui ont chargé à la baïonnette. » Après un instant de réflexion, il avait dit aussi :

« La Providence? Peut-être. En tout cas, c'est une belle espérance. »

Et plus doucement :

« Je suis heureux que vous m'ayez épousé, Clacla. »

C'était la première fois qu'il l'appelait ainsi, presque avec tendresse. Elle en avait été toute remuée et n'avait pu exprimer son sentiment qu'en posant sa main sur celle de M. de Couesnon, sèche et plus tremblante que jamais. Le lendemain matin, Léontine avait trouvé le chevalier mort dans son lit. Elle était pourtant sûre de lui avoir tenu chaud jusqu'au moment de son sommeil.

AVEC le retour de l'été, on s'affairait partout à rentrer la moisson. Le tintement des faux qu'on aiguise, le grincement des charrettes, le battement des fléaux, et toute cette poussière blonde qui poudrait la campagne, rallumaient le bonheur de vivre. De mémoire d'homme en France, les blés n'avaient jamais été si serrés, les épis plus lourds, les granges plus remplies. Qu'une telle récolte puisse combler les silos et permettre une plus libre circulation des grains, cela ne tenait-il pas du miracle autant que la paix retrouvée?

Mme de Morzic en doutait aussi peu que d'elle-même, son respect de la religion s'étant toujours accordé avec celui de la prospérité et son goût d'entreprendre. Seule à son banc recouvert de velours rouge, dans la petite église où on célébrait la fête de la moisson, elle venait de recevoir, après la lecture de l'Evangile, l'hommage de l'encens. Agenouillée, le visage dans ses deux mains jointes, il lui semblait entendre encore la voix de M. de Couesnon : « Le miracle n'est-il pas la seule explication de notre mariage? » L'un autant que l'autre avaient su à quoi s'en tenir. Chacun avait fait la moitié du chemin, lui avec ses fleurons, elle avec ses écus. S'il y avait eu miracle, ils en avaient été tous les deux les organisateurs. Que ferait Dieu sans le secours des hommes? Ce qui l'étonnait le plus, ça n'était pas tant d'être devenue Mme de Morzic que d'avoir été épousée autrefois par Mathieu Carbec. Ce jour-là, elle avait franchi les frontières les plus difficiles. Les dames malouines lui en avaient davantage voulu de devenir une petite bourgeoise que, plus tard, de s'être mariée à un gentilhomme. Ces pétasses, elles pouvaient toujours l'appeler derrière son dos la comtesse Clacla, mais elles baissaient les yeux avec déférence, lorsque M. de la Chipaudière la plaçait à sa droite et que Mgr Desmarets lui adressait ces sortes de sourires sirupeux réservés aux plus généreux fidèles. Pour Mme de Morzic, il n'y avait point de miracle à cela, les contes sont pleins de citrouilles qui deviennent tout à coup des carrosses. Le prodige se situait ailleurs, derrière ses deux mains pieuses posées sur son visage. Comme on ranime une flamme, elle soufflait doucement sur la braise des vieux souvenirs de la rue du Tambour-Défoncé, la brutalité de Romain, la terreur d'être surpris éprouvée par Jean-Marie, les fringales de Mathieu qui se signait dans l'ombre après lui avoir fait l'amour. Le miracle, c'était d'être devenue la veuve de ce Mathieu-là, puis celle du père de ce jeune noble qui la troussait comme une volaille. C'était aussi d'avoir été choisie par la femme de Jean-Marie pour être la marraine de leur petite fille. Priés à la Couesnière pour la fête de la moisson, Jean-Marie et Marie-Léone, les trois garçons, la filleule sur les bras de Solène la nourrice, avaient accompagné Mme de Morzic à l'église. Pour eux tous, elle était la tante Clacla, celle qu'on montre aux autres. Les savoir derrière elle, dans cette petite église, faisait couler du miel dans le cœur de la dame de la Couesnière. Ces Carbec, c'était sa famille, le grand frisé qu'elle avait dépucelé à la sauvette aussi bien que l'ange qu'elle avait tenu sur les fonts baptismaux. A défaut d'ancêtres et de descendance, la comtesse Clacla aurait des héritiers. De toute sa vie, elle ne voulait se rappeler que ce qui s'était noué le soir où elle avait retrouvé, au Port-Louis, Jean-Marie rôdant rue de la Brèche. « Rentre donc, tu vas prendre froid. » Elle revoyait se dessiner la silhouette massive au creux de ses mains orantes qu'elle n'écarta de son visage que pour recevoir la communion portée par le prêtre sans qu'elle eût à bouger de son prie-Dieu.

Mme de Morzic avait invité tout le village, une centaine d'hommes, femmes et enfants, à venir après la messe à la Couesnière où des tables avaient été dressées dans la cour, entre la maison et la grande allée de chênes. « C'eût été la volonté du chevalier de Couesnon comte de Morzic, affirmait-elle, de fêter tous ensemble la paix et la moisson! » Veuve depuis deux ans, elle tenait désormais la place du défunt dans ses doigts solides où brillait toujours le rubis orné de petits brillants rapporté de Callao. Tous étaient venus, autant pour la regarder de plus près. Je vous le dis moi qu'elle a vendu du poisson à Saint-Malo! que pour manger une fois au-delà de leur faim. Avec tous les écus qu'elle a gagnés, elle peut bien faire ça, non? Quelques hommes manquaient bien autour des tables, à commencer par M. de Couesnon, Romain, et d'autres qui n'étaient pas revenus de la guerre, péris en mer ou dans les rangs de la milice provinciale, mais tout ce soleil du mois d'août, toute cette odeur de blé frais battu et de paille chaude, et tout le cidre qu'on buvait, ces pâtés et ces tourtes qu'on bâfrait, il n'en fallait pas tant pour rire, se donner des bourrades, bientôt chanter. Il y en eut même qui dansèrent au son d'un biniou. Un instant, Clacla fut tentée d'empoigner Jean-Marie pour l'entraîner dans une dérobée. A soixante ans, le sang lui jouait encore de ces tours. Elle appela les trois garçons et Marie-Thérèse pour tourner une ronde avec eux. Au moment de prendre congé, le curé, rouge de joie, la félicita de n'avoir pas cessé de prier pendant la messe.

La fête de la moisson terminée, chacun s'en alla après avoir remercié la comtesse de Morzic. Tante Clacla prit alors par le bras Jean-Marie et Marie-Léone et les emmena derrière la maison dont les hautes fenêtres donnaient sur la campagne. Comme il arrivait à toutes les Malouines, sa vie avait été commandée par la mer : son premier mariage avec un matelot du roi, la vente des maquereaux frais qui viennent d'arriver, ses noces avec Mathieu Carbec, plus tard l'avitaillement des navires de la Compagnie des Indes à L'Orient, et tout le reste, à Nantes, rejeté dans l'ombre de ses secrets. Devenue comtesse de Morzic, elle avait découvert avec la réalité de la terre toutes les sûretés et la stabilité qu'apporte la propriété d'un bien-fonds. A peine arrivée à la Couesnière, elle en avait fait le tour et n'avait eu de cesse d'en arrondir la superficie, achetant ici et là, sans barguigner, des parcelles abandonnées par des manants qui avaient fini par s'engager dans la marine où l'on est sûr de manger tous les jours. Sans le savoir, elle agissait comme tous les marchands et financiers de son temps qui cherchaient dans l'acquisition d'une terre et d'un titre nobiliaire la consécration que l'argent ne leur avait pas apportée. M. de Couesnon ne l'avait pas découragée. Au contraire. Là où il avait besogné avec ses jeunes gars, il ne lui déplaisait pas de voir la comtesse s'intéresser aux méthodes nouvelles de culture qui commençaient à forcer les vieilles routines de la Bretagne. Des tenures souvent revenues à l'état de friches, Mme de Morzic rêvait de faire un beau domaine.

« J'ai de grands projets, dit-elle. Ce champ de seigle que vous voyez arriver jusqu'à la maison, je vais en faire une grande pelouse qui s'ouvrira là-bas sur la campagne où j'ai acheté des parcelles. De chaque côté de cette pelouse il faudra planter un rideau d'arbres. Au milieu de l'herbe, il y aura des massifs de fleurs et, sans doute, un bassin. Il faut que les enfants puissent venir ici avec plaisir, autant qu'ils voudront. A Saint-Malo, vous avez la mer et les rochers, point de verdure. La façade de la maison, le comte l'avait restaurée en même temps que les cheminées. C'est la redistribution de l'intérieur qui sera le plus difficile. Trop de pièces communiquent entre elles, aujourd'hui cela s'arrange autrement. Vous m'y aiderez, Marie-Léone, avec l'expérience de votre belle demeure sur les remparts. Ici, ça ne sera jamais qu'une maison des champs, une malouinière comme on dit. Je voudrais qu'elle soit à votre convenance, puisque vous en hériterez un jour, et digne de votre état, monsieur l'écuyer. »

En entendant ce titre qu'on lui donnait pour la première fois, Jean-Marie rougit d'un plaisir enfantin. De la part du roi, il venait de recevoir une lettre de noblesse qui lui permettait, depuis la veille, de s'appeler maintenant Carbec de la Bargelière, nom d'une petite terre, quelques arpents, qui avait appartenu autrefois à une grand-mère mariée à un marchand de chandelles. Vêtue d'une robe légère, ronde et rose, semée de petites fleurs, Marie-Léone regarda son écuyer avec fierté. Ils revinrent à pas lents devant la maison, et s'attardèrent à regarder, sans dire un mot, la splendeur du soleil couchant sur la grande allée bordée de chênes qui s'ouvrait devant eux, droite et lumineuse comme l'avenir d'une belle vie.

La nouvelle compagnie des Indes de Saint-Malo n'avait pas perdu son temps. Avant même que le traité d'Utrecht fût signé, elle avait envoyé à Bourbon, à Pondichéry et au Bengale des agents pour prendre possession des bâtiments et faire connaître à tous les commis, du gouverneur au plus modeste garde-magasin, qu'ils devaient maintenant suivre ses directives. Les Malouins voulaient connaître s'il n'y aurait pas quelque intérêt à développer le commerce d'Inde en Inde, selon la formule que les Anglais appelaient le *country trade*, plutôt que d'échanger toujours du numéraire contre des étoffes et des épices. A son dernier retour, un capitaine avait rapporté que les marchands hollandais revendaient aux Arabes du golfe Persique les cotonnades, l'indigo et les diamants du Bengale payés avec le cuivre japonais et l'étain de Malacca. Un autre assurait que les marchands de Canton étaient prêts à donner de la poudre d'or en échange du bois de santal pour parfumer leurs bougies, d'holothuries ou de nids de salanganes qu'on irait chercher aux Moluques. Un troisième prétendait que les propriétés aphrodisiaques d'une certaine racine qu'on venait de découvrir au Canada dépassaient celles du ginseng de Tartarie pour lequel se ruinaient les Chinois : avec un capital de trois mille livres, il se faisait fort d'en rapporter trente-six mille.

Jean-Marie Carbec oscilla entre la vanité et l'orgueil de soi-même, lorsque M. de la Balue l'appela à siéger à ses côtés, le jour de l'assemblée générale de la Compagnie de Saint-Malo. Jamais on n'avait vu autant d'hommes importants monter ou descendre le bel escalier de l'hôtel de Fresne où les nouveaux directeurs recevaient les armateurs, capitaines, négociants, financiers, et autres marchands de rêves fabuleux qui avaient les deux pieds sur la terre et la tête dans les étoiles de la Croix du Sud.

« Messieurs, dit l'intendant qui avait tenu à présider cette première réunion, vous n'oublierez pas que les dispositions arrêtées par les traités qui nous ont ramené la paix vous interdisent désormais certains chemins. Nous avons dû céder Terre-

Neuve, mais nous avons gardé un droit de pêche dans la région du Petit Nord. Le privilège de la traite des nègres a été cédé à l'Angleterre. Enfin, le roi s'est engagé personnellement à ce qu'aucun navire français ne touche les ports de la mer du Sud, au Chili comme au Pérou. C'est à ce prix que la France a pu conserver l'Alsace et la Franche-Comté. Il me faut insister sur la ferme volonté du roi d'interdire tout commerce interlope avec les colonies espagnoles. Les capitaines et les armateurs qui y contreviendraient seraient frappés d'une amende de cent mille livres et, en cas de récidive, d'une lourde peine de prison, voire de la mort. »

Le plus clair résultat de la harangue prononcée cependant d'une voix ferme, et au nom du roi, par l'intendant, fut de faire sourire tous les messieurs de Saint-Malo. Ils en avaient entendu d'autres. Assis à côté de M. de la Balue, Jean-Marie ne partageait pas leur incrédulité. Il savait bien que ceux-ci ne renonceraient pas facilement à imaginer des audaces nouvelles qui les lanceraient sur les chemins du commerce lointain mais, insensiblement, ses nouvelles responsabilités lui commandaient déjà de ne pas engager les navires de la Compagnie sur les routes interdites par le roi. En face de lui, parmi les autres, il reconnut des compagnons avec lesquels il avait fraudé le Trésor. Aucun ne se résoudrait à rompre les liens noués avec les ports de la mer du Sud, quitte à braver le roi et aller à la Bastille comme cela était déjà arrivé à l'un d'eux. Jean-Marie lut dans leurs yeux ce qui les inquiétait le plus. Des permissions, ils en obtiendraient toujours, quitte à les payer, aussi bien pour les nègres que pour la mer du Sud. Mais comment s'y prendraient-ils pour revendre leurs piastres à un taux de change favorable maintenant que, la guerre terminée, les banquiers suisses et suédois ne pourraient plus les leur surpayer avec les bénéfices prélevés sur les huit cent mille livres mensuelles prêtées au roi de France pour l'entretien de ses armées en Flandre et en Alsace?

Comme il quittait l'hôtel de Fresne, Jean-Marie aperçut son beau-frère, Hervé Le Coz de la Ranceraie, désigné pour le commandement des *Deux-Couronnes*, navire de la nouvelle compagnie dont on achevait l'armement pour Pondichéry. Le capitaine était accompagné d'un jeune homme au visage pensif et doux, habillé avec soin, aux gestes mesurés.

« Je vous présente M. Dupleix, dit Hervé Le Coz. Il a été nommé enseigne en second à bord des *Deux-Couronnes*. Nous nous sommes liés d'amitié. »

Jean-Marie considéra le jeune homme sans indulgence. Ce béjaune ne ressemblait pas à un marin, ses mains étaient trop fines, sa place aurait été plus marquée dans un orchestre d'opéra. La Compagnie de Saint-Malo avait-elle déjà ses officiers du cotillon?

« Vous n'êtes pas d'ici? dit-il brutalement. Je ne vous ai jamais vu.

— Il arrive de Morlaix où son père dirige la ferme des Tabacs, répondit Hervé Le Coz.

— Avez-vous déjà navigué?

— Non, dit le jeune homme en rougissant. Je connais bien les calculs nécessaires à la navigation. C'est mon père qui m'a fait embarquer.

— Il vous y a contraint?

— Presque.

— Quel âge avez-vous?

— Dix-huit ans. »

Jean-Marie haussa les épaules.

« Tout cela regarde votre capitaine. Bon voyage, monsieur.

— Un moment, mon frère, dit Hervé Le Coz. M. Dupleix a l'esprit ouvert sur beaucoup de choses. Il est passionné de mathématiques, de musique, et de fortifications.

— Compliments. Il vous faudra aussi apprendre la marine. Pardonnez-moi, Mme Carbec et mes enfants m'attendent pour le dîner.

— Tandis que vous arriviez, s'entêta Hervé Le Coz, M. Dupleix me faisait connaître le meilleur moyen de changer nos piastres espagnoles. »

Jean-Marie revint sur ses pas :

« Vous connaissez aussi la finance ?

— Non, fit timidement l'enseigne, je m'y intéresse seulement. Le commerce lointain, c'est d'abord de la finance. Un ami de mon père qui a fait le voyage à la Chine, comme subrécargue, m'a rapporté qu'on donne là-bas une valeur plus importante à l'argent qu'à l'or et qu'on peut échanger celui-là contre celui-ci avec un bénéfice de cinquante pour cent. J'ai pensé que si on allait à Canton, en passant par le cap Horn au lieu de doubler le cap de Bonne-Espérance, on pourrait y revendre les piastres qu'on se serait procurées à bas prix dans les ports péruviens. Au retour, on n'aurait pas de peine à revendre l'or chinois à Genève, à Lyon, ou chez n'importe quel orfèvre de Paris. »

Jean-Marie l'avait écouté avec beaucoup d'attention. Il réfléchit un long moment.

« Le voyage serait bien long, dit-il. Mais à ce taux-là, cela vaudrait la peine d'y penser. Quand devez-vous appareiller, Hervé ?

— Dans dix jours.

— Venez donc souper un de ces soirs tous les deux. Vous en profiterez pour dire au revoir à votre sœur et à vos neveux. Vous m'avez dit que vous vous intéressiez à la musique, monsieur Dupleix ?

— Oui, monsieur le Directeur, je joue de la viole de gambe.

— Apportez donc votre instrument avec vous.

724

Mme Carbec joue elle-même assez bien du clavecin. »

Le jeune Dupleix, enseigne en second à bord des
Deux-Couronnes, et son capitaine vinrent bien souper chez Jean-Marie, mais ce soir-là le clavecin de
Marie-Léone demeura fermé. La France venait d'apprendre la mort de son vieux roi. M. Carbec de la
Bargelière jugea que son nouvel état, autant que sa
condition, lui interdisaient d'entendre une note de
musique.

D'où venait la bête qui mangeait la poitrine de
Jean-Marie? Elle s'était subitement jetée sur lui,
comme un grand coup de vent des mers du Sud,
l'avait terrassé et jeté au lit. Les premiers jours, il
avait lutté contre, attentif à ses traîtrises, sacrant
contre la toux qui le déchirait, cherchant sa respiration au fond du ventre et lampant des coups de
rikiki. Immobiles, ses larges mains pleines d'os
reposaient bien à plat sur les draps. A petits coups
rapides, un sifflement s'échappait de ses lèvres
entrouvertes. La fièvre lui chauffait les pieds, brûlait ses yeux, séchait sa gorge. Depuis une longue
semaine, son corps n'était plus son ami. Surtout, ne
pas dormir. Il avait peur d'être précipité dans un
trou de sommeil d'où il ne sortirait plus. Après
avoir déclaré se trouver en présence d'un flux
brutal de sang qui lui encombrait les poumons,
M. Broussais avait pratiqué une large saignée au
pied gauche. Maman Paramé était montée en haut
de la maison pour changer elle-même les draps
maculés. C'était son affaire.

« Dors, mon pauvre gars, je t'ai mis des draps
frais lavés. »

Jean-Marie s'était senti moins pressé par la fièvre
mais M. Broussais avait dû, dès le lendemain, remplir à pleins bords une autre cuvette. Cette fois, ni

la saignée ni la fraîcheur des toiles rincées à l'eau douce ne lui avaient apporté le moindre bien-être. Alors Jean-Marie avait compris que la bête ne le lâcherait plus.

Le dos et la tête bien calés par des oreillers, il écoutait la grande marée d'équinoxe se ruer sur les remparts. Au fracas des vagues, se mêlaient le hurlement des bourrasques et soudain une volée d'embruns qui cinglaient les vitres de la haute fenêtre, en face de son lit. Il n'avait pas besoin de voir la mer pour savoir que d'énormes paquets d'eau verte explosaient sur la Conchée, enfonçaient Cézembre à grands coups de bélier, déferlaient sur les Bés, tourbillonnaient autour des récifs. Depuis qu'il ne naviguait plus, il allait manquer pour la première fois le spectacle des grandes marées malouines. Dieu sait s'il en avait traversé des orages sous des ciels d'encre, là où des vagues plus hautes qu'une falaise surgissent soudain devant votre navire et en écrasent le gréement. Bon matelot, bon capitaine, et Dieu aidant, il en était toujours sorti à peu près indemne, jurant que s'il parvenait à rentrer rue du Tambour-Défoncé il ne lésinerait pas sur le poids des cierges, rangerait son coffre dans les greniers et se contenterait de vendre de la toile, du goudron, de la morue salée et des apparaux. Poussé par le goût de l'aventure et de l'argent, il était toujours reparti, et voilà qu'au moment où il avait croché à terre pour de bon, une foutue bête l'étranglait.

Rebroussés par le vent, des oiseaux blancs et gris passèrent derrière les vitres des fenêtres de la chambre où Jean-Marie allait mourir. Il entendit leurs cris rouillés percer le fracas des vagues et il pensa qu'en ce moment des gerbes d'écume devaient tremper les Malouins qui ne voulaient pas manquer leur tour de remparts un jour d'équinoxe. Au dernier mois de mars, il y avait passé plusieurs heures avec ses garçons. Il les revoyait tous les trois, Jean-Pierre, Jean-François, Jean-Luc, avec leurs vestes goudronnées et leurs bonnets de laine enfoncés jusqu'aux yeux, il entendait leur rire étouffé au fond de la gorge par le vent, et le clac des sabots courant sur les dalles de granit. Il sentait aussi, confiante et douce, la petite main de son dernier garçon se glisser dans ses doigts. Un soir de ce dernier automne, Jean-Pierre avait demandé : « Dites-nous comment vous avez sauvé Saint-Malo de la machine des Anglais? – Ça n'est pas moi, fils. – Si, tout le monde le dit à l'école... » Un goût de sel, semblable à celui d'une lame de couteau, lui monta soudain à la bouche, et une multitude d'images se bousculèrent devant ses yeux. Comme le timbre d'une pendule venait de tinter quatre fois, il pensa que c'était l'heure où la mer étale commençait à descendre. Tout à l'heure, la tempête s'apaiserait. L'aube ramènerait le tumulte. Lorsque la petite aiguille de la pendule tournant sur son cadran de cuivre serait revenue se fixer sur le même chiffre d'émail, il refermerait son livre d'images. Il en était sûr. Le temps d'une marée, c'est ce qu'il lui restait à vivre.

Jean-Marie aime cette grande chambre installée au dernier étage de sa maison, une pièce carrée de belles dimensions, avec des murs blancs rehaussés de filets d'or. Ses yeux voient encore la petite cheminée de marbre surmontée d'une glace biseautée, cloutée de cristaux, où se reflètent quelques figurines de porcelaine et un chandelier d'argent. Ils glissent sur les rideaux à longues rayures qui encadrent la fenêtre à petits carreaux, se posent enfin sur son lit à baldaquin tendu de damas rose comme l'a voulu Marie-Léone. C'est le décor d'une richesse gagnée avec autant d'habileté, parfois de ruse et de fraude, que de courage. Il ne rougit pas d'en avoir tiré vanité. C'est aussi celui d'un amour qu'il n'a jamais eu honte de manifester devant les autres, même lorsque les piastres de la mer du Sud lui ont donné accès aux lisières d'une société où il n'est pas convenable d'être amant de sa femme. Comme les années ont passé vite, et pourquoi le traite-t-on aujourd'hui comme un pauvre à qui on donne un bol de bouillon, alors qu'il est devenu un des messieurs de Saint-Malo, directeur de la Compagnie, écuyer? C'est cela la justice de Dieu? Il a posé la question ce matin au prêtre venu lui rendre la visite due aux malades. L'homme de l'Eglise a répondu des banalités d'usage récitées par cœur depuis qu'il les chuchote, sans rien y changer, à l'oreille des moribonds. Cette fois, il a pourtant cité en exemple la fin édifiante du grand roi qui, après avoir étonné le monde de sa munificence, n'est plus, depuis trois semaines, qu'un des humbles sujets du royaume de Dieu, mon fils.

« Oui, mon père, a répondu Jean-Marie d'une voix à peine perceptible, mais le roi avait soixante-dix-sept ans. »

Chrétien respectueux, un peu tremblant devant la mort car il a peur de l'enfer, Jean-Marie a voulu lui aussi se confesser, avouer ses péchés, en inventer au besoin pour être sûr de ne rien oublier. Ce soir, il se souvient de sa vie, mais ce matin il ne se rappelait plus rien, comme s'il eût été vidé de sa mémoire et qu'il fût redevenu un petit enfant qui revoyait seulement les tétasses de maman Paramé, les gros sourcils de son père, les gobelets de l'oncle Frédéric et Cacadou. Des ombres s'effilochaient sous ses paupières, s'évanouissaient malgré ses efforts pour tenter de leur donner une forme ou un nom. Comprenant son tourment, le prêtre lui avait donné l'absolution et Jean-Marie avait senti couler dans son corps le même bien-être éprouvé après la première saignée pratiquée par M. Broussais.

Maintenant qu'il a repris conscience de se trouver

dans sa chambre, sur son lit, il tend l'oreille pour essayer d'entendre quelque bruit familier de la maison. Le choc d'un chaudron montant de la cuisine le rendrait heureux. Il n'entend que la rumeur du vent, mais il redécouvre peu à peu le plafond, la fenêtre, le pan de mur où il a fait accrocher son épée d'honneur, la glace au-dessus de la cheminée. Il n'ose pas tourner la tête, à droite, parce qu'il sait que près du lit, assise sur une grande chaise cannée, se tient Marie-Léone dont il devine les mains nouées. Si leurs yeux se rencontraient, il tenterait peut-être un de ces mots puérils auxquels la présence de la mort confère une solennité dérisoire. Jean-Marie ne doit pas entamer le courage qui va être nécessaire à Marie-Léone pour élever les enfants. Je lui ai dit de faire un capitaine du premier, un armateur du second et de pousser le troisième vers les antichambres de quelque ministre pour aider les deux autres. Marie-Thérèse finira bien par épouser son marquis. Il paraît que les grandes familles se construisent de cette façon-là. Le chevalier de Couesnon m'a dit un jour que le temps des Carbec allait commencer. Marie-Léone va devenir veuve elle aussi, comme les autres, comme Clacla. Les veuves de Saint-Malo ont toujours su mener leur barque... L'espace d'une seconde, Jean-Marie imagina le corps de sa femme, tout nu, dans les bras d'un autre homme. Hier, il eût hurlé. Il n'en éprouva aucune morsure. Le monde des vivants ne l'intéressait plus, il devait économiser le peu de souffle qui lui restait pour attendre l'heure où les moribonds se rassemblent comme les oiseaux migrateurs au moment de leur départ vers des horizons perdus.

L'aiguille avait tourné sur le petit cadran de cuivre de la pendule. Marie-Léone se leva, éteignit le candélabre, alluma un simple chandelier, et s'agenouilla. Sois tranquille, Jean-Marie, nous allons prendre soin de tout. Oui, le temps des Carbec va commencer. A ce moment, la petite flamme de la bougie s'écarta du chandelier, dansa dans la chambre, se posa une seconde sur l'épée d'honneur, tourna autour du lit, puis traversa les carreaux comme pour aller rejoindre les étoiles de la nuit avant que l'aube ne les efface tout à fait. Elle se posa enfin sur la mer et se confondit avec le fanal d'un navire au mouillage où Jean-Marie reconnut la silhouette d'Yves Kergelho qui lui faisait des grands signes. Ho! capitaine, hâte-toi, c'est l'heure de la marée. Courbé sur ses avirons, lentement étouffé par l'eau qui envahissait la chaloupe où il avait pris place, Jean-Marie Carbec s'enfonça dans la houle du petit matin de la tradition.

DU MÊME AUTEUR

PISTE IMPÉRIALE, *Julliard.*
LA RECONQUÊTE, *Flammarion.*
DE LATTRE, *Flammarion.*
DE QUOI VIVAIT BONAPARTE, *Deux Rives.*
SUEZ, CINQUANTE SIÈCLES D'HISTOIRE
2e Grand Prix Gobert de l'Académie française, *Arthaud.*
MOI, ZÉNOBIE REINE DE PALMYRE
Goncourt du récit historique, *Albin Michel.*